勘定科目		課否	備　　考
	雑収入	○	現金過不足：－　作業くず：○　自販機設置手数料：○ 税金の還付加算金：－
営業外費用	支払利息	×	
	手形売却損	×	割引料：×　割引手数料：○
	為替差損	－	
	売上割引	○	対価の返還等に該当
	有価証券売却損	×	有価証券売却益に同じ
	雑損失	－	評価損：－
特別利益	受取保険金	－	
	各種引当金戻入額	－	
	固定資産売却益	○	土地等の売却：×　課税売上高は、譲渡対価　固定資産税等の精算金は譲渡対価
	債務免除益	－	
特別損失	固定資産売却損	○	固定資産売却益に同じ
	固定資産除却損	－	
	損害賠償金	－	品質の不良等（値引と認められるもの）：○

貸借対照表科目

貸借対照表科目は、通常課税取引に該当する可能性のあるものだけを記載してあります。

勘定科目		課否	備　　考
流動資産	商　品	－	課税事業者⇔免税事業者の場合の棚卸高：○
	前払費用	－	1年以内の短期前払費用で法人（又は個人）で費用計上したもの：○
有形固定資産	建　物	○	取得価額に算入された附随費用のうち 運送保険料：× 関税・不動産取得税・自動車取得税・登録免許税等：－ 固定資産税等の精算金は取得価額
	建物附属設備	○	
	機械装置	○	
	車両運搬具	○	
	工具器具備品	○	
	一括償却資産	○	
	土　地	×	仲介手数料：○　造成費用：○　土地取得に伴う取壊し予定の建物購入対価：○
無形固定資産	電話加入権	○	
	ソフトウエア	○	
	営業権	○	
投資その他の資産	差入保証金	－	事務所敷金等のうち返還不要分：○
	長期前払費用	－	費用算入時に：○
	ゴルフ会員権	○	ゴルフ場に支払った預託金、株式払込金：－
			ゴルフ場に支払った返還されない入会金及び名義変更料：○
			ゴルフ場以外の者に支払った預託金、株式、入会金の対価：○
	預け金	－	自動車リサイクル料で以下のもの　シュレッダーダスト料金、エアバック類料金、フロン料金、情報管理料：－
			資金管理料金（支払時費用処理）：○
	保険積立金	×	
繰延資産（会社法上）		○	取得価額に算入された租税公課：－

JN059877

STEP式

令和6年版

消費税申告書の作成手順

税理士 石原 健次 監修
税理士 田部 純一・税理士 三野 友行・税理士 田中 信大
税理士 平安 孝至・税理士 船橋 充 共著

清文社

はじめに

消費税は、法人税のように申告書作成時の申告調整等による処理が中心となるのではなく、日常的に行う会計処理に基づき、申告納税額を計算していく仕組みとなっています。日常業務の段階から適格請求書等の確認を行うなど適正に処理していなければ正しい納税額を計算することができません。

例えば、「当課税期間は課税売上高が５億円を超えそうだ」と予め認識して、日常業務の段階から課税仕入れについて課税売上高に対応するか否かの区分経理を行っていれば、個別対応方式による仕入税額控除を採用することができますが、日常業務で区分経理を行っていなければ個別対応方式を採用することはできませんし、結果として納税義務者の税負担が重くなってしまうこともあります。

通常、市販の会計ソフトにより会計処理と消費税の処理が行われています。会計ソフトでは、勘定科目別に設定された課税区分や税率区分に基づき自動的に集計することができますので、日常の処理を誤ってしまうと納付する消費税額の計算が不適正なものになってしまうとともに当期利益や法人税、所得税の申告納税額にも影響を及ぼします。したがって、消費税は日常業務の積み重ねにより適正に処理することが必要です。

本書では、消費税の準備業務にはじまり、日常業務における勘定科目別の課否判定について事例を織り交ぜながら、法人税との関連についても記載し、申告書作成業務においては、課税取引金額計算表を用いて納付税額の計算の仕組みを分かり易く解説しています。

また、令和５年10月から導入されたインボイス制度をはじめ、簡易課税制度、修正申告書の作成、消費税の特例適用等の要件である各種届出など実務に直結するよう記載例をあげて詳細に解説しています。

今回の改訂では、インボイス制度関連を中心とした国税庁HP掲載のQ&Aなどを多数の事例を追加掲載するとともに、消費税経理通達についても詳細な事例を掲載しています。また、インボイス番号の登録や取り消しについても届出書を新たに加え、ステップアップさせていただきました。

本書は、企業の経理担当者、会計事務所職員の方々が利用しやすいよう取引態様別に目次を設け、体系的概略については表紙裏の見開きに掲載しています。姉妹図書「ステップ式　相続税申告書の作成手順」とともに、マニュアル本として手元においてご利用いただき、お役に立てて頂ければ幸いです。

最後に、出版にあたり貴重なお時間と多大なご尽力をいただきました株式会社清文社編集部に感謝いたします。

令和６年８月

著者たちを代表して

石　原　健　次

●目次

Ⅰ インボイス編

No. 1 適格請求書発行事業者の登録 …… 2
No. 2 適格請求書等保存方式（インボイス制度）の導入 …… 16
No. 3 経過措置①（いわゆる「２割特例」） …… 30
No. 4 経過措置②（いわゆる「少額特例」） …… 36
No. 5 その他の経過措置と令和６年度改正点 …… 38

Ⅱ 消費税の概要

No. 6 消費税の基本的な仕組みと用語の意義 …… 42
No. 7 消費税の課税対象となる取引・ならない取引（課税・非課税・免税） …… 46
No. 8 軽減税率と適用税率の経過措置 …… 50
No. 9 課税仕入れの概要 …… 68
No.10 消費税額の計算の概要 …… 70
No.11 消費税額の計算方法 …… 74
No.12 消費税の申告 …… 80

Ⅲ 準備業務

No.13 課税事業者の判定をする …… 82
No.14 特定期間における課税売上高による納税義務の免除の特例 …… 86
No.15 特定新規設立法人の納税義務の免除の特例 …… 88
No.16 課税売上高の確認（売上計上時期など） …… 92
No.17 仕入税額控除の適用要件 …… 96
No.18 仕入税額控除の時期 …… 104
No.19 仕入税額控除の計算（課税方式の選択） …… 106
No.20 原則課税方式による控除税額の計算 …… 108
No.21 簡易課税方式による控除税額の計算 …… 112
No.22 消費税の経理処理を決定する …… 116
No.23 課税仕入れ等の用途区分（課税売上対応・非課税売上対応の区分） …… 124

Ⅳ 日常業務

損益勘定

No.24 売上高 …… 140
No.25 売上値引・返品（売上げに係る対価の返還等） …… 144
No.26 不動産賃貸収入 …… 148
No.27 輸出売上げ …… 154
No.28 非課税資産を輸出した場合及び国内にある資産を海外に移送した場合 …… 158
No.29 受取利息・受取配当等 …… 160
No.30 雑収入 …… 162
No.31 有価証券の譲渡 …… 164
No.32 固定資産の譲渡 …… 166
No.33 土地建物の一括譲渡 …… 168
No.34 みなし譲渡 …… 170
No.35 低額譲渡 …… 172
No.36 貸倒損失 …… 174
No.37 償却債権取立益（貸倒債権を回収したときの消費税額の計算） …… 178
No.38 仕入高 …… 180
No.39 仕入値引・返品（仕入れに係る対価の返還等） …… 184
No.40 輸入取引がある場合の仕入税額控除 …… 186
No.41 人件費と外注費 …… 192
No.42 福利厚生費 …… 194
No.43 旅費交通費 …… 196
No.44 通信費 …… 202
No.45 交際費 …… 204
No.46 租税公課 …… 208
No.47 個別消費税（酒税・たばこ税等）との関係 …… 210
No.48 広告宣伝費 …… 212
No.49 販売奨励金 …… 214
No.50 諸会費 …… 218
No.51 支払手数料 …… 220
No.52 地代家賃 …… 224
No.53 リース料 …… 226
No.54 荷造運送費 …… 228
No.55 その他の費用（寄附金、損害賠償金、キャンセル料・違約金、ポイント使用） …… 230

資産勘定

No.56 固定資産・繰延資産を取得した場合 …… 234
No.57 自動車リサイクル料金 …… 238

Ⅴ 申告書(一般用)を作成する

No.58 中間申告を確認する …… 240
No.59 税抜振替処理を確認する …… 244
No.60 消費税の課税区分を確認する …… 246
No.61 課税取引金額計算表を作成する …… 248
No.62 消費税の申告書を作成する（割戻し計算） …… 254
No.63 還付申告とは …… 280
No.64 納付税額・還付税額の経理 …… 284
No.65 控除対象外消費税額等の処理 …… 286
No.66 課税売上割合の計算方法 …… 290
No.67 税理士が添付書面を作成する …… 292

Ⅵ 申告書(簡易課税用)を作成する

No.68 簡易課税制度を選択する …… 300
No.69 消費税の申告書（簡易課税用）を作成する（割戻し計算） …… 308

Ⅶ 特殊な事例等

No.70 棚卸資産に係る消費税額の調整 …… 322
No.71 国境を越えた役務の提供がある場合（リバースチャージ方式） …… 324
No.72 課税売上割合に準ずる割合 …… 330
No.73 土地の譲渡があった場合の課税売上割合に準ずる割合 …… 332
No.74 調整対象固定資産①—転用した場合 …… 334
No.75 調整対象固定資産②—課税売上割合が著しく変動した場合 …… 336
No.76 輸出物品販売場における輸出免税 …… 340
No.77 課税事業者を選択する …… 348
No.78 消費税の（準）確定申告 …… 352
No.79 相続があった場合の納税義務の免除の特例 …… 354

No.80 合併・分割等があった場合の納税義務の免除の特例 …… 356
No.81 高額特定資産を取得等した場合の納税義務の免除等の特例 …… 360
No.82 高額特定資産である棚卸資産等について調整措置の適用を受けた場合の納税義務の免除の特例の制限 … 362
No.83 居住用賃貸建物の取得等に係る仕入税額控除の制限 …… 366
No.84 課税期間の短縮の特例 …… 370
No.85 特定非常災害に係る消費税の届出等に関する特例 …… 374

Ⅷ 修正申告書を作成する

No.86 修正申告書を作成する①（税込経理で原則課税の場合） …… 378
No.87 修正申告書を作成する②（税抜経理で原則課税の場合） …… 384
No.88 修正申告書を作成する③（税抜経理で簡易課税の場合） …… 394

Ⅸ 届出書等を作成する

No.89 消費税について各種届出をする …… 402
No.90 「適格請求書発行事業者の登録申請書」を作成する …… 406
No.91 「適格請求書発行事業者の登録の取消しを求める旨の届出書」を作成する 416
No.92 「適格請求書発行事業者の公表事項の公表（変更）申出書」を作成する … 418
No.93 「適格請求書発行事業者登録簿の登載事項変更届出書」を作成する …… 422
No.94 「消費税課税事業者届出書（基準期間用）」を作成する …… 424
No.95 「消費税課税事業者届出書（特定期間用）」を作成する …… 426
No.96 「消費税の納税義務者でなくなった旨の届出書」を作成する …… 428
No.97 「消費税課税事業者選択届出書」を作成する …… 430
No.98 「消費税課税事業者選択不適用届出書」を作成する …… 432
No.99 「消費税の新設法人に該当する旨の届出書」を作成する …… 434
No.100 「消費税の特定新規設立法人に該当する旨の届出書」を作成する …… 436
No.101 「消費税簡易課税制度選択届出書」を作成する …… 438
No.102 「消費税簡易課税制度選択不適用届出書」を作成する …… 440
No.103 「消費税課税期間特例選択・変更届出書」を作成する …… 442
No.104 「消費税課税期間特例選択不適用届出書」を作成する …… 444
No.105 「消費税課税売上割合に準ずる割合の適用承認申請書」を作成する …… 446
No.106 「消費税課税売上割合に準ずる割合の不適用届出書」を作成する …… 448
No.107 「任意の中間申告書を提出する旨の届出書」を作成する …… 450
No.108 「任意の中間申告書を提出することの取りやめ届出書」を作成する …… 452
No.109 「高額特定資産の取得等に係る課税事業者である旨の届出書」を作成する … 454

本書の利用にあたって

1 対　象　者

企業の経理担当者、税理士事務所職員の方で消費税申告書作成にまだ慣れていない方を対象にしています。

2 全体の流れ

３月決算法人であるステップ商事株式会社の令和６年４月１日～令和７年３月31日の課税期間を例にとり、日常の消費税の経理処理、消費税申告書の作成手順、届出書の書き方で構成されています。
また、消費税の修正申告があった場合の法人税申告書の別表４、別表５(1)の記入方法、特殊な事例などを解説しています。

3 経 理 方 法

消費税では、税抜経理方法と税込経理方法がありますが、本書では特に記載のあるものを除き、税込経理方法で説明しています。

4 申告書の内容

一般法人、個人事業者の申告書作成を想定していますので、公益法人等についての消費税については解説を省略しています。

5 本書の特長

各ページの構成にあたっては、申告書や付表の様式を常にイメージできるように、原則として左ページには解説を、右ページには左ページのステップに合わせて実際の記載例や図解を配置し理解しやすくなるように工夫してあります。

（注）　本書は、令和６年８月１日現在の消費税関係法令等によっています。

No. 1 適格請求書発行事業者の登録

STEP 1

適格請求書等保存方式の概要

複数税率に対応した仕入税額控除の方式として、**令和５年10月１日から**「適格請求書等保存方式」（インボイス制度）が導入されました。インボイス制度のもとでは、適格請求書発行事業者（インボイス発行事業者）が交付する**「適格請求書（インボイス）」**(注)**の保存が仕入税額控除の要件となります。**

（注） 適格請求書とは
「売手が、買手に対し正確な適用税率や消費税額等を伝えるための手段」であり、一定の事項が記載された請求書や納品書、領収書等の書類をいいます。
・ 請求書や納品書、領収書、レシート等、その**書類の様式や名称は問いません**ので、たとえ、手書きの領収書であっても必要な事項が記載されていれば該当することになります。
・ 適格請求書の交付に代えて、**電磁的記録（適格請求書の記載事項を記録した電子データ）を提供することも可能です。**

STEP 2

適格請求書発行事業者の登録

１．適格請求書発行事業者の登録制度

適格請求書を交付できるのは、適格請求書発行事業者に限られます。適格請求書発行事業者となるためには、税務署長に**「適格請求書発行事業者の登録申請書」**（以下「登録申請書」といいます。）**を提出し、登録を受ける必要があります。**登録申請書を提出すると、審査、登録簿への登載を経て、税務署から登録番号などの通知が行われます。

なお、**課税事業者でなければ登録を受けることはできません**（免税事業者が登録を受けようとする場合については**STEP 3** 参照）。

２．適格請求書への登録番号の記載時期
（登録日から登録の通知を受けるまでの間の取扱い）（消基通１－７－３）

登録の効力は、通知の日にかかわらず、適格請求書発行事業者登録簿に登載された日（登録日）に発生します。このため、登録日以降の取引については、相手方（課税事業者に限る。）の求めに応じ、適格請求書の交付義務があります。

しかしながら、登録日から登録の通知を受けるまでの間に相手方に交付する請求書には、登録番号の記載がなく適格請求書の記載事項を満たしていないこととなります。

この場合、原則として、通知を受けた後に、登録番号等を記載した適格請求書を改めて相手方に交付する必要がありますが、通知を受けた後に登録番号を相手方に書面等(注)で通知することで、既に交付した請求書と合わせて適格請求書の記載事項を満たすことも可能です。また、相手方に登録申請手続き中である旨を伝えておく必要があります。

（注）既に交付した書類との相互の関連が明確であり、書面等の交付を受ける事業者が適格請求書の記載事項を適正に認識できるものに限ります。

STEP 2-1

適格請求書発行事業者の申請から登録まで

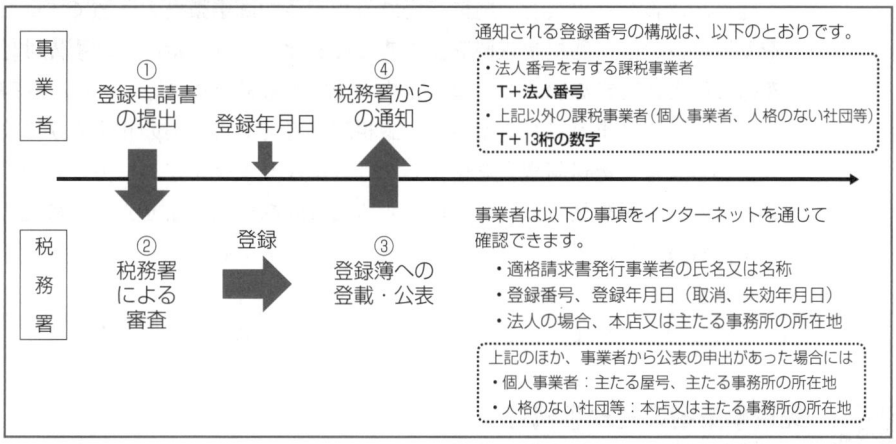

STEP 2-2

登録に当たっての留意点

【適格請求書発行事業者になると…】

① 基準期間における課税売上高が1,000万円以下となっても、納税義務は免除されず、申告・納付が必要です。

② 取引の相手方（課税事業者に限ります。）から求められたときは、適格請求書を交付し、写しを保存しなければならないため、事務負担が増大します。

【適格請求書発行事業者にならないと…】

① 基準期間における課税売上高が1,000万円以下であれば、納税義務は免除され、申告・納付は不要です。

② 適格請求書を交付することができないため、取引の相手方は仕入税額控除を行うことができません（経過措置 **No.5のSTEP 1** 参照）。そのため、相手方から取引を敬遠されたり、値引を要請される可能性が考えられます。

（インボイス制度を契機とした取引条件の見直しについては、独占禁止法上問題となる場合があります。）

3．登録は義務か？

適格請求書発行事業者の**登録を受けるかどうかは事業者の任意**です。ただし、**登録を受けなければ、適格請求書を交付することができないため、取引先は仕入税額控除を行うことができない**こととなります（一定の経過措置あり。**No.5**の**STEP 1** 参照）。

また、適格請求書発行事業者は、課税事業者である取引の相手方から交付を求められたときには、適格請求書を交付しなければなりませんが、一方で、消費者や免税事業者など、課税事業者以外の者に対する交付義務はありません。このため、例えば顧客が消費者のみの場合には、適格請求書を交付する必要はなく、納税義務が生じる登録を必ずしも受ける必要はありません。

これらの点を踏まえ、登録すべきかどうかを検討することとなります。

STEP 3 免税事業者の登録手続等

1．免税事業者が登録を受ける場合

⑴ 原則（消基通１－７－１）

課税事業者でなければ適格請求書発行事業者の登録を受けることができませんので、**免税事業者が登録を受けるためには、原則として課税事業者選択届出書**（**No.97**参照）**を提出して課税事業者となる必要があります**。この場合、課税事業者の選択は課税期間単位での選択となり、課税期間の途中から課税事業者となることはできません。

⑵ 経過措置（28年改正法附則44④）

令和５年10月１日から令和11年９月30日までの日の属する課税期間では、課税事業者選択届出書の提出は不要で、登録申請書だけを提出すればよいこととなっています。

この場合、登録を受けた日から課税事業者となります。

2．登録希望日の記載

１⑵の適格請求書発行事業者の登録等に関する経過措置の適用により、免税事業者が令和５年10月１日から令和11年９月30日までの日に属する課税期間中において、令和５年10月１日よりも後に適格請求書発行事業者の登録を受ける場合は、その登録申請書に、提出する日から15日を経過する日以後の日を登録希望日として記載することとされました。

この場合において、その登録希望日よりも後に登録されたときは、その登録希望日に登録を受けたものとみなされます。

3．登録申請書の提出

免税事業者が適格請求書発行事業者の登録申請書を提出し、**課税事業者となる課税期間の初日から登録を受けようとする場合には、その登録を受けようとする課税期間の初日から15日前の日**（改正前：その課税期間の初日の前日から１か月前の日）**までに登録申請書を提出しなければならない**こととされました。

この場合において、その課税期間の初日よりも後に登録がされたときは、その初日に登録を受けたものとみなされます。

4．登録後の納税義務

登録を受けた場合、**STEP 7** の「登録取消届出書」の提出が行われない限り、翌課税期間以後について、**基準期間における課税売上高が1,000万円以下であっても免税事業者にはならず、納税義務は免除されません。**

STEP 2-3

登録日から登録の通知を受けるまでの間の取扱い

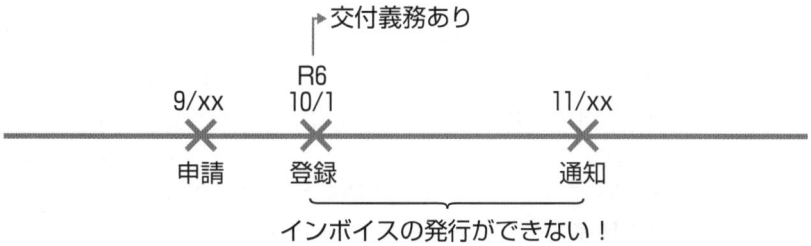

・登録申請手続き中である旨の連絡
・通知受領後、インボイスの再交付又は登録番号の通知等の対応が必要！

STEP 3-1

1．免税事業者の登録手続（経過措置の適用を受ける場合）

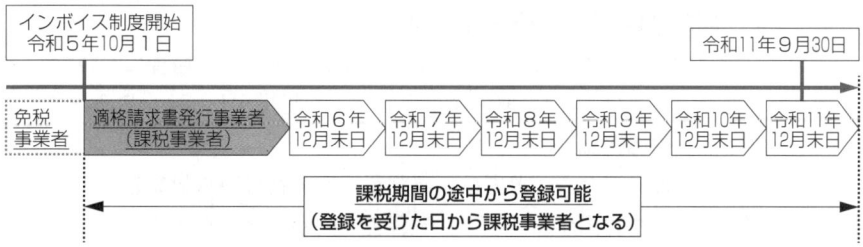

STEP 3-2

2．免税事業者が令和5年10月2日以後にインボイス発行事業者となる場合

免税事業者が令和５年10月２日以後に適格請求書発行事業者となる場合には、登録申請書に、登録希望日（提出日から15日を経過する日以降の希望日）を記載する必要があります。

（例）免税事業者が令和７年２月１日に登録を受けようとする場合

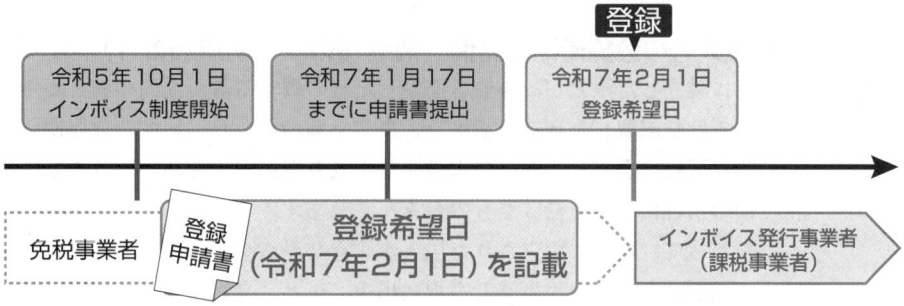

※　登録の通知が登録希望日までに届かない場合であっても、登録希望日に遡って登録を受けたものとみなします。
※　国税庁ホームページのフローチャートから作成する場合は、「最短日での登録を希望□」に✓を付すことで、登録希望日を記載せずに、最短日で登録することができます。

5．簡易課税制度を選択する場合

1⑵の経過措置の適用を受ける事業者が、登録日の属する課税期間中（注）にその課税期間から簡易課税制度の適用を受ける旨を記載した「簡易課税制度選択届出書」を提出した場合には、その課税期間の初日の前日に届出書を提出したものとみなされ、その課税期間から簡易課税制度の適用を受けることができます。

（注）課税期間の末日が土曜・日曜日・祝祭日であったとしても、提出期間は延長されません（適用を受けようとする課税期間の末日までに提出する必要があります。）。

6．登録の取消しを行い免税事業者に戻る場合

基準期間における課税売上高が1,000万円以下となった事業者が免税事業者となるためには、STEP 7の「登録取消届出書」を提出し、適格請求書発行事業者の登録を取り消す必要があります。

⑴ 原則

課税事業者選択届出書を提出している事業者の場合には、**併せて「消費税課税事業者選択不適用届出書」**を提出する必要があります。

⑵ 経過措置（28年改正法附則44④）

免税事業者が1⑵の経過措置を受けて登録を受けた場合において、その登録を取り消したいときは、「登録取消届出書」のみを提出すればよいこととなっています。

⑶ 届出書の提出

登録を取り消したいときは、翌課税期間の初日から起算して15日前までに「登録取消届出書」を提出することで、翌課税期間から登録を取り消すことができます。つまり、登録時と異なり、課税期間の途中から登録を取り消すことはできません。

なお、登録が取り消されると、登録の効力は失われますが、登録日から2年を経過する日の属する課税期間の末日までは、基準期間の課税売上高にかかわらず、納税義務は免除されませんので、注意してください。

以上のように、適格請求書発行事業者の登録を取り消して、免税事業者となる場合には、経過措置の適用の有無を確認して提出書類及び適用時期を判断しなければなりませんので、相当の注意を払って行うことが必要です。

STEP 4 新設法人等の登録時期の特例（消令70の4、消規26の4）

新たに設立した法人が、事業を開始した日の属する課税期間の初日から登録を受けようとする旨を記載した登録申請書を、事業を開始した日の属する課税期間の末日までに所轄税務署長に提出し、適格請求書発行事業者登録簿へ登載されることにより、その課税期間の初日に登録を受けたものとみなされます。

したがって、新たに設立された法人が設立時から登録を受けようとする場合には、

・免税事業者…「課税事業者選択届出書」※と「登録申請書」

・課税事業者…「登録申請書」

をその課税期間の末日までに提出する必要があります。

※ STEP 3の経過措置の適用を受ける場合は、「登録申請書」のみの提出となり、申請書に、「課税期間の初日から登録を受けようとする旨」を記載します。

STEP 3-5

5．簡易課税制度を選択する場合

（例）免税事業者である個人事業者が、令和６年10月１日から登録を受け、令和６年分の申告において簡易課税制度の適用を受けるとき

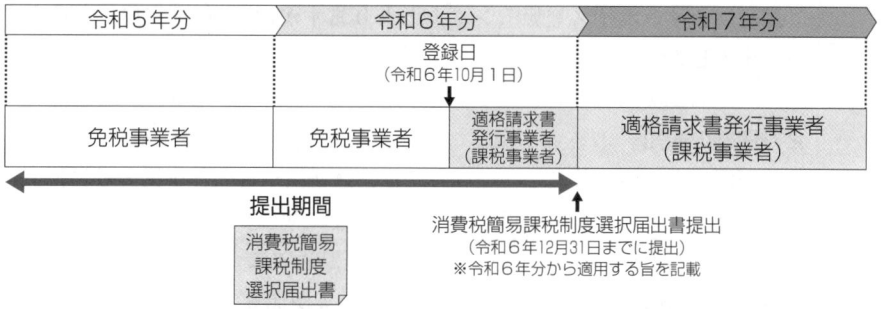

STEP 3-6

6．登録の取消しを行い免税事業者に戻る場合

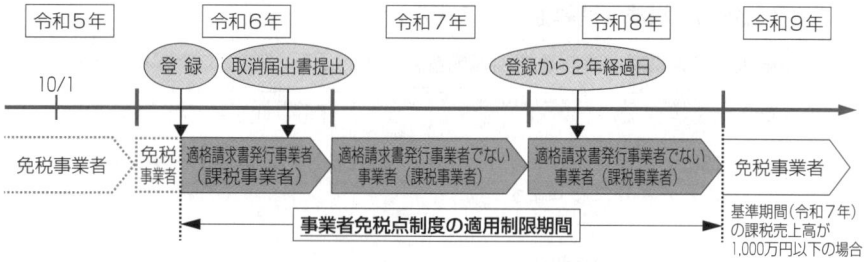

→登録の取消しを行っても最低２年間は課税事業者が強制される！

STEP 4

新設法人等の登録時期の特例

（例）令和６年11月１日に法人（資本金500万円、３月決算）を設立し、令和７年２月１日に登録申請書と課税選択届出書を併せて提出した免税事業者である新規設立法人の場合

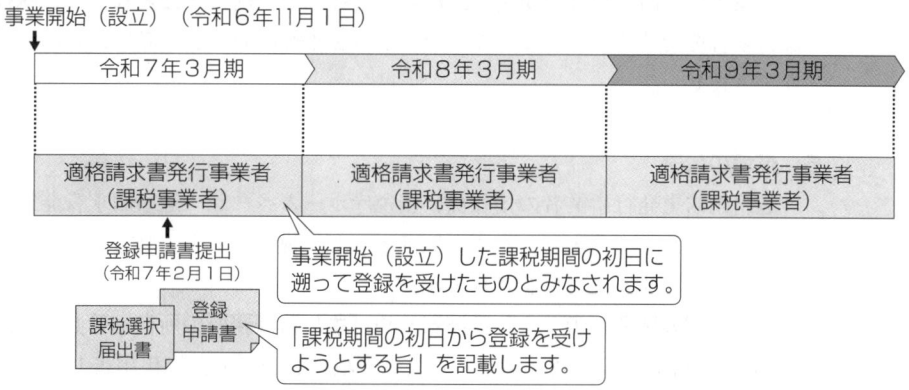

STEP 5

登録申請

1．登録申請書を提出する

「適格請求書発行事業者の登録申請書」を郵送等により提出する場合の送付先は各国税局のインボイス登録センターとなりますが、e-Taxを利用して提出することをおすすめします。

2．登録の通知

登録拒否要件に該当しない場合には、適格請求書発行事業者登録簿に法定事項が登録され、税務署長から登録を受けた事業者に対して通知されます。

登録申請書をe-Taxにより提出して、登録通知についてe-Taxでの通知を希望した場合は、「通知書一覧」メニューに登録番号等が記載された登録通知書がデータで格納されますので、取引先から事業者番号を求められたときに登録通知データを使用して渡すことができ便利です。その他の場合は、書面にて登録番号等が記載された登録通知書が送付されます。

登録番号の構成（消基通１－７－２）

法人（法人番号を有する課税事業者）	「T」（ローマ字）＋法人番号（数字13桁）
個人事業者等	「T」（ローマ字）＋数字13桁（注）

（注）13桁の数字には、マイナンバー（個人番号）は用いず、法人番号とも重複しない事業者ごとの番号になります。

3．登録通知までの期間

登録申請書を提出してから登録の通知を受けるまでの期間については、審査内容等によっても異なりますが、書面で提出された登録申請書については１か月半程度、e-Taxで提出された登録申請書については１か月程度の期間が見込まれています。

4．登録拒否

事業者が、消費税法の規定に違反して罰金以上の刑に処せられ、その執行が終わり、又は執行を受けることがなくなった日から２年を経過しない者は、登録を受けることができません。

5．情報の公表

適格請求書発行事業者の情報は、国税庁ホームページ「適格請求書発行事業者公表サイト」において公表されます。原則として、税務署による審査を経て登録された日の翌日に公表サイトに掲載されます。

なお、**個人事業者の「主たる屋号」や「主たる事務所の所在地等」を追加で公表する場合、**「適格請求書発行事業者の公表事項の公表（変更）申出書」（**No.92**参照）を提出します。

この申出書は、**登録申請書と同時に提出することができます。**

STEP 5-1

登録申請のフローチャート

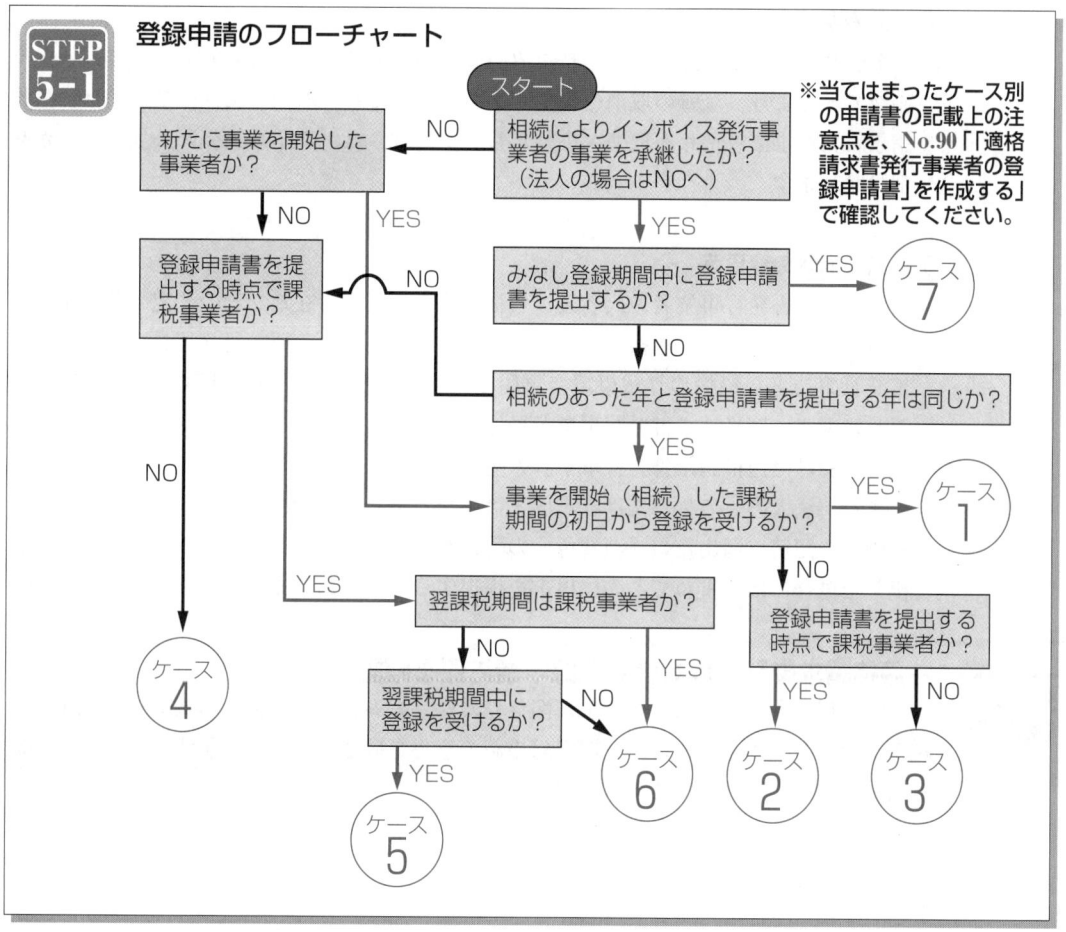

6．公表期間

公表サイトでは、過去に行われた取引についても取引時点での取引先の登録状況を確認できるよう、登録の取消や失効があった場合でも、取消・失効後７年間は、適格請求書発行事業者情報と取消・失効年月日が掲載され、７年経過後に公表サイトから削除されます。

7．公表情報の変更等

適格請求書発行事業者の氏名又は名称、法人の本店所在地などの法定の公表事項に変更があった場合は、適格請求書発行事業者は、納税地の所轄税務署長に「適格請求書発行事業者登録簿の登載事項変更届出書」（**No.93**参照）を提出する必要があり、これにより、適格請求書発行事業者登録簿の情報及び公開情報が変更されます。なお、通知を受けた適格請求書発行事業者の登録番号は、変更することはできません。

また、法人の「名称」又は「本店又は主たる事務所の所在地」につき異動があり、その旨を記載（届出書の「消費税」の□に✓印を付します）した「異動届出書」を提出した場合には、重ねてこの届出書を提出する必要はありません。

STEP 6

「適格請求書発行事業者」登録申請に係る確認書

日本税理士会連合会は、税理士が関与先に対して適格請求書発行事業者の登録申請手続きに関する説明をしたこと及び登録申請の意思を確認したことを証する確認書を作成し公表していますので、ご活用ください。

STEP 5-2

国税庁ホームページ「適格請求書発行事業者公表サイト」の具体的な公表情報

(1) 法定の公表事項

①適格請求書発行事業者の氏名又は名称（注）
②法人（人格のない社団等を除く）については、本店又は主たる事務所の所在地
③特定国外事業者以外の国外事業者については、国内において行う資産の譲渡等に係る事務所事業所その他これらに準ずるものの所在地
④登録番号
⑤登録年月日
⑥登録取消年月日、登録失効年月日

（注） 個人事業者の氏名については、選択により住民票に記載されている「外国人の通称」又は「旧姓氏名」を公表することも可能です（戸籍上の氏名との併記も可能）。

(2) 本人の申出に基づき追加で公表できる事項

次の①、②の事項について公表することを希望する場合には、必要事項を記載した「適格請求書発行事業者の公表事項の公表（変更）申出書」を提出します。

①個人事業者の「主たる屋号」、「主たる事務所の所在地等」
②人格のない社団等の「本店又は主たる事務所の所在地」

具体的な様式や記載は、**No.90**「「適格請求書発行事業者の登録申請書」を作成する」を参照してください。

STEP 6

「適格請求書発行事業者」登録申請に係る確認書

令和　　年　　月　　日

税理士(税理士法人)　＿＿＿＿＿＿＿＿＿＿＿＿＿＿＿＿　様

私は、「適格請求書(インボイス)発行事業者」の登録申請手続きについて、貴方から以下の項目についての説明を受けました。その結果、私は本登録申請について以下のとおり希望します。

□ 登録申請する。	□ ① 課税事業者である。
	□ ② 課税事業者を選択する。
□ 登録申請しない。	□ ③ 免税事業者のままとする。
	□ ④ 課税事業者であるが、インボイス発行事業者を選択しない。
□ 後日判断する。	

所　在　地

名　　称

代表者氏名　　印

(以下、「甲」とします。)

【共通】

- □ 適格請求書を交付できるのは、登録を受けた適格請求書発行事業者に限られるが、適格請求書発行事業者の登録を受けるかどうかは事業者の任意である。
- □ 登録を受けなければ、適格請求書を交付できないため、取引先は仕入税額控除を行うことができない。ただし、経過措置により、一定の要件の下、その取引先は令和５年 10 月１日から令和８年９月 30 日までの間の取引は仕入税額相当額の 80%、令和８年 10 月１日から令和 11 年９月 30 日までの間の取引は仕入税額相当額の 50%の控除を受けられる。令和 11 年 10 月１日からは仕入税額控除は不可となる。
- □ 適格請求書発行事業者は、課税事業者の求めに応じて、適格請求書等を交付する義務、交付した適格請求書等の写しを保存する義務等がある。また、その写しは交付した日(電磁的記録を提供した日)の属する課税期間の末日の翌日から２月を経過した日から７年間の保存義務がある。
- □ 個人事業者の場合、登録申請書と併せて「公表事項の公表(変更)申出書」を提出することで、適格請求書発行事業者の「屋号」「通称又は旧姓」「主たる事務所の所在地」等の公表が可能であること。
- □ 一度付番された登録番号は、変更することはできない。
- □ 適格請求書発行事業者の登録を受けた場合、基準期間の課税売上高が、1,000 万円以下になっても免税事業者とならず消費税申告は必要となるため、1,000 万円以下となった場合は再度税理士に相談すること。
- □ 新たに設立された法人が、(個人事業者の新規開業等の場合も同様)事業を開始した課税期間の末日までに、事業を開始した日の属する課税期間の初日から登録を受けようとする旨を記載した登録申請書を提出することで、登録時期の特例の適用を受けることができる。
- □ 登録の通知には電子による通知と紙による通知がある。登録申請書を e-Tax により提出して、電子での通知を希望することで速やかに電子通知が行われる。登録通知書は原則として再発行を行われないため、特に紙による通知を希望する場合は、注意する。

① 課税事業者 ⇒ 課税事業者(適格請求書発行事業者)

- □ 登録の取消しを求める場合は、「適格請求書発行事業者の登録の取消しを求める旨の届出書」を提出することになる。登録取消しに係る手続上の留意点については下記参照。
- □ 適格請求書発行事業者の登録と関係なく課税事業者となるとき（基準期間の課税売上高が 1,000 万円を超える場合など）は、２割特例の適用は出来ない。
- □ 課税事業者が登録を受ける場合は、登録日から適格請求書発行事業者となり、登録希望日の記載は出来ない。

② 免税事業者 ⇒ 課税事業者(適格請求書発行事業者)

□ 令和５年 10 月１日から令和 11 年９月 30 日までの間に登録を受ける場合は、「消費税課税事業者選択届出書」を提出する必要はない(登録の経過措置)。

□ 「消費税課税事業者選択届出書」を提出し、令和５年 10 月１日前から課税事業者となっている場合には「２割特例」の適用がないため、「２割特例」の適用を受ける場合には「消費税課税事業者選択不適用届出書」を令和５年 10 月１日を含む課税期間の末日までに提出する。

□ 簡易課税制度を選択する場合は、適用を受けようとする課税期間の初日の前日までに「消費税簡易課税制度選択届出書」を提出する。ただし、登録日から課税事業者となる経過措置の適用を受け、その登録を受けた課税期間から簡易課税制度の適用を受ける場合は、登録を受けた日の属する課税期間の末日までにその旨(その課税期間から適用を受ける旨)を記載した同届出書を提出する。また、申告時に「２割特例」による申告を選択することも可能。

□ 免税事業者が登録を受けた場合、登録日から課税期間の末日までの取引について、消費税の申告が必要。

□ 課税期間の初日から登録を受けようとする場合は、同日から起算して 15 日前の日までに、登録申請書を提出しなければならない。期限が土日祝日の場合、その翌日に延長される。

□ 登録を受けた日から２年を経過する日の属する課税期間の末日までは、納税義務がある(令和５年 10 月１日の属する課税期間に登録を受けた場合を除く)。

□ 登録を取り消し免税事業者になる場合は、「適格請求書発行事業者の登録の取消しを求める旨の届出書」を提出し、かつ、消費税課税事業者選択不適用届出書(登録の経過措置適用者は不要)を税務署長に提出する必要があること。登録取消しに係る手続上の留意点については下記参照。

③ 免税事業者 ⇒ 免税事業者(登録をしない)

□ 今回は登録の申請をしない。

□ 取引価額について値引を要請される可能性があることについて、説明を行い、甲は了承した。

□ 適格請求書を発行できない。

□ 適格請求書と誤認される書類の交付は禁止。違反すれば罰則規定がある。

④ 課税事業者 ⇒ 課税事業者(登録をしない)

□ 今回は登録の申請をしない。

□ 取引価額について値引を要請される可能性があることについて、説明を行い、甲は了承した。

□ 消費税等の申告は必要である。

□ 基準期間の課税売上高が 1,000 万円以下になり、事業者免税点制度が適用されれば免税事業者となる。

□ 適格請求書を発行できない。

□ 適格請求書と誤認される書類の交付は禁止、違反すれば罰則規定がある。

登録取消を求める場合の手続上の留意点

登録の取消しを求める場合は「適格請求書発行事業者の登録の取消しを求める旨の届出書」を所轄税務署長に提出することになる。登録を取り消しても、課税事業者である場合には消費税の申告が必要。

□ 「翌」課税期間の初日から 15 日前の日までに提出した場合
届出書を提出した日の属する課税期間の「翌」課税期間から失効

□ 「翌」課税期間の初日から 15 日前の日後に提出した場合
届出書を提出した日の属する課税期間の「翌々」課税期間から失効

※「翌課税期間の初日から 15 日前の日」が土曜日、日曜日、休日その他一般の休日、又は 12 月 29 日～31 日であったとしても、これらの日の翌日とはならない。

[令和３年 12 月作成、令和６年１月改訂]

STEP 7

登録の取消し

適格請求書発行事業者は、納税地を所轄する税務署長に「適格請求書発行事業者の登録の取消しを求める旨の届出書（登録取消届出書）」を提出することにより、その提出日に応じ適格請求書発行事業者の登録の効力を失わせることができます。

・取り消そうとする課税期間の初日から起算して15日前の日（注）までに提出した場合

提出した課税期間の翌課税期間

・取り消そうとする課税期間の初日から起算して15日前の日後に提出した場合

提出した課税期間の翌々課税期間

なお、STEP3の経過措置の適用を受けた場合を除き、登録取消届出書を提出するだけでは免税事業者となれませんので注意が必要です（STEP3の6参照）。

（注）15日前の日が土曜・日曜日、祝祭日であったとしてもその翌日とはなりません。

その他、以下のケースに応じて、提出書類が異なります。

【法人】

<table>
<tr><th colspan="2">ケース</th><th colspan="2">提出すべき書類</th></tr>
<tr><td colspan="2">清算結了や合併消滅と関係なく、インボイス発行事業者の登録を取り消す場合</td><td colspan="2">適格請求書発行事業者の登録の取消しを求める旨の届出書（注1）</td></tr>
<tr><td colspan="2">清算結了した場合</td><td>事業廃止届出書（注5）</td><td rowspan="2">左記届出書のほか、法人税や所得税関係の書類として
・異動届出書
・給与支払事務所等の開設・移転・廃止届出書</td></tr>
<tr><td colspan="2">合併により法人が消滅した場合</td><td>合併による法人の消滅届出書</td></tr>
</table>

【個人事業者】

<table>
<tr><th colspan="2">ケース</th><th colspan="2">提出すべき書類</th></tr>
<tr><td colspan="2">死亡や事業廃止と関係なく、インボイス発行事業者の登録を取り消す場合</td><td colspan="2">適格請求書発行事業者の登録の取消しを求める旨の届出書（注1）</td></tr>
<tr><td rowspan="2">事業者が死亡した場合</td><td>被相続人がインボイス発行事業者の場合</td><td>適格請求書発行事業者の死亡届出書（注2）</td><td rowspan="3">左記届出書のほか、所得税関係の書類として
・個人事業の開業・廃業等届出書
・所得税の青色申告の取りやめ届出書（注6）</td></tr>
<tr><td>被相続人がインボイス発行事業者でない場合</td><td>個人事業者の死亡届出書（注2、3）</td></tr>
<tr><td colspan="2">事業者の死亡以外の理由により事業を廃止した場合</td><td>事業廃止届出書（注4、5）</td></tr>
</table>

注1　提出日の**翌課税期間の初日**から登録は失効します。ただし、翌課税期間の初日から起算して**15日前の日を過ぎて提出した場合**には、その失効の日は**翌々課税期間の初日**となります。

注2　相続人が相続による**事業承継を機にインボイス発行事業者の登録を行う場合**、別途「**適格請求書発行事業者の登録申請書**」の提出も必要となります。

注3　被相続人の消費税申告に当たり**付表7を提出した場合**、「**個人事業者の死亡届出書**」の提出は不要です。

注4　**事業の一部廃業**のため、インボイス発行事業者の登録を取り消さない場合、「**事業廃止届出書**」の提出は不要です。

注5　事業廃止により「消費税課税事業者選択不適用届出書」、「消費税課税期間特例選択不適用届出書」、「消費税簡易課税制度選択不適用届出書」、「任意の中間申告書を提出することの取りやめ届出書」又は「消費税申告期限延長不適用届出書」に**事業を廃止した旨を記載して提出した場合**には、他の不適用届出書等及び「**事業廃止届出書**」の提出は不要です。

注6　**青色申告の承認を受けていない場合**、「**所得税の青色申告の取りやめ届出書**」の提出は不要です。

STEP 7

登録取消届出書の効力

（例１）適格請求書発行事業者である法人（３月決算）が令和７年３月17日に登録取消届出書を提出した場合

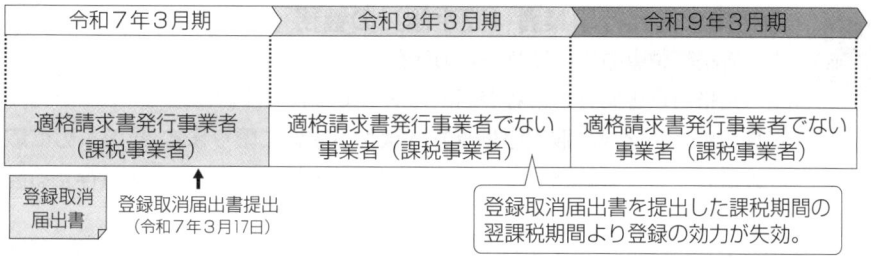

（例２）適格請求書発行事業者である法人（３月決算）が令和７年３月21日に登録取消届出書を提出した場合（取り消そうとする**課税期間の初日から起算して15日前の日（令和７年３月17日）よりも後**に提出した場合）

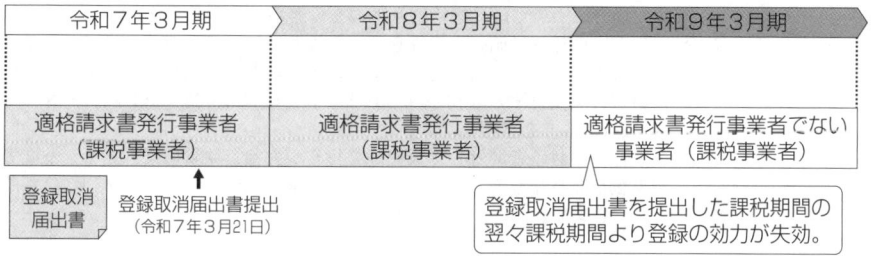

適格請求書等保存方式（インボイス制度）の導入

STEP 1

適格請求書発行事業者（売手側）の義務

1．適格請求書の交付及び写しの保存

適格請求書発行事業者が国内において課税資産の譲渡等（注1）を行った場合には、5の場合を除き、**取引の相手方（課税事業者に限ります。）の求めに応じて、適格請求書を交付する義務**（注2）**及び交付した適格請求書の写しを保存する義務**が課されます。

なお、適格請求書の交付に代えて、適格請求書に係る電磁的記録（適格請求書の記載事項を記録した電子データ）の提供によることができます。

（注1） 区分記載請求書等とは異なり、課税資産の譲渡等に係る適用税率は問わないため、標準税率の取引のみを行っている場合でも、相手方（課税事業者）から交付を求められたときは、適格請求書の交付義務があります。なお、免税取引、非課税取引及び不課税取引のみを行った場合については、適格請求書の交付義務は課されません。

（注2） 売上げに係る対価の返還等を行った場合には適格返還請求書（返還インボイス）を、交付した適格請求書・適格返還請求書に誤りがあった場合には修正した適格請求書・適格返還請求書を交付する義務が課されます。詳細は**No.25**「売上値引・返品（売上げに係る対価の返還等）」を参照ください。

（注3） 不特定多数の者に対して販売等を行う小売業、飲食店業、タクシー業等については、記載事項を簡易なものとした「適格簡易請求書（簡易インボイス）」（**3**参照）を交付することができます。

2．適格請求書の記載事項

下線の項目が、区分記載請求書の記載事項に追加された事項です。

① 適格請求書発行事業者の氏名又は名称及び登録番号
② 取引年月日
③ 取引に係る資産又は役務の内容
（取引が軽減税率の適用対象である場合には、資産の内容及び軽減税率の対象品目である旨）
④ 税率ごとに区分して合計した課税資産の譲渡等の対価の額（税抜又は税込）及び適用税率（注1）
⑤ 税率ごとに区分した消費税額等（注2）
⑥ 書類の交付を受ける事業者の氏名又は名称

（注1） 地方消費税を含む税率（10％又は8％）です。
（注2） 消費税額及び地方消費税額の合計額です。

STEP 1-1 適格請求書発行事業者（売手）の義務

売手は軽減税率対象品目の販売の有無にかかわらず、取引先（課税事業者）から求められた場合には、適格請求書を交付しなければなりません。

書面での交付に代えて、電磁的記録の提供によることも可能です。

売　手（適格請求書発行事業者）　→　適格請求書　→　買　手

交付した適格請求書の写しの保存が必要となります。

STEP 1-2 適格請求書の記載事項

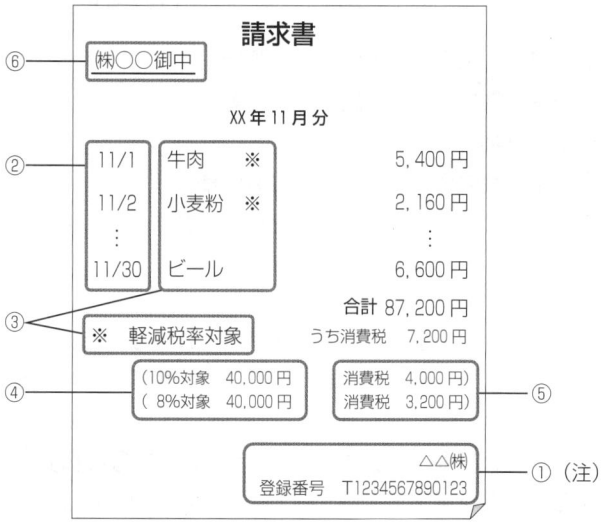

（注）①の氏名又は名称については、例えば、電話番号を記載するなどし、適格請求書を発行する事業者が特定できる場合には、屋号や省略した名称などの記載でも差し支えありません。

3．適格簡易請求書の交付

小売業などの「不特定多数の者に課税資産の譲渡等を行う一定の事業」を行う場合には、適格請求書に代えて、記載事項を簡易なものとした「適格簡易請求書」を交付することができます。なお、適格簡易請求書についても、その交付に代えて、その記載事項に係る電磁的記録の提供によることができます。

(1) 適格簡易請求書の記載事項

① 適格請求書発行事業者の氏名又は名称及び登録番号
② 取引年月日
③ 取引に係る資産又は役務の内容
（取引が軽減税率の適用対象である場合には、資産の内容及び軽減税率の対象品目である旨）
④ 税率ごとに区分して合計した課税資産の譲渡等の対価の額（税抜又は税込）
⑤ 税率ごとに区分した消費税額等又は適用税率

※ 適格請求書の記載事項と比べると、書類の交付を受ける事業者の氏名又は名称の記載が不要である点、消費税額等と適用税率のいずれか一方の記載で足りる点が異なります。なお、消費税額等と適用税率は両方記載しても差し支えありません。

(2) 適格簡易請求書の発行が可能な事業

・小売業、飲食店業、写真業、旅行業
・タクシー業
・不特定多数の者に対して行う駐車場業
・上記に準ずる不特定多数の者を対象とする一定の営業

4．端数処理

適格請求書の記載事項である「税率ごとに区分した消費税額等」に1円未満の端数が生じる場合には、**一の適格請求書につき、税率ごとの1回の端数処理を行います。**端数処理は、「切上げ」、「切捨て」、「四捨五入」など任意の方法で行うことが可能です。

したがって、**「税率ごとに区分して合計した対価の額」に税率を乗じるなどして、計算する**こととなります。例えば、一の適格請求書に記載されている個々の商品ごとに消費税額等を計算し、その都度端数処理を行い、その合計額を「税率ごとに区分した消費税額等」として記載することは認められません。

消費税額等の計算は次のいずれかの方法により行います。

・税率ごとに区分して合計した税抜対価の額×$\frac{10}{100}$（軽減税率分は$\frac{8}{100}$）
・税率ごとに区分して合計した税込対価の額×$\frac{10}{110}$（軽減税率分は$\frac{8}{108}$）

STEP 1-3

適格簡易請求書の記載事項

【適格簡易請求書の記載例（適用税率のみを記載する場合）】

スーパー○○
東京都…
登録番号T1234567890123

①

②XX年11月1日

領収書

コーラ※	1点	¥108
ギュウニク※	1点	¥972
ハミガキコ	1点	¥330
合　計		¥1,410
10%対象	1点	¥330
8%対象	2点	¥1,080
お預り		¥1,500
お　釣		¥90

③ ④ ⑤

※印は軽減税率対象商品

【適格簡易請求書の記載例（税率ごとに区分した消費税額等のみを記載する場合）】

スーパー○○
東京都…
登録番号T1234567890123

①

②XX年11月1日

領収書

コーラ※	1点	¥108	
ギュウニク※	1点	¥972	
ハミガキコ	1点	¥330	
合　計		¥1,410	
1点	¥330	(内消費税額 ¥30)	
2点	¥1,080	(内消費税額 ¥80)	
お預り		¥1,500	
お　釣		¥90	

③ ④ ⑤

※印は軽減税率対象商品

STEP 1-4

端数処理

【例①：認められる例】

請求書

○○㈱御中　　○年○月○日

㈱△△
(T123…)

※は軽減税率対象

請求金額			60,197円（税込）	
品名	数量	単価	税抜金額	消費税額
トマト　※	83	167	13,861	－
ピーマン※	197	67	13,199	－
花	57	77	4,389	－
花鉢	57	417	23,769	－
8%対象計		受領額	27,060 → 端数処理 →	2,164
10%対象計			28,158 →	2,815

《計算例》
・　税率ごとに、個々の商品に係る「税抜金額」を合計
　→　8%対象：27,060円（税抜き）
　　10%対象：28,158円（税抜き）
・　それぞれ消費税額を計算
　（税率ごとに端数処理1回ずつ）
　→　8%対象：27,060×8／100＝2,164.8→2,164円
　　10%対象：28,158×10／100＝2,815.8→2,815円
⇒　適格請求書の記載事項として**認められる**。

【例②：認められない例】

請求書

○○㈱御中　　○年○月○日

㈱△△
(T123…)

※は軽減税率対象

請求金額			60,195円（税込）	
品名	数量	単価	税抜金額	消費税額
トマト　※	83	167	13,861 → 行ごと端数処理 →	1,108
ピーマン※	197	67	13,199 →	1,055
花	57	77	4,389 →	438
花鉢	57	417	23,769 →	2,376
8%対象計			27,060	受領額 2,163
10%対象計			28,158	2,814

合算　合算

《計算例》
・　個々の商品ごとに消費税額を計算
　（その都度端数処理）
・　計算した消費税額を、税率ごとに合計
⇒　個々の商品の数だけ端数処理を行うこととなり、
　適格請求書の記載事項として**認められない**。

※　個々の商品ごとの消費税額を参考として記載することは、差し支えありません。

5．適格請求書の交付義務が免除される取引

適格請求書を交付することが困難な以下の取引は、交付義務が免除されます。

① 3万円未満※の公共交通機関（鉄道、バス、船舶）による旅客の運送（詳細は、No.43「旅費交通費」参照）
② 出荷者が卸売市場において行う生鮮食料品等の販売
（出荷者から委託を受けた受託者が卸売の業務として行う者に限ります。）
③ 生産者が農業協同組合や漁業協同組合等に委託して行う農林水産物の販売
（無条件委託方式かつ共同計算方式により生産者を特定せずに行うものに限ります。）
④ 3万円未満※の自動販売機及び自動サービス機により行われる商品の販売等
⑤ 郵便切手類のみを対価とする郵便ポストに投函された郵便物の配達等

※ 3万円未満かどうかの判定は、1商品ごとではなく、1回の取引の課税仕入れに係る税込金額により判定します。

6．どの証憑書類を適格請求書とするか？

請求書や納品書、領収証、レシート等の証憑書類すべてを適格請求書とする必要はありません。したがって、どの証憑書類を適格請求書又は適格簡易請求書とするかについて、取引内容や証憑書類の発行状況等の実情に応じて対応を検討してください。

⑴ 納品書、請求書、領収書を発行している場合

【例：卸売業、納品の都度納品書を発行、月締で請求書を発行、売掛金領収後領収書を発行】

① 請求書に各納品ごとの取引の内容が記載されている場合

請求書のみで適格適格請求書の記載事項全てを網羅できるため、**請求書のみを適格請求書とすれば足ります。**

② 請求書に各納品ごとの取引の内容が記載されていない場合

請求書＋納品書の組合せで、初めて適格請求書の記載事項を網羅することになるため、**請求書と納品書を併せて適格請求書とする必要があります。**

この場合、例えば、請求書に納品書番号を記載するなど、**請求書と納品書の関連が明確であり、取引内容を正確に認識できる状態にする必要があります。**

→ 取引相手に対して、適格請求書としてどの証憑書類の保存が必要であるかをあらかじめ周知しておく必要があります。

⑵ レシートを発行している場合

【例：小売業・飲食店業等、適格簡易請求書の交付が認められる業種で都度レシートを発行】

レシートが適格簡易請求書の記載事項全てを網羅していれば、**レシートのみを適格簡易請求書とすれば足ります。**

STEP 1-5

請求書と納品書を併せて適格請求書とする例

【例①：請求書に消費税額を記載する場合】

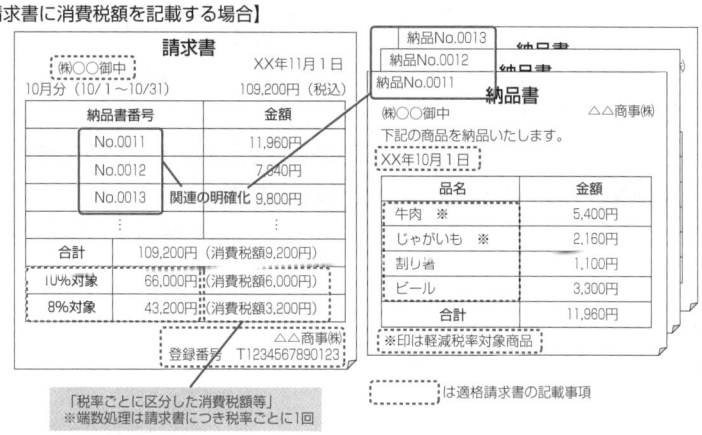

【例②：納品書に消費税額を記載する場合】

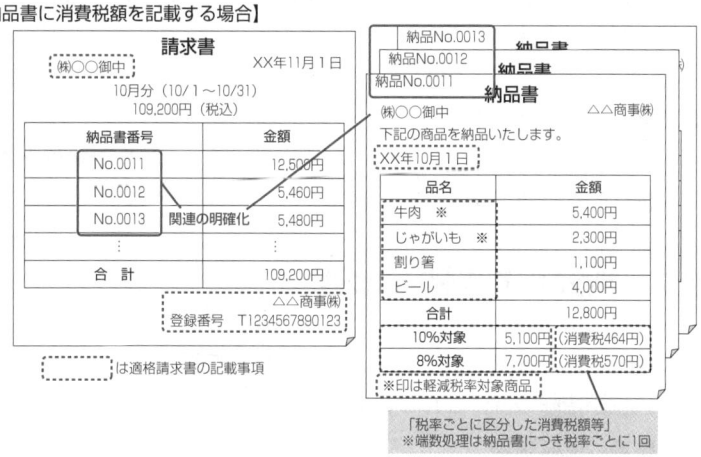

STEP 2

少額な返還インボイスの交付義務免除（消法57の４③、消令70の９③二）

１．概要

適格請求書発行事業者には、課税事業者に返品や値引き等の売上げに係る対価の返還等を行う場合、原則として適格返還請求書（返還インボイス）の交付義務が課されています（**STEP 1** の（注２）参照）。

この、**売上げに係る対価の返還等の税込価額が１万円未満である場合には、適格返還請求書の交付義務を恒久的に免除する措置**が設けられました。

これにより、例えば、得意先からの売掛金の振込入金時に差し引かれている振込手数料相当額など、少額な値引等について適格返還請求書の交付が不要となるため、事務負担が軽減されます。

２．適用対象者

No. 3 のいわゆる２割特例や、**No. 4** のいわゆる少額特例と異なり、**すべての事業者が対象**とされています。

３．適用期間

No. 3 のいわゆる２割特例や、**No. 4** のいわゆる少額特例と異なり、**適用期限のない恒久的な措置**です。

STEP 3

仕入税額控除（買手側）の要件

適格請求書等保存方式のもとでは、適格請求書等の交付を受けることが困難な一定の場合（下記３参照）を除き、**一定の事項を記載した帳簿及び適格請求書等の保存が仕入税額控除の要件となります。**

１．帳簿の記載事項

区分記載請求書等保存方式のもとでの帳簿の記載事項（**No.17**参照）と同様です。

２．適格請求書等の範囲

保存が必要となる適格請求書等には、①のほか、以下のものが含まれます。

① 適格請求書又は適格簡易請求書
② 買手側が作成する仕入明細書等（適格請求書の記載事項が記載され、相手方の確認を受けたものに限る）
③ せり売りなど、卸売市場において委託を受けて卸売の業務として行われる課税仕入れについては、受託者が作成する請求書、納品書等
④ 適格請求書に係る電磁的記録

３．帳簿のみの保存で仕入税額控除が認められる場合

請求書等の交付を受けることが困難な一定の取引は、帳簿のみの保存で仕入税額控除が認められます。

STEP 2

少額な返還インボイスの交付義務免除における１万円未満の判定単位の例

売上げに係る対価の返還等による売上金額の返還や債権の減額の金額が１万円未満であれば、返還インボイスの交付義務が免除されることとなります。

具体的には、返還した金額や値引き等の対象となる請求や債権の単位ごとに減額した金額により判定することとなります。

① 500,000円の請求に対し、買手は振込手数料相当額440円減額した499,560 円を支払（売手は、440円を対価の返還等として処理）

⇒ １万円未満の対価の返還等であり、返還インボイスの**交付義務は免除される**

② 400,000円の請求に関し、１商品当たり100円のリベートを後日支払（合計20,000円）

⇒ １万円以上の対価の返還等であり、返還インボイスの**交付義務は免除されない**

(注) この１万円の判定は、値引き等の金額に標準税率が適用されたものと軽減税率が適用されたものが含まれている場合には適用税率ごとの金額により判定せずに、返還や値引き等の金額の総額により判定します。

STEP 3-1

帳簿のみの保存で仕入税額控除が認められる場合

① 適格請求書の交付義務が免除される20ページ５①④⑤に掲げる取引
② 適格簡易請求書である入場券等が事後に回収される取引
③ 古物営業を行う者が消費者等から古物（注１）を買い取る場合
④ 質屋営業を行う者が消費者等から質物（注１）の所有権を取得する場合
⑤ 宅地建物取引業者が消費者等から建物（注１）を購入する場合
⑥ リサイクル業者が消費者等から再生資源及び再生部品（注１）を買い取る場合
⑦ 従業員等に対して支給する通常必要な出張旅費等及び通勤手当

（注１）事業として販売する棚卸資産の仕入れに該当するものに限ります。

（注２）適格請求書等保存方式の導入以後、「３万円未満の課税仕入れ」及び「請求書等の交付を受けなかったことにつきやむを得ない理由があるとき」は、法定事項を記載した帳簿の保存だけでは、仕入税額控除は認められないこととなっています。（No.4「経過措置②（いわゆる少額特例）」も参照してください）。**適格請求書等保存方式の導入後は、これらの規定は廃止されます。**

4．免税事業者等からの課税仕入れに係る経過措置

適格請求書等保存方式の導入後は、（適格請求書発行事業者ではない）免税事業者や消費者から行った課税仕入れについては、仕入税額控除を行うことができません。

ただし、**導入から６年間は免税事業者等からの課税仕入れであっても、仕入税額相当額の一定割合を仕入税額とみなして控除できる経過措置が設けられています。**詳細は、**No. 5**「その他の経過措置と令和６年度改正点」**STEP 1** を参照してください。なおこの場合、一の免税事業者から行う経過措置の対象となる課税仕入れの合計額が、税込みで10億円を超える以下の事業年度では、その超えた部分の課税仕入れは、この適用を受けることができなくなりました。

法人	令和６年10月１日以後開始する事業年度から
個人事業者	令和７年分から

5．請求書や領収書の交付がない取引への対応

例えば家賃の支払など、契約書に基づき代金決済が行われ、**取引の都度、請求書や領収書が交付されない取引であっても、仕入税額控除を受けるためには、原則として、適格請求書の保存が必要**です。

適格請求書は、一定期間の取引をまとめて交付することも認められるため、例えば１年分など、一定期間の賃借料等についての適格請求書を交付することによる対応が可能です。

このほか、以下のように、**適格請求書として必要な記載事項の一部が記載された契約書と、実際に取引を行った事実を客観的に示す書類をともに保存**しておけば、仕入税額控除の要件を満たすこととなります。（詳細は、**No.26**「不動産賃貸収入」を参照）

【契約書と取引を行った事実を客観的に示す書類をともに保存する例】

例：口座振替・銀行振込による家賃の支払

適格請求書の記載事項の一部（例えば、課税資産の譲渡等の年月日以外の事項）が記載された**契約書とともに通帳や銀行が発行した振込金受取書**（課税資産の譲渡等の年月日の事実を示すもの）**を併せて保存**することにより、仕入税額控除の要件を満たすこととなります。

※　令和５年９月30日以前からの契約について

令和５年９月30日以前からの契約について、**契約書に登録番号等の適格請求書として必要な事項の記載が不足している場合**には、別途、**登録番号等の記載が不足していた事項の通知（覚書等）を交わし、契約書とともに保存**していれば差し支えありません。

STEP 3-2 免税事業者等からの課税仕入れに係る経過措置

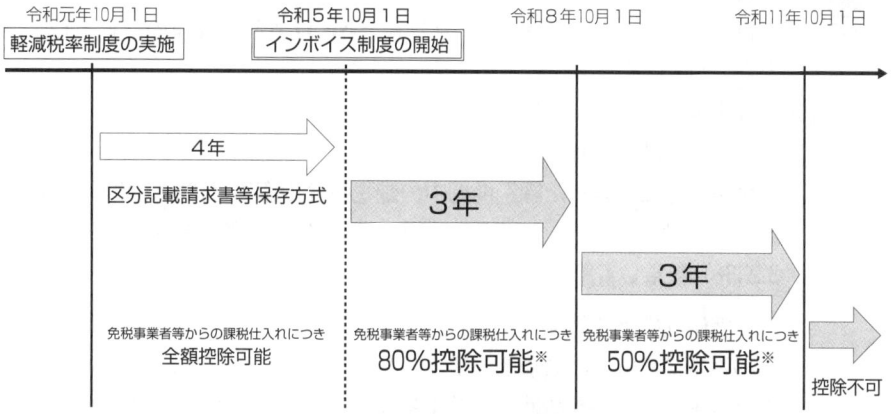

※　この経過措置による仕入税額控除の適用に当たっては、免税事業者等から受領する区分記載請求書等と同様の事項が記載された請求書等の保存とこの経過措置の適用を受ける旨（80%控除・50%控除の特例を受ける課税仕入れである旨）を記載した帳簿の保存が必要です。

STEP 3-3 契約書に適格請求書として必要な事項の記載が不足している場合の覚書の例

覚　書

（適格請求書発行事業者の通知）

○○株式会社（以下「乙」という）は、　　年　　月　　日に締結された業務契約書について、適格請求書保存方式の導入に伴い、下記の事項を追加記載することを通知します。

① 適格請求書発行事業者の氏名：○○株式会社
② 適格請求書発行事業者の登録番号：T1234567890123
③ 適用税率：10%
（法律の改正に伴い適用税率が変更される場合は、該当する税率とする。）
④ 消費税額等：●●●●円

STEP 4

税額計算の方法

適格請求書等保存方式が施行される令和５年10月１日以降の売上税額及び仕入税額の計算は、次のとおりです。（詳細は、**No.11**「消費税額の計算方法」を参照してください）。

１．売上税額の計算

⑴　原則（割戻し計算）

税率ごとに区分した課税期間中の課税資産の譲渡等の税込金額の合計額に$\frac{100}{110}$（軽減税率分は$\frac{100}{108}$）を乗じて算出した税率ごとの課税標準額に、7.8%（軽減税率分は6.24%）を乗じて算出します。

⑵　特例（積上げ計算）

相手方に交付した適格請求書等の写しを保存している場合には、その写しに記載された税率ごとの消費税額等の合計額に$\frac{78}{100}$を乗じて計算した金額とすることもできます（注１）（消法45⑤、消令62）。

ただし、適格簡易請求書の記載事項である「適用税率又は税率ごとに区分した消費税額等」について、「適用税率」のみを記載して交付する場合には、税率ごとの消費税額等の記載がないため、積上げ計算を行うことはできません。

また、**売上税額の計算を積上げ計算によった場合は、仕入税額も積上げ計算により計算しなければなりません**（注２）。

（注１）適格請求書等を顧客が受け取らなかったため、物理的な「交付」ができなかったような場合や、交付を求められたとき以外レシートを出力していない場合であっても、適格請求書発行事業者において当該適格請求書等の写しを保存していれば、「交付した適格請求書等の写しの保存」があるものとして、売上税額の積上げ計算を行って差し支えありません。

（注２）売上税額の計算は、例えば取引先ごとに割戻し計算と積上げ計算を分けて適用するなど、両方式を併用することも認めらますが、併用した場合であっても「売上税額の計算につき積上げ計算を適用した場合」に当たるため、仕入税額の計算方法に割戻し計算を適用することはできません（消基通15－２－１の２）。

２．仕入税額の計算

⑴　原則（積上げ計算）

相手方から交付を受けた適格請求書等に記載された消費税額等のうち、課税仕入れに係る部分の金額（注１）**の合計額に$\frac{78}{100}$を乗じて算出します（請求書等積上げ計算）**（消法30①、消令46①）。

また、これ以外の方法として、**課税仕入れの都度**（注２）**、課税仕入れに係る支払対価の額に$\frac{10}{110}$（軽減税率分は$\frac{8}{108}$）を乗じて算出した金額（１円未満の端数が生じたときは、端数を切捨て又は四捨五入します。）を仮払消費税額等などとし、帳簿に記載している場合には、その金額の合計額に$\frac{78}{100}$を乗じて算出する方法も認められます（帳簿積上げ計算）。**

なお、仕入税額の計算に当たり、請求書等積上げ計算と帳簿積上げ計算を併用することも認められますが、これらの方法と⑵の割戻し計算を併用することは認められません（消基通11－１－９）。

（注１）交付を受けた適格簡易請求書に適用税率のみの記載があり、消費税額等が記載されていない場合には、適格簡易請求書に記載された金額が税込金額であればその金額に$\frac{10}{110}$（軽減税率分は$\frac{8}{108}$）を、税抜金額であればその金額に$\frac{10}{100}$（軽減税率分は

STEP 4-1

課税標準額に対する消費税額の計算方法

1．割戻し計算（原則）

① 軽減税率の対象となる売上税額

軽減税率の対象となる課税売上げ（税込み）	×	$\frac{100}{108}$	=	軽減税率の対象となる課税標準額
軽減税率の対象となる課税標準額	×	6.24%	=	軽減税率の対象となる売上税額

② 標準税率の対象となる売上税額

標準税率の対象となる課税売上げ（税込み）	×	$\frac{100}{110}$	=	標準税率の対象となる課税標準額
標準税率の対象となる課税標準額	×	7.8%	=	標準税率の対象となる売上税額

③ 売上税額の合計額

軽減税率の対象となる売上税額	+	標準税率の対象となる売上税額	=	売上税額の合計額

2．積上げ計算（特例）

適格請求書等に記載した消費税額等の合計額	×	$\frac{78}{100}$	=	売上税額の合計額

STEP 4-2

仕入税額の計算方法

1．積上げ計算（原則）

請求書等に記載された消費税額等のうち課税仕入れに係る部分の金額の合計額	×	$\frac{78}{100}$	=	仕入税額の合計額

2．割戻し計算（特例）

① 軽減税率の対象となる仕入税額

軽減税率の対象となる課税仕入れ（税込み）	×	$\frac{6.24}{108}$	=	軽減税率の対象となる仕入税額

② 標準税率の対象となる仕入税額

標準税率の対象となる課税仕入れ（税込み）	×	$\frac{7.8}{110}$	=	標準税率の対象となる仕入税額

③ 仕入税額の合計

軽減税率の対象となる仕入税額	+	標準税率の対象となる仕入税額	=	仕入税額の合計額

$\frac{8}{100}$）を乗じて算出した消費税額等を用いて、仕入税額の積上げ計算を行います。

（注２）例えば、都度交付を受けた適格請求書を単位として帳簿に仮払消費税額等として計上している場合のほか、課税期間の範囲内で一定の期間内に行った課税仕入れにつきまとめて交付を受けた適格請求書を単位として帳簿に仮払消費税額等として計上している場合も含まれます（消基通11－１－10）。

⑵ 特例（割戻し計算）

課税期間中の課税仕入れに係る支払対価の額を税率ごとに合計した金額に$\frac{7.8}{110}$（軽減税率分は$\frac{6.24}{108}$）を乗じて算出することができます（消法30①、消令46③）。

ただし、仕入税額を割戻し計算することができるのは、売上税額を割戻し計算する場合に限ります。

STEP 4-3

売上税額と仕入税額の計算方法の整理

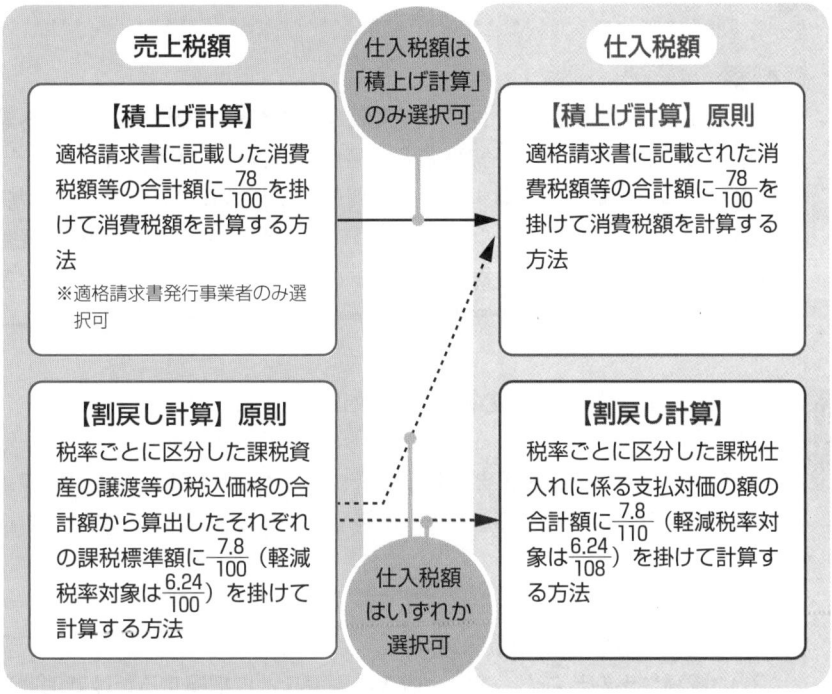

No. 3 経過措置①（いわゆる「２割特例」）

概要

令和５年度の税制改正において、適格請求書等保存方式（インボイス制度）の実施を円滑なものとするため、免税事業者が適格請求書発行事業者（インボイス発行事業者）になった場合の納税額の負担を約３年間軽減する措置（いわゆる「２割特例」）や、一定規模以下の事業者が行う少額取引について、帳簿の保存のみで仕入税額控除を可能とする６年間の事務負担軽減措置（いわゆる「少額特例」）、少額の適格返還請求書（返還インボイス）について交付義務を免除する措置などが導入されました。

STEP 1 いわゆる「２割特例」の概要（28改正法附則51の２）

概要

免税事業者が適格請求書発行事業者になったことにより新たに課税事業者となった場合の税負担の軽減を図るため、納税額を売上税額の２割に軽減する措置が約３年間設けられます。

これにより、以下の負担軽減効果が見込まれます。

(1) **納税負担が大幅に軽減される。**

(2) 業種にかかわらず、**売上・収入を税率ごとに把握するだけで消費税の申告が可能となるため、**簡易課税と比べても**事務負担が大幅に軽減される。**

STEP 2 納付税額の計算方法

２割特例を適用した場合、**特別控除税額を仕入控除税額として納付税額を計算します。**その結果、売上税額の２割を納付することとなります。

特別控除税額とは、適格請求書発行事業者の一課税期間の課税資産の譲渡等（消費税が免除されるものを除く。）に係る**課税標準額に対する消費税額から**その課税期間における**売上げに係る対価の返還等の金額に係る消費税額の合計額を控除した残額の$\frac{80}{100}$に相当する金額**をいいます。

STEP 3 適用期間と適用対象者

適用期間	令和５年10月１日から令和８年９月30日までの日の属する各課税期間
適用対象者	免税事業者が適格請求書発行事業者となる場合

課税事業者が適格請求書発行事業者となった場合であっても、適格請求書発行事業者となった課税期間の翌課税期間以後の課税期間について、基準期間における課税売上高が1,000万円以下である場合は、原則として２割特例の適用を受けることができます。

つまり、適格請求書発行事業者の登録をしていなかったとしたら、免税事業者であった事業者は、２割特例の適用を受けることができます。

ただし、次のSTEP 4に該当する期間は２割特例を受けることができません。

STEP 1 2割特例の概要

新しい計算方式

【2割特例】
売上げに係る消費税額から
売上税額の8割
を差し引いて納付税額を計算
- 仕入税額の実額計算不要
- 業種に関わらず売上税額の一律2割を納付
- 事前の届出が不要

選択可能

通常の計算方式

【原則課税】
売上げに係る消費税額から
仕入れに係る消費税額
を差し引いて納付税額を計算
仕入れや経費の額について、実額で計算が必要

【簡易課税】
売上げに係る消費税額から
売上税額にみなし仕入率を掛けた金額
を差し引いて納付税額を計算
- 仕入税額の実額計算不要
- 業種に応じたみなし仕入率を使用
- 事前の届出が必要

●イメージ

〔小規模事業者〕
売上700万円
（税70万円）

－ 〔原則課税〕
仕入れ150万円（税15万円）
※通信交通費、会議費、PC購入等
＝ 納税 55万円 ▲41万円

－ 〔簡易課税（5種）〕
みなし仕入れ350万円（税35万円）
※売上税額70万円×50%
＝ 納税 35万円 ▲21万円

税負担を軽減

小規模事業者に対する負担軽減措置
→ 納税額を売上税額の2割に軽減
※売上税額70万円×2割
→ 納税 14万円

STEP 2 2割特例による税額計算

特別控除税額とは

$$\left(\text{課税標準に対する消費税額} \triangle \text{売上げに係る対価の返還等の金額に係る消費税額の合計額}\right) \times \frac{80}{100}$$

2割特例による税額計算のイメージ

売上税額 △ 特別控除税額（売上税額の8割） ＝ 納付税額（売上税額の2割）

STEP 4 適用が受けられない期間

以下の課税期間については２割特例を受けることができません。

【恒久的施設を有しない場合】

① ２割特例の適用を受けようとする課税期間の初日において恒久的施設（所得税法又は法人税法に規定する「恒久的施設」をいいます。）を有しない国外事業者が令和６年10月１日以後に開始する課税期間（28年改正法附則51の２①）

【過去の売上が一定金額以上ある場合】

② 基準期間の課税売上高が1,000万円を超える課税期間（消法９①）

③ 特定期間における課税売上高による納税義務の免除の特例により納税義務が免除されない課税期間（消法９の２①）（**No.13 STEP 4**）

④ 相続(注)・合併・分割があった場合の納税義務の免除の特例により納税義務が免除されない課税期間（消法10、11、12）

（注） 相続のあった課税期間について、当該相続により納税義務が免除されない場合であっても、適格請求書発行事業者の登録が相続日以前であり、他の２割特例の適用が制限される課税期間でなければ、２割特例の適用を受けることができます（28年改正法附則51の２①三）。

【新たに設立された法人が一定規模以上の法人である場合】

⑤ 新設法人・特定新規設立法人の納税義務の免除の特例により納税義務が免除されない課税期間（消法12の２①三、12の３①）（**No.13 STEP 5**、**6**）

【高額な資産を仕入れた場合】（**No.13 STEP 7**、**8**）

⑥ 「課税選択届出書」を提出して課税事業者となった後２年以内に原則課税で調整対象固定資産の仕入れ等を行った場合において、「消費税課税事業者選択不適用届出書」の提出ができないことにより納税義務が免除されない課税期間（消法９⑦）

⑦ 新設法人及び特定新規設立法人の特例の適用を受けた課税期間中に、原則課税で調整対象固定資産の仕入れ等を行ったことにより納税義務が免除されない課税期間（消法12の２②、12の３③）

⑧ 原則課税で高額特定資産の仕入れ等を行った場合（棚卸資産の調整の適用を受けた場合）において納税義務が免除されない課税期間（消法12の４①②④）

⑨ 原則課税で金又は白金の地金等を仕入れた金額の合計額（税抜き）が200万円以上である場合において納税義務が免除される課税期間（消法12の４③④、消令25の５④）

【課税期間を短縮している場合】（**No.84**）

⑩ 課税期間の特例の適用を受ける課税期間

STEP 5 適用手続

２割特例は、簡易課税制度のような事前の届出は不要で、**申告書に２割特例の適用を受ける旨を付記する**だけで適用を受けることができます。

また、継続して適用しなければならないという制限もないので、適用期間中は、申告の都度、２割特例の適用を受けるかどうかの選択が可能です。

STEP 3 免税事業者に係る登録の経過措置（No.1 STEP3参照）を受けている場合

（例）令和6年中に新しく事業を開始した個人事業主が、令和6年分から、登録を受ける場合

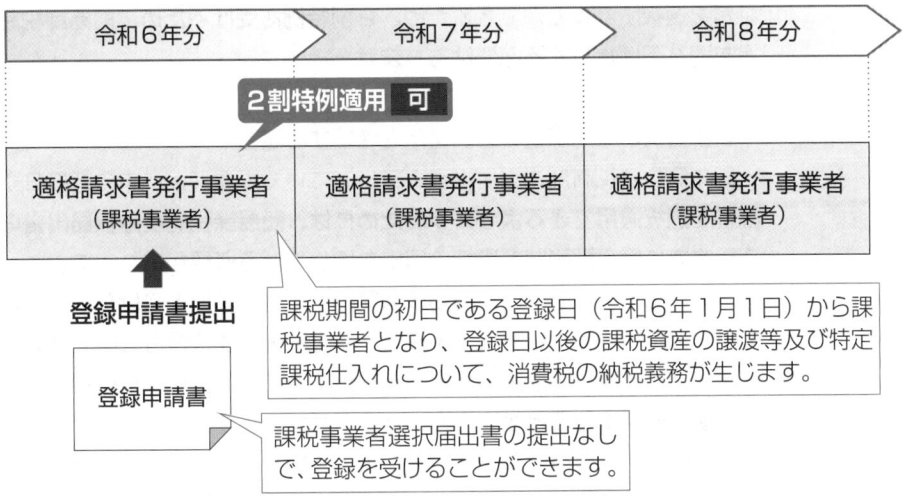

STEP 4 2割特例の適用対象となる課税期間、適用が受けられない課税期間

例①　免税事業者である個人事業者が令和6年1月1日から登録を受ける場合

個人事業者は、令和6年分の申告から令和8年分の申告までの3回分の申告において適用が可能。

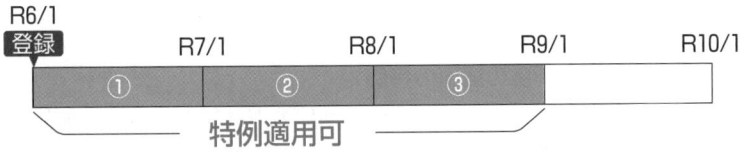

例②　3月決算法人が令和6年4月1日から登録を受ける場合

3月決算法人は、令和6年度の申告から令和8年度の申告までの3回分の申告において適用が可能。

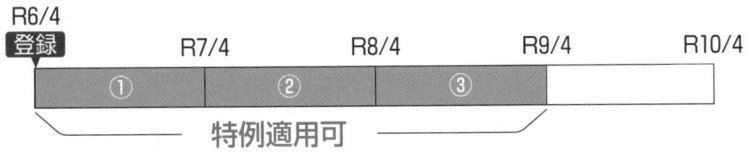

例③　基準期間における課税売上高が1,000万円を超える課税期間

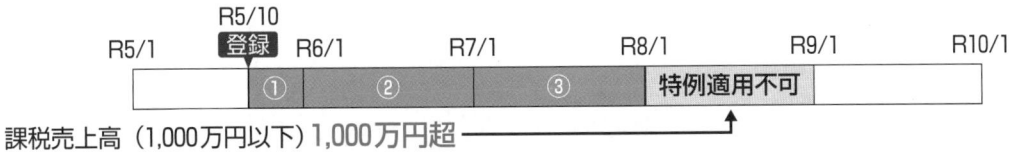

STEP 6

簡易課税制度の選択関連

① 2割特例と簡易課税の関係

2割特例は、原則課税と簡易課税のいずれを選択している場合でも適用が可能です。したがって、簡易課税制度選択届出書を提出していたとしても申告の際に2割特例を選択することができるため、**2割特例を受けるために簡易課税制度選択届出書を取り下げたりする必要はありません。**

※ 2割特例と原則課税の選択適用を希望する場合

既に簡易課税制度選択届出書を提出している事業者が、**申告時に2割特例と原則課税を選択適用できるようにするためには、簡易課税制度選択届出書の提出可能な期限までに簡易課税制度選択の届出を取り下げる必要があります。**

また、免税事業者が、**適格請求書発行事業者の登録を受けた日から課税事業者となる経過措置（No. 1 STEP 3 参照）の適用を受ける場合には、登録日を含む課税期間中に簡易課税制度選択届出書を提出することにより、その課税期間から簡易課税制度を適用することができる**こととされています。

例えば令和6年中に開業し、インボイス発行事業者の登録を受ける個人事業者であれば、簡易課税制度選択届出書は令和6年12月31日まで提出が可能ですので、同日までに取下書を提出することにより、その届出を取り下げることが可能です。

なお、取下書の書式は定められていないため、取下対象となる届出書が特定できるよう、**届出書の提出日、名称（表題）、提出方法（書面又はe-Tax）、届出者の氏名・名称、納税地及び提出した届出書を取り下げる旨の記載**をし、署名のうえ、所轄税務署に提出することになります。

② 簡易課税制度の届出の特例

2割特例の適用を受けた課税期間の翌課税期間中に、簡易課税制度選択届出書を提出した場合には、提出日の属する課税期間から簡易課税制度を適用することができます。

例えば個人事業者が、令和8年分の申告について2割特例を適用した場合、その翌課税期間中（令和9年12月31日まで）に簡易課税制度選択届出書を提出すれば、令和9年分の申告から簡易課税制度を適用することができます。

STEP 5 適用手続

（原則課税用　申告第一表）

控除不足還付税額（⑦−②−③）	⑧		13	項 基準期間の課税売上高　千円
差引税額（②+③−⑦）	⑨	0 0	15	○ 税額控除に係る経過措置の適用（2割特例） 42
中間納付税額	⑩	0 0	16	

（簡易課税用　申告第一表）

中間納付還付税額（⑩ − ⑨）	⑫	0 0	18	項 特例計算適用（令57③）○ 有 ○ 無 43
この申告書が修正申告である場合 既確定税額	⑬		19	○ 税額控除に係る経過措置の適用（2割特例） 44
差引納付税額	⑭	0 0	20	選す 銀行　本店・支店

「税額控除に係る経過措置の適用（2割特例）」欄に○を付すだけで適用可能

STEP 6 簡易課税制度の届出の特例

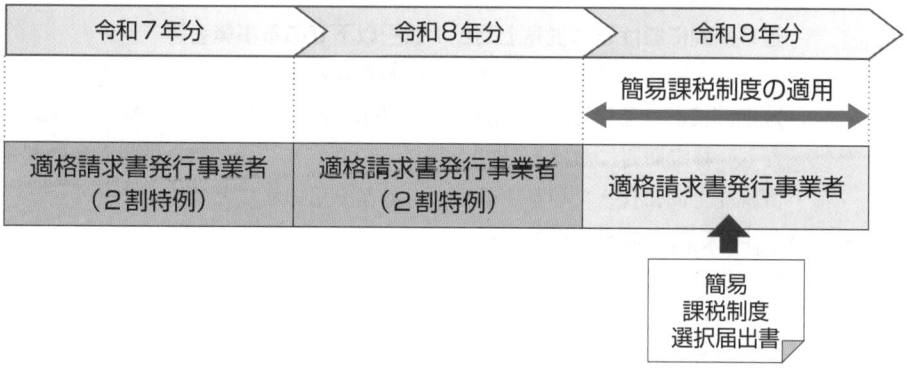

令和9年12月31日までに提出

※令和9年分から適用する旨を記載

No.4 経過措置②（いわゆる「少額特例」）

STEP 1

いわゆる「少額特例」の概要（28改正法附則53の２、改正令附則24の２①）

基準期間における課税売上高が１億円以下である事業者等が、**令和５年10月１日から令和11年９月30日までの間**に国内において行う課税仕入れのうち**支払対価の額（税込み）が１万円未満**のものについては、**帳簿の保存のみにより、仕入税額控除の適用を認める**経過措置が設けられています。

これにより、以下の負担軽減効果が見込まれます。

(1) **事務負担が軽減される。**

(2) 適格請求書の保存（存在）が要件とされないため、**適格請求書発行事業者ではない者（消費者や免税事業者）からの課税仕入れであっても仕入税額控除の適用対象となる。**

STEP 2

適用対象者

基準期間における課税売上高が１億円以下である事業者等

なお、固定資産の売却などの臨時的な課税売上げの変動等にも対応できるよう、**特定期間における課税売上高が5,000万円以下**である事業者も対象とされています。ただし、特定期間における5,000万円以下の判定については、納税義務の判定とは異なり、課税売上高に代えて給与支払額の合計額を用いることはできません。

STEP 3

１万円未満の判定単位

(1) **税込価額**で行います。

(2) 課税仕入れに係る１商品ごとの金額により判定するのではなく、**１回の取引の合計額が１万円未満であるか**どうかにより判定します。

通常は、取引ごとに納品書や請求書といった書類等の交付又は提供を受けることが一般的であるため、そのような書類等の単位で判定することが考えられます。

STEP 4

適用期間

令和５年10月１日から令和11年９月30日までの期間

上記期間に行う課税仕入れが適用対象となるため、たとえ課税期間の途中であっても、令和11年10月１日以後に行う課税仕入れについては、少額特例の適用はありません。

STEP 1

少額特例における１万円未満の判定単位の例

① 税込5,000円の商品を10月３日に購入、税込7,000円の商品を10月10日に購入し、それぞれで請求・精算

⇒ それぞれ１万円未満の取引となり、**少額特例の対象**

② 税込5,000 円の商品と税込7,000円の商品（合計額税込12,000円）を同時に購入

⇒ １万円以上の取引となり、**少額特例の対象外**

③ 税抜9,900円の商品（標準税率10%が適用される商品）を購入

⇒ 税込（10,890円）では１万円以上の取引となり、**少額特例の対象外**

④ １回8,000円のクリーニングを11月２日に１回、11月15日に１回行い、それぞれで請求・精算

⇒ それぞれ１万円未満の取引となり、**少額特例の対象**

⑤ 月額100,000円の清掃業務（稼働日数：12日）

⇒ １万円以上の取引となり、**少額特例の対象外**

⑥ インボイス発行事業者の登録をしていない店舗で税込4,000円の商品を購入し、インボイスではない領収書を受領した。

⇒ １万円未満の取引のため、**少額特例の対象**

No. 5 その他の経過措置と令和6年度改正点

STEP 1

免税事業者等からの仕入れに係る経過措置を確認する

1．概要（消法30⑦、28年改正法附則52、53）

適格請求書等保存方式の下では、消費者や免税事業者、登録を受けていない課税事業者といった、適格請求書発行事業者以外の者からの課税仕入れについては、仕入税額控除のために保存が必要な請求書等の交付を受けることができないため、仕入税額控除を行うことができません。

ただし、インボイス制度開始から一定期間は、これらの免税事業者等からの課税仕入れであっても、仕入税額相当額の一定割合を仕入税額とみなして控除できる経過措置が設けられています。

2．適用期間と控除できる割合

令和５年10月１日から令和８年９月30日までは、仕入税額相当額の80％の割合で控除することができ、令和８年10月１日から令和11年９月30日までは、仕入税額相当額の50％の割合で控除することができます。

なおこの場合、一の免税事業者から行う経過措置の対象となる課税仕入れの合計額が、税込みで10億円を超える以下の事業年度では、その超えた部分の課税仕入れは、この適用を受けることができなくなりました。

法人	令和６年10月１日以後開始する事業年度から
個人事業者	令和７年分から

3．適用要件

帳簿及び請求書等の保存が必要です。

帳簿は、これまでの区分記載請求書等保存方式の記載事項に加え、経過措置の適用を受ける課税仕入れである旨の記載が必要です。

請求書等は区分記載請求書等と同様の記載事項が必要となります（区分記載請求書等に記載すべき事項に係る電磁的記録を含みます）。

STEP 1-1

適用期間と控除割合

期　間	割　合
令和５年10月１日から令和８年９月30日まで	仕入税額相当額の80%
令和８年10月１日から令和11年９月30日まで	仕入税額相当額の50%

STEP 1-2

帳簿の記載事項

①個々の取引ごとに記載する方法

（仕入）課仕 10,000 /（買掛金）80%控除対象 10,000

②記号・番号を表示する方法

（仕入）	課仕	10,000	/（買掛金）	10,000	※本日仕入れ	××屋
（消耗品費）	課仕	500	/（現　金）	500	※備品代	△△店
（通信費）	課仕	3,500	/（現　金）	3,500	電話代	NTT

※は80%控除対象

STEP 2

令和６年度改正点を確認する

１．いわゆる「自動販売機特例」や「回収特例」に関する改正

No. 2 のSTEP 1 やNo. 2 のSTEP 3 のとおり、適格請求書の交付義務が免除される取引に、「３万円未満の自動販売機及び自動サービス機により行われる商品の販売等（自動販売機特例）」や「適格簡易請求書である入場券等が事後に回収される取引（回収特例）」がありました。仕入れ側では、適格請求書の交付を受けることができませんので、一定の事項を記載した帳簿のみの保存により、仕入税額控除が認められることとなっています。

従来、その自動販売機や自動サービス機の住所又は所在地を帳簿に記載する必要がありましたが、令和６年度の改正において、その記載が不要となりました（回収特例についても３万円未満の取引に限ります）。

なお、改正の趣旨を踏まえ、インボイス制度が開始された後に行ったこれらの課税仕入れについて、帳簿に住所や所在地の記載がなかったとしても、運用上、改めて求めないものとすることとなりました。

２．簡易課税やいわゆる「２割特例」を受ける場合の税抜経理の方法に関する改正

簡易課税や「２割特例」を受ける場合、売上税額をもとに納付税額が計算されます。これらの制度の適用を受ける事業者が、税抜経理処理をした場合でも、すべての課税仕入れについて、継続適用を条件に支払対価の額に$\frac{10}{110}$（軽減税率の対象となる場合には$\frac{8}{108}$）を乗じた金額を仮払消費税等として計上することが認められることが明確化されました。

この改正によって、課税仕入れを行う際に、受領した請求書等が適格請求書等であるかどうかの確認をする必要がなくなります。

STEP 2-1

《帳簿のみ保存の特例を適用する場合の帳簿の記載事項》

- 課税仕入れの相手方の氏名又は名称
- 取引年月日
- 取引内容（軽減税率対象の場合、その旨）
- 対価の額
- **課税仕入れの相手方の住所又は所在地**
  （国税庁長官が指定するものについては、住所等の記載は不要）
- 特例の対象となる旨

自動販売機特例や回収特例が適用される取引（３万円未満の取引に限る。）について、記載を求めないこととする。

○自動販売機特例を適用する場合の帳簿の記載例

総勘定元帳（会議費）　㈱○○

XX年				
月	日	摘要	借方	貸方
2	8	○○市　自販機　飲料※	120	
		⋮	⋮	

※は軽減税率対象品目

記載を求めない

STEP 2-2

簡易課税・２割特例適用者のみ
インボイス制度導入前と同様の額の仮払消費税等を計上する方法

継続適用が要件

総勘定元帳（仕入れ）　㈱○○

月	日	摘要	借方
11	3	㈱◇◇　雑貨　~~80%対象~~	30,000
		（仮払消費税等）	(3,000)

経過措置の対象である旨は不要

⇒結果、受領した請求書等が適格請求書か否かの確認は不要となる。

No. 6 消費税の基本的な仕組みと用語の意義

STEP 1 消費税は間接税

消費税は、「消費」に対して、広く公平に負担を求めることとしています。したがって、医療、福祉、教育などの限定された一部のものを除き、国内で行われるほとんどすべての物品の販売や貸付け、サービスの提供及び貨物の輸入を課税の対象としており、取引の各段階でそれぞれの取引金額に対して標準税率7.8％（地方消費税分を合わせると10％）又は軽減税率6.24％（地方消費税分を合わせると８％））で課税する間接税です。

STEP 2 消費税は消費者に転嫁

消費税は、事業者の販売する物品やサービスの価格に上乗せされて、製造業者から卸売業者へ、卸売業者から小売業者へ、小売業者から消費者へと、順次先へ転嫁し、最終的に、すべて消費者に転嫁され、消費者が物品の購入やサービスの提供を受けることを通じて負担することが予定されている税です。

STEP 3 税の累積を排除

消費税は、生産、流通の各段階で二重三重に税が課されることのないよう、売上げに係る消費税額から仕入れに係る消費税額を控除し、税が累積しない仕組み（前段階税額控除方式）になっています。

【コラム】

国税収入69兆6,080億円に占める消費税の割合は、34.2％となっています。

税目等	課税対象	令和６年度予算額	構成比
		億円	%
国税収入計	—	696,080	100.0
消費課税計	—	293,930	42.2
消費税	資産の譲渡等	238,230	34.2
個別間接税等計	—	55,700	8.0
酒税	酒類	12,090	1.7
たばこ税	製造たばこ	9,480	1.3
揮発油税	揮発油等	20,180	2.9
航空機燃料税	航空機燃料	320	0.1
石油石炭税	原油等	6,060	0.9
電源開発促進税	一般電気事業者の販売電気	3,110	0.4
自動車重量税	検査自動車等	4,020	0.6
国際観光旅客税	国際観光旅客等の出国	440	0.0

STEP 1

直接税と間接税

税の転嫁の有無により「直接税と間接税」とに分類し、実際に税金を負担する者と、その税金を直接納める者（法律上の納税義務者）とが同一となるものを直接税といいます。また異なるものを間接税といいます。

この分類によれば、所得税や法人税は、直接税に属するのに対して、消費税は、物品の販売やサービスの提供を業とする者を納税義務者としていますが、その物品やサービスの取引価格に上乗せされて、これらを購入する消費者に税負担が転嫁されることを予定していることから、間接税に属する租税となります。

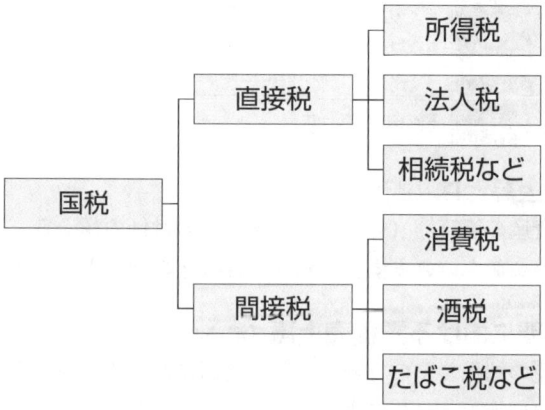

STEP 2

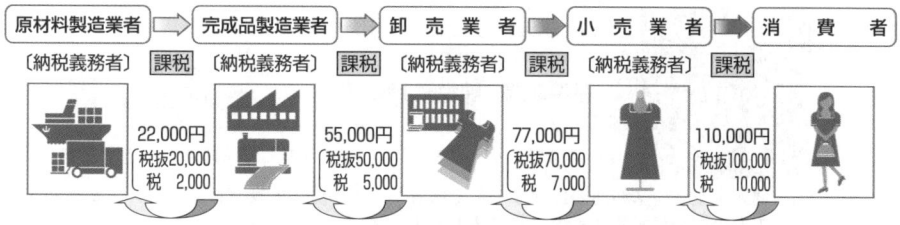

STEP 3

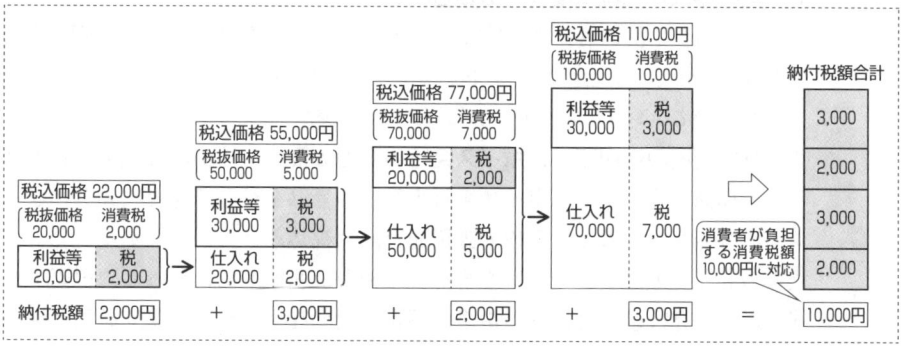

STEP 4

課税期間とは（消法19）

消費税の納付税額を計算する期間です。

法　　人	事業年度
個人事業者	暦年（1月1日～12月31日）

＊届出書（「消費税課税期間特例選択・変更届出書」といいます。）を提出することにより、課税期間を3か月又は1か月に短縮することができます。（**No.84**「課税期間の短縮の特例」参照）

STEP 5

基準期間とは（消法2①十四）

消費税の納税義務や簡易課税制度の適用の有無の判定に用いる期間です。

法　　人	その事業年度の前々事業年度 ＊その事業年度の前々事業年度が1年未満の場合 その事業年度開始の日の2年前の日の前日から同日以後1年を経過する日までの間に開始した各事業年度を合わせた期間が基準期間となります。
個人事業者	その年の前々年

STEP 6

課税売上高とは（消法9②）

課税資産の譲渡等（免税取引を含む）の対価の額から、売上げに係る対価の返還等を控除した金額をいいます。いわゆる税抜きの純売上高です。

STEP 7

基準期間における課税売上高（消法9②）

消費税の納税義務の有無は、基準期間における課税売上高で判定を行いますが、その計算方法は次のとおりです。

(1) 基準期間が1年未満の場合

法　　人	基準期間の課税売上高を1年分へ換算します。 $\text{基準期間の課税売上高} \times \dfrac{12\text{月}}{\text{基準期間の月数}*}$ ＊月数は暦に従って計算し、1か月未満の端数は切り上げます。

※個人事業者の基準期間は常に1年であるため1年分への換算はしません。基準期間の課税売上高そのものの金額となります（消基通1－4－9）。

(2) 基準期間が免税事業者＊の場合（消基通1－4－5）

基準期間が免税事業者の場合は、その基準期間である課税期間中の課税売上高には、消費税が課税されていませんから、税抜き処理を行わない課税売上高で納税義務を判定します。

＊免税事業者は**No.13**「課税事業者の判定をする」参照。

(3) 基準期間の途中でインボイス発行事業者の登録を行い、課税事業者となった場合

基準期間の途中でインボイス発行事業者の登録を行って課税事業者となった場合、インボイス発行事業者となる前の課税売上高（税込み）と、インボイス発行事業者となった後の課税売上高（税抜き）を合計した額が、基準期間における課税売上高となります。**インボイス発行事業者となった後の課税売上高を1年分に換算することはありませんので注意が必要です。**

例）令和5年10月1日から課税事業者となった場合

下記①と②の合計額で1,000万円以上となるかどうかを判定します。（②を1年分へ換算した金額で判定することはありありません。）

①令和5年9月30日までの課税売上高（税抜き処理を行わない課税売上高）

②令和5年10月1日からの課税売上高（税抜き処理を行う課税売上高）

STEP 5 基準期間

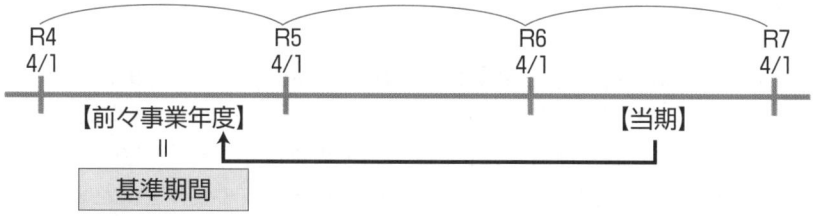

〔事業年度を変更した場合の基準期間〕

令和４年12月31日まで半年決算であったが、令和５年４月より１年決算へ事業年度を変更した場合

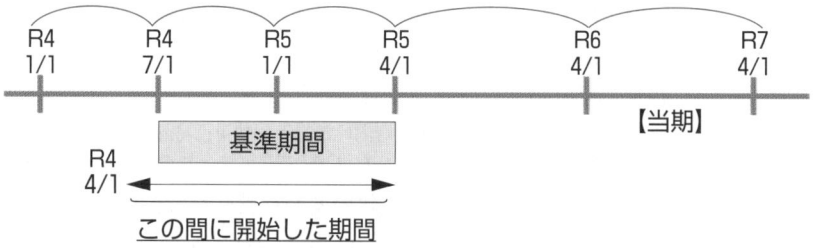

その事業年度開始の日（R6.4.1）の２年前の日の前日（R4.4.1）から同日以後１年を経過する日（R5.3.31）までの間に開始した各事業年度を合わせた期間が基準期間となります。

STEP 6 課税売上高

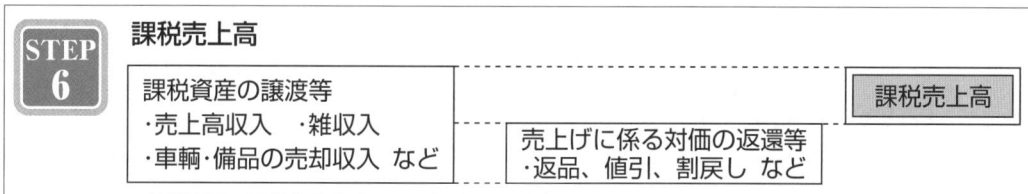

※基準期間の課税売上高は、その基準期間が課税事業者であった場合は税抜金額で計算しますが、免税事業者であった場合は税込金額で計算します。

STEP 7 基準期間における課税売上高

基準期間が１年未満の場合は、１年間の金額に換算します。（法人のみ）

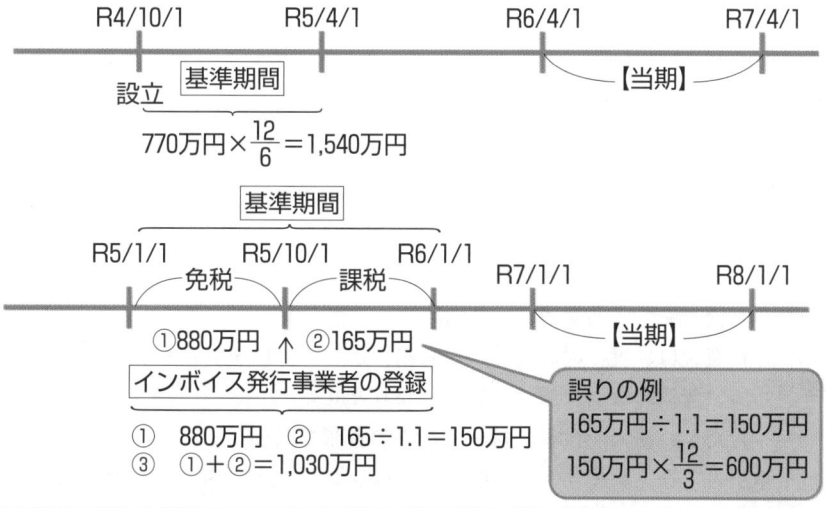

No. 7 消費税の課税対象となる取引・ならない取引（課税・非課税・免税）

STEP 1

消費税の課税対象となる取引の概要（消法２①八～八の五、４①）

消費税の課税対象は、「事業者が行う国内取引」と「輸入取引」に限られます。さらに「事業者が行う国内取引」には、「資産の譲渡等」と「特定仕入れ」の２つがあります。

1.「資産の譲渡等」とは、次の①から⑤のすべての要件を満たす取引です。

① 国内において行う取引（国内取引）であること

② 事業者が事業として行うものであること

③ 対価を得て行うものであること（代物弁済等、みなし譲渡を含みます。）

④ 資産の譲渡、貸付け及び役務の提供であること

⑤ 特定資産の譲渡等に該当しないこと

（注）「特定資産の譲渡等」とは、「事業者向け電気通信利用役務の提供」及び「特定役務の提供」をいいます。詳細は**No.71**「国境を越えた役務の提供がある場合（リバースチャージ方式）」参照

2.「特定仕入れ」とは、事業として他の者から受けた特定資産の譲渡等をいいます。

（注）輸入取引に係る課税の対象は、**No.40**「輸入取引がある場合の仕入税額控除」参照

STEP 2

事業者が事業として行う取引（消法２①三～四、消基通５－１－１、５－１－８）

「事業として」とは、対価を得て行われる資産の譲渡・貸付け、役務の提供が「反復」、「継続」、「独立」して行われることをいいます。

① 「法人」の場合は、すべての取引が事業として行う取引となります。

② 「個人事業者」が生活の用に供している資産を譲渡する場合のその譲渡は、「事業として」には該当しないため課税対象とされません。（課税対象外）

STEP 3

国内取引の判定（消法４③④）

① 資産の譲渡又は貸付けの場合･･･資産の所在地

② 役務の提供の場合･･･役務の提供が行われた場所

（注）国境を越えた役務の提供がある場合の詳細は、**No.71**「国境を越えた役務の提供がある場合（リバースチャージ方式）」参照

STEP 4

資産の譲渡、資産の貸付け、役務の提供であること

（消法２①八、２②、消基通５－２－１、５－２－10、５－４－１、５－５－１）

① 資産の譲渡とは、売買や交換等の契約により、資産の同一性を保持しつつ、他人に移転することをいいます。したがって、権利の消滅や価値の減少は、資産の譲渡には該当しません。

② 資産の貸付けとは、賃貸借や消費貸借等の契約により、資産を他の者に貸し付け、使用させる一切の行為をいい、資産に係る権利の設定も含まれます。

③ 役務の提供とは、請負契約、運送契約、委任契約、寄託契約などに基づいて労務、便益その他のサービス（例：請負、宿泊、飲食、出演、広告、運送、委任）を提供することをいいます。

STEP 5

対価を得て行うもの（消基通５－１－２）

消費税は、資産の譲渡等の反対給付として対価を受ける取引に課税されます。したがって、無償の取引は課税の対象になりません。

ただし、法人が役員に対して法人の資産を贈与した場合などは、対価を得て行われた取引とみなされます。（消法４⑤）詳細は、**No.34**「みなし譲渡」参照。

STEP 1 消費税の課税対象となる取引の概要

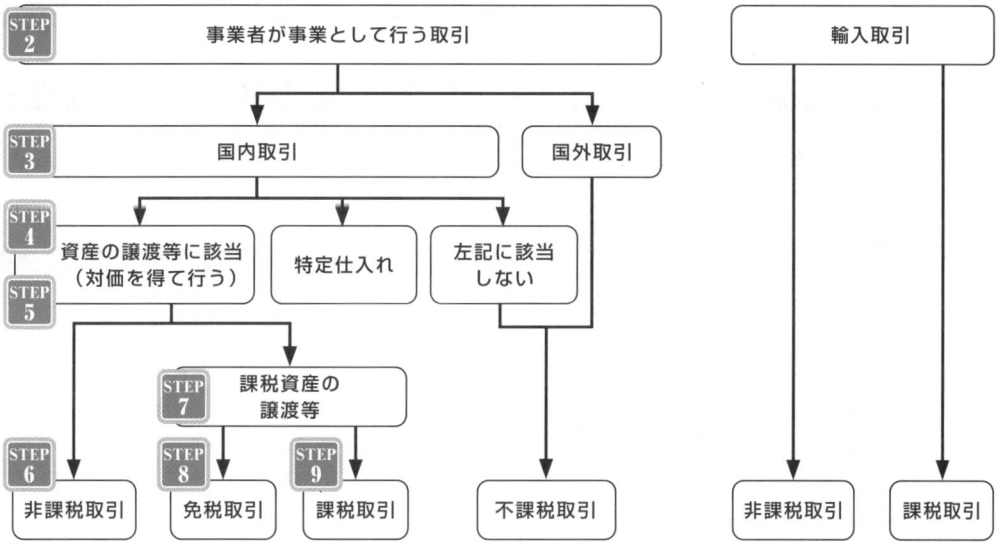

STEP 2 事業者が事業として

事業者	事業として
個人事業者（事業を行う個人）	反復、継続かつ独立して対価を得て行われる資産の譲渡等
法人	全取引

STEP 3 国内取引の判定

内　容	資産の所在地又は役務の提供場所	判　定
資産の譲渡 資産の貸付け 役務の提供	国　内	国内取引
	国　外	国外取引

STEP 4 資産の譲渡等

資産とは	棚卸資産、機械装置、建物などの有形資産、商標権、特許権などの無形資産など取引（譲渡又は貸付け）の対象となるものは全て含まれます。
資産を使用させるとは	動産、不動産、無体財産権その他の資産を、他の者に使用させることをいいます。

STEP 5 対価を得て行うものに該当しない例

内　容	理　由
寄附金、祝金、見舞金、補助金等	一般的に対価として支払われるものではないため。
保険金や共済金	資産の譲渡等の対価といえないため。
株式の配当金や他の出資分配金	株主や出資者の地位に基づいて支払われるものであるため。

STEP 6

非課税取引（消法６①②、別表第二、別表第二の二）

１．国内取引に係る非課税

課税対象となる国内取引のうち、消費税の性格からみて課税になじまないものや、社会政策的配慮から課税することが適当でない取引については、消費税は非課税とされています。

(1) 消費税の性格からみて課税になじまないもの	
①	土地（土地の上に存する権利を含みます。）の譲渡及び貸付け
②	有価証券、支払手段の譲渡
③	利子、保証料、保険料
④	郵便切手類、印紙、証紙の譲渡、商品券などの物品切手等の譲渡
⑤	国、地方公共団体の行政手数料等、外国為替業務の手数料
(2) 社会政策的な配慮に基づくもの	
⑥	社会保険診療
⑦	介護保険法に基づく介護サービス、社会福祉事業
⑧	医師、助産師等による助産に係る資産の譲渡等
⑨	埋葬料、火葬料
⑩	身体障害者用物品の譲渡、貸付け等
⑪	学校、専修学校、各種学校等の授業料、入学金等
⑫	教科用図書の譲渡
⑬	住宅の貸付け

２．輸入取引に係る非課税

課税対象となる輸入取引のうち、国内取引に係る非課税とのバランスから一定の輸入資産は非課税とされています。

①	有価証券等
②	郵便切手類、印紙、証紙、物品切手等
③	身体障害者用物品
④	教科用図書

STEP 7

課税資産の譲渡等

「事業者が事業として行う国内取引」で、「非課税取引」以外の資産の譲渡等は、消費税の課税対象とされ、次の「免税取引」以外の取引が「課税取引」となります。

STEP 8

免税取引（消法７）

次のような輸出取引等を免税取引といい、消費税が免除されるとともに、免税取引のために要する仕入れ等に係る消費税は、仕入税額控除の対象となります。この取扱いを０％課税といいます。

① 国内からの輸出として行われる資産の譲渡又は貸付け（典型的な輸出取引）

② 外国貨物の譲渡、貸付け

③ 保税地域内での荷役、運送、保管等のサービス

④ 国際通信、国際運輸、国際郵便など（詳細は**No.43**「旅費交通費」、**No.44**「通信費」参照）

※ 輸出物品販売場における免税取引については、**No.76**を参照

STEP 9

課税取引

「不課税取引」、「非課税取引」、「免税取引」以外のものが「課税取引」とされ、消費税が課税されます。

STEP 6

国内取引に係る非課税

	区　分	例示、留意点等
1	土地（土地の上に存する権利を含む）の譲渡及び貸付け（一時的に使用させる場合等を除く）	土地の上に存する権利：地上権、賃借権、地役権等の土地の使用収益に関する権利をいう。
		一時的に使用させる場合等：貸付期間が１月未満及び建物、駐車場他その他の施設の利用に伴って土地が使用される場合をいう。
2	有価証券、有価証券に類するもの及び支払手段の譲渡	有価証券：国債、株券、投資信託など 有価証券に類するもの：預金、売掛金その他の債権など 支払手段：紙幣、小切手、約束手形、電子マネーなど 支払手段に類するもの：仮想通貨などの暗号資産
		船荷証券、貨物引換証、倉庫証券、株式・預託形態によるゴルフ会員権は除く　→　課税対象
3	利子を対価とする貸付金その他の特定の資産の貸付け及び保険料を対価とする役務の提供等	預金、貸付金、国債、地方債の利子 信用の保証料、保険料、手形の割引料 割賦販売等の手数料、クレジット会社手数料
4	郵便切手類、印紙、証紙の譲渡、物品切手等の譲渡	郵便切手類の譲渡：郵便局、印紙売りさばき所等、一定の場所における譲渡に限り非課税
		物品切手等：商品券、ビール券、図書カード、テレホンカード、プリペイドカードなど
5	国、地方公共団体等が法令に基づき徴収する手数料に係る役務の提供、外国為替業務に係る役務の提供	国、地方公共団体等の行政手数料（警察手数料に該当する「パーキング・チケット」も含まれます。詳細は、No.43「旅費交通費」参照） 外国為替の送金手数料、両替手数料、トラベラーズチェックの発行手数料など
6	公的な医療保障制度に係る療養、医療、施設療養又はこれらに類する資産の譲渡等	健康保険法、国民健康保険法等の規定に基づく保険診療など
7-1	介護保険法の規定に基づく、居宅・施設・地域密着型介護サービス費の支給に係る居宅・施設・地域密着型介護サービス等	介護保険法の規定に基づく居宅サービス、施設サービス、訪問介護など
7-2	社会福祉法に規定する社会福祉事業等として行われる資産の譲渡等	第一種社会福祉事業、第二種社会福祉事業、更生保護事業法に規定する更生保護事業、幼稚園併設型認可外保育施設における事業など
8	医師、助産師その他医療に関する施設の開設者による助産に係る資産の譲渡等	助産に係る資産の譲渡等：妊娠検査、検診、入院、分娩介助、回復検診、新生児の検診・入院など 妊娠中・出産後の入院の差額ベッド料も非課税
9	墓地、埋葬等に関する法律に規定する埋葬・火葬に係る埋葬料・火葬料を対価とする役務の提供	埋葬料、火葬料 納骨料等は課税。
10	身体障害者の使用に供するための特殊な性状、構造又は機能を有する物品の譲渡、貸付け等	身体障害者用物品：義肢、盲人安全つえ、義眼、点字器、人工喉頭、車いすなどで厚生労働大臣が指定したもの
11	学校、専修学校、各種学校等の授業料、入学金、施設設備費等	幼稚園、小学校、中学校、高等学校、大学、専修学校の高等課程・専門課程・一般課程、各種学校の要件に該当するもの　などの授業料、入学金他
12	教科用図書の譲渡	教科用図書：検定済教科書、文部科学省が著作した教科用図書に限る。 参考書、問題集等の補助教材は課税。
13	住宅の貸付け （１か月未満の貸付けを除く）	住宅：人の居住の用に供する家屋又は家屋のうち人の居住の用に供する部分をいう。
		貸付け：契約において人の居住の用に供することが明らかにされているものに限る。 （契約において用途が明らかにされていない場合であっても、貸付け等の状況からみて居住の用に供されている事が明らかな場合については非課税）

No. 8 軽減税率と適用税率の経過措置

STEP 1 税率引上げ等の実施時期

消費税率の引上げに関連する改正項目と実施時期は以下のとおりです。

改正項目	実施時期
消費税及び地方消費税の税率引上げ	令和元年10月１日
軽減税率制度の導入	令和元年10月１日
仕入税額控除の方式の変更（**No. 2** 参照） 区分記載請求書等保存方式 適格請求書等保存方式 （適格請求書発行事業者の登録申請）	 令和元年10月１日～令和５年９月30日 令和５年10月１日～ 令和３年10月１日～

STEP 2 消費税及び地方消費税の税率引上げ

令和元年10月１日以後に国内において事業者が行う課税資産の譲渡等、国内において事業者が行う課税仕入れ及び保税地域から引き取られる課税貨物については10%（消費税7.8%、地方消費税2.2%）の税率が適用されています（消法29）。

ただし、引上げ後に行われる資産の譲渡等のうち一定のものについては、旧税率を適用する経過措置（**STEP 6** 参照）が講じられています。

STEP 3 軽減税率制度の導入

10%への税率引上げにあわせて、低所得者対策として、生活必需品に係る消費税負担を軽減する軽減税率制度が導入されました。

軽減税率の対象となる、課税資産の譲渡等と保税地域から引き取られる課税貨物については税率の引上げ後も適用税率は８％（消費税6.24%、地方消費税1.76%）に据え置かれています。

消費税及び地方消費税の税率

区分＼適用開始日	令和元年９月30日まで	現行	
		標準税率	軽減税率
消費税率	6.3%	7.8%	6.24%
地方消費税率	1.7% （消費税額の$\frac{17}{63}$）	2.2% （消費税額の$\frac{22}{78}$）	1.76% （消費税額の$\frac{22}{78}$）
合計	8.0%	10.0%	8.0%

（注）消費税等の軽減税率と旧税率はどちらも合計は８％ですが、消費税率（6.3%→6.24%）と地方消費税率（1.7%→1.76%）の割合が異なります。

STEP 1

税率引上げ等の概要

税率引上げと軽減税率制度の実施時期	令和元年10月１日
消費税率等	標準税率：10%（消費税率：7.8%、地方消費税率：2.2%） 軽減税率：８%（消費税率：6.24%、地方消費税率：1.76%）(注) （注）旧８%（消費税率：6.3%、地方消費税率：1.7%）とは消費税と地方消費税の内訳が異なるため区分が必要。
軽減税率の対象品目	• 飲食料品（酒類・外食を除く） • 週２回以上発行される新聞（定期購読契約に基づくもの）
帳簿及び請求書等の記載と保存	• 対象品目の売上げ・仕入れがある事業者は、取引等を税率ごとに区分して記帳するなどの経理（区分経理）を行う必要あり。 • 仕入税額控除の要件として、原則として、取引相手（売手）である登録事業者から交付を受けた「適格請求書等」＝いわゆるインボイスの保存が必要となる。

STEP 3

軽減税率制度の実施後に必要となる事務

事業者の区分		必要な対応
課税事業者	軽減税率対象品目の売上げ・仕入れ（経費）の両方がある事業者 （例）• 飲食料品を取扱う小売・卸売業（スーパー、青果店等） • 飲食店業（レストラン等）	① インボイスの登録事業者は、適格請求書等を交付、それ以外の事業者は、取引の相手方に、記載事項を追加した区分記載請求書等を交付 ② 取引先から受領した適格請求書等又は区分記載請求書等をもとに、日々の取引を税率の異なるごとに記帳（区分経理） ③ 区分経理に基づき、申告時に税率ごとの税額計算
課税事業者	軽減税率対象品目の仕入れ（経費）のみがある事業者 （例）会議費や交際費として飲食料品を購入する場合　等	上記②と③の対応が必要
免税事業者	軽減税率対象品目の売上げがある場合	課税事業者と取引を行う場合には、区分記載請求書等の交付を求められる場合があるため記載事項を追加した区分記載請求書等の交付への対応が必要

STEP 4

軽減税率の適用対象取引

軽減税率の適用対象取引は、国内取引については課税資産の譲渡等のうち、次の**1**又は**2**に該当するもの（軽減対象資産の譲渡等）とし、輸入取引については保税地域から引き取られる課税貨物のうち次の**1**の飲食料品に該当するもの（軽減対象貨物）とされています。

1．飲食料品（酒類を除く）の譲渡（消法２①九の二、別表第一）

飲食料品とは、食品表示法に規定する食品(注1)（酒類(注2)を除く。）をいい、一定の「一体資産」を含み、「外食・ケータリング等」は含まれません。

（注１）食品表示法２①（食品の定義）
この法律において「食品」とは、全ての飲食物（医薬品、医薬部外品及び再生医療等製品を除き、添加物を含む。）をいう。

（注２）酒税法２①（酒類の定義及び種類）
「酒類」とは、アルコール分１度以上の飲料（薄めてアルコール分１度以上の飲料とすることができるもの（アルコール分が90度以上のアルコールのうち、酒類の製造免許を受けた者が酒類の原料として当該製造免許を受けた製造場において製造するもの以外のものを除く。）又は溶解してアルコール分１度以上の飲料とすることができる粉末状のものを含む。）をいう。

(1) 軽減税率の対象とされるもの

① 食品表示法に規定する食品
② 一体資産のうち一定のもの（下記(4)）
③ 飲食料品のいわゆる「テイクアウト」や「持ち帰り販売」（下記(5)④）
④ いわゆる「ケータリング、出張料理」のうち、有料老人ホーム等の施設で行う一定の基準を満たす飲食料品の提供（**STEP4-5**参照）

(2) 軽減税率の対象とされないもの

① 酒税法に規定する酒類
② 人の飲食に供することが可能なもので、人の飲用又は食用以外の用途で販売されるもの（例：工業用として販売される塩など）
③ 医薬品、医薬部外品、再生医療等製品
④ いわゆる「外食」（下記(5)①）
⑤ いわゆる「ケータリング、出張料理」（下記(6)）

(3) 適用税率の判定時期

軽減税率が適用される取引か否かの判定は、事業者が飲食料品を販売する時点（取引を行う時点）で行います。

したがって、飲食料品を販売する事業者が、人の飲用・食用に供されるものとして販売した場合には、購入者がそれ以外の目的で購入・使用したとしても、その取引は「飲食料品の譲渡」に該当し、軽減税率の対象となります。

例）・清掃用として販売した重曹を購入者が食用に用いたとしても、販売時の税率は標準税率
・食用として販売した重曹を購入者が清掃用に用いたとしても、販売時の税率は軽減税率

STEP 4-1

軽減税率制度の適用対象となる飲食料品の範囲

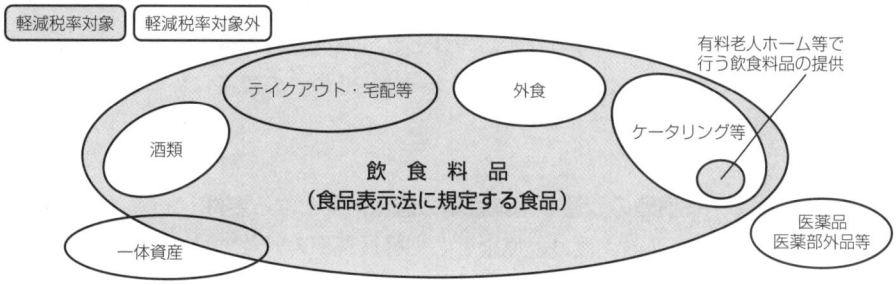

【留意点】

飲食料品	飲食料品とは、「一般に人の飲用又は食用に供するもの」をいいます。 例えば、工業用の塩は、軽減税率の対象となる飲食料品に含まれません。
外食	飲食店営業等の事業を営む者が飲食に用いられる設備がある場所において行う食事の提供
ケータリング等	相手方の注文に応じて指定された場所で調理・給仕等を行うもの
テイクアウト・宅配等	飲食店営業等の事業を営む者が行うものであっても、いわゆるテイクアウト・宅配等は軽減税率の対象
一体資産	おもちゃ付きのお菓子など、食品と食品以外の資産があらかじめ一体となっている資産で、その一体となっている資産に係る価格のみが提示されているもの 税抜価格が１万円以下であり、かつ、食品の価額の占める割合が$\frac{2}{3}$以上の場合に限り、全体が軽減税率の対象（それ以外の場合は、標準税率の対象）

STEP 4-2

飲食料品の具体例

品目等	軽減税率の適用対象	適用対象とならないもの
農産物	• 米穀や野菜、果実など • 人の飲用又は食用に供されるもみ • おやつや製菓の材料用のかぼちゃの種など	• 「種もみ」として販売されるもみ • 栽培用として販売される植物や種子
畜産物	• 食肉や生乳、食用鳥卵など • 家畜の枝肉	• 肉用牛、食用豚、等の生きた家畜
水産物	• 魚類や貝類、海藻類など • 活魚	• 熱帯魚などの観賞用の魚
加工食品	• 麺類、パン類、菓子類、調味料等、その他製造又は加工された食品	－
飲料	• ジュース、お茶等の飲料 • ミネラルウォーターなどの飲料水 • ペットボトルに入れて「食品」として販売する水道水 • 医薬品等でない栄養ドリンク • ノンアルコールビールや甘酒など「酒類」に該当しない飲料 • ウォーターサーバーで使用する水	• 水道水 • 医薬品等（医薬品、医薬部外品、再生医療等製品）に該当する栄養ドリンク • ウォーターサーバーのレンタル料
氷	• かき氷や飲料に入れる氷などの食用氷	• ドライアイスや保冷用の氷
健康食品、美容食品等	• 特定保健用食品、栄養機能食品 • 医薬品等に該当しない健康食品、美容食品	－
酒類	• 酒類を原料とした菓子（酒類に該当しないもの） • 酒類の原料となる食品（日本酒の原材料の米など） • みりん風調味料、料理酒等（酒類に該当しないアルコール分１度未満のものや塩を加えたもの）	• 酒税法に規定する酒類 • 食品の原材料となるワインなどの酒類 • みりん、料理用清酒等（酒類に該当するもの）
家畜の飼料やペットフード	－	• 牛や豚等の家畜の飼料 • ペットフード

(4) 「一体資産」に関する注意点等

① 一体資産の意義

食品と食品以外の資産が一体として販売されるもの（あらかじめ一の資産を形成し、又は構成しているものであって、その一の資産に係る価格のみが提示されているもの）

② 一体資産の譲渡が軽減税率の適用対象となる要件

一体資産の譲渡は、原則として軽減税率の対象ではありませんが、次の要件をいずれも満たす場合に限り、その全体が軽減税率の適用対象となります。

- **一体資産の譲渡の対価の額（税抜販売価額）が１万円以下であること**
- **一体資産の価額のうちにその一体資産に含まれる食品に係る部分の価額の占める割合として合理的な方法により計算した割合（下記③）が $\frac{2}{3}$ 以上であること**

※　要件を満たさなければその譲渡全体が標準税率の適用対象となります。

③ 合理的な方法により計算した割合

事業者の販売する商品や販売実態等に応じ、例えば次の割合など、事業者が合理的に計算した割合であれば差し支えないこととされています（消基通５－９－４）。

- 一体資産の譲渡に係る売価のうち、合理的に計算した食品の売価の占める割合
- 一体資産の譲渡に係る原価のうち、合理的に計算した食品の原価の占める割合

④ 合理的な割合が不明な場合

小売業や卸売業等を営む事業者が、一体資産に該当する商品を仕入れて販売する場合において、合理的な割合が不明であるときは、販売する対価の額（税抜価額）が１万円以下であれば、その課税仕入れのときに仕入先が適用した税率をそのまま適用して差し支えありません。

(5) 「外食」に関する注意点等

① 「飲食店業等を営む者が行う食事の提供」（いわゆる「外食」）の意義

軽減税率が適用されない「外食」とは、

- 飲食店業等を営む者（下記②）が顧客の飲食に用いられるテーブル、椅子、カウンター等の飲食設備（下記③）のある場所において（**場所要件**）
- 顧客に飲食料品を飲食させるサービス（**サービス要件**）

をいいます（改正法附則34①一イ）。

② 「飲食店業等を営む者」の意義

食品衛生法上の飲食店業、喫茶店営業を営む者に限らず、飲食設備のある場所において飲食料品を飲食させる役務の提供を行う全ての事業者が該当します（改正令附則３①、消基通５－９－６）。

品目等	軽減税率の適用対象	適用対象とならないもの
味覚狩り、潮干狩り、釣堀の入園料	• 別途対価を徴して果物等を販売した場合	• 顧客に収穫等させた果物等をその場で飲食させる役務の提供
食品衛生法に規定する「添加物」	• 食品衛生法に規定する添加物（食品添加物）として販売される金箔、重曹など（購入者が清掃用、化粧品の原材料に用いたとしても対象） • 添加物として販売される炭酸ガス及びガスボンベ	–
飲食料品の包装材料、容器、割り箸、ストロー、保冷剤等	• 飲食料品の販売に通常必要なものとして使用されるもの • 桐の箱等の高価な容器であっても、商品名を直接印刷するなど、その飲食料品の販売にのみ使用していることが明らかなもの • ケーキやプリンなどの洋菓子にサービスで付ける保冷剤	• 贈答用の包装など、別途対価を定めている包装材料等 • 包装紙のみの販売 • 別途対価を徴している保冷剤
自動販売機	• 自動販売機によるジュース等の飲料、パン、お菓子等の販売	• 自動販売機による酒類の販売
通信販売	• 飲食料品の通信販売（注）	–
食品の卸売	• 飲食店への食材の販売	–
食品の加工	–	• コーヒーの生豆の焙煎等の加工
食品の廃棄	–	• 賞味期限切れの廃棄食品の譲渡
送料	• 送料込で別途送料を求めない場合	• 飲食料品の譲渡に要する送料

（注）飲食料品の通信販売には適用税率の経過措置は適用されず、軽減税率が適用されるため、令和元年９月30日までの税率は、消費税率6.3%、地方消費税率1.7%の合計８%、令和元年10月１日以後の税率は消費税率6.24%、地方消費税率1.76%の合計８%となる。

STEP 4-3

一体資産の具体例

一体資産の具体例

- 菓子と玩具により構成されている、いわゆる食玩
- 飲食後に食器や装飾品として再利用できる容器に盛り付けられた洋菓子
- 紅茶とティーカップのセット
- 食品と食品以外の資産で構成された福袋

一体資産に該当しないもの

- 例えばビールと惣菜など、それぞれ別々の商品として販売しているものを組み合わせて、一括で値引きを行う販売
- 食品と食品以外の資産の詰合せ商品について、その詰合せ商品の価格とともに、個々の商品の価格を内訳として提示している場合
- 例えば「よりどり３品○○円」と価格を提示し、顧客が自由に組合せできるようにして販売している場合

③ **「飲食に用いられる設備」（飲食設備）の意義**

飲食に用いられるテーブル、椅子、カウンター等の設備であれば、

- 飲食のための専用の設備である必要はなく、
- 飲食料品の提供を行う者と設備設置者（設備を設置又は管理する者）が異なる場合であっても、飲食料品の提供を行う者と設備設置者との間の合意等に基づき、その飲食設備を飲食料品の提供を行う者の顧客に利用させることとしているとき（例：フードコートでの飲食）は、「飲食設備」に該当します（消基通５－９－７、５－９－８）。

④ **「テイクアウト・持ち帰り販売」の取扱い**

「テイクアウト・持ち帰り販売」とは、「食料品を、持ち帰りのための容器に入れ、又は包装を施して行う譲渡」をいいます。

テイクアウト・持ち帰り販売は、**「飲食設備のある場所において、飲食料品を飲食させる役務の提供」には当たらない単なる飲食料品の販売であることから、軽減税率が適用されます**（改正法附則34①一イ）。

⑤ **「店内飲食」と「テイクアウト・持ち帰り販売」の両方を行っている場合**

「店内飲食」と「テイクアウト・持ち帰り販売」の両方を行っている飲食店等においては、**例えば「注文等の時点で『店内飲食（標準税率）』か『持ち帰り（軽減税率）』か、顧客に意思確認を行う」などの方法により適用税率の判定を行う**こととなります。

なお、大半の商品（飲食料品）が持ち帰りであることを前提として営業しているコンビニエンスストア等においては、全ての顧客に店内飲食か持ち帰りかを質問することを必要とするものではなく、例えば、「イートインコーナーを利用する場合はお申し出ください」等の掲示をして意思確認を行うなど、営業の実態に応じた方法で意思確認を行うこととして差し支えありません。

STEP 4-4

「外食」の具体例

店舗形態等	標準税率（「外食」に当たる）	軽減税率（「外食」に当たらない）
牛丼屋、ハンバーガー店	店内飲食	テイクアウト
そば屋	店内飲食	出前
寿司屋	店内飲食	お土産
屋台	おでん屋やラーメン屋等の屋台での飲食 • 自らテーブル、椅子、カウンター等を設置している場合 • 自ら設置はせず、設備設置者から使用許可等を受けている場合	縁日などにおける屋台のお好み焼きや焼きそば等の軽食 • テーブル等の設備がない場合 • 使用許可等を取っていない公園のベンチ等を顧客が使用（他の者も自由に使用）している場合
フードコート	フードコートでの飲食 • テナントとして出店し、テーブル、椅子等はショッピングセンターの所有で、自社の設備ではない場合	–
コンビニエンスストア	イートインコーナーでの飲食を前提に提供される飲食料品	ホットスナック・弁当・惣菜 • 店内で飲食することも可能な商品を顧客が持ち帰りを前提に購入する場合
旅客列車等	食堂車での飲食	駅の売店や列車内の移動ワゴン等による弁当や飲み物等の販売
映画館の売店等	• 売店のそばにテーブル、椅子等を設置して、その場で顧客に飲食させている場合 • メニューを座席等に設置し、顧客の注文に応じてその座席等で行う食事の提供 • 座席等で飲食するため事前に予約を取って行う食事の提供	• テーブル等がない売店で行われる飲食料品の販売
旅館、ホテル等	• ホテル等自体又はテナントであるレストランが行う宴会場や会議室等で行われる食事の提供 • いわゆるルームサービス	• 客室備え付けの冷蔵庫内の酒類以外の飲料の販売
その他	• 社員食堂での飲食 • セルフサービスの飲食店での飲食 • カウンターのみの立食形式の飲食店での飲食 • 学生食堂での飲食 • カラオケボックスの客室での注文に応じた飲食料品の提供 • バーベキュー施設での飲食等 • 注文した料理の残りを折り詰めにして持ち帰らせるサービス • 飲食店内で提供する缶飲料、ペットボトル飲料	• 宅配ピザの配達 • 喫茶店の飲料の配達 • 飲食店のレジ前にある菓子の販売

(6) 「ケータリング、出張料理」に関する注意点

軽減税率が適用されない「相手方が指定した場所において行う役務を伴う飲食料品の提供」(いわゆるケータリング、出張料理)とは、**飲食料品の提供を行う事業者が食材等を顧客が指定した場所に持参して、**

- **加熱・切り分け・味付けなどの調理や、**
- **盛り付け・食器の配膳・取り分け用の食器等を配置するなどの役務**

を伴って飲食料品の提供をすることをいいます。

2．新聞の譲渡で次の全てに該当するもの(改正法附則34①二)

(1) 一定の題号を用いているもの

(2) 政治、経済、社会、文化等に関する一般社会的事実を掲載するもの

(3) 週2回以上発行されるもの

(4) 定期購読契約に基づくもの

STEP 4-5

いわゆる「ケータリング」、「出張料理」の具体例

形態	標準税率	軽減税率
一般的な「ケータリング」「出張料理」	顧客が指定した場所で • 飲食料品の盛り付け • 飲食料品が入っている器の配膳 • 飲食料品の提供と取り分け用の食器等の配置 • 食材を持ち込み、調理を行い、飲食料品を提供等の役務を行うもの	–
出前	• 飲食料品の配達後に、配達場所で給仕等の役務の提供が行われる場合には、ケータリング等に該当	• そばの出前、宅配ピザの配達、喫茶店の飲料の配達等
配達先での取り分け	–	• 持ち帰り用のコーヒーをカップに注ぐ行為 • 配達先で味噌汁を取り分け用の器に注ぐ行為
有料老人ホーム、サービス付き高齢者向け住宅	• 受託者である給食事業者が有料老人ホーム等との給食調理委託契約に基づき行う食事の調理(注1)	• 有料老人ホーム等の設置者又は運営者が行う、一日一人に対して行う飲食料品の提供の税抜対価の額が一食につき640円以下で、その累計額が1,920円に達するまでの飲食料品の提供(注2)
学校給食		次の施設の設置者が児童又は生徒、幼児の全て(注3)に対して学校給食として行う飲食料品の提供 • 義務教育諸学校の施設 • 夜間課程を置く高等学校の施設 • 特別支援学校の幼稚部又は高等部の施設 • 幼稚園の施設 • 特別支援学校に設置される寄宿舎
病院食	• 患者の自己選択により、特別メニューの食事の提供を行う場合(注4)	

(注1) 軽減税率の適用対象となる飲食料品の提供は、有料老人ホーム等の設置者又は運営者が、その有料老人ホームの一定の入居者に対して行う飲食料品の提供に限られる。
(注2) 累計額の計算方法につきあらかじめ書面で定めている場合にはその方法によることとされている。
(注3) アレルギーなどの個別事情により全ての児童又は生徒に対して提供することができなかったとしても軽減税率の適用対象となる。
(注4) 健康保険法等の規定に基づく入院時食事療養費に係る病院食の提供は非課税とされていることから、消費税は課されない。

STEP 4-6

新聞の譲渡の具体例

軽減税率の適用対象となるもの
• いわゆるスポーツ新聞 • 業界紙 • 日本語以外の新聞　等 これらについても、週に2回以上発行される新聞で、定期購読契約に基づく譲渡であれば軽減税率の適用対象
• 通常週2回発行されている新聞が、休刊日により週に1回しか発行されない場合でも「週に2回以上発行される新聞」に該当

軽減税率の適用対象とならないもの
• 駅売りの新聞 • コンビニエンスストア等の新聞の販売　等 定期購読契約に基づかない新聞の譲渡は軽減税率の適用対象外
• インターネットを通じて配信する電子版の新聞 電気通信回線を介して行われる役務の提供である「電気通信利用役務の提供」に該当し、「新聞の譲渡」に該当しないことから、軽減税率の適用対象外（消法2①八の三）

STEP 5

テイクアウトと店内飲食の価格表示について

どのような価格設定を行うかは事業者の任意です。

したがって、テイクアウト（軽減税率）と店内飲食（標準税率）で同一の税抜価格とするだけでなく、同一の税込価格とすることも考えられます。

なお、消費者に対して行う価格表示は、税込価格の表示（総額表示）が必要です（消法63）。

1．テイクアウトと店内飲食で異なる価格を設定する場合

STEP 5-1

⑴ テイクアウト及び店内飲食の両方の税込価格を表示する方法

なお、両方の税込価格に併せて、税抜価格又は消費税額を併記することも認められています。

【具体例】

○「テイクアウト」と「店内飲食」が同じ程度で利用される店舗の場合。（テイクアウトと店内飲食のどちらを選択するかの判断を行う際の利便のため）

STEP 5-2

⑵ テイクアウト又は店内飲食のどちらか片方のみの税込価格を表示する方法

【具体例】

○「店内飲食」利用がほとんどの外食事業者において「テイクアウト」の価格を表示する必要性が乏しい場合

○「テイクアウト」利用がほとんどの小売店等において「店内飲食」の価格を表示する必要性が乏しい場合

STEP 5-3

2．テイクアウトと店内飲食で同一価格を設定する場合

次のように、軽減税率が適用されるテイクアウトの税抜価格を標準税率が適用される店内飲食より高く設定、又は店内飲食の税抜価格を低く設定することで同一の税込価格を設定することができます。

テイクアウトの税抜価格　102円　→110円（８％税込価格）←┐
店内飲食の税抜価格　　100円　→110円（10％税込価格）←┘ 同一価格

【具体例】

○ テイクアウトの税抜価格を高く設定

- 「出前」について、配送料分のコストを上乗せ
- 「テイクアウト」について、箸や容器包装等のコストを上乗せ

○ 店内飲食の税抜価格を低く設定

- 「店内飲食」について、提供する飲食料品の品数を減らす
- 「店内飲食」の需要を喚起するため

※ 「全て軽減税率が適用されます」や「消費税率は８％しか頂きません」といった表示は、消費税転嫁対策特別措置法や景品表示法により禁止されています。

STEP 5-1 テイクアウトと店内飲食の両方の税込価格を表示【具体例】

(1) 外食事業者のメニュー表示

メニュー

ハンバーガー	330 円	
	(324 円)	
オレンジジュース	165 円	
	(162 円)	
ハンバーガーセット	550 円	
	(540 円)	

※下段はテイクアウトの値段

メニュー

	店内飲食	(出前)
かけそば	770円	(756 円)
天ぷらそば	990円	(972 円)
天丼セット	1,100円	(1,080 円)

(2) イートインスペースのある小売店等の商品棚の価格表示

総菜パン　162円（内消費税等12円）
（店内飲食　165円（内消費税等15円））

STEP 5-2 店内掲示等を行うことを前提にどちらか片方のみの税込価格を表示【具体例】

(1) 外食事業者のメニュー表示

メニュー

ハンバーガー	330円
オレンジジュース	165円
ハンバーガーセット	550円

※テイクアウトの場合、税率が異なりますので、別価格となります

出前メニュー

かけそば	756円
天ぷらそば	972円
天丼	864円

※店内飲食の場合、税率が異なりますので、別価格となります

(2) イートインスペースのある小売店等の価格表示

（商品棚の価格表示）

総菜パン　162円

（店内掲示等）

店内飲食される場合、税率が異なりますので、別価格となります

（注） 景品表示法上の有利誤認表示に該当する恐れもあり、また、消費者の利便性の確保の観点から店内掲示等により、店内飲食（またはテイクアウト）では価格が異なる旨の注意喚起を行うことが望ましい。

STEP 5-3 一の税込価格を表示【具体例】

(1) 外食事業者のメニュー表示

メニュー

チーズバーガー	350円
リンゴジュース	180円
△△セット	600円

出前メニュー

かけうどん	600円
天ぷらうどん	800円
かつ丼	850円

(2) イートインスペースのある小売店等の商品棚における価格表示

あんパン　170円

STEP 6

消費税率等に関する経過措置の概要を確認する

令和元年10月１日（施行日）以後において行われる資産の譲渡等や課税仕入れ等については、改正後の消費税率が適用されます。

ただし、施行日以後に行われる資産の譲渡等のうち次に掲げるものについては、税率引上げ後においても、旧税率８％（注）が適用される経過措置が講じられています。

（注）旧税率８％と軽減税率８％は区別が必要です（STEP３参照）。

主な経過措置の内容	具体例	指定日の前日確認事項
(1) 旅客運賃等	旅客運賃・演劇・美術館・プロ野球の年間予約席	－
(2) 電気料金等	電気・ガス・水道・電話・携帯電話	－
(3) 請負工事等	工事、製造の請負・測量、設計の請負	契約
(4) 資産の貸付け	**テナントビルの賃貸**	**契約**
(5) 指定役務の提供	**冠婚葬祭のための施設の提供**	**契約**
(6) 予約販売に係る書籍等	書籍等の定期継続供給	契約
(7) 特定新聞等	定期的に発行される新聞	－
(8) 通信販売等	インターネット通販	条件提示
(9) 有料老人ホーム	**有料老人ホーム**	**契約**
(10) 家電リサイクル料	**家電リサイクル**	**－**

※１　指定日の前日→平成31年３月31日

※２　太字の経過措置が令和６年においても適用が想定されるものです。

STEP 6

経過措置の概要を確認する

1．施行日と指定日

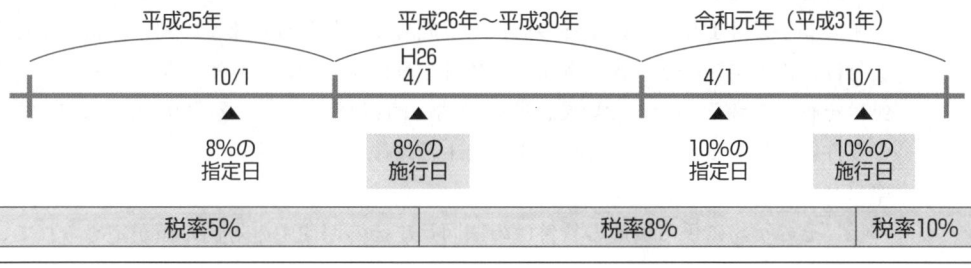

STEP 7 経過措置の適用関係を確認する

令和６年時点において適用が想定される経過措置は以下のとおりです。

１．資産の貸付け（税制抜本改革法附則５④⑧、16①②、26改正令附則４⑥）

平成25年10月１日から指定日の前日（平成31年３月31日）までの間に締結した資産の貸付けに係る契約に基づき、令和元年10月１日前から引き続きその契約に係る資産の貸付けを行っている場合において、その契約の内容が次の「①及び②」又は「①及び③」の要件に該当するときは、令和元年10月１日以後に行う資産の貸付けについては、旧税率（８％）が適用されます。

① その契約に係る資産の貸付けの期間及びその期間中の対価の額が定められていること。

② 事業者が事情の変更その他の理由によりその対価の額の変更を求めることができる旨の定めがないこと。

③ 契約期間中に当事者の一方又は双方がいつでも解約の申入れをすることができる旨の定めがないこと、並びにその貸付けに係る資産の取得に要した費用の額及び付随費用の額の合計額のうちに、その契約期間中に支払われる貸付けの対価の額の合計額の占める割合が100分の90以上であるように契約において定められていること。

ただし、指定日以後にその資産の貸付けの対価の額の変更が行われた場合、その変更後におけるその資産の貸付けについては、この経過措置は適用されません。

なお、事業者がこの経過措置の適用を受けた資産の貸付けを行った場合には、相手方に対してその資産の貸付けがこの経過措置の適用を受けたものであることを書面で通知することとされています。

２．指定役務の提供（税制抜本改革法附則５⑤、16①、26改正令附則４⑦）

平成25年10月１日から指定日の前日（平成31年３月31日）までの間に締結した役務の提供に係る契約（割賦販売法第２条第６項に規定する前払式特定取引に係る契約のうち、同項に規定する指定役務の提供に係るもの）で、その契約の性質上、その役務の提供の時期をあらかじめ定めることができないものであって、その役務の提供に先立って対価の全部又は一部が分割して支払われる契約に基づき、令和元年10月１日以後にその契約に係る役務の提供を行う場合において、その契約の内容が次の①及び②の要件に該当するときは、その役務の提供については、旧税率（８％）が適用されます。

① その契約に係る役務の提供の対価の額が定められていること。

② 事業者が事情の変更その他の理由により、その対価の額の変更を求めることができる旨の定めがないこと。

指定役務の提供とは、冠婚葬祭のための施設の提供その他の便宜の提供等に係る役務の提供をいいます。

ただし、指定日以後において、当該役務の提供の対価の額の変更が行われた場合は、この経過措置は適用されません。

STEP 7

主な経過措置の経理処理を確認する

令和６年時点において適用が想定される経過措置は以下のとおりです。

１．資産の貸付け

経過措置の適用

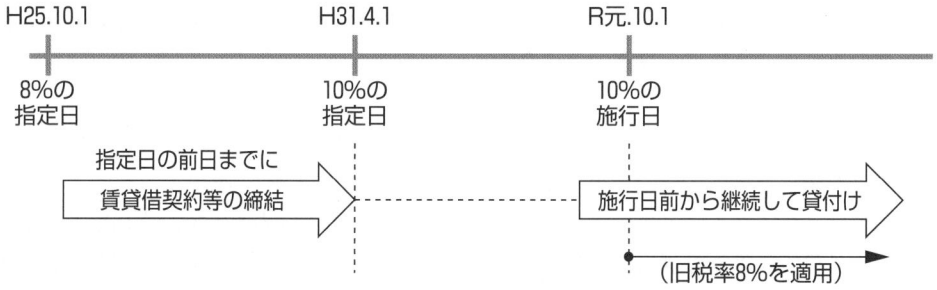

【留意点】

・例えば、２年ごとの自動更新となる契約の場合には、指定日の前日までに自動更新された残りの期間に対応する貸付け分について経過措置が適用されます。

・建物の賃貸料で、「売上金額の○○%」と定めているものは、適用されません。

・物価変動、租税公課等の増減を理由とする対価の額の変更ができる旨の定めがある契約は、適用されません。

・賃貸人が修繕義務を履行しないことによる対価の額の変更は、「対価の額の変更が行われた場合」には、該当しません。

２．指定役務の提供

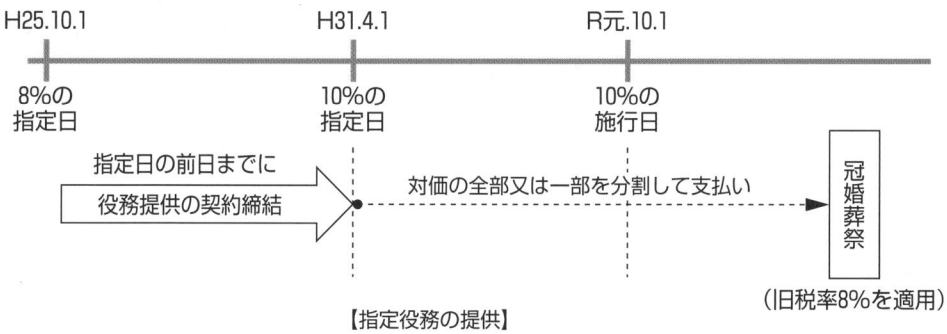

【指定役務の提供】

・婚礼（披露宴を含む）のための施設の提供、衣服の貸与その他の便益の提供及びこれに付随する物品の給付

・葬式のための祭壇の貸与その他の便益の提供及びこれに付随する物品の給付

3．有料老人ホーム（26改正令附則５④）

事業者が、平成25年10月１日から指定日の前日（平成31年３月31日）までの間に締結した有料老人ホームに係る終身入居契約（その契約に基づき、その契約の相手方が有料老人ホームに入居する際に一時金を支払うことにより、その有料老人ホームに終身居住する権利を取得するものをいいます。）で、入居期間中の介護料金を入居一時金として受け取っており、かつ、その一時金についてその事業者が事情の変更その他の理由によりその額の変更を求めることができる旨の定めがないものに基づき、令和元年10月１日前から引き続き介護に係る役務の提供を行っている場合には、令和元年10月１日以後に行われるその入居一時金に対応する役務の提供については、旧税率（８％）が適用されます。

4．家電リサイクル法に規定する再商品化等（26改正令附則５⑤）

家電リサイクル法に規定する製造業者等が、同法に規定する特定家庭用機器廃棄物の再商品化等に係る対価（家電リサイクル料）を令和元年10月１日前に領収している場合（同法の規定に基づき小売業者が領収している場合も含みます。）で、その対価の領収に係る再商品化等が令和元年10月１日以後に行われるものについては、旧税率（８％）が適用されます。

STEP 8 施行日前後の取引を確認する

●所有権移転外ファイナンス・リース取引

所得税法上又は法人税法上、売買（資産の譲渡）として取り扱われるリース取引（いわゆるファイナンス・リース取引）については、リース資産の引渡しの日によって適用される税率を判断します。したがって、令和元年10月１日前に引渡しを受けたリース取引については、旧税率（８％）で仕入税額控除を行います。

所有権移転外ファイナンス・リース取引の賃借人が、賃貸借処理を行っている場合には、そのリース料について支払うべき日の属する課税期間における課税仕入れ等とすることができます（いわゆる「分割控除」）。

その賃借人が令和元年10月１日前に引渡しを受けたリース資産について、令和元年10月１日以後に分割控除を行う部分については、旧税率（８％）により仕入税額控除の計算を行うことになります。

※　リース取引については、**No.53**「リース料」を参照。

3．有料老人ホーム

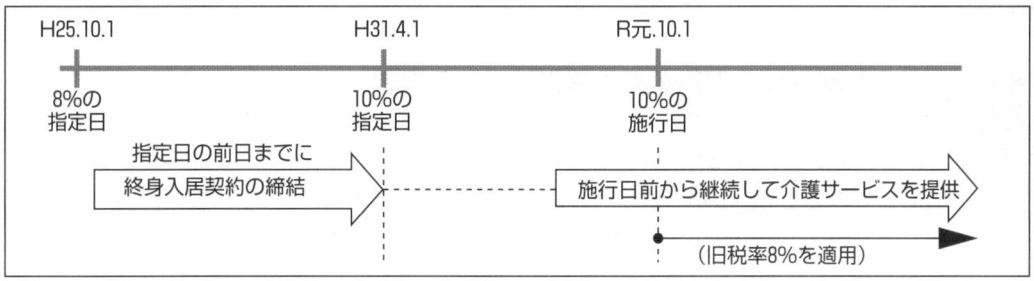

4．家電リサイクル料

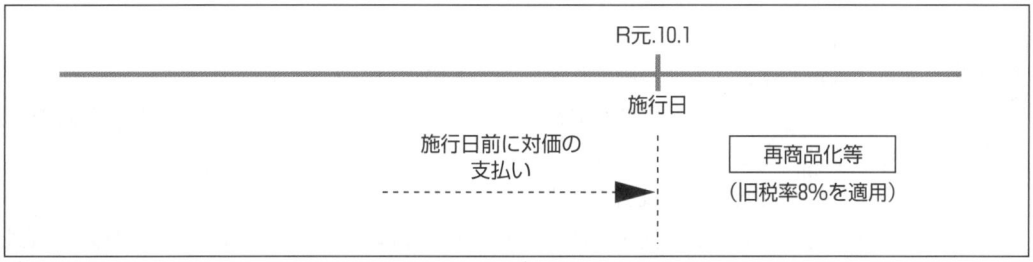

施行日前後の取引を確認する

●所有権移転外ファイナンス・リース取引（分割控除）

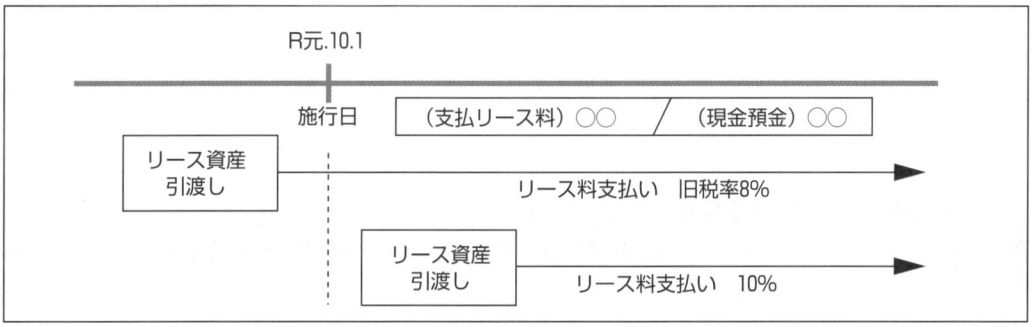

No. 9 課税仕入れの概要

STEP 1

仕入税額控除の対象となる課税仕入れの概要

消費税法における課税仕入れとは、会計上の仕入よりも広い概念であり、販売していない棚卸資産、販売費及び一般管理費などの中に含まれるもの、一定の固定資産を取得したものまで支出取引全般が含まれます。

ただし、土地の購入や賃借などの非課税取引、課税対象とならない給与、賃金などは課税仕入れに含まれません。

STEP 2

課税仕入れ（消法２①十二）

課税仕入れとは、次の４つの要件を満たすものをいいます。

① 事業者が、事業として他の者から資産を譲り受け、若しくは借り受け、又は役務の提供を受けること。

② 給与等を対価とする役務の提供でないこと。

③ 他の者が事業として資産を譲り渡し、若しくは貸し付け、又はその役務の提供をしたとした場合に課税資産の譲渡等に該当するものであること。

④ 輸出免税により消費税が免除されるものではないこと。

「資産」とは、取引の対象となる一切の資産をいいますから、棚卸資産又は固定資産のような有形資産のほか、権利その他の無形資産が含まれます。（消基通５－１－３）

（国内取引のうち、「特定課税仕入れ」は**No.71**参照、輸入取引のうち、「課税貨物の引取り」は**No.40**を参照）

STEP 3

課税仕入れの相手方（消基通11－１－３）

「課税仕入れの意義」に規定する「他の者」には、課税事業者及び免税事業者のほか消費者が含まれます。

コラム

令和５年10月１日以降「インボイス制度」の導入により、免税事業者及び消費者からの課税仕入れについては一定の要件の下、適格請求書等保存方式の導入後３年間は仕入税額相当額の80％、その後の３年間は仕入税額相当額の50％の控除ができる経過措置が設けられています。（**No. 2**「適格請求書等保存方式（インボイス制度）の導入」**STEP 3－2**参照）

STEP 1 仕入税額控除の対象となる課税仕入れの概要

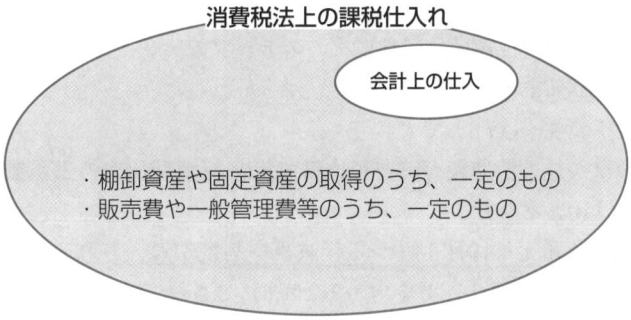

STEP 2 課税仕入れ

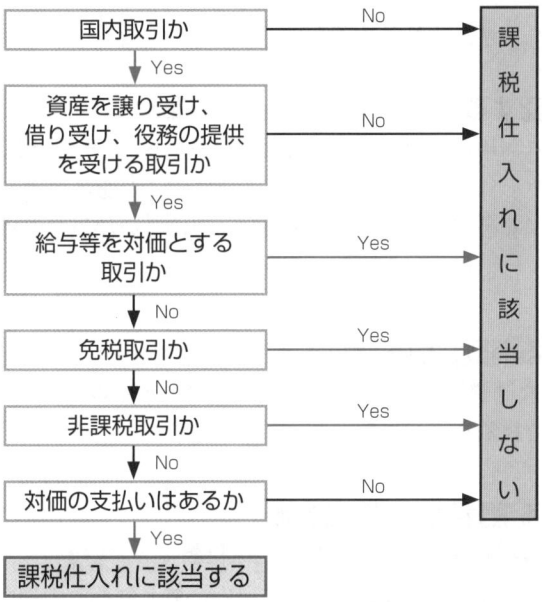

STEP 3 課税仕入れの相手方

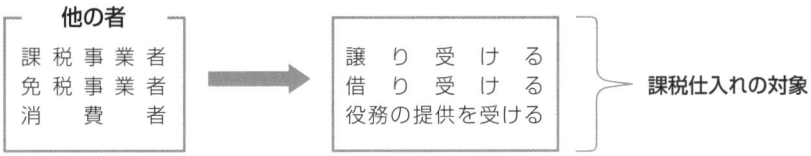

No.10 消費税額の計算の概要

納付する消費税額は、通常、次のステップの手順により計算を行います。

STEP 1 税率を確認する

消費税の税率は7.8%です。

このほか地方消費税が消費税換算で2.2%（消費税率の$\frac{22}{78}$）課税されますので、税率の合計は10%となります。

また、令和元年10月１日から軽減税率制度が導入され、対象品目については税率を6.24%（地方消費税1.76%を含めると8%）とされています。

STEP 2 納付税額の計算

消費税の納付税額は、課税期間における課税売上げに係る消費税額から、その課税期間における課税仕入れ等に係る消費税額を控除して計算します。

STEP 3 課税標準額を確認する

まず、課税期間における課税売上高の合計額を標準税率7.8%適用分と軽減税率6.24%適用分とに区分し、それぞれ税抜きの金額にします。これを課税標準額といいます。

課税標準額は、税額計算の基礎となる金額であり、この課税標準額にそれぞれの税率を乗じて、課税売上げに係る消費税額を計算します。

STEP 4 課税売上げに係る消費税額を計算する

STEP3で計算した課税標準額に税率7.8%※（※軽減税率の場合は6.24%）を乗じて課税売上げに係る消費税額を計算します。

STEP 5 課税仕入れに係る消費税額を確認する

課税仕入れに係る消費税額（以下「仕入控除税額」といいます。）の計算方法は、原則課税（**No.20**「原則課税方式による控除税額の計算」参照）と簡易課税（**No.21**「簡易課税方式による控除税額の計算」参照）の２つがあります。

またこの２つの計算方法に加えて令和５年10月１日から令和８年９月30日までの日の属する各課税期間においては、小規模事業者に係る税額控除に関する経過措置（２割特例）が設けられています。（詳細は、**No. 3**「経過措置①（いわゆる「２割特例」）」参照）

① 原則課税による計算

課税仕入れに係る支払対価の額（税込み）に$\frac{7.8^{※}}{110}$（※軽減税率の場合は$\frac{6.24}{108}$）を乗じて計算します。

② 簡易課税による計算

課税売上げに係る消費税額（**STEP３**）にみなし仕入率（**No.21**参照）を乗じて計算します。

③ ２割特例による計算

課税売上げに係る消費税額（**STEP３**）から売上げに係る対価の返還等に係る消費税額（**STEP６**）を控除した残額に８割を乗じて計算します。

STEP 1

税率

区分＼適用開始日	平成元年4月1日～	平成9年4月1日～	平成26年4月1日～	令和元年10月1日～	
				標準税率	軽減税率
消費税率	3%	4%	6.3%	7.8%	6.24%
地方消費税率	—	1%	1.7%	2.2%	1.76%
合計	3%	5%	8%	10.0%	8.0%

STEP 2

納付税額の計算を確認する

消費税の納付税額 ＝ 課税売上げに係る消費税額 － 課税仕入れ等に係る消費税額（実額）

STEP 3

課税標準額

課税標準額 ＝ 課税売上げの対価の額（税込み） × $\frac{100}{110}$（千円未満切捨て）

課税標準額	7.8%適用分	①課税売上げの対価の額（税込み）× $\frac{100}{110}$（千円未満切捨）
	6.24%適用分	②課税売上げの対価の額（税込み）× $\frac{100}{108}$（千円未満切捨）

STEP 4

課税売上げに係る消費税額

消費税額 ＝ 課税標準額 × 7.8%

消費税額	7.8%適用分	課税標準額（上記①の額）×7.8%
	6.24%適用分	課税標準額（上記②の額）×6.24%

課税売上げに係る消費税額　3,120 ＝ 40,000×7.8%

STEP 6

売上げに係る対価の返還等に係る消費税額を確認する

課税売上げについて売上値引や返品等（「売上げに係る対価の返還等」といいます。）があった場合には、売上値引・返品等の金額に係る消費税額を課税売上げに係る消費税額から控除します。（**No.25**「売上値引・返品」参照）

なお、売上値引・返品等を売上高から直接控除する経理処理を行っている場合は、控除後の売上高から課税標準額を計算することも認められています。（消基通14－１－８）

STEP 7

貸倒れに係る消費税額を確認する

消費税の課税対象となる取引の売掛金その他の債権が貸倒れとなったときは、貸倒れとなった金額に対応する消費税額を、貸倒れの発生した課税期間の課税売上げに係る消費税額から控除します。（**No.36**「貸倒損失」参照）

STEP 8

差引税額を計算する

課税売上げに係る消費税額（**STEP4**）から①課税仕入れに係る消費税額（**STEP5**）、②売上げに係る対価の返還等に係る消費税額（**STEP6**）、③貸倒れに係る消費税額（**STEP7**）の合計額を控除して差引税額を計算します。

STEP 9

中間納付額を控除して納付税額を計算する

差引税額（**STEP8**）から消費税の中間納付額を控除して、納付税額を計算します。

STEP 10

地方消費税額を計算する

差引税額（**STEP8**）に$\frac{22}{78}$を乗じて計算した金額から、中間納付譲渡割額を控除して、地方消費税の納付額を計算します。

STEP 11

納付額の合計を計算する

納付税額（**STEP9**）と地方消費税額（**STEP10**）を合算して、納付額の合計を計算します。

課税売上げに係る消費税額　3,120

STEP 5 課税仕入れに係る消費税額

【原則課税】

控除対象仕入税額＝課税仕入れに係る支払対価の額（税込み）$\times\frac{7.8}{110}$

【簡易課税】

控除対象仕入税額＝課税売上げに係る消費税額×みなし仕入率

STEP 6 売上げに係る対価の返還等に係る消費税額

返還等対価に係る税額＝返還等の対価$\times\frac{7.8}{110}$

STEP 7 貸倒れに係る消費税額

貸倒れに係る税額＝貸倒れに係る金額$\times\frac{7.8}{110}$

課税仕入れに係る消費税額
返還等対価に係る税額　2,340
貸倒れに係る税額

$=\begin{cases} 31{,}900\times\frac{7.8}{110}\ \text{（課税仕入れ）} \\ 220\times\frac{7.8}{110}\ \text{（売上げに係る対価の返還）} \\ 880\times\frac{7.8}{110}\ \text{（貸倒れ）} \end{cases}$

STEP 8 差引税額を計算する

差引税額＝課税売上げに係る消費税額　－

①課税仕入れに係る消費税額
②返還等対価に係る消費税額
③貸倒れに係る消費税額

差引税額　780

STEP 9 納付税額を計算する

納付税額＝差引税額－中間納付額（100円未満切捨て）

中間納付額
312

納付税額　468

STEP 10 地方消費税額を計算する

地方消費税額 ＝ 差引税額 × $\frac{22}{78}$ － 中間納付譲渡割額

地方消費税額　220

中間納付額　88

納付税額　132

No.11 消費税額の計算方法

STEP 1

消費税額の計算方法

適格請求書保存方式が施行される令和５年10月１日以降においては、売上税額及び仕入税額の計算について、「**積上げ計算**」又は「**割戻し計算**」を選択することができます。

① **積上げ計算**

適格請求書に記載のある消費税額等を積み上げて計算する方法です。

② **割戻し計算**

適用税率ごとの取引総額を割り戻して税額を計算する方法です。

STEP 2

売上税額の計算（消法45、措法62①）

(1) 割戻し計算（原則）

税率ごとに区分した課税期間中の課税資産の譲渡等の税込み価額の合計額に$\frac{100}{108}$又は$\frac{100}{110}$を掛けて税率ごとの課税標準額を算出し、それぞれの税率（6.24％又は7.8％）を掛けて売上税額を算出します。

① 軽減税率の対象となる売上税額

軽減税率の対象となる課税売上げ（税込み）	×	$\frac{100}{108}$	=	軽減税率の対象となる課税標準額
軽減税率の対象となる課税標準額	×	6.24%	=	軽減税率の対象となる売上税額

② 標準税率の対象となる売上税額

標準税率の対象となる課税売上げ（税込み）	×	$\frac{100}{110}$	=	標準税率の対象となる課税標準額
標準税率の対象となる課税標準額	×	7.8%	=	標準税率の対象となる売上税額

③ 売上税額の合計額

軽減税率の対象となる売上税額	+	標準税率の対象となる売上税額	=	売上税額の合計額

(2) 積上げ計算

相手方に交付した適格請求書又は適格簡易請求書の写しを保存している場合（適格請求書等に係る電磁的記録を保存している場合を含みます。）には、適格請求書等に記載した消費税額等の合計額に$\frac{78}{100}$を掛けて算出した金額を売上税額とすることができます。

適格請求書等に記載した消費税額等の合計額	×	$\frac{78}{100}$	=	売上税額の合計額

STEP 2

売上税額の計算

税込価格1,800円　消費税額163円（端数切捨て）の商品を1万個販売した場合

領収書(控)

ホームセンター〇〇

大阪市……

登録番号：Txxxxxxxxxxxxx

XX年10月3日

Tシャツ　　1点　　¥1,800-

（内消費税額163円10%）

① 割戻し計算

課税標準額　1,800円 × 1万個 × $\frac{100}{110}$

＝16,363,000円（千円未満切捨て）

消費税額　16,363,000円 × 7.8％ ＝1,276,314円

② 積上げ計算

消費税額　163円 × 1万個 × $\frac{78}{100}$

＝1,271,400円

売上げに係る消費税額を計算した際に生じる1円未満の端数の処理方法（切捨て、切上げ、四捨五入）は、それぞれの事業者の判断に任されています。

端数処理方法を切捨てにした場合、積上げ計算では適格請求書に記載された消費税額を積み上げるため、端数処理により切捨てられた消費税額は、売上税額に含まれませんが、割戻し計算では、税込売上高の合計額から割り戻して売上税額を計算するため、領収回数が多い業種では、適格請求書に記載された消費税額の合計額よりも売上税額が大きくなることがあります。

〇計算方法の選択

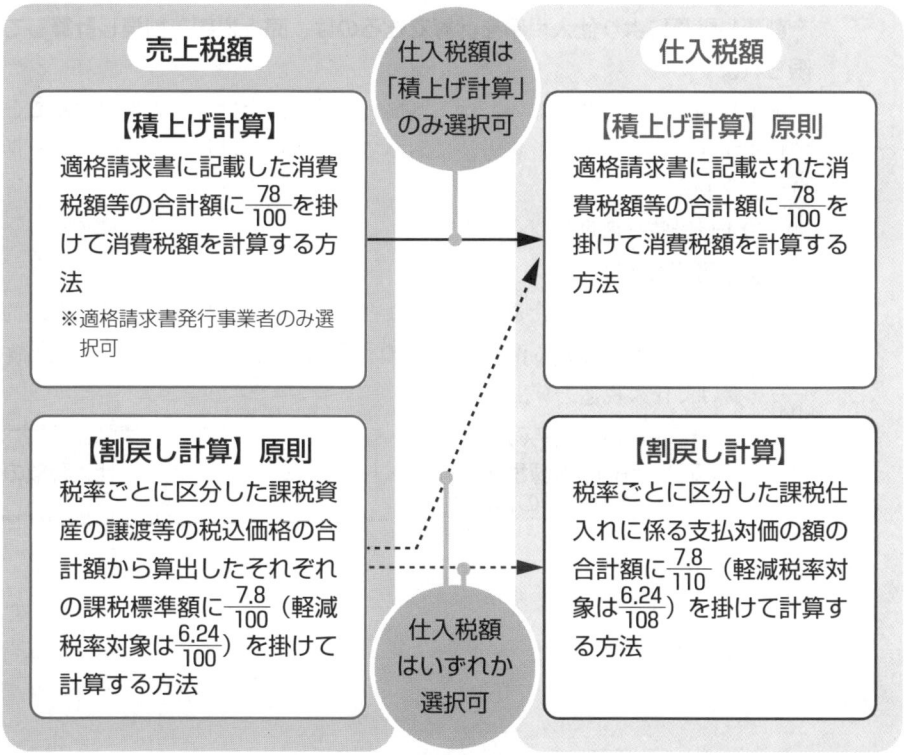

積上げ計算は、適格請求書発行事業者でなければ選択することができません。また、**売上税額を積上げ計算した場合は、仕入税額も積上げ計算しなければなりません。**

なお、売上税額の計算は、取引先ごとに割戻し計算と積上げ計算を分けて適用するなど、併用も認められますが、この場合も売上税額の計算について積上げ計算を適用した場合にあたるため、仕入税額の計算方法に割戻し計算を適用することはできません。

STEP 3

仕入税額の計算（消法30、消令46①②③）

(1) 割戻し計算

税率ごとに区分した課税期間中の課税仕入れに係る支払対価の額の合計額に$\frac{6.24}{108}$又は$\frac{7.8}{110}$を掛けて算出した金額を仕入税額とすることができます。

① 軽減税率の対象となる仕入税額

軽減税率の対象となる課税仕入れ（税込み）	×	$\frac{6.24}{108}$	=	軽減税率の対象となる仕入税額

② 標準税率の対象となる仕入税額

標準税率の対象となる課税仕入れ（税込み）	×	$\frac{7.8}{110}$	=	標準税率の対象となる仕入税額

③ 仕入税額の合計額

軽減税率の対象となる仕入税額	+	標準税率の対象となる仕入税額	=	仕入税額の合計額

割戻し計算により仕入税額を計算できるのは、売上税額を割戻し計算している場合に限られます。

売上税額の計算方法においては、割戻し計算と積上げ計算を併用することは認められていますが、仕入税額の計算方法においては、割戻し計算と積上げ計算を併用することはできません。

(2) 積上げ計算（原則）

① 請求書等積上げ

相手方から交付を受けた適格請求書などの請求書等（提供を受けた電磁的記録を含みます。）に記載されている消費税額等のうち課税仕入れに係る部分の金額の合計額に$\frac{78}{100}$を掛けて仕入税額を算出します。

請求書等に記載された消費税額等のうち課税仕入れに係る部分の金額の合計額	×	$\frac{78}{100}$	=	仕入税額の合計額

STEP 3 仕入税額の計算

(1)割戻し計算（支払対価の額の合計額に$\frac{7.8}{110}$を掛けて消費税額を算出）

●税抜経理の場合

4/30	仕入高	課仕10%	720,000	/	買掛金	720,000
8/30	仕入高	課仕10%	880,000	/	買掛金	880,000
11/30	仕入高	課仕10%	850,000	/	買掛金	850,000
3/30	仕入高	課仕10%	715,000	/	買掛金	715,000
3/31	仮払消費税等		287,727	/	仕入高	287,727

（月末一括税抜き処理や期末一括税抜き処理も可能）

支払対価の額の合計額　3,165,000円
仕入税額の合計額　3,165,000円 × $\frac{7.8}{110}$ ＝ 224,427円

(2)①請求書等積上げ計算（適格請求書等に記載された消費税額等を仮払消費税額等として計上）

●税抜経理の場合

4/30	仕入高	課仕10%	654,546	/	買掛金	720,000
	仮払消費税等		65,454			
8/30	仕入高	課仕10%	800,000	/	買掛金	880,000
	仮払消費税等		80,000			
11/30	仕入高	課仕10%	772,728	/	買掛金	850,000
	仮払消費税等		77,272			
3/30	仕入高	課仕10%	650,000	/	買掛金	715,000
	仮払消費税等		65,000			

支払対価の額の合計額　3,165,000円
仮払消費税等の合計額　287,726円
仕入税額の合計額　287,726円 × $\frac{78}{100}$ ＝ **224,426**円

② 帳簿積上げ

仕入税額の積上げ計算の方法として、課税仕入れの都度、課税仕入れに係る支払対価の額に$\frac{10}{110}$（軽減税率の対象となる場合には$\frac{8}{108}$）を乗じて算出した金額（1円未満の端数が生じたときは、切り捨て又は四捨五入）を仮払消費税額等などとし、帳簿に記載（計上）している場合は、その金額の合計額に$\frac{78}{100}$を掛けて算出方法も認められます。

（帳簿積上げ計算）

帳簿積上げ計算において計上する仮払消費税額等については、受領した適格請求書ではない納品書又は請求書等を単位として計上することや、継続的に買手の支払基準といった合理的な基準による単位により計上することでも差し支えありません。

なお、帳簿積上げ計算の場合、課税仕入れの都度、仮払消費税等の額をもとに税額を算出することが認められているため、適格請求書である月次請求書に記載されている消費税額等と差額が生じることがありますが、この差額の消費税については、調整する必要はありません。

ただし、帳簿上の買掛金額と月次請求書の請求額との差額1円について、調整を行わないと、買掛金の残高にズレが生じるため、買掛金の支払時に次ページのような調整を行うこととなります。

STEP 3 仕入税額の計算

⑵②帳簿積上げ計算（インボイス未対応の納品書等の受領ごとに帳簿へ記載することができます。）

●取引状況

納品書
㈱○○御中

日付	商品名	税抜価格
12/ 1	XXXX	1,345円
合計		1,345円

納品書
㈱○○御中

日付	商品名	税抜価格
12/15	XXXX	1,239円
合計		1,239円

納品書
㈱○○御中

日付	商品名	税抜価格
12/23	XXXX	1,520円
合計		1,520円

日付	内容	数量	税抜価格	消費税額	税込価格
12/ 8	商品XXXX	1	1,345円	134円	1,479円
12/15	商品XXXX	1	1,239円	123円	1,362円
12/23	商品XXXX	1	1,520円	152円	1,672円

●帳簿への記帳

12/ 8	仕　　入	1,345	買　掛　金	1,479
	仮払消費税等	134		
12/15	仕　　入	1,239	買　掛　金	1,362
	仮払消費税等	123		
12/23	仕　　入	1,520	買　掛　金	1,672
	仮払消費税等	152		

帳簿上の合計額

税抜金額	消費税額等	買掛金残高
4,104円	409円	4,513円

●月次請求書を受領

請求書

㈱○○御中

令和X年12月31日
㈱△△
登録番号：Txxxxxxxxxxxxx

日付	品名	金額（税抜）
12/ 1	商品XXXX	1,345円
12/15	商品XXXX	1,239円
12/23	商品XXXX	1,520円
	小計	4,104円
	消費税（10%）	410円
	合計	4,514円

1円のズレ

買掛金	4,513	現金	4,514
仕入高	1		

No.12 消費税の申告

STEP 1

確定申告書の提出義務を確認する（消法45、消基通１－４－１）

消費税の課税事業者で、その課税期間において課税売上高がある場合又は差引税額がある場合は確定申告義務があります。なお、計算した税額がマイナスとなる（還付となる）場合は、「消費税の還付申告に関する明細書」（**No.63**「還付申告とは」参照）を添付する必要があります。

課税事業者であっても、国内における課税資産の譲渡等がない場合又は課税資産の譲渡等のすべてが免税の対象となる場合で、かつ、納めるべき消費税額等がないときは、確定申告義務はありません。

ただし、確定申告義務がない場合でも課税事業者は還付申告をすることができます。（**No.63**参照）

STEP 2

確定申告書の提出期限（消法45、措法86の６）

消費税の課税事業者は、課税期間の末日の翌日から２か月以内に確定申告書を提出しなければなりません。

例えば、法人で課税期間が４月１日～３月31日の場合は、５月31日が申告期限となります。

また、個人事業者の場合は、翌年３月31日が申告期限となります。

STEP 3

消費税の確定申告書の申告期限の延長（消法45の２、通則法11、法法75の２）

１．法人の申告期限の延長の創設

法人税の確定申告書の提出期限の延長の特例の適用を受ける法人が、消費税の確定申告書の提出期限を延長する旨の届出書を提出した場合には、その提出をした日の属する事業年度以後の各事業年度の末日の属する課税期間に係る消費税の確定申告書の提出期限が１か月延長されます。

（注１）この延長は、**令和３年３月31日以後に終了する事業年度の末日の属する課税期間**から適用されます。

（注２）確定申告書の提出期限が延長された期間の消費税の納付については、その延長された期間に係る利子税を併せて納付することになります。

（注３）この特例の適用により、消費税の確定申告の期限が延長された場合でも、「中間申告」（年11回中間申告を行う場合の１回目及び２回目の中間申告対象期間を除きます。）の期限や「課税期間の特例により短縮された課税期間」（事業年度終了の日の属する課税期間を除きます。）に係る確定申告の期限は延長されません。

（注４）「国、地方公共団体に準ずる法人の申告期限の特例」の適用を受けている法人はこの特例の適用を受けることはできません。

（注５）「法人税の申告期限の延長の特例」の適用を受ける連結親法人又はその連結子法人が「消費税申告期限延長届出書」を提出した場合にも、その提出をした日の属する連結事業年度（その連結事業年度終了の日の翌日から45日以内に提出した場合のその連結事業年度を含みます。）以後の各連結事業年度終了の日の属する課税期間に係る消費税の確定申告の期限を１か月延長することとされました。

２．災害等による期限の延長

国税通則法により、災害その他やむを得ない理由により申告期限までに提出できない場合は、その理由のやんだ日から２か月以内に限り、その期限を延長することができます。

STEP 1 確定申告書の提出義務

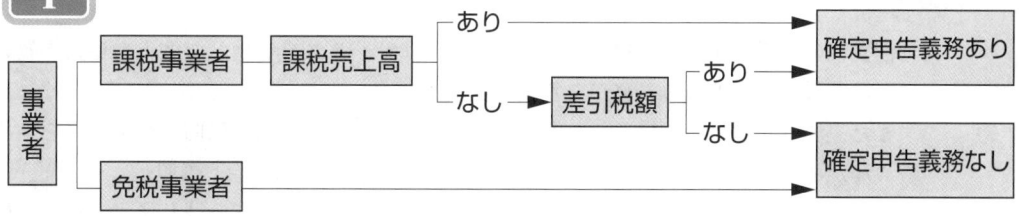

STEP 2 確定申告書の提出期限

① 法人（3月決算）

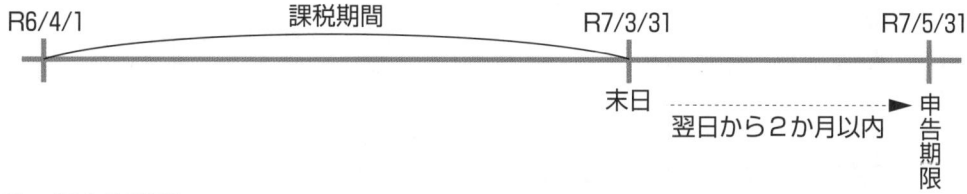

② 個人事業者

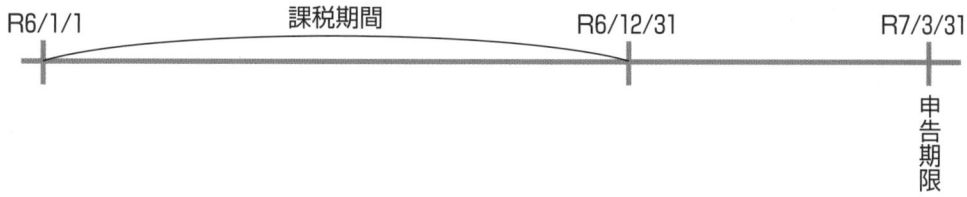

STEP 3 確定申告書の申告期限の延長の特例

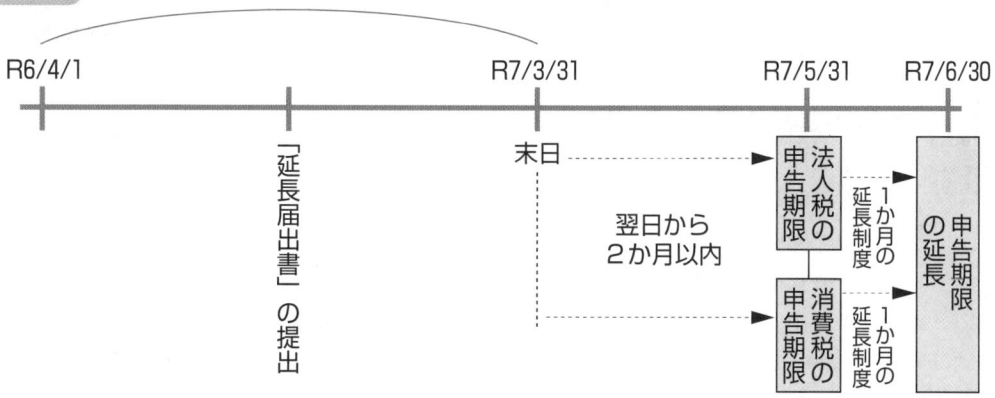

◎延長により課税期間の末日（R7.3.31）の翌日から3か月以内（R7.6.30）が、申告期限になります。

No.13 課税事業者の判定をする

消費税の課税対象となる物品の販売をしたり、サービスを提供した法人や個人事業者は、消費税を国へ納める義務があります。

また、海外から物品を輸入した者は、その物品を引き取る際に税関長へ消費税を納める義務があります。（No.40「輸入取引がある場合の仕入税額控除」参照）

ここでは、消費税の国内取引の納税義務者とその特例について確認します。なお、用語の意義はNo. 6「消費税の基本的な仕組みと用語の意義」をご参照ください。

STEP 1 国内取引の納税義務者を確認する（消法５①）

国内において課税取引を行った事業者は、消費税を納めなければなりません。消費税法上の事業者とは、法人と個人事業者をいいます。

事業者	法　　人	全ての法人は納税義務があります。	普通法人、協同組合等、公益法人、NPO法人、公共法人、国・地方公共団体
	個人事業者	事業を行っている個人（事業所得、不動産所得、雑所得等の所得の区分は問いません。）	物品販売、サービス、不動産賃貸など

＊人格のない社団等（町内会やPTA）は、法人とみなされます。

STEP 2 小規模事業者の納税義務の免除（国内取引）を確認する（消法９①）

小規模事業者の納税事務負担等を考慮して、基準期間における課税売上高が1,000万円以下の事業者は、消費税の納税義務が免除されます。このような事業者を「免税事業者」といいます。

ただし、適格請求書発行事業者は、基準期間における課税売上高にかかわらず、納税義務は免除されません。

基準期間における課税売上高	1,000万円を超える事業者	納税義務あり	課税事業者
	1,000万円以下の事業者	納税義務なし	免税事業者

STEP 3 課税事業者の選択を確認する（消法９④）

基準期間における課税売上高が1,000万円以下となる免税事業者であっても、選択により課税事業者になることができます。

この課税事業者の選択を行う場合は、適用を受けようとする課税期間の初日の前日までに「消費税課税事業者選択届出書」を納税地の所轄税務署長に提出します。（詳細は、No.97「「消費税課税事業者選択届出書」を作成する」参照）

STEP 4 特定期間における課税売上高による納税義務の免除の特例を確認する（消法９の２）

基準期間における課税売上高が1,000万円以下であっても、特定期間における課税売上高又は給与等支払額が1,000万円を超える場合は、課税事業者となります。（詳細は、No.14「特定期間における課税売上高による納税義務の免除の特例」参照）

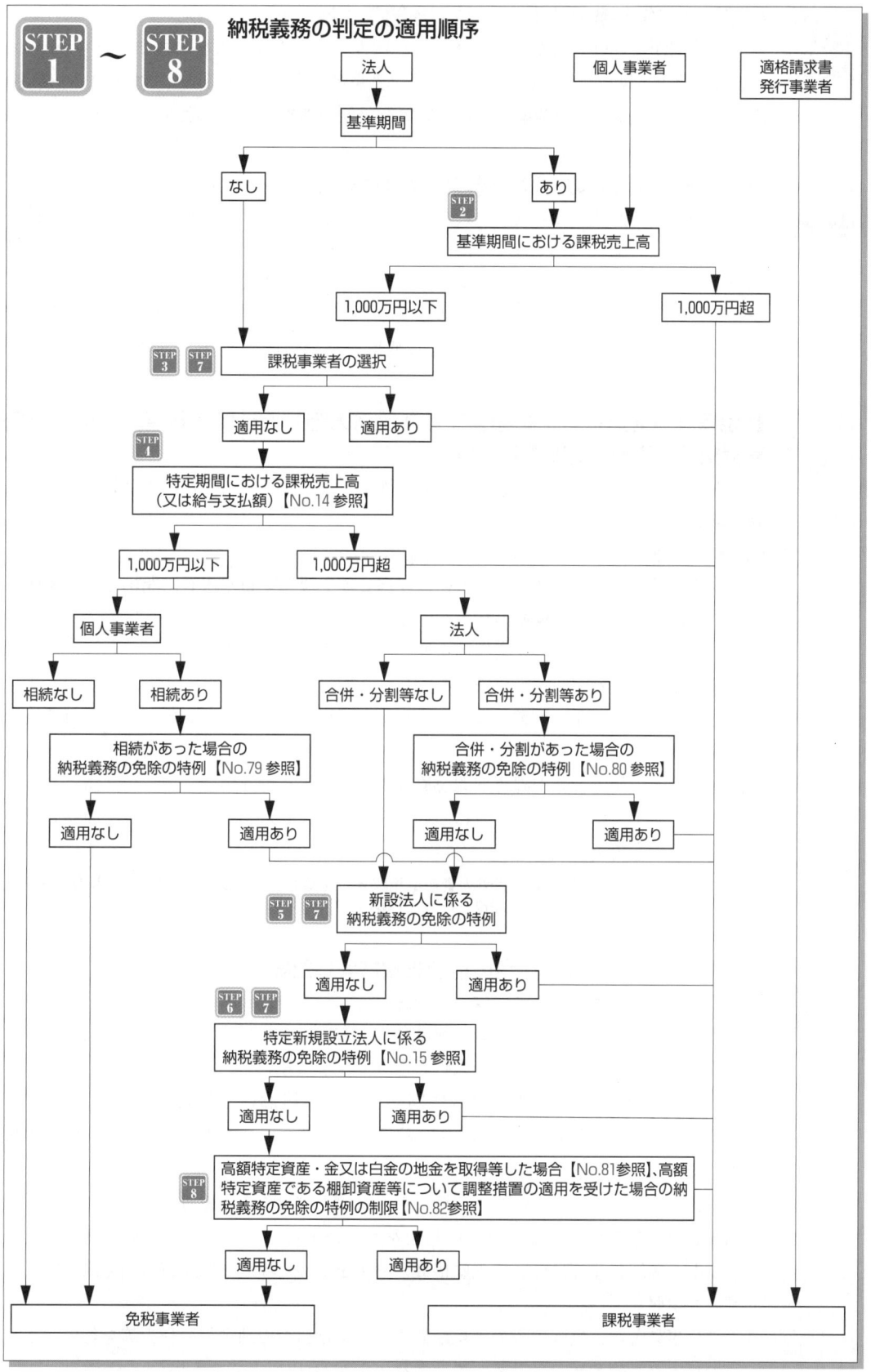
STEP 1 ～ STEP 8
納税義務の判定の適用順序
法人
個人事業者
適格請求書発行事業者
基準期間
なし
あり
STEP 2
基準期間における課税売上高
1,000万円以下
1,000万円超
STEP 3 STEP 7
課税事業者の選択
適用なし
適用あり
STEP 4
特定期間における課税売上高（又は給与支払額）【No.14 参照】
1,000万円以下
1,000万円超
個人事業者
法人
相続なし
相続あり
合併・分割等なし
合併・分割等あり
相続があった場合の納税義務の免除の特例【No.79 参照】
合併・分割があった場合の納税義務の免除の特例【No.80 参照】
適用なし
適用あり
適用なし
適用あり
STEP 5 STEP 7
新設法人に係る納税義務の免除の特例
適用なし
適用あり
STEP 6 STEP 7
特定新規設立法人に係る納税義務の免除の特例【No.15 参照】
適用なし
適用あり
STEP 8
高額特定資産・金又は白金の地金を取得等した場合【No.81参照】、高額特定資産である棚卸資産等について調整措置の適用を受けた場合の納税義務の免除の特例の制限【No.82参照】
適用なし
適用あり
免税事業者
課税事業者

STEP 5

新設法人の納税義務の免除の特例を確認する（消法12の２①）

基準期間がない（＝新たに設立された）法人（社会福祉法人を除きます。）のうち、その事業年度開始の日の資本金の額又は出資金の額が1,000万円以上である法人**（新設法人）**については、その基準期間がない事業年度の納税義務は免除されません。

STEP 6

特定新規設立法人の納税義務の免除の特例を確認する（消法12の３①）

平成26年４月１日以後に設立された基準期間がない法人で、その事業年度開始の日における資本金の額又は出資金の額が1,000万円未満の法人（新規設立法人）のうち、課税売上高５億円超の事業者により支配されている一定の法人**（特定新規設立法人）**については、当該特定新規設立法人の基準期間のない事業年度の納税義務は免除されません。

（詳細は、**No.15**「特定新規設立法人の納税義務の免除の特例」参照）

STEP 7

課税事業者を選択した事業者又は新設法人若しくは特定新規設立法人が調整対象固定資産＊を取得した場合

下記の場合、調整対象固定資産の仕入れ等を行った課税期間の**初日から３年間**は、免税事業者になれません。

(1) **課税事業者を選択した場合**（消法９⑦）

・課税事業者となった課税期間の**初日から２年を経過する日までに開始**した課税期間中に、調整対象固定資産の仕入れ等を行い、

・かつ、その仕入れ等の課税期間を原則課税で申告を行う場合

(2) **新設法人又は特定新規設立法人を設立した場合**（消法12の２②、12の３③）

・その基準期間がない事業年度に含まれる各課税期間中に調整対象固定資産の課税仕入れ等を行い、

・かつ、その仕入れ等の課税期間を原則課税で申告を行う場合

なお、上記(1)(2)に該当する場合において、免税事業者になれない期間は、簡易課税制度の選択適用もできません。

＊調整対象固定資産：棚卸資産以外の資産で税抜きの支払対価の額が100万円以上のもの（詳細は**No.74**「調整対象固定資産①－転用した場合」参照）

STEP 8

高額特定資産・金又は白金の地金を取得等した場合（消法12の４①②③）

次の(1)～(3)に該当する場合には、その課税仕入れ等の日の属する課税期間又はその適用を受けた課税期間の初日から３年間は免税事業者になれません。また、免税事業者になれない期間は、簡易課税制度の選択適用もできません。

(1) 課税事業者が、原則課税の課税期間中に国内における高額特定資産の仕入れ等をおこなった場合。（詳細は、**No.81**「高額特定資産を取得等した場合の納税義務の免除等の特例」参照）

(2) 事業者が、高額特定資産である棚卸資産又は調整対象自己建設高額資産について、棚卸資産に係る消費税額の調整の適用を受けた場合。（詳細は、**No.82**「高額特定資産である棚卸資産等について調整措置の適用を受けた場合の納税義務の免除の特例の制限」参照）

(3) 課税事業者が、原則課税の課税期間中に金又は白金の地金等の仕入等を行い、それらの仕入れ等の金額の合計額（税抜金額）が200万円以上である場合。

STEP 4 STEP 5

新たに設立した法人の納税義務の判定

【例】 資本金500万円で設立し、第１期に1,000万円に増資している場合（特定新規設立法人には該当しない）

判定課税期間	判定対象となる期間の課税売上高	開始の日の資本金	判定結果
第１期 R6.7.1～R7.3.31	（基準期間） なし （特定期間） なし	500万円	免税事業者
第２期 R7.4.1～R8.3.31	（基準期間） なし （特定期間 R6.7.1～R6.12.31） 10,300,000円（税込み） （特定期間の給与等支給額11,500,000円）	1,000万円	課税事業者
第３期 R8.4.1～R9.3.31	（基準期間 R6.7.1～R7.3.31） 15,600,000円（税込み） （特定期間） 判定に使用しない	判定に使用しない	課税事業者

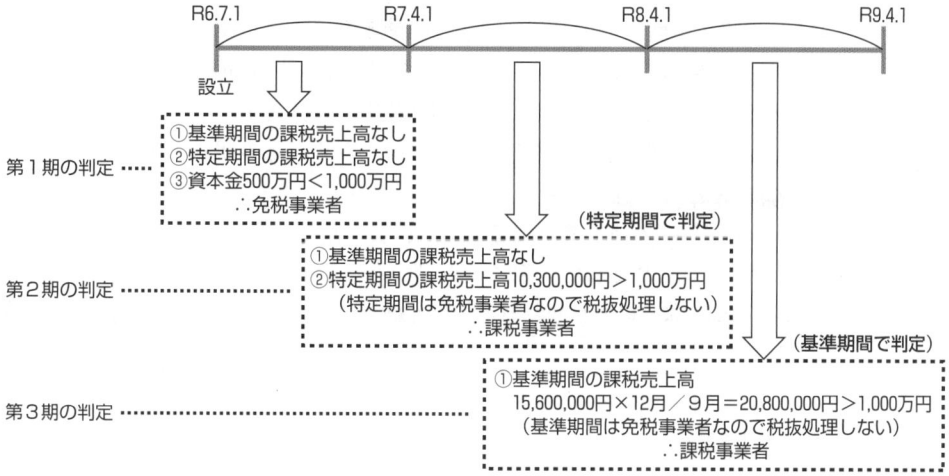

＊**（第２期の判定）** 納税義務の判定は、**STEP2～6**の順序で行います。第２期の判定は**STEP4**「特定期間における課税売上高」が1,000万円を超えるため課税事業者となります。

なお、第２期の事業年度開始時に資本金の額が1,000万円以上となっていますが、課税事業者に該当することとなるのは、あくまで**STEP4**によります。**STEP5**「新設法人の納税義務」の適用によるためではありませんのでご注意ください。（P83「納税義務の判定の適用順序」参照）

STEP 7

新設法人が調整対象固定資産を取得した場合

◎資本金1,000万円で法人を設立し、第２期に200万円の備品を購入し、原則課税で申告した場合

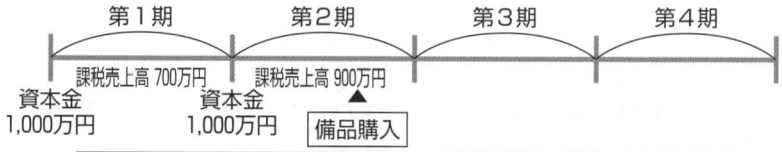

納税義務の判定	納税義務の判定		納税義務の判定	納税義務の判定
STEP5で課税事業者	STEP5で課税事業者	⇒	STEP7で課税事業者	STEP7で課税事業者

＊上記の場合において、第２期に新設法人（**STEP5**）に該当し、調整対象固定資産の課税仕入れ等を行っているため、第３期及び第４期は課税事業者となります（**STEP7**）。また簡易課税を選択することもできません。

No.14 特定期間における課税売上高による納税義務の免除の特例

STEP 1

概　要（消法９の２）

個人事業者又は法人の当課税期間の基準期間における課税売上高が1,000万円以下であっても、その個人事業者又は法人の特定期間における課税売上高（又は給与等支払額）が1,000万円を超える場合は、当課税期間の納税義務は免除されず課税事業者となります。

STEP 2

特定期間とは

(1)　個人事業者…その年の前年１月１日から６月30日までの期間

(2)　法人

①　その事業年度の前事業年度が**短期事業年度**に該当しない場合
　その事業年度の前事業年度開始の日から６か月の期間

②　その事業年度の前事業年度が**短期事業年度**に該当する場合
　その事業年度の前々事業年度開始の日から６か月の期間（注）

短期事業年度とは

・その事業年度の前事業年度で７か月以下であるもの

・その事業年度の前事業年度（７か月超であるもの）で、前事業年度開始の日以後６か月の期間の末日の翌日から前事業年度終了の日までの期間が２か月未満であるもの

（注）　前事業年度が短期事業年度に該当する場合において、前々事業年度がその事業年度の基準期間に含まれるなど一定の場合には、特定期間は存在せず、この特例の適用はありません。

STEP 3

給与等支払額とは

給与等支払額とは、特定期間中に支払った所得税の課税対象とされる給与、賞与等の合計額をいいます。非課税とされる通勤手当を除き、退職給与、特定期間中に支払われなかった未払給与等は含みません。

給与の支払明細書の控えや源泉徴収簿から所得税の課税対象となるものを合計して算出します。

STEP 4

特定期間の課税売上高の判定について

特定期間の判定において、課税売上高と給与等支払額のいずれの基準を採用するかは、事業者の選択ですので、一方が1,000万円を超えていても他方が1,000万円以下の場合は、事業者の判断により、免税事業者を選択することができます。

（注）　国外事業者については、課税売上高のみでの判定となり、給与支払額での判定は、できなくなります。（令和６年10月１日以後に開始する課税期間から適用されます。）

STEP 5

課税事業者届出書の提出

特定期間における課税売上高の判定により課税事業者となる場合は、「消費税課税事業者届出書（特定期間用）」を速やかに納税地の所轄税務署長に提出します。（詳細は、No.95参照）

STEP 1 特定期間における課税売上高による納税義務の免除の特例

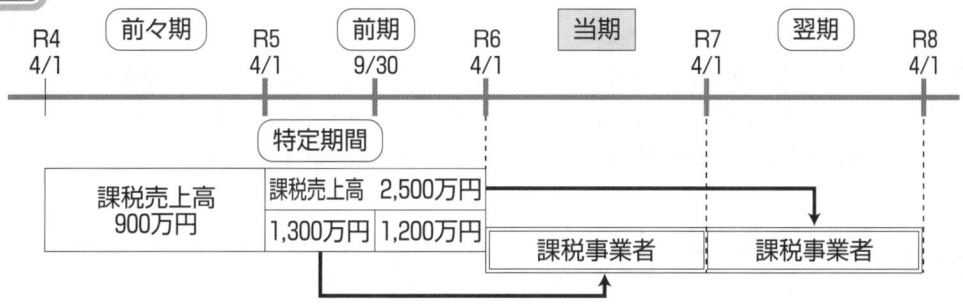

※当期は基準期間の課税売上高が1,000万円以下（900万円）ですが、特定期間の課税売上高が1,000万円超（1,300万円）ですので、課税事業者となります。（給与等支払額により判定することもできます。）

STEP 2 特定期間

① 個人事業者及び事業年度が１年の法人の特定期間

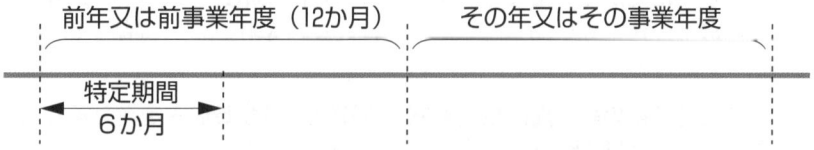

② 新たに設立した法人の１期目が７か月の場合（特定期間なし）

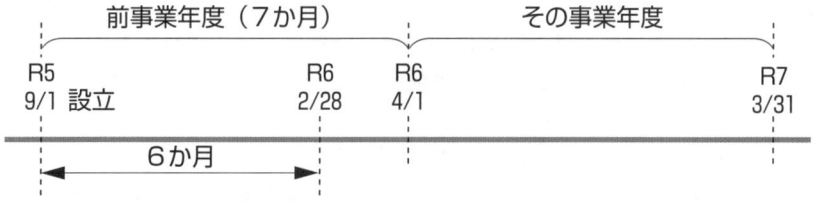

設立日（前事業年度開始の日）から６か月の期間があるが、前事業年度は７か月以下であるため、その期間は特定期間に該当しません。したがって、特定期間における課税売上高による判定の必要はありません。

③ 前事業年度の終了の日は月末であるが、月の途中で設立したため６か月の期間の末日が月末でない場合【６か月の期間の特例（消令20の６）】

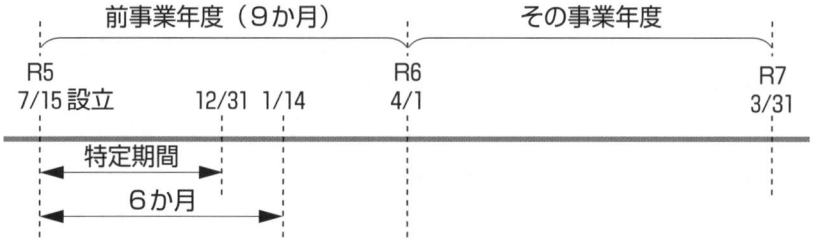

設立日（前事業年度開始の日）から６か月後は１月14日となるが、前事業年度終了の日が月末である（１月14日の応当日でない）ため、６か月後（１月14日）の前月の末日である12月31日が特定期間の末日となります。したがって、設立日７月15日から12月31日までが特定期間となります。

No.15 特定新規設立法人の納税義務の免除の特例

STEP 1

概要

新たに設立された法人で、資本金1,000万円未満の法人に関する納税義務について、課税売上高が５億円超の事業者によりその法人が支配される場合には、その法人の設立当初２年間については、消費税の納税義務は免除されません。

STEP 2

特定新規設立法人とは

その事業年度の基準期間がない法人で、その事業年度開始の日における資本金の額又は出資の金額が1,000万円未満の法人（新規設立法人）のうち、次の①、②のいずれにも該当するもの（**特定新規設立法人**）については、当該特定新規設立法人の基準期間のない事業年度に含まれる各課税期間については、納税義務が免除されません。（消法12の３）

【要件】

① 特定要件に該当すること（他の者に支配されていること）

その基準期間がない事業年度開始の日（新設開始日）において、他の者により新規設立法人の株式等の50％超を直接又は間接に保有される場合など、他の者により新規設立法人が支配されていること。

② 判定対象者の基準期間相当期間の課税売上高が５億円を超えること又は国外収入も含めた収益の額の合計額が50億円を超えていること

上記①の特定要件に該当するかどうかの判定の基礎となった他の者及び他の者と一定の特殊な関係にある法人のうちいずれかの者（判定対象者）の当該新規設立法人の当該事業年度の**基準期間に相当する期間**における課税売上高が５億円を超えていること又は、売上金額、収入金額その他の収益額の合計額が国外におけるものも含め50億円を超えること。

※下線部分の要件は、令和６年10月１日以後に開始する課税期間から適用されます。

新規設立法人を支配する他の者又は特殊関係法人が、新設開始日前１年以内に解散していた場合であっても、その解散の日において、新規設立法人と特殊な関係があったときは、判定対象者となります。

STEP 3

基準期間に相当する期間

次の①～③の期間をいい、**いずれか**の期間の課税売上高が５億円を超えているかにより判定を行います。

① 新設開始日の２年前の日の前日から同日以後１年を経過する日までの間に終了した判定対象者の年又は各事業年度を合わせた期間

② 新設開始日の１年前の日の前日からその新設開始日の前日までの間に終了した判定対象者の年又は各事業年度を合わせた期間

③ 新設開始日の１年前の日の前日からその新設開始日の前日までの間に開始する判定対象者の年又は事業年度開始の日以後６か月の期間
（６か月の期間の末日の翌日から新設開始日の前日までの期間が２か月未満である場合を除きます。）

STEP 2 特定新規設立法人とは

特定要件

設立第１期の期首又は設立第２期の期首において、他の者により株式等の50%超を直接又は間接に保有されていること。

（判定対象者の一例）

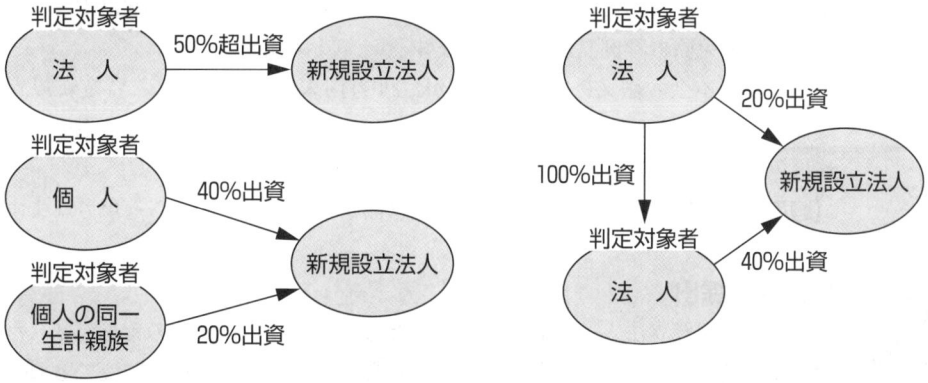

STEP 3 基準期間相当期間の課税売上高判定

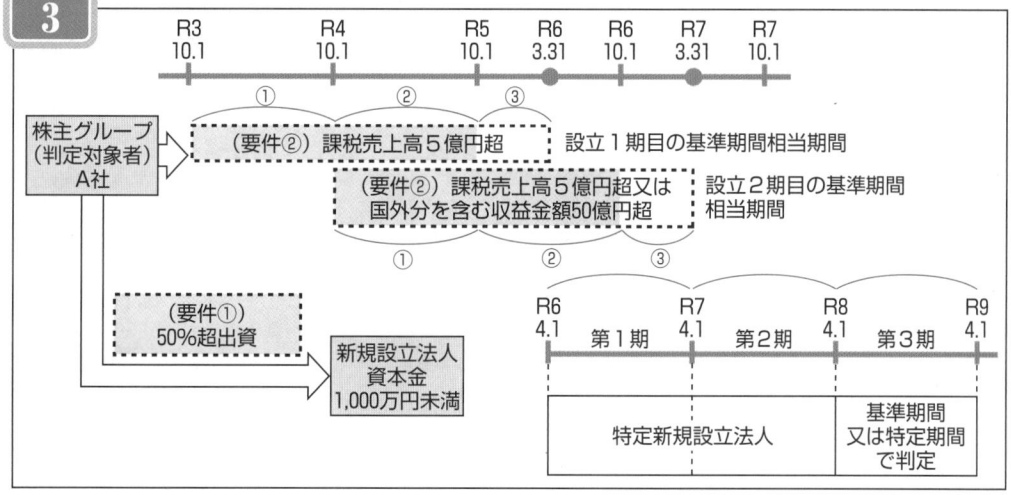

[基準期間に相当する期間による納税義務判定]

設立第１期

①A社（R3.10.1～R4.9.30）課税売上高 ≧ ５億円
②A社（R4.10.1～R5.9.30）課税売上高 ≧ ５億円
③A社（R5.10.1～R6.3.31）課税売上高

上記①②いずれかの期間の課税売上高が５億円超となれば、納税義務は免除されません。

③の期間については、６か月期間の末日（R5.3.31）から新設開始日の前日までの期間が２か月未満のため、判定しません。

設立第２期

令和６年10月１日以後開始の課税期間であるため、A社の基準期間相当期間の課税売上高５億円超又は、国外分を含む収益金額50億円超で判定

STEP 4

外国法人が国内において事業を開始した場合

外国法人が、国内において新たに課税資産の譲渡等に係る事業を開始した場合、その事業を開始した事業年度の基準期間はないものとみなします。

このため、国内での課税資産の譲渡等に係る事業の開始の日における資本金の額又は出資の金額が1,000万円以上である場合には、その事業年度に含まれる各課税期間の納税義務は免除されません。（**No.13**「課税事業者の判定をする」の**STEP 5**「新設法人の納税義務の免除の特例」が適用されます。）

また、資本金の額又は出資の金額が1,000万円未満であっても、特定新規設立法人の要件（**STEP 2** の要件）を満たす場合は、その事業年度に含まれる各課税期間の納税義務は免除されません。

【適用開始時期】 令和６年10月１日以後に開始する課税期間から適用されます。

STEP 5

届出書の提出

「特定新規設立法人」に該当することとなった場合には、その旨を記載した届出書を速やかに納税地の所轄税務署長に提出する必要があります。（詳細は、**No.100**参照）

STEP 4 外国法人が国内において事業を開始した場合

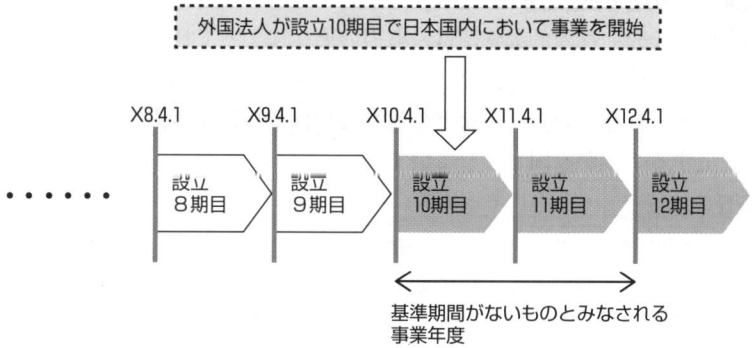

1．設立10期目の判定

① 事業年度開始の日における資本金の額又は出資の金額で判定

② STEP２の特定新規設立法人の要件で判定

2．設立11期目の判定

① 特定期間における課税売上高で判定（外国法人であるため給与支払額での判定はできません（No.14 STEP４参照））

② 事業年度開始の日における資本金の額又は出資の金額で判定

③ STEP２の特定新規設立法人の要件で判定

3．設立12期目の判定

基準期間である設立10期目の末月の翌月より前に国内において事業を開始しているため、12期目は基準期間がないものとみなされず、基準期間や特定期間の課税売上高により納税義務の判定をします。

No.16 課税売上高の確認(売上計上時期など)

STEP 1 売上計上時期を確認する(国内取引)

国内取引の売上げの計上時期は、取引の態様によって様々です。例えば、棚卸資産や固定資産の譲渡は商品等の引渡しのあった日をもって売上げを計上することが原則となっています。修理・レンタルなどの役務提供はその役務提供が完了した日をもって売上げを計上することが原則となっています。

(1)資産の譲渡等	引渡しのあった日
(2)役務の提供	目的物の全部を完成して引き渡した日又は役務の提供の全部が完了した日
(3)資産の貸付け	使用料等の支払を受けるべき日

STEP 2 棚卸資産の引渡しの日を確認する

(1) 原則

棚卸資産の引渡しの日がいつであるかについては、例えば、

① 出荷した日
② 相手が検収した日
③ 相手方において使用収益ができることとなった日
④ 検針等により販売数量を確認した日

等、その棚卸資産の種類や性質、その販売に係る契約の内容等に応じてその引渡しの日として合理的であると認められる日のうち、事業者が継続して棚卸資産の譲渡を行ったこととしている日によるものとされています。

(2) 試用販売

相手方が購入の意思を表示した日

ただし、相手方が一定期間内に返送等の意思を表示しない限り特約又は慣習によりその販売が確定することとなっている場合には、その期間の満了の日

(3) 委託販売

受託者がその委託品を販売した日

ただし、売上計算書が一定期間ごとに作成されている場合に、継続して売上計算書が到着した日としているときは、その売上計算書が到着した日

また、リース譲渡、工事の請負などについて特例が設けられています。

STEP 1 売上計上時期を確認する

取引の態様		譲渡等の時期の原則
(1)棚卸資産の販売（委託販売等を除く）		引渡日
(2)固定資産の譲渡（工業所有権等を除く）		引渡日
(3)工業所有権等の譲渡又は実施権の設定		契約の効力発生日
(4)請負	物を引き渡すもの	目的物の全部の完成引渡日
	物を引き渡さないもの	役務の提供の完了日
(5)人的役務の提供（請負を除く）		人的役務の提供の完了日
(6)資産の貸付け	契約又は慣習により使用料等の支払日が定められているもの	支払日
	支払日が定められていないもの	支払を受けた日（請求があった時に支払うこととされるものは、その請求日）

STEP 2 売上計上時期

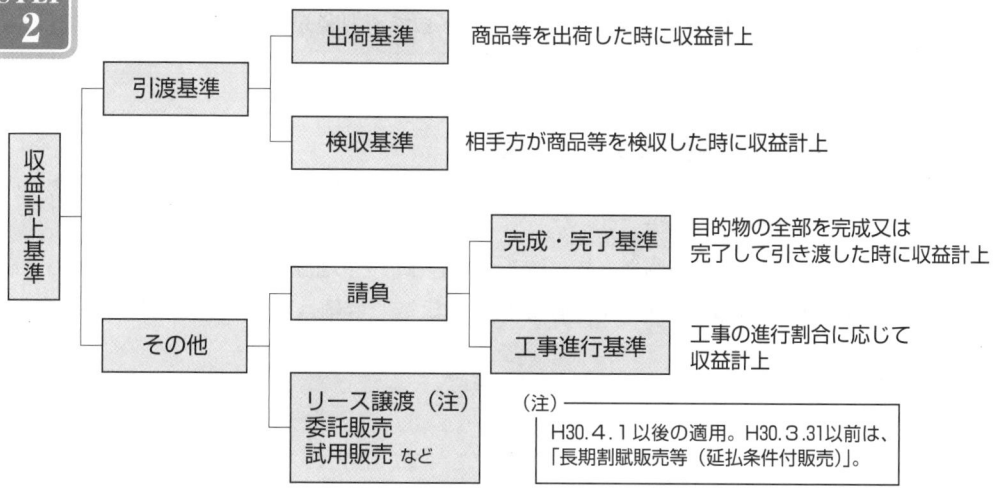

STEP 3

課税売上高として計上する金額を確認する

課税売上高として計上する金額は「課税資産の譲渡等の対価の額」です。この「課税資産の譲渡等の対価の額」とは、対価として収受する又は収受すべき一切の金銭及び金銭以外の物、若しくは権利その他経済的利益の額をいいます。つまりその資産等の価格ではなく取引の当事者間で授受することとした対価の額をいいます。

STEP 4

みなし譲渡

消費税では対価を得て行う資産の譲渡が課税の対象となり、無償による資産の譲渡は課税対象となりません。

しかし、個人事業者が棚卸資産等を家事消費等した場合や、法人が役員に資産を贈与した場合は、消費税では事業として対価を得て行われた資産の譲渡とみなします。これを「みなし譲渡」といいます。（詳細は**No.34**「みなし譲渡」参照）

STEP 5

低額譲渡

消費税では原則として課税資産の譲渡等の対価の額を課税売上高に計上します。ただし、法人がその役員に対して、時価に比べて著しく低い価額で資産の譲渡（「低額譲渡」といいます。）をした場合には、実際に役員から受領した金額ではなく、その譲渡の時における時価に相当する金額を課税標準として消費税が課税されます。（詳細は**No.35**「低額譲渡」参照）

STEP 6

課税資産と非課税資産の一括譲渡

土地付建物を一括で譲渡した場合は、土地の売却は非課税売上げとなり、建物の売却は課税売上げとなります。

このように土地付建物を一括譲渡した場合は、その譲渡代金について、土地の対価部分と建物の対価部分に区分する必要があります。（詳細は**No.33**「土地建物の一括譲渡」参照）

STEP 3

課税売上高として計上する金額を確認する

定価　~~1,000~~円
900円

→ 定価ではなく、受領した900円を売上高として計上する

STEP 4

みなし譲渡

当社の役員へ絵画（時価100万円）を贈与した場合

絵画
時価　100万円

→ 贈与した場合でも時価100万円を売上高に計上する

STEP 5

低額譲渡

当社の役員へ絵画（時価100万円）を30万円で売却した場合

絵画
時価　100万円
売却金額 30万円

→ 30万円で売却した場合でも時価100万円を売上高に計上する

STEP 6

土地付建物の一括譲渡

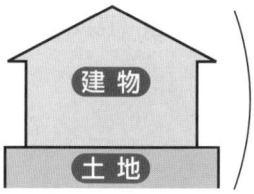

一括譲渡

土地の対価部分と建物の対価部分に区分する

- 建物の譲渡＝課税売上高
- 土地の譲渡＝非課税売上高

No.17 仕入税額控除の適用要件

STEP 1

帳簿及び請求書等の保存の概要（消法30⑦）

適格請求書保存方式のもとで、課税事業者が原則計算により仕入税額控除の適用を受けるためには、一定の事項を記載した帳簿及び適格請求書等の保存が必要となります。

（参考）

令和元年９月30日までの請求書等保存方式においては、帳簿及び請求書等の保存が仕入税額控除の要件とされていました。（請求書等保存方式）

令和元年10月１日の軽減税率制度の開始時から令和５年９月30日までは、請求書等保存方式を維持しつつ、税率区分を明確にするための記載事項を追加した帳簿及び区分記載請求書等の保存が要件とされていました。（区分記載請求書等保存方式）

STEP 2

適格請求書等の記載事項を確認する（消法30⑨）

仕入税額控除の適用を受けるためには、適格請求書発行事業者から交付を受けた、次に掲げる事項が記載された「適格請求書等」または「適格請求書等に記載すべき事項に係る電磁的記録」の保存が必要となります。

⑴ 適格請求書

①から⑥までに掲げる事項が記載されている請求書、納品書その他これらに類する書類

① 適格請求書発行事業者の氏名または名称および登録番号
② 取引年月日（一定期間分の取りまとめ請求の場合には対象期間）
③ 取引に係る資産または役務の内容（その取引が軽減税率対象資産の譲渡等である場合には、その資産の内容及び軽減税率対象品目である旨）
④ 税率ごとに区分して合計した課税資産の譲渡等の対価の額（税抜又は税込）及び適用税率
⑤ 税率ごとに区分した消費税額等
⑥ 書類の交付を受ける事業者の氏名または名称

⑵ 適格簡易請求書

小売業、飲食店業、タクシー業、駐車場業など不特定かつ多数の者に対して課税資産の譲渡等を行う事業に係るものとして発行される書類で、①から⑤までに掲げる事項が記載されている請求書、納品書その他これらに類する書類

① 適格請求書発行事業者の氏名または名称および登録番号
② 取引年月日
③ 取引に係る資産または役務の内容（その取引が軽減税率対象資産の譲渡等である場合には、その資産の内容及び軽減税率対象品目である旨）
④ 税率ごとに区分して合計した課税資産の譲渡等の対価の額（税抜又は税込）
⑤ 税率ごとに区分した消費税額等または適用税率

STEP 1 仕入税額控除の要件

令和元年10月1日
軽減税率制度の導入

令和5年10月1日
インボイス制度の導入

請求書等保存方式 → 区分記載請求書等保存方式 → 適格請求書等保存方式

仕入税額控除の要件	帳簿及び請求書等の保存	帳簿及び区分記載請求書等の保存	帳簿及び適格請求書等の保存

STEP 2 適格請求書等の記載事項の確認

(1)インボイス（適格請求書）

① インボイス発行事業者の氏名又は名称及び登録番号
② 取引年月日
③ 取引内容（軽減税率の対象品目である旨）
④ 税率ごとに区分して合計した対価の額（税抜き又は税込み）及び適用税率
⑤ 税率ごとに区分した消費税額等※
⑥ 書類の交付を受ける事業者の氏名又は名称

請求書
㈱○○御中 ←⑥
①△△商事㈱
登録番号 T12345…
11月分 131,200円
XX年11月30日

日付	品名	金額
11/1	魚 ＊	5,000円
11/1	豚肉 ＊	10,000円
11/2	タオルセット	2,000円
	…	
合計	120,000円 消費税	11,200円
8%対象	40,000円 消費税	3,200円
10%対象	80,000円 消費税	8,000円

②
④
⑤
③ ＊軽減税率対象

(2)簡易インボイス（適格簡易請求書）

① インボイス発行事業者の氏名又は名称及び登録番号
② 取引年月日
③ 取引内容（軽減税率の対象品目である旨）
④ 税率ごとに区分して合計した対価の額（税抜き又は税込み）
⑤ 税率ごとに区分した消費税額等※又は適用税率

スーパー○○
東京都…
登録番号T1234567890123 ←①
②XX年 11月 1日
領収書
③

ヨーグルト＊	1	¥108
カップラーメン＊	1	¥216
ビール	1	¥550
合 計		¥874

8%対象 ¥324 ←④
10%対象 ¥550
(内消費税額 ¥24)
(内消費税額 ¥50)
③ ＊軽減税率対象
お預り ¥1,000
お釣り ¥126

⑤適用税率又は消費税額等のどちらかを記載
※両方記載することも可能

※ ⑤の「税率ごとに区分した消費税額等」の端数処理は、一のインボイスにつき、税率ごとに1回ずつとなります。

(3)仕入明細書等

② 課税仕入れの相手方の登録番号

仕入明細書
〈4月分〉 ○年○月○日
●●㈱御中
登録番号 T123456…
㈱△△
○送付後一定期間内に連絡がない場合確認済みとします

課税仕入れの相手方の確認を受ける方法として、この例のような文言を記載し、相手方の了承を得ることも可能です。

【その他の確認を受ける方法の例】
・書類上に確認済みの署名等をもらう
・受発注に係るオンラインシステムで確認を受ける機能を設ける
・電子メールで確認した旨の返信を受ける

支払金額合計 229,000円

月	日	取引	仕入金額（税抜）	
4	1	食品※	8%	2,000
		日用品	10%	600
	3	食品※	8%	5,900
	4	日用品	10%	30,000
⋮	⋮	⋮	⋮	

合計	仕入金額	消費税額等
8%対象	100,000円	8,000円
10%対象	110,000円	11,000円

※印は軽減税率対象商品

仕入明細書等の記載事項

① 仕入明細書等の作成者の氏名又は名称
② 課税仕入れの相手方の氏名又は名称及び登録番号
③ 課税仕入れを行った年月日
④ 課税仕入れの内容（軽減税率の対象品目である旨）
⑤ 税率ごとに区分して合計した課税仕入れに係る支払対価の額及び適用税率
⑥ 税率ごとに区分した消費税額等

⑶ 仕入明細書等

インボイス制度においても、買手が作成する一定の事項が記載された仕入明細書等を保存することにより、仕入税額控除の適用を受けることができます。この場合、記載する登録番号は、仕入れの相手方（売手）のものであり、相手方の確認を受けたものに限られます。

⑷ 立替金精算書

取引先に経費を立替払いしてもらった場合、「取引先名の宛名の適格請求書」の保存では、仕入税額控除の適用を受けることができません。この場合、「取引先名の宛名の適格請求書」に、取引先が作成した「立替金精算書」を添えて受領することにより自社の仕入れであることを明確にすることにより、仕入税額控除の適用が可能となります。

また、立替金精算書に仕入先の名称や登録番号、適用税率ごとの区分など仕入税額控除に必要な事項が記載されている場合には、「取引先名の宛名の適格請求書」を取引先において保存し、自社は「立替金精算書」のみの保存で仕入税額控除の適用を受けることも認められています。

STEP 3 帳簿への記載事項を確認する（消法30⑧）

仕入税額控除の要件となる帳簿への記載事項は、次のようになります

		帳簿記載事項
課税仕入れの場合	→	① 課税仕入れの相手方の氏名または名称 ② 取引年月日 ③ 課税仕入れに係る資産または役務の内容（軽減税率対象資産の譲渡等である場合には、その旨を記載） ④ 税率ごとに区分した支払対価の額
課税貨物の引取りの場合	→	① 課税貨物を保税地域から引き取った年月日 ② 課税貨物の内容 ③ 課税貨物の引取りに係る消費税額及び地方消費税またはその合計額

STEP 4 一定の事項を記載した帳簿のみの保存で仕入税額控除が認められる場合

1．適格請求書等の交付を受けることが困難である取引の場合（消法30⑦、消令49①、消規15の４）

適格請求書等の交付を受けることが困難であるものとして次に掲げる取引については、一定の事項を記載した帳簿のみの保存で仕入税額控除が認められます。（消法30⑦、消令49①、消規15の４）

① 適格請求書の交付義務が免除される３万円未満の公共交通機関（船舶、バスまたは鉄道）による旅客の運送

② 適格簡易請求書の記載事項（取引年月日を除きます）が記載されている入場券等が使用の際に回収される取引（①に該当するものを除きます）※帳簿への住所等の記載は不要です。

③ 古物営業を営む者の適格請求書発行事業者でない者からの古物（棚卸資産に該当する古物に限ります）の購入

④ 質屋を営む者の適格請求書発行事業者でない者からの質物（棚卸資産に該当する質物に限ります）の取得

(4)立替金精算書

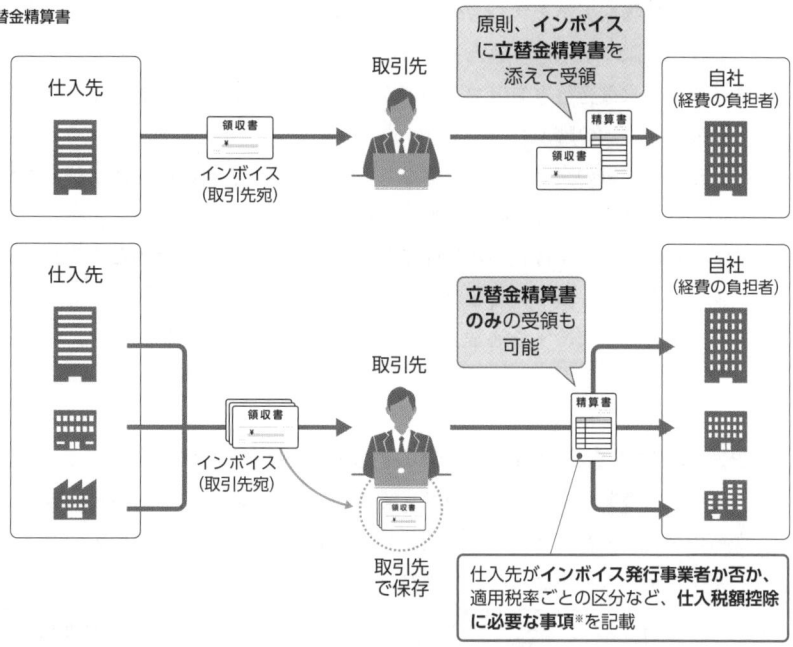

※仕入先の氏名名称・登録番号も確認できるようにしておく必要があります。

STEP 3 帳簿の記載事項

総　勘　定　元　帳　（会議費）

ステップ商事株式会社　　消費税：税抜経理

日付	相手科目	摘　要	課税区分	借方	貸方	残高
R6.6.1		前月より繰越				54,100
R6.6.15	現　金	得意先打合せ 飲料5本購入※	課仕軽	600		54,700
		自動販売機				
:	:	:	:	:	:	:
		やむを得ない理由				

総　勘　定　元　帳　（支払家賃）

ステップ商事株式会社　　消費税：税抜経理

日付	相手科目	摘　要	課税区分	借方	貸方	残高
R6.4.25	普通預金	東福不動産㈱　5月分家賃(口座振替)	課仕	220,000		
R6.4.30	仮払消費税等	消費税額振替　税込金額:220,000	課仕		20,000	200,000
		＊＊　4月計　＊＊		220,000	20,000	
		やむを得ない理由				
R6.5.25	普通預金	東福不動産㈱　6月分家賃	課仕	220,000		
:	:	同じ内容であれば省略可		:	:	:

⑤　宅地建物取引業を営む者の適格請求書発行事業者でない者からの建物（棚卸資産に該当する建物に限ります）の購入

⑥　適格請求書発行事業者でない者からの再生資源および再生部品（棚卸資産に該当する場合に限ります）の購入

⑦　適格請求書の交付義務が免除される３万円未満の自動販売機及び自動サービス機からの商品の購入等　※帳簿への仕所等の記載は不要です。

⑧　適格請求書の交付義務が免除される郵便切手類のみを対価とする郵便・貨物サービス（郵便ポストに差し出されたものに限ります）

⑨　従業員等に支給する通常必要認められる出張旅費等（出張旅費、宿泊費、日当及び通勤手当）

２．適格請求書発行事業者以外の者からの課税仕入れの場合（28年改正法附則52、53）

適格請求書発行事業者以外の者（消費者、免税事業者または登録を受けていない課税事業者）からの課税仕入れであっても、適格請求書等保存方式開始から一定期間は、仕入税額相当額の一定割合を仕入税額とみなして控除できる経過措置が設けられています。

期間	控除割合
①　令和５年10月１日～令和８年９月30日	仕入税額相当額の80%
②　令和８年10月１日～令和11年９月30日	仕入税額相当額の50%

この経過措置の適用を受けるためには、次の事項が記載された帳簿及び請求書等の保存が要件となります。

（帳簿の記載事項）

区分記載請求書等保存方式の記載事項に加え、「80%控除対象」など、経過措置の適用を受ける課税仕入れである旨の記載が必要となります。

（請求書等）

区分記載請求書等と同様の記載事項（区分記載請求書等に記載すべき事項に係る電磁的記録を含みます）が必要となります。

（注）　令和６年10月１日以降に開始する課税期間においては、同一の免税事業者等から行うこの経過措置の対象となる課税仕入れの額の合計額が、その年又はその事業年度で10億円を超える場合には、その超えた部分の課税仕入れについては、この経過措置の適用を受けることができません。（令和６年度改正）

３．一定規模以下の事業者に対する事務負担の軽減（28年改正法附則53の２、改正令附則24の２①）

基準期間における課税売上高が１億円以下または特定期間における課税売上高が5,000万円以下である事業者が、令和５年10月１日から令和11年９月30日までの間に国内において行う課税仕入れについては、その課税仕入れに係る支払対価の額（税込）が１万円未満である場合には、一定の事項が記載された帳簿のみの保存により、その課税仕入れについて仕入税額控除の適用を受けることができます（少額特例）。

※１　特定期間とは、個人事業主についてはその年の前年１月１日から６月30日までの期間、法人についてはその事業年度の前事業年度開始の日以後６月の期間をいいます。

※２　当該経過措置の適用については、帳簿に「経過措置（少額特例）の適用がある旨」を記載する必要はありません。

※３　新たに設立した法人における基準期間のない課税期間については、特定期間の課税売上高が

STEP 4

適格請求書等の交付を受けることが困難である取引の場合の帳簿への記載事項

帳簿への必要記載事項

① 相手方の氏名・名称 ② 取引年月日 ③ 取引の内容 ④ 税率ごとに区分した支払対価の額	＋	① 課税仕入れの相手方の住所又は所在地（注） ② 特例の対象となる旨

（注）次の取引である場合には、相手方の住所又は所在地の記載は不要です。
1．国税庁長官が指定する者に支払うものである場合。
2．自動販売機及び自動サービス機からの商品の購入等（3万円未満のものに限る）
3．入場券等が使用の際に回収されるもの（3万円未満のものに限る）

総勘定元帳（旅費交通費）

月	日	相手科目	摘要	税区分	借方	貸方
12	4	現金	JR西日本　運賃　◆	課仕10%	1,500	

公共交通機関特例の対象
事業者は国税庁長官が
指定する者であるため
住所又は所在地の記載は不要

◆は、インボイス不要特例（公共交通機関特例）対象
「特例の対象となる旨」の記載となる

総勘定元帳（会議費）

月	日	相手科目	摘要	税区分	借方	貸方
8	3	現金	得意先打合せで飲料5本※	課仕軽	1,500	
			自販機　~~東大阪市~~			

所在地の記載は不要

「自販機」や「○○施設入場券」という記載は「相手方の氏名又は名称」と
「特例の対象となる旨」の双方を表すものとなります。

適格請求書発行事業者以外の者からの課税仕入

［税抜経理の場合］　免税事業者から55,000円の商品を購入

総勘定元帳（仕入高）

月	日	相手科目	摘要	税区分	借方
4	28	現金	○○商店　材料代　80%対象	課仕10%	51,000
			（仮払消費税等）		(4,000)

55,000円×10/110×80%

経過措置の対象である旨を記載

仮払消費税等を計上しない方法も認められます

○○商店　材料代　80%対象	課仕10%	55,000
（仮払消費税等）		(0)

一定規模以下の事業者に対する事務負担の軽減（少額特例）

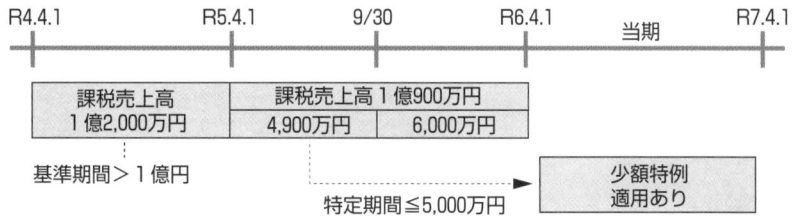

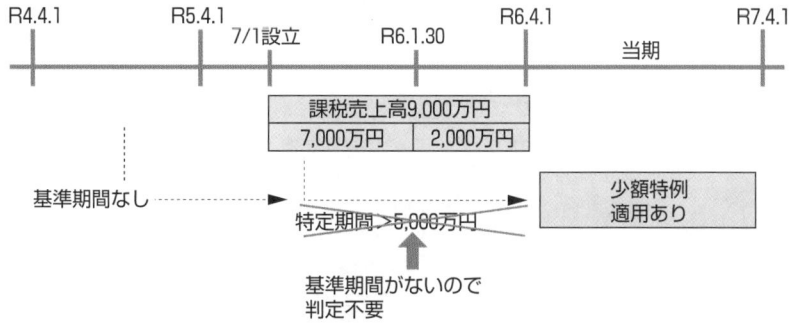

5,000万円超となった場合であっても、少額特例の経過措置の適用を受けることができます。
※4　適格請求書発行事業者以外の者からの課税仕入れであっても、課税仕入れに係る支払対価の額（税込み）が1万円未満である場合には、少額特例の適用を受けることができます。

STEP 5

仕入税額控除の制限

1．居住用賃貸建物の取得者に係る仕入税額控除の制限（消法30⑩）

事業者が国内において行う居住用賃貸建物を取得した場合、その課税仕入れに係る消費税額については、仕入税額控除の適用を受けることはできません。

（詳細は**No.83**「居住用賃貸建物の取得等に係る仕入税額控除の制限」参照）

2．金又は白金の地金の課税仕入れを行った場合に保存する本人確認書類（消法30⑪）

事業者が「金又は白金の地金」の課税仕入れを行った場合において、その課税仕入れの相手方（売却者）の本人確認書類を保存しない場合には、当該課税仕入れにかかる消費税額について仕入税額控除の適用を受けることができません。

3．密輸品と知りながら行った課税仕入れに係る仕入税額控除の制限（消法30⑫）

課税仕入れに係る資産が納付すべき消費税を納付せずに保税地域から引き取られた課税貨物（いわゆる密輸品※）であり、当該課税仕入れを行う事業者がその課税仕入れを行う際に、買い取る資産が密輸品であることを知っていた場合には、当該課税仕入れに係る消費税額について仕入税額控除の適用を受けることができません。

※　ここでいう密輸品は、金又は白金の地金に限られず、密輸された全ての資産が対象となります。

4．免税購入品と知りながら行った課税仕入れに係る仕入税額控除の制限（消法30⑫）

輸出物品販売場で消費税が免除された物品であることを知りながら、その物品を仕入れた場合、その課税仕入れに係る消費税額については、仕入税額控除の適用を受けることはできません。

【適用開始時期】　令和6年4月1日

STEP 5

保存する本人確認書類の範囲

課税仕入れの相手方		本人確認書類　（注）次の記載があるものに限ります。個人：氏名及び住所 法人：名称及び本店又は主たる事業所の所在地
個人	国内に住所を有する者	①マイナンバーカードの写し（表面のみ）　②住民票の写し ③戸籍の附票の写し、印鑑証明書　④国民健康保険、健康保険証等の写し ⑤運転免許証又は運転経歴証明書の写し ⑥旅券（パスポートの写し）　⑦特別永住者証明書の写し ⑧国税・地方税の領収証、納税証明書、社会保険料の領収証又はこれらの写し ⑨①～⑧の書類以外で、官公署から発行・発給された書類その他これらに類するもの又はこれらの写し （注）令和４年４月１日以後「国民年金手帳」が廃止されたことに伴い、本人確認書類の対象から除かれています。
	国内に住所を有しない者	上記③から⑤、⑦又は⑧に掲げるいずれかの書類
法人	内国法人・外国法人	①登記事項証明書、印鑑証明書又はこれらの写し（１年以内に作成されたもの） ②国税・地方税の領収証、納税証明書、社会保険料の領収証又はこれらの写し ③①及び②の書類以外で、官公署から発行・発給された書類その他これらに類するもの又はこれらの写し
	人格のない社団等	①定款、寄付行為、規則又は規約で、その代表者又は管理人の当該人格のない社団等のものである旨を証する事項の記載のあるものの写し ②上記「内国法人・外国法人」欄の②又は③の書類

令和３年度改正

事業者が「金又は白金の地金」の課税仕入れを行った場合に、保存が必要な課税仕入れの相手方の本人確認書類について、在留カードの写し並びに国内に住所を有しない者の旅券の写し及び官公署から発行・発給された書類その他これらに類するもの又はこれらの写しが除かれることとなりました。この改正は令和３年10月１日以降に行われる課税仕入れから適用されます。

金又は白金の地金の課税仕入れを行った場合に保存する本人確認書類の見直し

改正後の取扱い（令和３年10月１日以降に行われる課税仕入れ）

課税仕入れの相手方の区分		在留カードの写し	旅券の写し	官公署から発行・発給された書類その他これらに類するもの又は写し
個人	国内に住所を有する者	×	○	○
	国内に住所を有しない者	×	×	×（※）

※　官公署から発行・発給された書類のうち、「戸籍の附票の写し、印鑑証明書又はこれらの写し」「国民健康保険の被保険者証等の写し」「国税・地方税の領収証、納税証明、社会保険料の領収証又はこれらの写し」は、改正後も本人確認書類の対象となります。

No.18 仕入税額控除の時期

STEP 1

概要（消法30①、消基通11－３－１）

仕入税額控除は、課税仕入れを行った日の属する課税期間において行います。課税仕入れを行った日とは、資産の譲受けや借受けをした日又は役務の提供を受けた日をいいます。

これらの日は原則として、所得税法又は法人税法で所得金額の計算を行うときの資産の取得の日又は費用の計上時期と同じです。

STEP 2

建設仮勘定（消基通11－３－６）

建設工事は、工事の発注から完成引渡しまでが長期にわたり、一事業年度を超えることがあります。この場合、工事代金の前払金や経費の額をいったん建設仮勘定として経理し、引渡しを受けたときに固定資産勘定に振り替える処理を行います。

しかし、消費税法においては、建設仮勘定に計上されている金額であっても、原則として物の引渡しや役務の提供があった日の属する課税期間において仕入税額控除を行います。

ただし、建設仮勘定として経理した課税仕入れについて、その都度課税仕入れとしないで、工事の目的物のすべての引渡しを受けた日の属する課税期間における課税仕入れとして処理する方法も認められます。

STEP 3

未成工事支出金（消基通11－３－５）

建設業者が建設工事を行う場合には、仕入れや外注費などは、未成工事支出金勘定として経理し、目的物が完成し引き渡した時点で、売上げに対応する原価として損金の額に算入します。

この未成工事支出金勘定に含まれる課税仕入れの額は、それぞれの取引ごとに資産の引渡しを受けた日や役務の提供を完了した日の属する課税期間において仕入税額控除の対象となります。

ただし、未成工事支出金として経理した金額を、目的物の引渡しをした課税期間の課税仕入れとすることも、継続適用を条件として認められています。

STEP 4

短期前払費用（消基通11－３－８）

前払費用の額でその支払った日から１年以内に提供を受ける役務に係るものを支払った場合において、その支払った額に相当する金額を、継続してその支払った日の属する事業年度の損金の額に算入しているときは、法人税法上及び所得税法上は、その処理が認められますが、消費税法においても、その前払費用に係る課税仕入れは、その支出した日の属する課税期間における課税仕入れとすることができます。

STEP 1

仕入税額控除の時期

区　分	意　　義
課税仕入れを行った日	課税仕入れに係る資産の譲受け若しくは借受けをした日又は役務の提供を受けた日
課税貨物を引き取った日	関税法第67条（輸出又は輸入の許可）に規定する輸入の許可を受けた日

区　分	原　　則	特　　例
減価償却資産	課税仕入れを行った日	
繰延資産	課税仕入れを行った日	
割賦購入資産・リース資産	引渡しを受けた日	所有権移転外ファイナンス・リースについて賃貸借処理をしている場合にはリース料の支払日
未成工事支出金	課税仕入れを行った日	継続適用を条件として目的物を引渡した日
建設仮勘定	課税仕入れを行った日	目的物の完成した日
郵便切手類・物品切手等	役務又は物品の引換給付を受けた時	継続適用を条件として郵便切手類等の対価を支払った日
短期前払費用	課税仕入れを行った日	その支出した日

STEP 2

建設仮勘定の経理処理

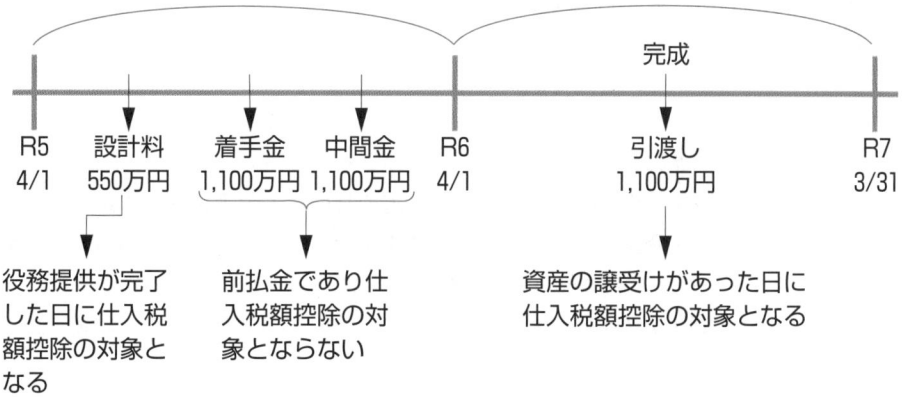

建物の建設中に支払った着手金、中間金は前払金であり資産の譲受けが行われていませんので、仕入税額控除できません。建物の引渡しを受けた時期に仕入税額控除の対象となります。一方、設計料については原則として設計業務という役務の提供が完了した時期（R6.3月期）の仕入税額控除の対象となります（建物の引渡時にまとめて控除することも可能）。

仕訳

設計料支払時	（建設仮勘定）課仕	5,500,000／	（現　預　金）5,500,000
着手金、前払金等支払時	（建設仮勘定）	11,000,000／	（現　預　金）11,000,000
建物の引渡し時	（建　物）課仕	33,000,000／	（建設仮勘定）33,000,000

No.19 仕入税額控除の計算（課税方式の選択）

STEP 1

控除税額等の計算

事業者は課税期間における課税売上げに係る消費税額から、課税仕入れ等に係る消費税額（以下「仕入控除税額」といいます。）を控除して納付税額を計算します。
この仕入税額控除には、原則課税と簡易課税の２つの方法があります。

STEP 2

原則課税と簡易課税を確認する

(1) **原則課税**

課税期間における課税売上げ及び特定課税仕入れ（**No.71**参照）に係る消費税額から課税仕入れに係る消費税額、特定課税仕入れに係る消費税額及び課税貨物につき課された消費税額の合計額を控除し、納付する消費税額を計算します。（**No.20**参照）

(2) **簡易課税**

課税期間における課税売上げに係る消費税額にみなし仕入率を乗じて仕入控除税額の計算をし、納付する消費税額を計算します。
この簡易課税は、中小企業者の事務負担を考慮して簡便に納付税額を計算することができる方法です。選択できるのは基準期間における課税売上高が5,000万円以下の事業者です。（**No.21**参照）

STEP 3

簡易課税の適用を検討する

(1) 簡易課税制度を適用するには、次の要件をいずれも満たす必要があります。

① 基準期間における課税売上高が、5,000万円以下であること

② 「消費税簡易課税制度選択届出書」（**No.101**参照）をその適用しようとする課税期間開始の日の前日までに所轄税務署長へ提出していること（免税事業者が令和５年10月１日から令和11年９月30日迄の日の属する課税期間に適格請求書発行の登録を受け、登録を受けた日から課税事業者となる場合には特例あり。）（**No.1**参照）

したがって、「消費税簡易課税制度選択届出書」を提出している場合でも、基準期間における課税売上高が5,000万円を超える課税期間については、原則課税により計算することになります。

また、「消費税簡易課税制度選択届出書」を提出し、基準期間における課税売上高が5,000万円以下である課税期間については、必ず簡易課税を適用しなければなりません。

(2) 課税期間の初日において恒久的施設（PE）を有しない国外事業者は、簡易課税制度及び適格請求書発行事業者となる小規模事業者に対する負担軽減措置（２割特例）の適用を受けることができなくなります。

【適用開始時期】 令和６年10月１日以後に開始する課税期間から適用されます。

STEP 2 原則課税と簡易課税を確認する

納付税額の計算方法（概要）

原則課税　課税売上げに係る消費税額から課税仕入れ等に係る消費税額を控除して、納付する消費税額を計算します。

消費税の納付税額 ＝ 課税売上げに係る消費税額 － 課税仕入れ等に係る消費税額（実額）

簡易課税　課税売上げに係る消費税額に、事業に応じた一定の「みなし仕入率」を乗じた金額を課税仕入れ等に係る消費税額とみなして、納付する消費税額を計算します。

消費税の納付税額 ＝ 課税売上げに係る消費税額 － 課税売上げに係る消費税額 × みなし仕入率

この部分の計算が異なります

STEP 3 基準期間の課税売上高と消費税額の計算方法

基準期間の課税売上高			課税事業者の判定		消費税の計算方法	
5,000万円超			課税事業者		原則課税	
1,000万円超5,000万円以下			課税事業者		選択	原則課税
						簡易課税
1,000万円以下	特定期間の課税売上高	1,000万円超	課税事業者		選択	原則課税
		1,000万円以下	選択	課税事業者		簡易課税
			免税事業者			

簡易課税制度の適用判定

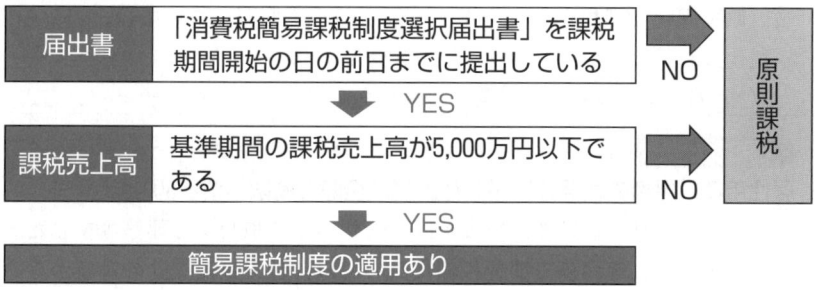

外国法人がPEを有しないこととなった場合

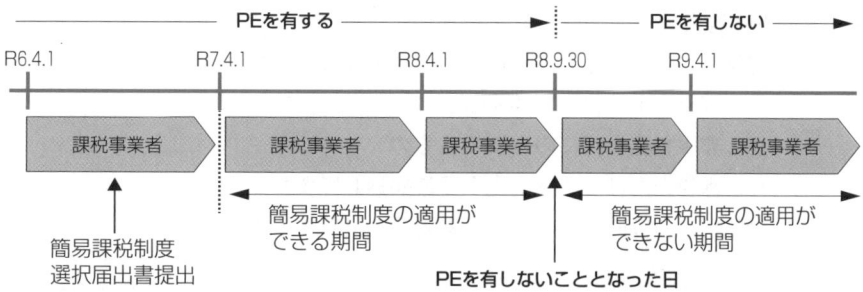

※　PEを有する法人外国法人が事業年度の中途においてPEを有しないこととなった場合、この法人の事業年度はPEを有しないこととなった日に終了し、その翌日から事業年度が開始する。

No.20 原則課税方式による控除税額の計算

STEP 1

概要

課税売上げに係る消費税額から控除する課税仕入れ等に係る消費税額（以下「仕入控除税額」といいます。）の計算方法は、その課税期間中の課税売上高及び課税売上割合（No.66参照）に応じて、それぞれ次の方法により計算します。

1．課税売上高が５億円以下かつ課税売上割合が95%以上の場合（消法30①）

課税期間中の課税売上げに係る消費税額から、その課税期間中の課税仕入れ等に係る消費税額の全額を控除します。

2．課税売上高が５億円超又は課税売上割合が95%未満の場合（消法30②）

課税仕入れ等に係る消費税額の全額を控除するのではなく、課税売上げに対応する部分のみを控除します。したがって、次の「個別対応方式」又は「一括比例配分方式」のいずれかの方式により仕入控除税額を計算します。

※課税期間が１年に満たない場合（消基通11－５－10）

その課税期間が１年に満たない場合には、次のとおり課税売上高を１年分に換算して判定します。

$$\text{その課税期間の課税売上高} \times \frac{12}{\text{課税期間の月数（注）}}$$

（注）月数は暦に従って計算し、１月未満の端数は切り上げます。

平成27年度改正

1．平成27年10月１日以後は、「課税仕入れ等に係る消費税額」に「特定課税仕入れに係る消費税額」が含まれます。

2．原則課税で課税売上割合が95%以上の課税期間については、当分の間、「特定課税仕入れ」はなかったものとして計算します。

（No.71「国境を越えた役務の提供がある場合（リバースチャージ方式）」を参照）

令和2年度改正

居住用賃貸建物の取得等に係る仕入税額控除の制限（消法30⑩）

令和２年10月１日以後に税抜き1,000万円以上で取得又は建築等をした居住用賃貸建物の課税仕入れ等に係る消費税額については、仕入税額控除の対象から除外されることとなります。（No.83「居住用賃貸建物の取得等に係る仕入税額控除の制限」参照）

STEP 2

個別対応方式（消法30②一）

個別対応方式は、その課税期間中の課税仕入れ等のすべてを

イ　課税売上げにのみ要するもの

ロ　非課税売上げにのみ要するもの

ハ　課税売上げと非課税売上げに共通して要するもの

に区分し、次の算式により仕入控除税額を計算する方法です。

STEP 1 仕入控除税額の計算方法

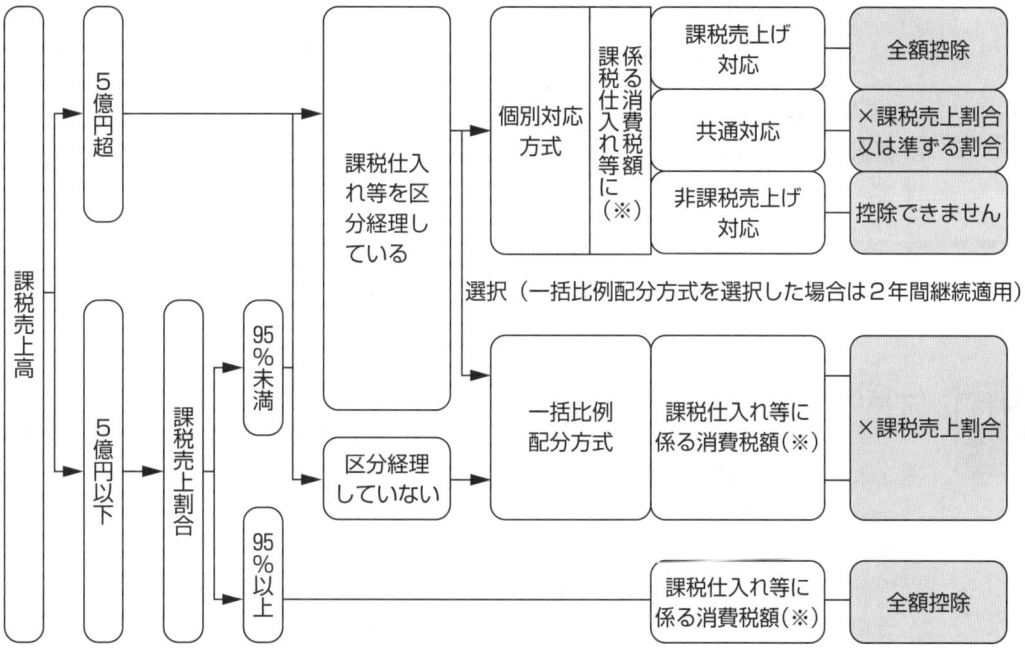

※課税売上割合が95%以上の課税期間については、当分の間、「特定課税仕入れ」はなかったものとします。
令和２年10月１日以後に税抜1,000万円以上で取得又は建築した居住用賃貸建物の課税仕入れ等に係る消費税額は、控除できません。

STEP 2 個別対応方式

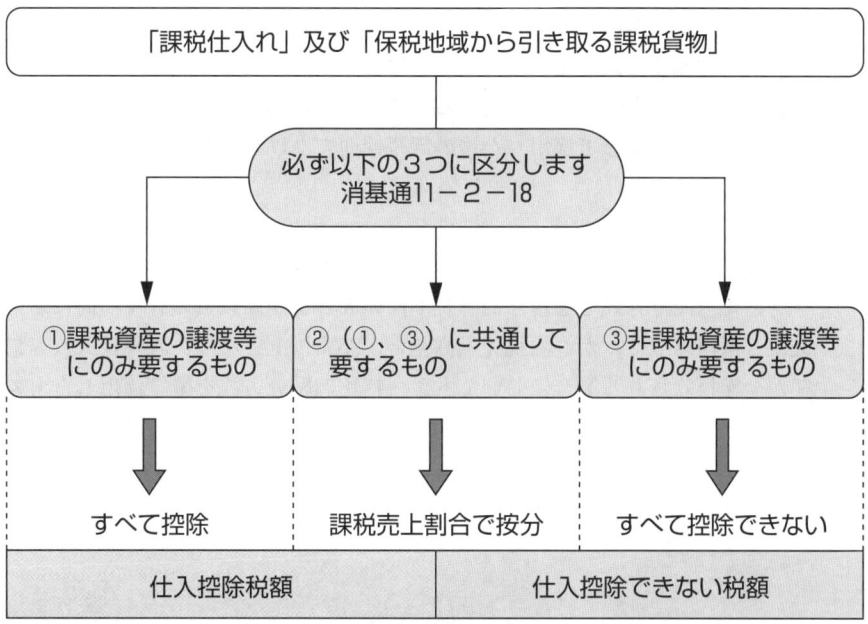

仕入控除税額 ＝

（課税売上げにのみ要する課税仕入れ等に係る消費税額）＋（課税売上げと非課税売上げに共通して要する課税仕入れ等に係る消費税額）× 課税売上割合※

※課税売上割合に代えて「課税売上割合に準ずる割合」によって計算することもできます。（**No.72**参照）

【適用方法】（消基通11－２－18）

個別対応方式は、上記イ、ロ、ハの区分がされている場合に限り適用することができます。

したがって、例えば課税仕入れ等の中から、課税売上げにのみ要するものを抽出し、それ以外のものをすべて共通して要するものに該当するものとして区分することは認められません。

STEP 3

一括比例配分方式（消法30②二）

一括比例配分方式は、その課税期間中の課税仕入れ等に係る消費税額に、課税売上割合を乗じて仕入控除税額を計算する方法です。

仕入控除税額 ＝ 課税仕入れ等に係る消費税額※1 × 課税売上割合※2

その課税期間中の課税仕入れ等に係る消費税額が**STEP2**の個別対応方式のイ、ロ、ハのように区分されていない場合又は区分されていてもこの方式を選択する場合に、適用します。

※１　課税売上割合が95％以上の課税期間については、当分の間、「特定課税仕入れ」はなかったものとします。

※２　「課税売上割合に準ずる割合」によって計算することはできません。

【２年間の継続適用】（消法30⑤）

一括比例配分方式を選択した場合には、一括比例配分方式により計算することとした課税期間の初日から２年を経過する日までの間に開始する各課税期間において、一括比例配分方式を継続して適用した後の課税期間でなければ個別対応方式に変更することはできません。

【一括比例配分方式を適用した課税期間の翌課税期間が全額控除の場合】（消基通11－２－21）

一括比例配分方式を適用した課税期間の翌課税期間以後の課税期間における課税売上高が５億円以下で、かつ課税売上高割合が95％以上となり、課税仕入れ等に係る消費税額が全額控除される場合においても、一括比例配分方式を継続適用したものとされます。

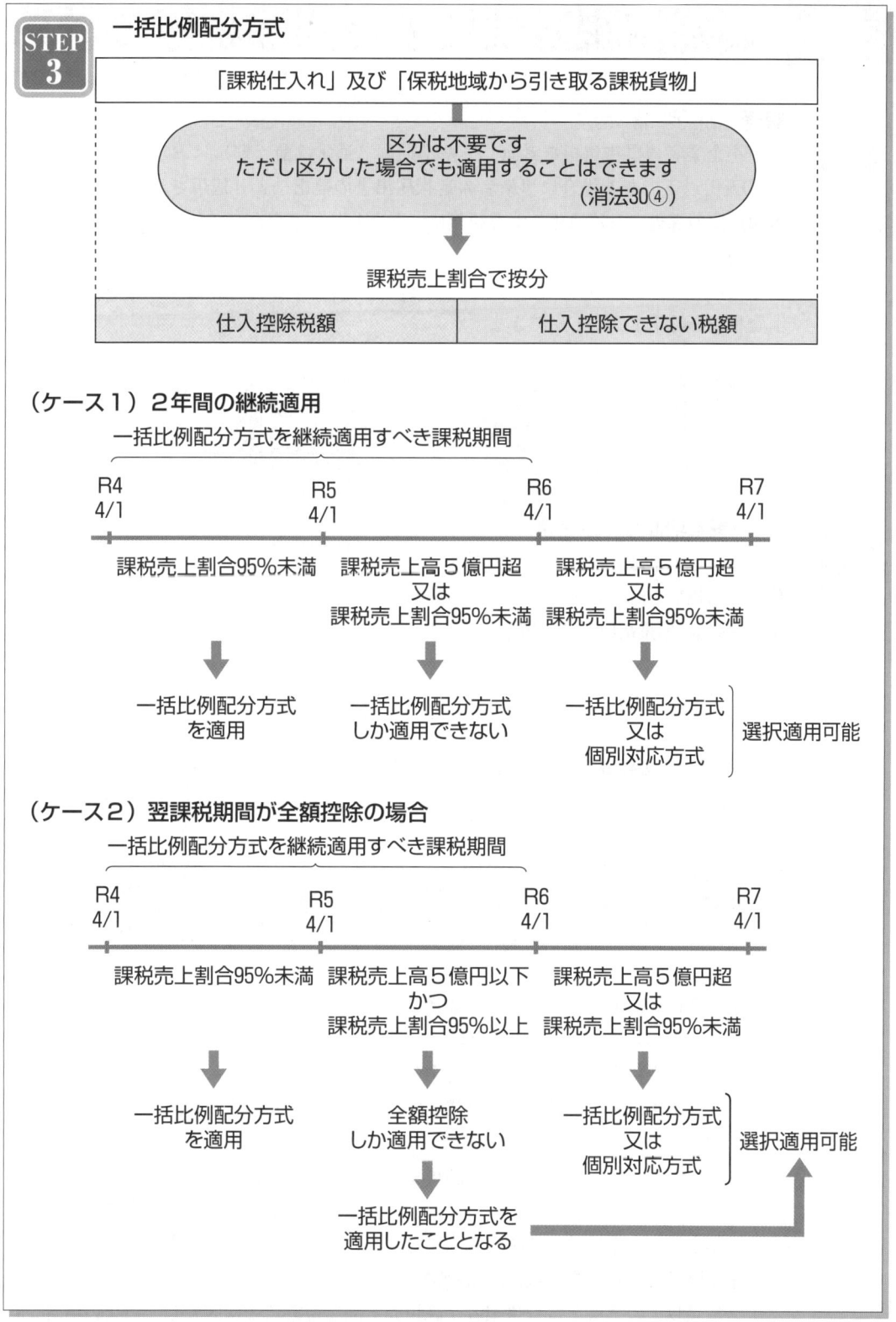
STEP 3
一括比例配分方式
「課税仕入れ」及び「保税地域から引き取る課税貨物」
区分は不要です
ただし区分した場合でも適用することはできます
（消法30④）
課税売上割合で按分
仕入控除税額
仕入控除できない税額
（ケース１）２年間の継続適用
一括比例配分方式を継続適用すべき課税期間
R4 4/1
R5 4/1
R6 4/1
R7 4/1
課税売上割合95%未満
課税売上高５億円超 又は 課税売上割合95%未満
課税売上高５億円超 又は 課税売上割合95%未満
一括比例配分方式を適用
一括比例配分方式しか適用できない
一括比例配分方式 又は 個別対応方式
選択適用可能
（ケース２）翌課税期間が全額控除の場合
一括比例配分方式を継続適用すべき課税期間
R4 4/1
R5 4/1
R6 4/1
R7 4/1
課税売上割合95%未満
課税売上高５億円以下 かつ 課税売上割合95%以上
課税売上高５億円超 又は 課税売上割合95%未満
一括比例配分方式を適用
全額控除しか適用できない
一括比例配分方式 又は 個別対応方式
選択適用可能
一括比例配分方式を適用したこととなる

No.21 簡易課税方式による控除税額の計算

STEP 1

概要（消法37、消令59）

中小企業者の事務負担を考慮して基準期間（通常は前々期）における課税売上高が5,000万円以下である場合に事業者の選択届出書の提出により適用されるもので、その課税期間の課税売上げに係る消費税額に、みなし仕入率を乗じて、仕入控除税額を計算する制度です。

したがって、実際の課税仕入れの税額を計算することなく、課税売上げから納付する消費税額を計算することができます。

納付する消費税額 ＝ 課税売上げに係る消費税額 － （課税標準額に対する消費税額 × みなし仕入率）

仕入控除税額

STEP 2

仕入控除税額の計算方法

みなし仕入率は、課税売上高を右ページの６つの事業に区分して適用し、次のとおり仕入控除税額を計算します。

１．１種類の事業だけを営む場合

控除対象仕入税額 ＝ （課税標準額に対する消費税額 － 返還等対価に係る税額） × みなし仕入率

２．２種類以上の事業を営む場合

(1) **原　則**

控除対象仕入税額 ＝ （課税標準額に対する消費税額 － 返還等対価に係る税額） × （第１種に係る消費税額×90% ＋ 第２種に係る消費税額×80% ＋ 第３種に係る消費税額×70% ＋ 第４種に係る消費税額×60% ＋ 第５種に係る消費税額×50% ＋ 第６種に係る消費税額×40%） ／ 第１種から第６種までのすべてに係る消費税額

(2) **特　例**

① ２種類以上の事業を営む事業者で、１種類の事業の課税売上高が全体の課税売上高の75%以上を占める場合には、その75%以上を占める事業のみなし仕入率を全体の課税売上高に対して適用することができます。

② ３種類以上の事業を営む事業者で、特定の２種類の事業の課税売上高の合計額が全体の課税売上高の75%以上を占める場合は、その２種類の事業のうちみなし仕入率の高い方の事業に係る課税売上高については、そのみなし仕入率を適用し、それ以外の課税売上高については、その２種類の事業のうち低い方のみなし仕入率をその事業以外の課税売上高に対して適用することができます。

３．事業区分をしていない場合の取扱い

２種類以上の事業を営む事業者が課税売上高を事業ごとに区分していない場合には、区分していない部分については、その区分していない事業のうち一番低いみなし仕入率を適用して仕入控除税額を計算します。

STEP 1

みなし仕入率

事業区分	みなし仕入率	該当する事業	
第１種事業	90%	卸売業	他の者から購入した商品をその性質及び形状を変更しないで他の事業者に販売する事業
第２種事業	80%	小売業、軽減税率が適用される飲食料品を生産する農林水産業	他の者から購入した商品をその性質及び形状を変更しないで消費者に販売する事業
第３種事業	70%	農業、林業、漁業※、鉱業、建設業、製造業（製造小売業を含む）、電気業、ガス業、熱供給業、水道業	第１種事業、第２種事業及び加工賃等を対価とする役務の提供を行う事業を除く
第４種事業	60%	飲食店業、加工賃等を対価とする役務の提供を行う事業、固定資産等の譲渡など	第１種事業、第２種事業、第３種事業、第５種事業及び第６種事業以外の事業
第５種事業	50%	金融・保険業、運輸通信業、サービス業（飲食店業を除く）	第１種事業、第２種事業及び第３種事業を除く
第６種事業	40%	不動産業	

※　軽減税率制度導入に伴い、**令和元年10月１日以降**、農林水産業のうち**飲食料品**を生産するものの事業区分が**第３種事業から第２種事業**に変更されています（平成30年度改正）。

STEP 2

複数の事業を営む場合の計算例

事業区分	構成割合	課税売上高	消費税額
卸　売　業（第１種）	50%	10,000,000	1,000,000
小　売　業（第２種）	30%	6,000,000	600,000
サービス業（第５種）	20%	4,000,000	400,000
合　　計		20,000,000	2,000,000

(1)　原則

$$\text{控除対象仕入税額} = 2{,}000{,}000 \times \frac{1{,}000{,}000\times90\%+600{,}000\times80\%+400{,}000\times50\%}{2{,}000{,}000}$$

$$= 2{,}000{,}000 \times \frac{1{,}580{,}000}{2{,}000{,}000} = 1{,}580{,}000$$

(2)　特例

$$\frac{\overset{\text{第1種}}{10{,}000\text{千円}}+\overset{\text{第2種}}{6{,}000\text{千円}}}{20{,}000\text{千円}} = 80\% \geqq 75\%$$

⇨ 卸売業については　第１種の90%
それ以外については　第２種の80%
の みなし仕入率を適用

$$\text{控除対象仕入税額} = 2{,}000{,}000 \times \frac{1{,}000{,}000\times90\%+(2{,}000{,}000-1{,}000{,}000)\times80\%}{2{,}000{,}000}$$

$$= 2{,}000{,}000 \times \frac{1{,}700{,}000}{2{,}000{,}000} = 1{,}700{,}000$$

(1)<(2)　特例有利　∴仕入控除税額　1,700,000

STEP 3

事業区分の判定（消基通13－２－１～13－３－２）

１．事業区分

事業者が行う事業が、第１種事業から第６種事業までのいずれに該当するかの判定は、課税売上げごとに判定しますので、帳簿等に基づき課税売上高を事業別に区分し、集計しておく必要があります。

２．判定の留意点

① 第１種事業（卸売業）

「性質及び形状を変更しないで販売する」とは、他の者から購入した商品をそのまま販売することをいいますが、次のような行為は、「性質及び形状を変更しないで販売する」に該当します。

・購入した商品に、商標やネームを貼り付ける行為
・複数の商品を詰め合わせる行為
・運送のために分解されている部品を組み立てて販売する行為（例，組立式の家具）

② 第２種事業（小売業）

食料品小売店舗において、仕入れた商品に軽微な加工をして販売する場合は、第２種事業に該当します。（例えば食肉・魚を切る、刻む、挽く行為は軽微な加工にあたりますが、加熱調理は軽微な加工に該当せず、第３種事業に該当します。）

③ 第３種事業（製造業等）

・製造卸売業、製造小売業
・自己が請け負った建設工事の全部を下請に施工させる元請としての事業
・第３種事業に該当する製造業、建設業等の事業から生じた加工くず、副産物の売却収入は、第３種事業に該当します。
・農林水産業のうち飲食料品の生産は第２種事業に該当します。（令和元年10月１日以降の取引）

④ 第４種事業（その他）

・第１種事業又は第２種事業から生じた段ボール等の不要物品等の売却収入（ただし、不要物品が生じた事業に区分することも認められます。）
・固定資産等の売却収入は、第４種事業に該当します。

⑤ 第５種事業（サービス業等）

日本標準産業分類の大分類の「サービス業（他に分類されないもの）」は、次のとおりです。

・廃棄物処理業　・自動車整備業　・機械等修理業　・職業紹介業
・労働者派遣業　・政治・経済・文化団体　・宗教団体　・金融・保険業
・その他のサービス業

⑥ 第６種事業（不動産業）

・不動産の賃貸、管理、仲介
・不動産の譲渡については、他の者から購入した物件を譲渡する場合は第１種事業又は第２種事業に、自ら建築した物件を譲渡する場合は第３種事業に該当します。

３．売上対価の返還等の事業区分

売上対価の返還等の金額が事業区分されていないときは、その区分されていない返還等に係る売上げに係る帳簿等により合理的に区分します。

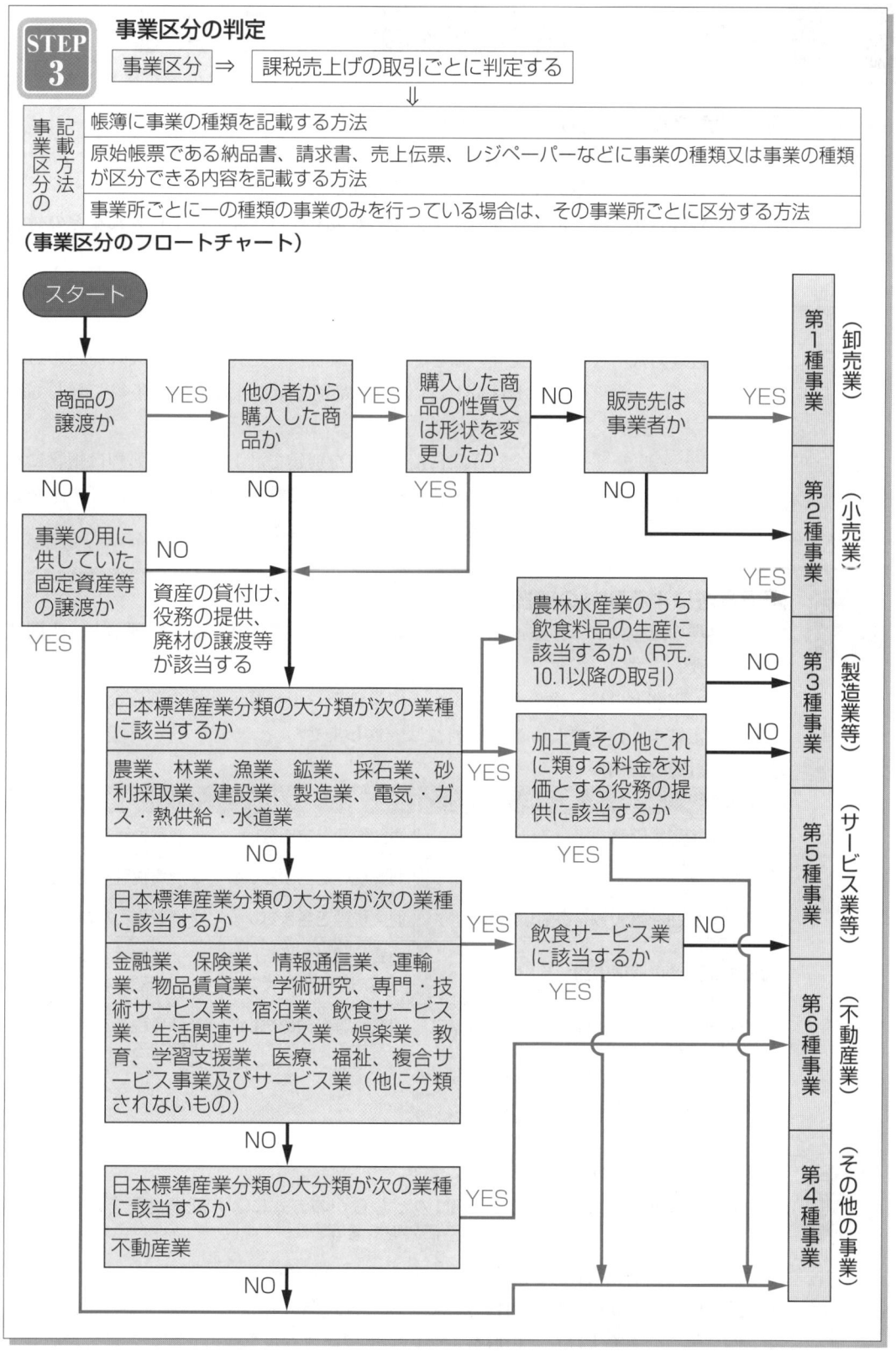
STEP 3
事業区分の判定
事業区分 ⇒ 課税売上げの取引ごとに判定する
事業区分の記載方法
帳簿に事業の種類を記載する方法
原始帳票である納品書、請求書、売上伝票、レジペーパーなどに事業の種類又は事業の種類が区分できる内容を記載する方法
事業所ごとに一の種類の事業のみを行っている場合は、その事業所ごとに区分する方法
（事業区分のフローチャート）
スタート
商品の譲渡か
YES
NO
他の者から購入した商品か
YES
NO
購入した商品の性質又は形状を変更したか
NO
YES
販売先は事業者か
YES
NO
事業の用に供していた固定資産等の譲渡か
NO
YES
資産の貸付け、役務の提供、廃材の譲渡等が該当する
農林水産業のうち飲食料品の生産に該当するか（R元.10.1以降の取引）
YES
NO
日本標準産業分類の大分類が次の業種に該当するか
農業、林業、漁業、鉱業、採石業、砂利採取業、建設業、製造業、電気・ガス・熱供給・水道業
YES
加工賃その他これに類する料金を対価とする役務の提供に該当するか
NO
YES
NO
日本標準産業分類の大分類が次の業種に該当するか
金融業、保険業、情報通信業、運輸業、物品賃貸業、学術研究、専門・技術サービス業、宿泊業、飲食サービス業、生活関連サービス業、娯楽業、教育、学習支援業、医療、福祉、複合サービス事業及びサービス業（他に分類されないもの）
YES
飲食サービス業に該当するか
NO
YES
NO
日本標準産業分類の大分類が次の業種に該当するか
不動産業
YES
NO
第1種事業（卸売業）
第2種事業（小売業）
第3種事業（製造業等）
第5種事業（サービス業等）
第6種事業（不動産業）
第4種事業（その他の事業）

No.22 消費税の経理処理を決定する

STEP 1 消費税等の経理処理方法

消費税の課税取引について、消費税及び地方消費税（以下「消費税等」という。）の経理処理方法には、税込経理方式と税抜経理方式があります。

① **税込経理方式** ⇨ 消費税等の額を、その対象となった売上げや仕入れなどの対価の額に含めて経理する方式です。
仕訳を行う際に税抜きにする必要がありませんので処理は簡単です。

② **税抜経理方式** ⇨ 消費税等の額を、その対象となった売上げや仕入れなどの対価の額と区分し、「仮払消費税等」や「仮受消費税等」として経理する方式です。
仕訳を行う際に消費税等を別建て計上するため処理は煩雑になりますが、企業の損益計算に影響を及ぼさないため「中小企業の会計に関する指針」では原則とされています。

STEP 2 経理方法による利益の確認

経理処理の違いによる損益計算をまとめると右ページのようになり、理論上、当期純利益は一致します。

しかし、実務上では、次のような資産の取得価額や損金算入基準の判定などの法人税の取扱規定により、必ずしも当期純利益は一致しません。

法人税の計算の影響点

内　容	税抜経理方式	税込経理方式
棚卸資産の取得価額	消費税等を含まない。	消費税等を含む。
交際費	消費税等を含まない。	消費税等を含む。
寄附金（物品を購入して寄附した場合）	消費税等を含まない。	消費税等を含む。
減価償却資産の取得価額	消費税等を含まないので償却額は少なくなる。	消費税等を含むので償却額は多くなる。
少額減価償却資産（繰延資産）の損金算入 原則･･･10万円未満 青色で中小企業者は30万円未満 繰延資産は20万円未満	消費税等を含めないで判定する。	消費税等を含めて判定する。

STEP 3 経理処理方式の選択

法人が課税事業者であれば、STEP1のどちらかの方式により経理処理を行いますが、その選択については、次のようなルールがあります。

ただし、免税事業者は、税込経理方式しか選択できません。

① **原　則** ⇨ すべての取引について、同一方式を適用。

② **例　外** ⇨ 売上げなどの収益について税抜経理方式を適用している場合に限り、右ページの６通りの例外方式を適用することができます。

STEP 1 消費税等の経理処理方法

経理処理方法
- 税込経理方式 → 売上げや仕入れ・経費など消費税等と取引の対価の額を区分しない
- 税抜経理方式 → 売上げや仕入れ・経費など取引の対価の額と「仮受消費税等」「仮払消費税等」を区分する

消費税等の経理処理の具体例

設例1 衣料品550,000円（税込み）を掛けで販売した。

【税込経理方式】

（売 掛 金）550,000／（売 上 高）550,000

【税抜経理方式】

（売 掛 金）550,000／（売 上 高）500,000
（仮受消費税等） 50,000

取引の対価（売上げ）
消費税等を含める
消費税等を含めない

→売掛金の額は、経理方式にかかわらず同じ金額となります。

設例2 衣料品を買掛けで仕入れた。330,000円（税込み）

【税込経理方式】

（仕 入 高）330,000／（買 掛 金）330,000

【税抜経理方式】

（仕 入 高）300,000／（買 掛 金）330,000
（仮払消費税等） 30,000

取引の対価（仕入れ）
消費税等を含める
消費税等を含めない

→買掛金の額は、経理方式にかかわらず同じ金額となります。

設例3 当期の納付すべき消費税等の額は20,000円であった。

【税込経理方式】

（租税公課）20,000／（未払消費税等）20,000

【税抜経理方式】

（仮受消費税等）50,000／（仮払消費税等）30,000
（未払消費税等）20,000

STEP 2 経理方法による利益の確認

【税込経理方式】

損益計算書

仕 入 高	330,000	売 上 高	550,000
租 税 公 課	20,000		
当期純利益	200,000		

一致する

【税抜経理方式】

損益計算書

仕 入 高	300,000	売 上 高	500,000
当期純利益	200,000		

STEP 3 税込・税抜経理方式の組合わせ

組み合わせ		売上げ等	棚卸資産	固定資産 繰延資産	経費等
原則	①	税 込 み			
	②	税 抜 き			
例外	③	税抜き	税抜き		税込み
	④		税込み		税抜き
	⑤		税抜き	税込み	税抜き
	⑥				税込み
	⑦		税込み	税抜き	税抜き
	⑧				税込み

ポイント

1．個々の固定資産等又は経費等ごとに異なる方式を適用することはできません。
2．売上げなどの収益について、税込経理方式を適用した場合はすべての取引を税込経理方式で適用しなければなりません。
3．期中において税込経理を行っておき、期末に一括して税抜経理方式に変換することもできます。
4．免税事業者は、税込経理方式しか適用できません。
5．法人税における種々の金額基準については、法人が選択した消費税の経理処理方式に応じて判定を行います。

STEP 4 具体的な経理処理

消費税等の経理処理方法が決定したら、取引ごとに、課税対象（課税対象は、さらに旧税率８％、軽減税率８％と税率10％に区分します。）か、非課税、課税対象外（**No. 7** 参照）に区分をし、各勘定科目ごと、かつ、課税区分ごとに集計できるようにします。

具体的には、総勘定元帳の各勘定科目の取引ごとに、課税区分を表示して検証できるようにし、申告時には、各勘定科目ごと、かつ、課税区分ごとに集計して申告資料とします。

仕訳

課税区分

R６.12.7　（交際費）対外　50,000／（現　金）　50,000〔摘要〕結婚祝い　佐藤電気㈱社長子息

STEP 5 税抜経理の場合の仮払・仮受消費税等の計上方法

税抜経理では、取引ごとに税抜経理をしますが、次のいずれかの方法により「仮払消費税等」「仮受消費税等」を計上します。

① 領収書や請求書に別記されている消費税額等を「仮払消費税等」「仮受消費税等」として計上する方法

② 領収書や請求書の税込金額に$\frac{10}{110}$（※）を乗じて計算した金額を「仮払消費税等」「仮受消費税等」として計上する方法

※旧税率８％又は軽減税率８％の場合は$\frac{8}{108}$

STEP 6 適格請求書発行事業者以外の者からの課税仕入れの場合

１．原則課税を適用する場合

原則課税を適用している課税期間中に税抜経理を行う事業者が、適格請求書発行事業者以外の者から課税仕入れを行った場合には、令和11年９月30日までは経過措置（80％控除・50％控除）の対象となるため、課税仕入れに係る支払対価の額に$\frac{10}{110}$（軽減税率の場合は$\frac{8}{108}$）を乗じて算出した金額の80％・50％相当額を仮払消費税等の額とし、残額を資産の取得価額等として、所得税や法人税の所得金額の計算を行うこととなります。

この方法以外に、消費税経理通達が改正され仮払消費税等を計上しない方法も認められることとなりました。（令和５年10月１日以後の取引について適用が可能）

STEP 4 総勘定元帳記載例

総　勘　定　元　帳　（交際費）

ステップ商事株式会社　　消費税：税込経理

日付	相手科目	摘　要	課税区分	借方	貸方	残高
		前月より繰越				3,170,000
R6.12.2	現　金	南部百貨店 商品券 神戸電工	非仕	30,000		3,200,000
R6.12.7	現　金	結婚お祝い 佐藤電気 社長子息	対外	50,000		3,250,000
：	：	：	：	：	：	：
R7.1.10	現　金	マツイ　森商事営業部長 飲食接待	課仕	60,000		3,820,000
：	：	：	：	：	：	：
R7.3.31	現　金	南部百貨店 お菓子 永田機器 手土産	課仕軽	3,240		4,528,000
		＊＊＊　年間　消費税集計　＊＊＊	課仕			3,212,000
			課仕軽			216,000
			非仕			100,000
			対外			1,000,000

STEP 6 適格請求書発行事業者以外の者からの課税仕入れ

領　収　書
令和6年12月3日
ステップ商事株式会社　様

金33,000円(うち10%消費税3,000円)
(但し、雑貨代として)

上記正に領収致しました。
大阪市北区天神橋×−××−××
株式会社　○○

インボイス登録番号の記載なし

税込価額　33,000円×10/110×80%
仕入高　30,600円
仕入高　30,600円

差額を取得価額に算入

経過措置の対象である旨を記載

月	日	借方		貸方		摘要	税
12	3	仕入高	30,600	現金	33,000	㈱○○雑貨　80%対象	課仕10%
		(仮払消費税等)	(2,400)				

仮払消費税等を計上しない方法

12	3	仕入高	33,000	現金	33,000	㈱○○雑貨　80%対象	課仕10%
		(仮払消費税等)	(0)				

2．簡易課税制度や２割特例を適用する場合

簡易課税制度や２割特例制度を適用している課税期間中に税抜経理を行う事業者が、適格請求書発行事業者以外の者から課税仕入れを行った場合においては、上記の「1．原則課税を適用する場合」の経理処理方法を適用し仮払消費税等を計上する方法のほか、継続適用を条件として、課税仕入れに係る支払対価の額に$\frac{10}{110}$（軽減税率の場合は$\frac{8}{108}$）を乗じて算出した金額を仮払消費税等として計上する方法のいずれかを選択適用することができます。

3．支払対価の額の$\frac{10}{110}$（$\frac{8}{108}$）を仮払消費税等として計上している場合の法人税法上の取扱い

令和５年10月１日から令和８年９月30日までの経過措置期間中に行われた適格請求書発行事業以外の者からの課税仕入れについては、その課税仕入れに係る支払対価の額に$\frac{10}{110}$（軽減税率の場合は$\frac{8}{108}$）を乗じて算出した額のうち80％相当額（令和8年10月１日から令和11年９月30日までは50％相当額）については仕入税額控除の適用を受けることができ、仮払消費税等として計上することできます。しかし、残りの20％（50％）相当額については、税務上、仮払消費税等とは認められず、取得価額に含めて所得の金額を計算することとなります。

したがって、適格請求書発行事業者以外の者からの課税仕入れについて、会計上、その課税仕入れに係る支払対価の額の$\frac{10}{110}$（$\frac{8}{108}$）を仮払消費税等としてして経理処理している場合には所得金額について税務調整が必要となるケースがあります。

①　適格請求書発行事業者以外の者から仕入れた棚卸資産について期末在庫を計上した場合

適格請求書発行事業者以外の者から仕入れた商品等の棚卸資産について、その支払対価の額の$\frac{10}{110}$を仮払消費税等として経理処理した場合、その仮払消費税等の20％（令和８年10月１日から令和11年９月30日までは50％）相当額は仕入税額控除の対象とならないため、決算時の仮受・仮払消費税等の清算の際に雑損失として計上することとなります。税務上、この仕入税額控除の対象とならない部分の金額は、仮払消費税等とは認められないため、雑損失として損金経理できず、その商品の取得価額となります。

したがって、適格請求書発行事業者以外の者から仕入れた商品等について、期末在庫として残った商品等がある場合には、上記の雑損失のうち、期末在庫に対応する部分の金額は、雑損失の過大計上として所得金額に加算することとなります。

※　期中に販売した商品等に対応する雑損失部分は、本来、売上原価として計上する必要がありますが、所得金額に影響はないため、税務調整は不要です。また、簡易課税制度や2割特例を適用している事業者についても、税務調整は不要となります。

②　適格請求書発行事業者以外の者から減価償却資産を取得した場合

適格請求書発行事業者以外の者から減価償却資産を購入し、その支払対価の額の$\frac{10}{110}$を仮払消費税等として経理処理を行い、決算時の仮受・仮払消費税等の清算の際に仕入税額控除の対象とならない仮払消費税等の20％（50％）相当額を雑損失として計上した場合、税務上は、その雑損失として計上した金額をその減価償却資産の取得価額に含め、償却限度額を算出することとなります。

〔税抜経理方式を適用する場合の仮払消費税等の額〕

（注）１　図中の割合は、支払対価の額に乗ずる割合（括弧書きは、軽減税率の対象となるものの割合）です。
　　２　「特例①」は簡易課税制度又は２割特例制度を適用する課税期間を含む事業年度が対象になり、「特例②」は経過措置期間に国内において行う課税仕入れが対象になります。

３．①　適格請求書発行事業者以外の者から仕入れた商品について期末在庫を計上した場合

令和７年３月20日に免税事業者から商品を20個仕入れ220万円（11万円×20個）を対価として支払った

支払対価の額の10/110を仮払消費税等として経理処理

【仕入時】

(仕入れ)　2,000,000円　(現金)　2,200,000円
(仮払消費税等)　200,000円

【決算時】消費税清算処理

仕入税額控除ができなかった20%相当額を雑損失処理

(雑損失)　40,000円　(仮払消費税等)　40,000円

この商品のうち10個が期末に在庫として残った

【決算時】期末在庫を計上

(商品)　1,000,000円　(期末棚卸高)　1,000,000円

適正な経理処理

(仕入れ)　2,040,000円　(現金)　2,040,000円
(仮払消費税等)　160,000円

雑損失の計上は無し

(雑損失)　0円

ここまでは損金計上額がどちらも2,040,000円となり税務調整は不要

40,000円×10個／20個=20,000円
‖
差額 20,000円

(商品)1,020,000円　(期末棚卸高)　1,020,000円

雑損失として計上した金額のうち、期末在庫に対応する部分の金額調について調整が必要

・法人税 別表四 所得の金額の計算に関する明細書

区分		総額	処分	
			留保	社外流出
加算	雑損失の過大計上	20,000円	20,000円	

・法人税 別表五(一) 利益積立金額及び資本金等の額の計算に関する明細書

利益積立金額の計算に関する明細書					
区分	期首現在利益積立金額	総額	当期の増減		差引翌期首現在利益積立金額
			減	増	
商品		20,000円		20,000円	20,000円

この場合、雑損失として経理処理した金額は、「償却費として損金経理した金額」に含まれることとなり、減価償却費として経理処理をした金額と合わせた金額のうち、償却限度額を超える部分の金額は、減価償却超過額として所得金額に加算することとなります。

※　簡易課税制度や２割特例を適用している事業者は、税務調整は不要です。

③　適格請求書発行事業者以外の者に接待交際費となる費用を支払った場合

交際費等の額の計算や、交際費等の範囲から除かれる飲食費の金額基準の判定についても、仕入税額控除が認められない仮払消費税等を含めた金額により行うこととなります。

○免税事業者が経営する飲食店で２名分の飲食代22,000 円を支払った場合

（交際費）　20,000円　（現金）22,000円 ⇒
（仮払消費税等）2,000円

このような経理処理をした場合でも交際費等の額は仮払消費税等の20%相当額を含めた20,000 円＋400 円＝20,400 円となり一人当たり 10,200 円となります。

※　簡易課税制度や２割特例を適用している事業者は、税務調整は不要です。

3．② 適格請求書発行事業者以外の者から減価償却資産を取得した場合

令和６年４月１日に免税事業者から店舗用の建物を購入し、その対価として2,200万円支払った

支払対価の額の10/110を仮払消費税等として経理処理

【購入時】

(建物)　20,000,000円　(現金) 22,000,000円

(仮払消費税等) 2,000,000円

適正な経理処理

(建物)　20,400,000円　(現金) 22,000,000円

(仮払消費税等) 1,600,000円

【決算時】消費税清算処理

仕入税額控除ができなかった20%相当額を雑損失処理

(雑損失) 400,000円　(仮払消費税等) 400,000円

雑損失の計上は無し

(雑損失)　0円

【決算時】減価償却費計上　耐用年数20年　償却率0.05

20,000,000円×0.05＝1,000,000円

(減価償却費)1,000,000円　(建物) 1,000,000円

税務上の償却限度額

20,400,000円×0.05＝1,020,000円

「償却費として損金経理した金額」

(雑損失) 400,000円 ＋ (減価償却費) 1,000,000円 ＝ 1,400,000円

「償却限度額」 1,020,000円

減価償却の償却超過額 380,000円

・法人税 別表四 所得の金額の計算に関する明細書

区分		総額	処分	
			留保	社外流出
加算	減価償却の償却超過額	380,000円	380,000円	

・法人税 別表五(一) 利益積立金額及び資本金等の額の計算に関する明細書

Ⅰ　利益積立金額の計算に関する明細書					
区分	期首現在利益積立金額	総額	当期の増減		差引翌期首現在利益積立金額
			減	増	
減価償却の償却超過額		380,000円		380,000円	380,000円

No.23 課税仕入れ等の用途区分（課税売上対応・非課税売上対応の区分）

STEP 1

概要

課税売上げに係る消費税額から控除する課税仕入れ等（課税仕入れ及び課税貨物の引取り）に係る消費税額を計算をする場合において、個別対応方式を適用する場合には、その課税期間中の課税仕入れ等に係る消費税額のすべてを、

イ　課税売上げにのみ要する課税仕入れ等に係るもの
…　「課税売上げ対応の課税仕入れ等」

ロ　非課税売上げにのみ要する課税仕入れ等に係るもの
…　「非課税売上げ対応の課税仕入れ等」

ハ　課税売上げと非課税売上げに共通して要する課税仕入れ等に係るもの
…　「共通対応の課税仕入れ等」

に区分する必要があります。

STEP 2

課税売上げ対応の課税仕入れ等

(1)　課税売上げ対応の課税仕入れ等（消基通11－２－10、11－２－14）

課税売上げ対応の課税仕入れ等とは、課税資産の譲渡等を行うためにのみ要する課税仕入れ等をいいます。

なお、課税仕入れ等を行った課税期間において、その課税仕入れに対応する課税資産の譲渡等があったかどうかは問いません。

課税売上げ対応の課税仕入れ等の具体例は次のとおりです。

①　そのまま他に譲渡される課税資産

②　課税資産の製造用にのみ消費し、又は使用される原材料、容器、包紙、機械及び装置、工具、器具、備品等

③　課税資産に係る倉庫料、運送費、広告宣伝費、支払手数料又は支払加工賃等

④　課税資産に係る販売促進等のために得意先等に配布される試供品、試作品等

(2)　免税売上げのための課税仕入れ等

課税資産の譲渡等には輸出免税売上げが含まれます。したがって、輸出取引のための課税仕入れ等は、課税売上げ対応の課税仕入れ等に該当します。

(3)　国外で行われる資産の譲渡等のための課税仕入れ等（消法２①九、６①、消基通11－２－11）

「課税資産の譲渡等」とは、「非課税資産の譲渡等」以外の資産の譲渡等をいい、「非課税資産の譲渡等」とは、国内において行われる非課税となる資産の譲渡等をいいますので、国外において行われる資産の譲渡等は、用途区分上すべて「課税資産の譲渡等」となります。

したがって、国外で行われる資産の譲渡等のための課税仕入れ等は、課税売上げ対応の課税仕入れ等に該当します。

例えば、国外に所在する土地の売却に係る仲介手数料、相談料の支払いは、課税売上げ対応の課税仕入れ等に該当します。

STEP 1

概要

課税仕入れ等	課税売上げ対応の課税仕入れ等	・課税売上げにのみ要する課税仕入れ等
	非課税売上げ対応の課税仕入れ等	・非課税売上げにのみ要する課税仕入れ等
	共通対応の課税仕入れ等	・課税売上げと非課税売上げに共通して要する課税仕入れ等 ・課税売上げ対応の課税仕入れ等にも非課税売上げ対応の課税仕入れ等にも該当しない課税仕入れ等

STEP 2

課税売上げ対応の課税仕入れ等

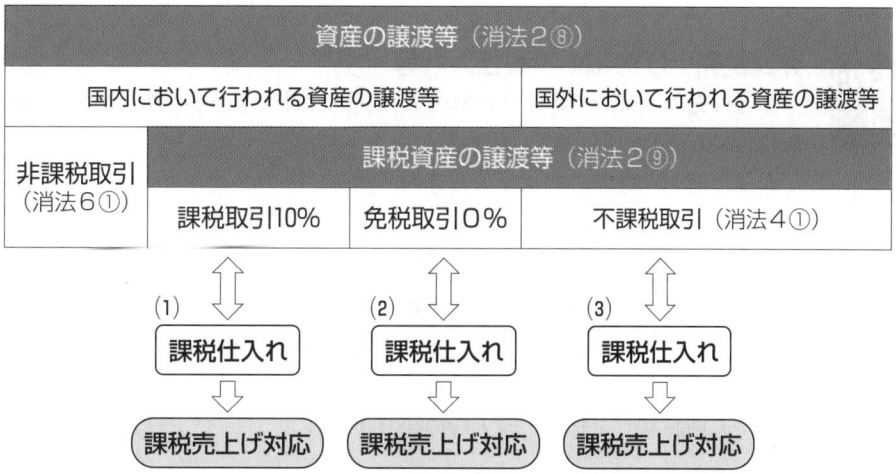

(3) 国外において行う資産の譲渡等のための課税仕入れ等

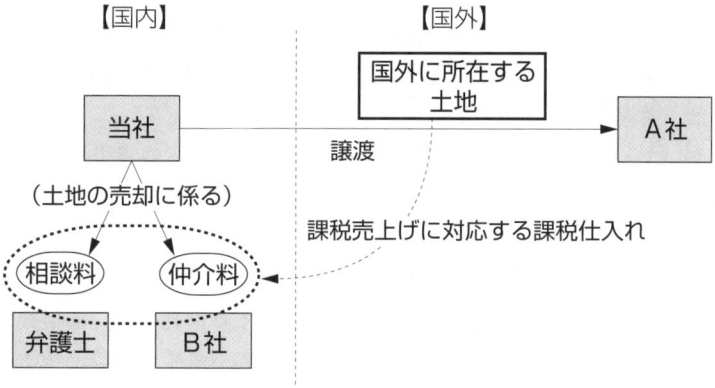

国外に所在する土地の売却に係る仲介手数料、相談料の支払いは課税売上げに対応する課税仕入れに該当します。

(4) 非課税資産を輸出した場合の課税仕入れ等（消法31①）

非課税資産の輸出取引等は、課税資産の譲渡等に係る輸出取引等に該当するものとみなし、その非課税資産の輸出に係る課税仕入れ等は、課税売上げ対応の課税仕入れ等に区分します。

非課税資産の輸出取引等とは、身体障害者用物品の輸出、国内における非居住者からの利息の受取り、国内における外国債の利息の受取りなどが該当します。ただし、有価証券、支払手段、金銭債権の輸出は除きます。

(5) 国内にある資産を海外に移送した場合の課税仕入れ等（消法31②）

国外において行う資産の譲渡等又は国外における自己の使用のためにする資産の輸出については、課税資産の譲渡等に係る輸出取引等に該当するものとみなし、その資産に係る課税仕入れ等は、課税売上げ対応の課税仕入れ等に該当します。

STEP 3 非課税売上げ対応の課税仕入れ等

非課税売上げ対応の課税仕入れ等とは、非課税資産の譲渡等を行うためにのみ要する課税仕入れ等をいいます。（消基通11－２－15）

非課税売上げ対応の課税仕入れ等の具体例は次のとおりです。

① 販売用の土地の造成費用
② 販売用の土地の取得に係る仲介手数料
③ 土地だけの譲渡に係る仲介手数料
④ 賃貸用住宅の建築費用（令和２年10月１日以後は税額控除の制限があります）
⑤ 住宅の賃貸に係る仲介手数料
⑥ 有価証券の売却時・購入時の売買手数料

STEP 4 共通対応の課税仕入れ等

(1) 共通対応の課税仕入れ等（消基通11－２－16）

共通対応の課税仕入れ等とは、課税資産の譲渡等と非課税資産の譲渡等に共通して要する課税仕入れ等をいいます。また、資産の譲渡等に該当しない取引に対応する課税仕入れ等は、共通対応の課税仕入れ等として取り扱います。

したがって、課税仕入れ等の区分は、「課税売上げ対応の課税仕入れ等」と「非課税売上げ対応の課税仕入れ等」に区分し、そのいずれにも区分できないものは「共通対応の課税仕入れ等」に区分することになります。

共通対応の課税仕入れ等の具体例は次のとおりです。

① 課税売上げと非課税売上げに共通して対応する消耗品費、通信費、水道光熱費等
② 株券発行に当たっての印刷費や証券会社への引受手数料等
③ 金銭以外の資産を贈与した場合の、その資産の取得（消基通11－２－17）

(4) 非課税資産を輸出した場合の課税仕入れ等

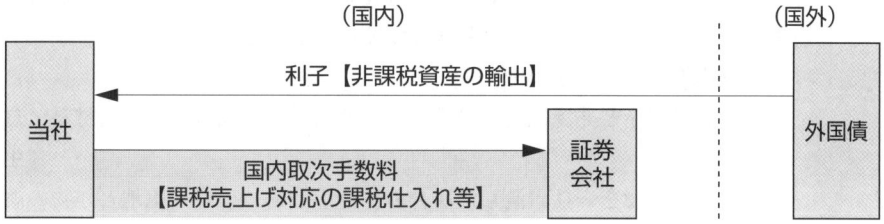

(5) 国内にある資産を海外に移送した場合の課税仕入れ等
国内で購入したコピー機を外国支店で使用する場合

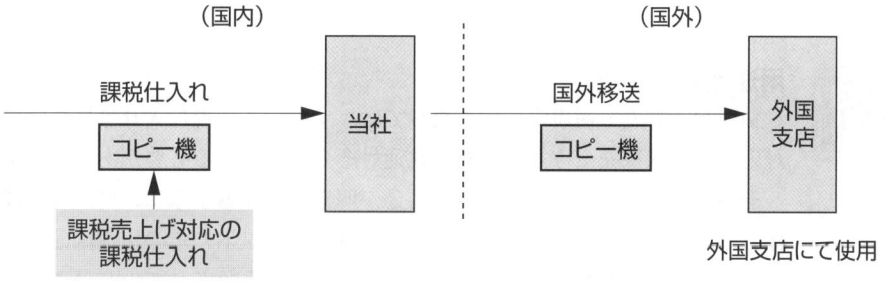

STEP 3

非課税売上げ対応の課税仕入れ等

（例）販売用の土地の造成費用

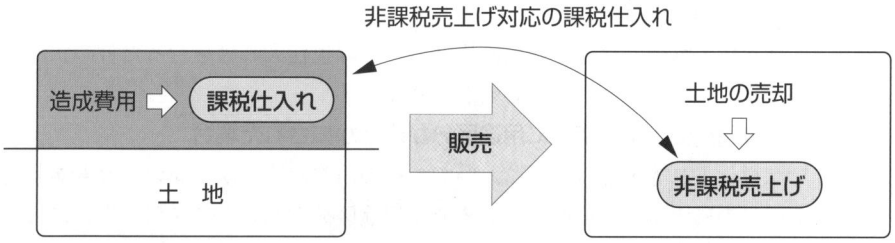

STEP 4

(1) **共通対応の課税仕入れ等**

課税仕入れ等を

「課税売上げにのみ要する課税仕入れ」
と
「非課税売上げにのみ要する課税仕入れ」
に区分します。

そのいずれにも区分できないものを
「共通対応の課税仕入れ」
として区分します。

課税仕入れ等
課税売上げ対応の課税仕入れ等
非課税売上げ対応の課税仕入れ等
共通対応の課税仕入れ等

⑵ 共通対応の課税仕入れ等を合理的な基準により区分した場合（消基通11－２－19）

共通対応の課税仕入れ等であっても、合理的な基準により「課税売上げ対応の課税仕入れ等」と「非課税売上げ対応の課税仕入れ等」とに区分することが可能なものについては、その合理的な基準により区分することができます。

－ 合理的な基準の具体例 －

① 課税資産と非課税資産の製造用に使用される原材料、包装材料、倉庫料、電力料 … 「生産実績」

② 土地建物を一括譲渡した場合の仲介手数料 … 「土地と建物の譲渡代金」

合理的な基準とは、生産実績のように既に実現している事象の数値のみによって算定される割合であり、その合理性が検証可能な基準により機械的に区分することが可能であるものをいいます。

STEP 5 用途区分の方法

個別対応方式を適用するにあたっては、すべての課税仕入れ等について、課税売上げ対応分、非課税売上げ対応分及び共通対応分に区分する必要があります。

その区分方法については、その区分が明らかとなるように、例えば、課税仕入れ等に係る帳簿にその用途区分を記載する、又は会計ソフトにその用途区分を入力するなど、申告後においても客観的に判断できるように用途区分されていればよく、その区分方法は問いません。

STEP 6 用途区分の判定時期（消基通11－２－20）

⑴ 原 則

課税仕入れ等の用途区分は、原則として課税仕入れ等を行った日の状況により、個々の課税仕入れ等ごとに行う必要があります。

⑵ 課税期間の末日までに用途区分が明らかにされた場合

課税仕入れ等を行った日において、その用途が明らかでない場合もありえますので、その日の属する課税期間の末日までに用途区分が明らかにされた場合には、その明らかにされた用途区分によることも差し支えありません。

⑶ 課税期間の末日までに用途区分が未定の場合

課税仕入れ等を行った課税期間の末日までに、用途が決まらない課税仕入れ等については、課税売上げ対応分又は非課税売上げ対応分のいずれにも区分されませんので、共通対応分として区分します。

STEP 4 (2) 共通対応の課税仕入れを合理的な基準により区分した場合

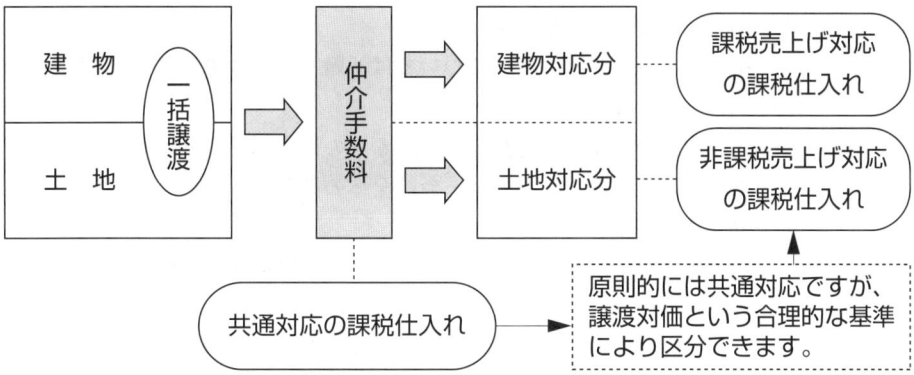

STEP 5 用途区分の方法

総　勘　定　元　帳　（交際費）

ステップ商事株式会社　　消費税：税込経理

日付	相手科目	摘　要	課税区分	借方	貸方	残高
		前月より繰越				3,170,000
R6.12.2	現　金	南部百貨店 商品券 神戸電工	非仕	30,000		3,200,000
R6.12.7	現　金	結婚お祝い 佐藤電気 社長子息	対外	50,000		3,250,000
:	:	: ← 課税売上げ対応の課税仕入れ			:	:
R7.1.10	現　金	マツイ　森商事営業部長 飲食接待	課対	60,000		3,820,000
:	:	: ← 共通対応の課税仕入れ		:	:	:
R7.3.31	現　金	南部百貨店 お菓子 永田機器 手土産	共通軽	3,240		4,528,328
		＊＊＊　年間　消費税集計　＊＊＊	課対			1,265,000
			課対軽			40,404
			非対			0
			共通			1,486,050
			共通軽			636,874
			非仕			100,000
			対外			1,000,000

個別対応方式を適用するには課税仕入れ等を3つの用途に区分するとともに、税率ごとの区分の必要があります。

STEP 6 用途区分の判定時期

原則	課税仕入れ等を行った日の状況による用途区分		
特例	課税仕入れ等を行った日において用途区分が未定	課税期間の末日までに用途区分が決定	その決定した用途区分
		課税期間の末日までに用途区分が未定	共通対応分として区分

STEP 7

勘定科目別の用途区分例

用途区分は、次のような判断により区分する方法が考えられます。

(1) 交際費

① 中元・歳暮等の贈答費用

中元・歳暮等の贈答費用については、贈答先との関係により用途区分を判定します。

・課税取引のみを行う得意先に対するものは、課税売上げ対応

・顧問税理士に対するものは、会社全体の業務に対するものとして、共通対応

② 交際費に該当する飲食費

飲食費については、相手先、内容等により用途区分を判定します。

・課税取引のみを行う得意先との飲食代は、課税売上げ対応

・社内交際費となる飲食代は、会社全体の業務に対するものとして、共通対応

(2) 広告宣伝費

① 製品の広告宣伝費

・課税製品に係る広告宣伝費は、課税売上げ対応

② 会社の広告宣伝費

・会社案内のパンフレットやホームページ作成、維持管理費用は、会社全体の業務に対するものとして、共通対応

③ 不動産業者の広告宣伝費

販売物件、賃貸物件の内容により、用途区分を判定します。

・土地の販売のための広告費用は、非課税売上げ対応

・土地付建物の販売のための広告費用は、共通対応

・店舗・事務所の賃貸のための広告費用は、課税売上げ対応

・住宅の賃貸のための広告費用は、非課税売上げ対応

(3) 福利厚生費

① 慰安旅行費用

・売上げとの明確な対応関係がないため、原則として共通対応に区分します。

・課税製品の製造業を営む会社において、福利厚生の対象となる従業員を、製造部門、管理部門に区分することができる場合は、次のように区分することができます。

製造部門の福利厚生費は、課税売上げ対応

管理部門の福利厚生費は、共通対応

② 給食費

法人が従業員から相当の食事代金を受領しているか、無償であるかにより判定します。

・食事代金を受領している場合は、課税売上げ対応

・無償で提供している場合は、対応する売上げがないため、共通対応

STEP 7

(2) 広告宣伝費の用途区分例

業　種	内　容		用途区分
課税製品の販売業	製品の広告宣伝		課税売上げ対応
	会社の広告宣伝		共通対応
不動産業	会社の広告宣伝		共通対応
	販売目的	土地	非課税売上げ対応
		土地付建物	共通対応
	賃貸目的	土地	非課税売上げ対応
		住宅	非課税売上げ対応
		店舗・事務所	課税売上げ対応
	仲介目的		課税売上げ対応

(3) 福利厚生費の用途区分例

内　容		用途区分
給食費	有償で提供している場合	課税売上げ対応
	無償で提供している場合	共通対応
社宅の維持管理費	有償貸付けの場合	非課税売上げ対応
	無償貸付けの場合	共通対応
保養所、レジャー施設の維持管理費用	利用料を徴収する場合	課税売上げ対応
	利用料を徴収しない場合	共通対応

(6) 土地の仲介手数料、造成費の用途区分例

内　容		用途区分
販売用の土地		非課税売上げ対応
建物を建て販売する土地		共通対応
自社社屋の建設をする土地	課税売上げのみの業務を行う	課税売上げ対応
	非課税売上げのみの業務を行う	非課税売上げ対応
	課税・非課税両方の業務を行う	共通対応
賃貸建物の建設をする土地	店舗・事務所	課税売上げ対応
	住宅	非課税売上げ対応
用途が未定の場合		共通対応

③ **社宅、社員寮の維持管理費用**

法人が従業員から、家賃を徴収しているか、無償であるかにより判定します。

・有償貸付けの場合は、非課税売上げ対応

・無償貸付けの場合は、共通対応

(4) **寄附金**

① **寄附する目的で資産を購入した場合**（消基通11－2－17）

資産の購入が課税仕入れに該当する場合において、寄附は対価性がなく、課税売上げ対応にも非課税売上げ対応にも該当しないため、共通対応に区分します。

② **自社製品等を寄附する場合**

製品等の購入時の目的で用途区分を判断します。

・自社製品の材料費等の費用は、課税売上げ対応

・仕入商品の仕入れは、課税売上げ対応

・寄附するために購入した場合の費用は、共通対応

(5) **不動産売却時の仲介手数料**

売却する資産の課非区分により判定します。

・土地の売却に伴う仲介手数料は、非課税売上げ対応

・建物の売却に伴う仲介手数料は、課税売上げ対応

・土地建物一括譲渡の場合の仲介手数料は、共通対応（合理的な基準により区分することもできます。）

(6) **土地の取得時の仲介手数料、土地造成費**

その土地の利用目的により判定します。

・販売用の土地の場合は、非課税売上げ対応

・その土地の上に建物を建て、店舗として賃貸する場合は、課税売上げ対応

・その土地の上に建物を建て、住宅として賃貸する場合は、非課税売上げ対応

・その取得の日の課税期間の末日までに用途が未定の場合は、共通対応

(7) **建物の建築費用**

その建物の利用目的により判定します。

・賃貸用住宅の建築費用は、非課税売上げ対応（令和２年10月１日以後は税額控除の制限があります）

・賃貸用店舗の建築費用は、課税売上げ対応

・本社ビル（管理部門）の建築費用は、共通対応

・自社店舗（課税製品の販売部門）の建築費用は、課税売上げ対応

・販売用戸建住宅の建築費用は、課税売上げ対応

勘定科目別の用途区分例

勘定科目	内容	区分経理	根拠
仕入高	そのまま他に譲渡される課税資産	課税売上げ対応	消法30② 消基通11－2－10
	病院における医薬品の仕入れ	原則：共通対応 特例：課税売上割合に準ずる割合の選択 （例：保険診療と自由診療との患者数の比率や使用薬価の比率）	消法30②、③ 消基通11－5－7
	販売目的で取得した土地の造成費用	非課税売上げ対応	消法30② 消基通11－2－15
	販売目的で取得した土地を造成し、一時的に資材置き場として利用	非課税売上げ対応	消法30② 消基通11－2－15、11－2－20
	販売用土地の取得に係る仲介手数料	非課税売上げ対応	消法30② 消基通11－2－15
	分譲用マンションを建設するための土地の仲介手数料	共通対応	消法30②
	海外支店あてに輸出する場合	課税売上げ対応	消法31② 消基通11－8－1
材料仕入高	課税・非課税売上げに共通する原材料	原則：共通対応 特例：合理的な区分 （例：生産実績など）	消法30② 消基通11－2－19
	自社製品等を被災者等に無償で提供した場合の自社製品の材料費等	①自社で製造している製品（課税資産）の材料費等の費用 …課税売上げ対応	消法30② 消基通11－2－17
		②自社で販売している商品（課税資産）の仕入れ …課税売上げ対応	
		③被災者に必要とされる物品を提供するために購入した②以外の物品 …共通対応	

勘定科目	内容	区分経理	根拠
材料仕入高	国外での建設工事に要する資産の国内における課税仕入れ	課税売上げ対応	消法30② 消基通11－2－11
材料仕入高 外注加工費	課税資産の製造用にのみ使用、消費	課税売上げ対応	消法30② 消基通11－2－10
	試作用 サンプル用	課税売上げ対応	消法30② 消基通11－2－14
福利厚生費	会社が負担する社員食堂の代金	原則：共通対応	消法2①十二
広告宣伝費	課税資産のみを広告	課税売上げ対応	消法30② 消基通11－2－10
運賃	課税資産のみを運送	課税売上げ対応	消法30② 消基通11－2－10
販売促進費	商品（課税資産）に係る商品券の印刷費	課税売上げ対応	消法30② 消基通11－2－10
業務代行手数料	国内における課税売上げがない場合	課税売上げ対応	消法30②
委託売買手数料等	株式の売買に係る委託売買手数料、投資顧問料、保護預り料	非課税売上げ対応	消法30② 消基通11－2－15
支払手数料	課税資産のみの仲介手数料	課税売上げ対応	消法30② 消基通11－2－10
	土地だけの譲渡に係る仲介手数料	非課税売上げ対応	消法30② 消基通11－2－15
	住宅の賃貸に係る仲介手数料	非課税売上げ対応	消法30② 消基通11－2－15
	国内債券・外国債券に運用をしている投資信託の信託報酬、投資顧問料	共通対応	消法31

勘定科目	内容	区分経理	根拠
支払手数料	不課税とされる損害賠償金を得るために要した弁護士費用、交通費	共通対応	消法30② 消基通11－2－16
	土地建物を譲渡した場合の仲介手数料	原則：共通対応 特例：合理的な区分 （例：土地建物の譲渡代金を合理的に区分できる場合） 建物に係る仲介手数料 …課税売上げ対応 土地に係る仲介手数料 …非課税売上げ対応	消法30② 消基通10－1－5、11－4－2、11－2－19
	国外における土地の譲渡に伴い弁護士に対して支払ったコンサルティング料	課税売上げ対応	消法30② 消基通11－2－11
消耗品費	課税資産の譲渡等と非課税資産の譲渡等がある場合	共通対応	消法30② 消基通11－2－16
	包装紙（課税資産・非課税資産の販売に使用するもの）	原則：共通対応 特例：合理的な区分 （例：使用量が把握できる場合）	消法30② 消基通11－2－19
	海外支店で使用する少額備品	課税売上げ対応	消法31② 消基通11－8－1
旅費交通費	自社製品等を被災者等に提供する際に支出した費用（被災地までの旅費、宿泊費等）	共通対応	消法30② 消基通11－2－17
通信費	課税資産の譲渡等と非課税資産の譲渡等がある場合の電話料金	共通対応	消法30② 消基通11－2－16

勘定科目	内容	区分経理	根拠
交際費	課税資産の譲渡等と非課税資産の譲渡等がある場合	共通対応	消法30② 消基通11－2－16
	建設現場で支出するもの	原則：共通対応 特例（支出の目的や相手方との取引が課税売上げであると特定できる場合） …課税売上げ対応	消法30② 消基通11－2－10
寄附金	寄附する目的で取得した物品	共通対応	消法30② 消基通11－2－17
会議費	株主総会のための会場費、飲み物代	共通対応	消法30②
地代家賃	課税資産のみ保管する倉庫料	課税売上げ対応	消法30② 消基通11－2－10
	課税資産・非課税資産の倉庫料	原則：共通対応 特例：合理的な区分	消法30② 消基通11－2－19
水道光熱費	課税・非課税売上げがある場合の電気料金・水道料金・ガス料金	共通対応	消法30② 消基通11－2－16
	課税・非課税売上げがある製造に係る電気料金・水道料金・ガス料金	原則：共通対応 特例：合理的な区分 （例：生産実績など）	消法30② 消基通11－2－19
管理費	社宅や従業員寮の維持費	有償で従業員に貸し付けている場合 …非課税売上げ対応	消法30②
		無償で従業員に貸し付けている場合 …共通対応	
仮払消費税等	外国の発注者から無償で部品を輸入し、製品と抱き合わせで第三国の納入先へ輸出した場合の輸入に係る消費税	課税売上げ対応	消法30②

勘定科目	内容	区分経理	根拠
建物	賃貸用住宅の建築費用	非課税売上げ対応 令和２年10月１日以後は税額控除の制限があります	消法30②⑩ 消基通11－２－15
	社宅や従業員寮の取得費	有償で従業員に貸し付けている場合 …非課税売上げ対応	消法30②
		無償で従業員に貸し付けている場合 …共通対応	
建物その他の有形固定資産	課税資産の譲渡等と非課税資産の譲渡等がある場合	原則：共通対応 特例：合理的な区分	消法30② 消基通11－２－16
機械及び装置 工具、器具、備品	課税資産の製造用にのみ使用	課税売上げ対応	消法30② 消基通11－２－10
機械及び装置その他の有形固定資産	海外工場で使用する資産	課税売上げ対応	消法31② 消基通11－８－１
土地	自社ビルの建設をする土地の造成費、仲介手数料	①事業者が課税売上げのみの業務を行っている場合 …課税売上げ対応	消法30② 消基通11－２－10
		②事業者が非課税売上げのみの業務を行っている場合 …非課税売上げ対応	
		③事業者が課税、非課税売上げ双方の業務を行っている場合 …共通対応	
	賃貸事務所用の建物建築のための旧建物の撤去費用、立ち退き料（借家権として対価性があるもの）	課税売上げ対応	消法30②
新株発行費	株券の印刷	共通対応	消法30② 消基通11－２－16
新株発行費 社債発行費	事務委託費等	共通対応	消法30② 消基通11－２－16

株式、債券に係る取扱手数料等の課税仕入れ区分

種類	有価証券等の所在場所	債務者（発行体）	取引	売上げ		仕入れ		備考
				課税売上割合の分母へ算入する金額	税区分	取引時に発生する課税仕入れ	個別対応方式を採用した場合の課税仕入れ区分	
株式	国内	－	買	－	－	委託売買手数料 国内取次手数料	非課税売上げに対応する	国内株式、外国上場の日本株式
			売	譲渡の対価の５％	非課税	委託売買手数料 国内取次手数料	非課税売上げに対応する	
	国外	－	買	－	－	委託売買手数料 国内取次手数料	課税売上げに対応する	国外株式、東証上場外国株式
			売	－	不課税	委託売買手数料 国内取次手数料	課税売上げに対応する	
債券	国内	居住者	買	利子償還差益*	非課税	委託売買手数料	非課税売上げに対応する	国内債
			売	譲渡の対価の５％	非課税	委託売買手数料	非課税売上げに対応する	
		非居住者	買	利子・償還差益	免税	委託売買手数料	課税仕入れを行った課税期間の末日までに償還を受け、又は利子を受け取ったものについては、課税売上げに対応し、その他のものは非課税売上げに対応する	国内起債の外国債（サムライ債）
			売	譲渡の対価の５％	非課税	委託売買手数料	非課税売上げに対応する	
	国外	居住者	買	利子・償還差益	非課税	国内取次手数料	非課税売上げに対応する	国外起債の日本債
			売	－	不課税	国内取次手数料	課税売上げに対応する	
		非居住者	買	利子・償還差益	免税	国内取次手数料	課税売上げに対応する	外国債
			売	－	不課税	国内取次手数料	課税売上げに対応する	

＊　保有期間中の利子及び満期時の償還差益を指しています。以下同じ。

国内株式の売買

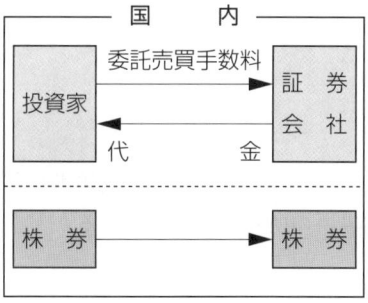

国内債券の売却

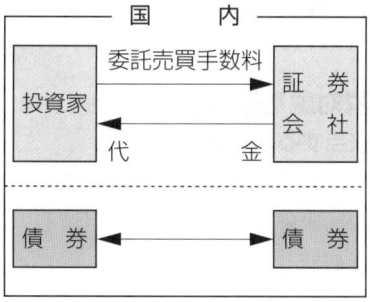

売上げ…非課税売上げ
（売却代金の5％）

課税仕入れ

委託売買手数料

（購入時）…非課税売上げに対応

（売却時）…非課税売上げに対応

東証上場外国株式の売買

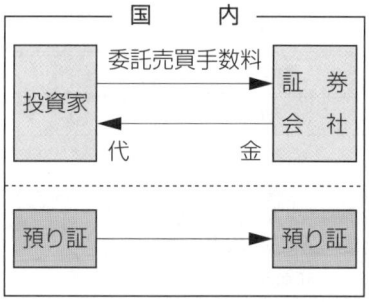

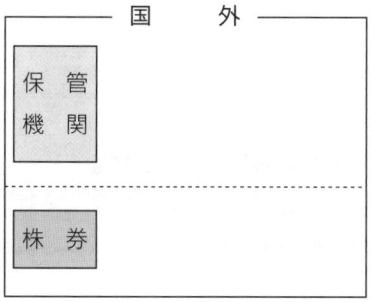

売上げ…株券の所在地が
国外のため不課税

課税仕入れ

委託売買手数料

（購入時）…課税売上げに対応

（売却時）…課税売上げに対応

外国株式の売買

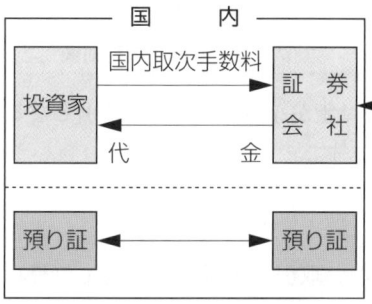

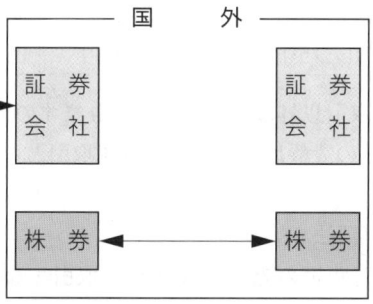

売上げ…株券の所在地が
国外のため不課税

課税仕入れ

国内取次手数料

（購入時）…課税売上げに対応

（売却時）…課税売上げに対応

外国上場日本株式の売買

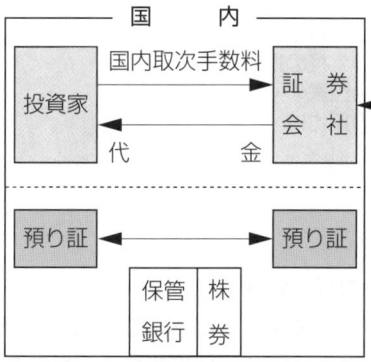

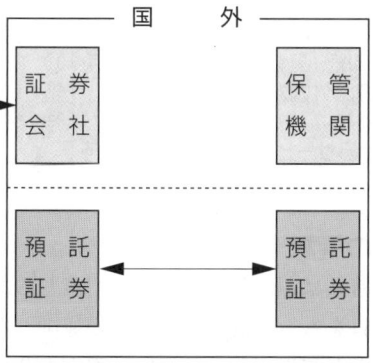

売上げ…非課税売上げ
（売却代金の5％）

課税仕入れ

国内取次手数料

（購入時）…非課税売上げに対応

（売却時）…非課税売上げに対応

売上高

STEP 1

国内取引と課税対象を確認する（消法２、４③）

１．国内取引に該当するかを確認する

国内取引であるかどうかを契約書、注文書、請求書（控）、納品書（控）、受領書などから確認します。請求書等に記載された引渡し・提供場所の所在地が国内であるかどうかを名簿等により確認します。

取引内容	引渡し・提供場所	所在地	国内取引
① OAシステムの販売	HATAトレーディング本社	大阪市大正区	○
② OAシステム機器の設置	〃	〃	○
③ OAシステムの設定・指導	〃	〃	○
④ 飲食料品の卸売	相馬物産	豊中市	○
⑤ 冷凍冷蔵庫のレンタル	〃	〃	○

２．課税（軽減）対象であるかを確認する

取引内容	資産の譲渡・貸付け、役務の提供	対価	非課税取引に該当するか否か	課税対象判定
① OAシステムの販売	資産の譲渡	あり	非該当	課税対象
② OAシステム機器の設置	役務の提供	なし	〃	対価がないため不課税
③ OAシステムの設定・指導	〃	あり	〃	課税対象
④ 飲食料品の卸売	資産の譲渡	あり	〃	課税（軽減）対象
⑤ 冷凍冷蔵庫のレンタル	資産の貸付け	あり	〃	課税対象

下記の非課税取引以外は課税対象となりますので、対価がないため不課税取引となるOAシステム機器の設置以外はすべて課税取引となります。

〔非課税取引〕（消法６①、別表第二）

詳細は**No. 7**「消費税の課税対象となる取引・ならない取引（課税・非課税・免税）」**STEP 6**を参照

① 土地等の譲渡、貸付け	⑧ 助産に係る資産の譲渡等
② 有価証券等の譲渡	⑨ 埋葬料、火葬料
③ 利子、保険料、保証料	⑩ 身体障害者用物品の譲渡等
④ 郵便切手類、印紙、証紙、物品切手等の譲渡	⑪ 一定の学校の授業料等
⑤ 行政手数料等、外国為替業務	⑫ 教科用図書の販売
⑥ 社会保険医療等	⑬ 住宅の貸付け
⑦ 介護保険によるサービス、社会福祉事業等	

STEP 2

売上計上時期の確認（消基通９－１－１、９－１－２）

売上げの計上時期は、商品等の販売は引渡しのあった日、修理・レンタル等の役務の提供は完了した日をもって計上することが原則となっています。また商品等の販売について、引渡基準として出荷基準と検収基準がありますが、一般的には出荷基準が採用されています。

STEP 1 国内取引と課税対象を確認する

課税(軽減)対象を確認する

請　求　書　（控）

HATAトレーディング㈱　御中　　令和6年10月29日

下記の通り請求します。

	品名	数量	単価	金額
①	OAシステム	1式	1,500,000	1,500,000
②	同上機器の設置	1式	サービス	0
③	同上設定・指導	1式	130,000	130,000
	小計			1,630,000
	消費税等	10%対象	1,630,000	163,000
		8%対象	0	0
	合計請求金額			1,793,000

納品場所：貴社本社

請　求　書　（控）

㈱相馬物産　御中

令和6年11月2日
ステップ商事株式会社
大阪市天王寺区上汐8-2-3
登録番号：T123xxxxxxxx01
06-6776-08X1

下記の通り請求します。

	品名	数量	単価	金額
④	飲食料品(※)	1,000個	550	550,000
⑤	冷凍冷蔵庫レンタル	1式	85,000	85,000
	小計			635,000
	消費税等	10%対象	85,000	8,500
		8%対象	550,000	44,000
	合計請求金額			687,500

※軽減税率対象品目

納品場所：貴社

国内取引を確認する

得意先名簿

会社名	名称	所在地	電話番号
HATAトレーディング㈱	本社	大阪府大阪市大正区三軒家東○−○	06-6346-○○××　　06-6347-○○△△
㈱相馬物産	本社	大阪府豊中市小路○−○	

STEP 2 売上計上時期

- 収益計上基準
  - 引渡基準
    - 出荷基準：商品等を出荷した時に収益計上
    - 検収基準：相手方が商品等を検収したときに収益計上
  - その他
    - 請負
      - 完成・完了基準：目的物の全部を完成又は完了して引き渡した時に収益計上
      - 工事進行基準：工事の進行割合に応じて収益計上
    - リース販売（注）
委託販売
試用販売 など

（注）H30.4.1以後の適用。H30.3.31以前は、「長期割賦販売等（延払条件付販売）」。

STEP 3

簡易インボイスの交付の可否を確認する（消法57の４②⑤、消令70の11）

「不特定多数の者に課税資産の譲渡等を行う一定の事業」を行う場合には、適格請求書に代えて、記載事項を簡易なものとした「適格簡易請求書」を交付することができます。なお、適格簡易請求書についても、その交付に代えて、その記載事項に係る電磁的記録の提供によることができます。

なお、簡易インボイスの記載事項は、**No. 2**「適格請求書等保存方式（インボイス制度）の導入」の**STEP 1** を参照してください。

STEP 4

売上高の計上

1．日常の売上計上

毎月の売上計上は、納品書、請求書等に基づき得意先元帳（売掛金補助簿、売掛一覧表）を作成し、「当月売上高」を次のように仕訳します。

税込仕訳

（売掛金）	57,043,038	／	（売上高）	課売	54,181,038
			（売上高）	課売軽	2,862,000

課税（軽減）売上げ

税抜仕訳

（売掛金）	57,043,038	／	（売上高）	課売	49,255,489
			（仮受消費税等）		4,925,549
			（売上高）	課売軽	2,650,000
			（仮受消費税等）		212,000

課税（軽減）売上げ

税込仕訳

（売上返品値引高）	課売返	33,636	／（売掛金）	33,636

課税売上返還

税抜仕訳

（売上返品値引高）	課売返	30,579	／（売掛金）	33,636
（仮受消費税等）		3,057	／	

課税売上返還

売上計上すなわち売掛金の発生や回収及び残高が正しいかどうかを確認するため、右ページの「月別売掛一覧表」を作成し、売上計上すなわち締日ごとの売掛金の請求と、それに対応する売掛金の回収を突合します。

2．決算時の売上計上（売上締日の確認）

請求の締日ごとに売上げを計上している場合は、締日の翌日から期末までの分の売上げ（帳端売上げ）を計上する必要があります。

したがって、まず締日ごとの得意先名簿を作成しておき、月末締以外の得意先について帳端売上げがないか確認します。

納品書、請求書等に基づき得意先元帳（売掛金補助簿、売掛一覧表）を作成し、「帳端売上高」に消費税を加算して次のように仕訳します。

税込仕訳

（売掛金）	3,154,860	／	（売上高）	課売	3,154,860

課税売上げ

税抜仕訳

（売掛金）	3,154,860	／	（売上高）	課売	2,868,055
			（仮受消費税等）		286,805

課税売上げ

STEP 3 インボイスの発行が可能な事業

① 小売業、飲食店業、写真業、旅行業
② タクシー業
③ 不特定多数の者に対して行う駐車場業
④ 上記に準ずる不特定多数の者を対象とする一定の営業

※ ①～②の事業については、「不特定多数の者」に対するものとの限定はありません。したがって、その形態を問わず、簡易インボイスの交付ができます。

STEP 4 売上高の計上

令和６年10月　　**月別売掛金一覧表**　　（単位：円）

入金等は、現金出納帳、銀行帳、受取手形帳などで確認します。

得意先元帳

一致

		前月繰越額	当月売上高			入金等				当月残高
			売上高	消費税	計	現預金	手形	返品値引	その他	
HATAトレーディング㈱		2,279,800	1,956,819	195,681	2,152,500	278,960	2,000,000		840	2,152,500
㈲徳製作所		…	…			…			…	…
合計	8%	46,166,571	2,650,000	212,000	57,043,038	28,965,610	17,150,000	0	17,325	57,043,038
	10%		49,255,489	4,925,549				33,636		

一致　計 2,279,800

売上高の計上　売上返品値引の計　売掛金残高と一致

売上締日	得意先名	帳端売上
10日	HATAトレーディング㈱…	11日～末日
15日	㈲徳製作所…	16日～末日
20日	佐藤食品㈱、㈱相馬物産、福永商事㈱…	21日～末日
末日	松田商店…	→不要

《20日締日の場合》

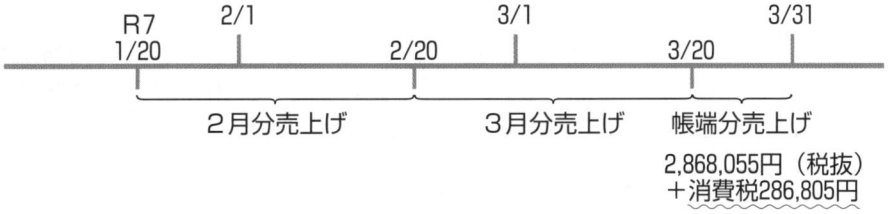

No.25 売上値引・返品（売上げに係る対価の返還等）

STEP 1

売上値引・返品の処理（消法38、57の４③、消令70の９③ニ、消基通14－１－８）

課税売上げについて値引・返品等（「売上げに係る対価の返還等」といいます。）があった場合には、売上値引・返品等の金額を課税売上げから控除しないで、総売上高で課税標準額を計算し、売上げに係る対価の返還等の消費税を税額控除します。

ただし、値引・返品等を売上高から直接控除する経理処理を行っている場合は、控除後の純売上高から課税標準額を計算することができ、この場合税額控除は行いません。

また、適格請求書発行事業者は、適格返還請求書を交付しなければなりません。交付義務が免除されるのは、適格請求書の交付義務が免除される場合と同じです。（**No. 2**「適格請求書等保存方式（インボイス制度）の導入」**STEP 1** の**５**参照）

なお、売上げに係る対価の返還等に係る税込金額が１万円未満である場合には、適格返還請求書の交付義務は免除されます。（**No. 2**「適格請求書等保存方式（インボイス制度）の導入」**STEP 2** 参照）

例えば、売手が振込手数料相当額を差し引かれて支払いを受ける場合において、その振込手数料相当額について、売上値引とするときは、売上げに係る対価の返還等を行っていることになるので、原則は、適格返還請求書の交付が必要ですが、その振込手数料が１万円未満の場合には、その交付が不要となります（支払手数料として処理する場合は、**No.51**「支払手数料」を参照してください）。

STEP 2

税額控除の時期

売上値引・返品等を行った課税期間において、売上げに係る対価の返還等の税額控除を行います。なお、売上割戻しを行った日は次の区分によります。（消基通14－１－９）

① 算定基準が販売価額又は販売数量によっており、かつ、その算定基準が契約などにより相手方に明示されている場合	原則	課税資産の譲渡等をした日
	特例	売上割戻しの金額の通知又は支払をした日（継続適用が要件）
② 上記①に該当しない場合	原則	売上割戻しの金額の通知又は支払をした日
	特例	各課税期間終了の日までに、売上割戻しの算定基準等が内部的に決定しており、その金額を未払金に計上し、確定申告期限までに相手方に通知している場合は、未払金を計上した課税期間（継続適用が要件）

STEP 1

売上げに係る対価の返還等の処理方法

原則	税額控除	値引等に係る消費税額を課税標準額に対する消費税額から控除する（消法38）
特例	売上高控除	売上高から直接控除する（継続適用が要件）（消基通14－１－８）

控除税額＝課税売上げに係る返品等の金額×$\frac{7.8}{110}$又は$\frac{6.24}{108}$

設例

取引①　10%対象となる課税売上げに係る返品が110,000円あった。

取引②　８%（軽減税率）対象となる課税売上げ54,000円の入金を受ける際に、振込手数料440円が差し引かれて入金された。

仕訳

取引①　売上返品［課売返］110,000　／　売掛金　110,000

↳ 適格返還請求書の交付が必要

取引②　普通預金　53,560　／　売掛金54,000

売上値引［課売返］　440

↳ 適格返還請求書の交付義務は免除

控除税額

①110,000円×$\frac{7.8}{110}$＝7,800円

②　440円×$\frac{6.24}{108}$＝　25円

⇒申告書「返還等対価に係る税額⑤」へ

（注）値引きの基となる売上げの適用税率（８%（軽減税率））に従います。

この申告書による消費税の税額の計算

			十兆 千百 十億 千百 十万 千百 十一円	
課税標準額		①	2,678,900	03
消費税額		②	208,954	06
控除過大調整税額		③		07
控除	控除対象仕入税額	④	919,148	08
	返還等対価に係る税額	⑤	7,825	09

売上げに係る対価の返還等の範囲

売上返品、売上値引、売上割戻し（リベート）、金銭による販売奨励金（消基通14－１－２）、売上割引（消基通14－１－４）、事業分量配当金（消基通14－１－３）、船舶の早出料（消基通14－１－１）

※売上割引は、会計上は売掛代金を期日前に支払を受けることに伴う支払利息の性格を有しますが、消費税では売上げに係る対価の返還等として税額控除を行います。

STEP 3

適格返還請求書の記載事項を確認する

適格返還請求書の記載事項は、次のとおりです。

① 適格請求書発行事業者の氏名又は名称及び登録番号
② 売上げに係る対価の返還等を行う年月日及びその売上げに係る対価の返還等の基となった課税資産の譲渡等を行った年月日
③ 売上げに係る対価の返還等の内容
④ 売上げに係る対価の返還等の税抜価額又は税込価額を税率ごとに区分して合計した金額
⑤ 売上げに係る対価の返還等の金額に係る消費税額等又は適用税率

STEP 4

控除の対象とならない売上げに係る対価の返還等

売上げに係る対価の返還等の税額控除は、課税売上げについて返品・値引等があった場合に適用があります。したがって、そもそもの売上げが消費税の課税取引でないものについて返品・値引等があった場合は適用がありません。

【控除の対象とならない売上げに係る対価の返還等】（消基通14－１－６、14－１－７）

(1) 輸出売上げに係る値引等
(2) 非課税売上げに係る値引等
(3) 国外売上げ（不課税）に係る値引等
(4) 免税事業者であった課税期間の課税売上げに係る値引等
(5) 免税事業者である課税期間に行う課税売上げに係る値引等

STEP 5

適用要件（消令58の２）

売上げに係る対価の返還等の税額控除の適用を受けるためには、下記の内容を記載した帳簿を確定申告期限から７年間保存することが義務付けられています。

【帳簿の記載事項】

① 売上げに係る対価の返還等の相手方の氏名又は名称
② 売上げに係る対価の返還等を行った年月日
③ 売上げに係る対価の返還等の内容
④ 税率の異なるごとに区分した売上げに係る対価の返還等をした金額

STEP 3

［適格返還請求書の記載例］

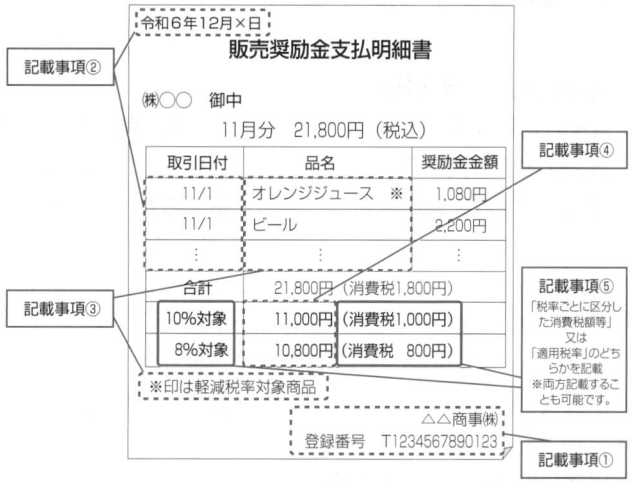

STEP 4

控除の対象とならない売上げに係る対価の返還等の例示

免税事業者であった課税期間の売上げの値引等（消基通14－1－6）

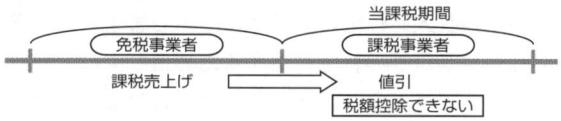

免税事業者の課税期間の売上げの値引等（消基通14－1－7）

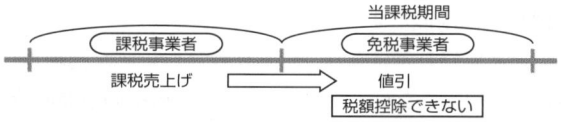

STEP 5

適用要件　（帳簿の記載事項）

令和６年度　　総勘定元帳（売上値引高）

税抜経理

日　付 伝票No	相手勘定科目 相手補助科目	摘　　要		借　方	貸　方	残　高
10/1		前月より繰越				0
10/30 5	売掛金 令和6年10月分　値引		秦鉄工所	8%対象	100,000	100,000
10/30 5	売掛金 令和6年10月分　値引		秦鉄工所	10%対象	400	100,400
		10月度　合計			100,000	0

②年月日　③取引の内容　①相手方の名称　④税率の異なるごとに区分した金額

No.26 不動産賃貸収入

STEP 1 消費税の課否判定を行う

不動産の賃貸料収入を契約書の内容に基づき、課税売上げと非課税売上げに区分します。

1．賃貸住宅の家賃収入（消法６①、別表第二、消基通６－13－９）

住宅の家賃収入は契約書に居住用と明記されているもの（契約期間が１か月未満のものは除きます。）に限り、非課税売上げとなります。（その契約において貸付けに係る用途が明らかにされていない場合で、その貸付け等の状況からみて人の居住の用に供されていることが明らかな場合を含みます。）

月決め等の家賃のほか、共益費や返還されない礼金等も非課税売上げとなります。

退去後に返還する敷金は、単なる預り金ですので不課税取引となります。（**STEP 4** 参照）

2．店舗、事務所、倉庫等の家賃収入

店舗、事務所、倉庫等の家賃収入は、課税売上げとなります。

月決め等の家賃のほか、共益費や返還されない礼金等も課税売上げとなります。

退去後に返還する敷金は、１と同様に不課税取引となります。（**STEP 4** 参照）

3．社宅使用料収入　住宅の貸付けに該当しますので、非課税売上げとなります。

※会社が従業員等の社宅に供するため借り上げた賃貸マンション等の家主への支払家賃は非課税となり、仕入税額控除の対象となりません。（消基通６－13－７）

4．共益費の課否区分は、家賃の区分と同様です。

5．貸付契約の用途変更（消基通６－13－８）

住宅として貸し付けられている建物について、契約当事者間で住宅以外の用途に使用する旨の契約変更を行った場合は、変更後のその建物の貸付けは、課税取引に該当します。

6．水道光熱費等を収受している場合（消基通10－１－14）

①　各貸付先へメーターを取り付けて実費精算されている場合で、その金額を貸付先へ明示し、預り金等として経理処理しているとき	不課税取引
②　賃料又は共益費として収受するもの	家賃と同じ区分
③　賃料とは別に水道光熱費等として収受するもの	課税売上げ

※上記①は、水道局等へ支払う金額と同額を精算している場合にのみ預り金として処理できます。

STEP 2 インボイスの交付について確認する

1．請求書を作成している場合　→**STEP 3** へ

2．請求書を作成せず、口座振替などの方法によっている場合

この場合、２つの方法が考えられます。

①　一定期間の取引について、まとめてインボイスの交付を行う方法

インボイスは、一定期間の取引をまとめて交付することもできますので、例えば、年に一度、１年間分の取引をまとめてインボイスの交付を行う方法が考えられます。

②　契約書と通帳の取引記録とする方法

インボイスとして必要な記載事項は、一つの書類だけで全てが記載されている必要はありません。そのため、例えば、契約書に適格請求書として必要な記載事項の一部が記載されており、実際に取引を行った事実を客観的に示す書類として、通帳の取引記録を保存する方法も考えられます。

STEP 1

課否判定を行う

1．契約書の内容や貸付け等の状況で判断する（住宅の貸付けの場合）

第4条　乙は、本件建物を居住以外の目的には使用しないものとする。

・・・・・

2．賃貸料収入の課否区分

課税売上げ	非課税売上げ
事務所、店舗、倉庫などの家賃収入 駐車場収入（フェンス、区画などがなく、管理していない場合は非課税）	土地の賃貸料（一時使用、施設利用に伴うものを除く。STEP3参照） 住宅の家賃収入 社宅使用料収入

3．共益費の課否区分＝家賃収入の課否区分

事務所、店舗、倉庫などの共益費	事務所、店舗、倉庫などの家賃収入	課税売上げ
住宅の共益費	住宅の家賃収入	非課税売上げ

STEP 2

○請求書を作成せず、口座振替などの方法によっている場合

①一定期間の取引について、まとめてインボイスの交付を行う方法

請求書

△△商店㈱御中　　XX年4月○日

令和6年度分（R6年4月1日～R7年3月31日）

日付	内容	金額
R6年4月30日	貸室料	200,000円
：	：	：
	合計	2,400,000円
	消費税（10%）	240,000円
	年間合計請求額	2,640,000円

㈱××不動産
登録番号　T123xxxxxxxx03

②契約書と通帳の取引記録とする方法

① 自社の名称と登録番号
② 取引内容
③ 賃料など対価の額及び適用税率
④ 税率ごとに区分した消費税額等
⑤ 相手先の氏名又は名称
} 契約書に記載

⑥ 取引年月日 → 通帳の取引記録に記入

契約書

第X条（賃料）
賃料は以下の通りとする。
1か月　金200,000円（税抜）
適用税率　10%
消費税額　金20,000円
：
：
：

借主　所在地：大阪府XXX
事業所名：△△商店株式会社
代表者名：△△　△△

貸主　所在地：大阪府XXX
事業所名：株式会社XX不動産
登録番号：T123xxxxxxxx03
代表者名：XX　XX

□□銀行　普通預金口座

年月日	引出	預入	残高
：	：	：	：
令和6年11月30日	220,000		780,000

STEP 3

消費税の課否判定に基づいて仕訳する

1．課税売上げ（事務所等の賃貸）

・契約書等に基づき請求書を作成します。
・事務所の賃貸料収入、共益費は課税売上げとなります。
・水道光熱費は実費精算の金額ではなく、賃料とは別に収受している場合には、課税売上げとなります。

2．非課税売上げ（住宅の賃貸）

・契約書等に基づき請求書を作成します。
・住宅の賃貸料収入、共益費は非課税売上げとなります。
・水道光熱費は実費精算ではなく、賃料とは別に収受している場合には、課税売上げとなります。

STEP 4

その他の事項を確認する

1．権利金、敷金、立退料の取扱い

(1) 建物又は土地等の賃貸借契約にあたって収受する権利金や更新料のように、後日に返還しないものは、資産の貸付けの対価に該当します。

事務所や店舗の貸付けに係る権利金等は課税売上げとなり、住宅の貸付けに係る権利金等は非課税売上げとなります。このように権利金等の課否区分は、その権利金等に係る家賃収入の区分と同様となります。

(2) 敷金や保証金のように賃貸借の終了時に返還されるものは、一種の預り金であり不課税取引となります。

(3) なお、敷金や保証金であっても、返還されない部分がある場合には、返還されないことが確定した課税期間において消費税の課税関係が生じます。

事務所や店舗の貸付けに係る敷金等で返還されない部分は課税売上げとなり、住宅の貸付けに係る敷金等で返還されない部分は非課税売上げとなります。このような敷金等で返還されない部分の課否区分は、その敷金等に係る家賃収入の区分と同様となります。

敷金等の返還不要部分の収入の計上時期は、次のとおりです。

	収入計上時期
契約時点で返還されない金額が確定しているとき	契約時に収入に計上する
賃貸期間の経過により返還しない部分が増加する場合 （例：毎年10%ずつ返還不要部分が増加する）	返還不要が確定した課税期間に、返還不要が確定した部分を収入に計上する
賃貸期間の経過により返還しない部分が減少する場合 （例：契約時50%返還不要、以後１年毎に10%ずつ返還不要部分が減少する。）	当初から返還不要が確定している金額は契約時に収入に計上する。その後実際に返還不要が確定した部分を確定した都度収入に計上する

(4) 建物等の賃借人が賃貸借の目的とされている建物等の契約の解除に伴い賃貸人から収受する立退料は、賃貸借の権利が消滅することに対する補償、営業上の損失又は移転等に要する実費補償などに伴い授受されるものであり、資産の譲渡等の対価に該当しません。（消基通５－２－７）

STEP 3 課否判定に基づいて仕訳する

(1) 事務所家賃収入（課税売上げ）

【請求書】
令和6年11月30日
△△商店㈱　御中

12月分	貸室料	200,000円
12月分	共益費	50,000円
11月分	水道光熱費	34,500円
	合計	284,500円
	消費税(10%)	28,450円
	ご請求額	312,950円

㈱××不動産
登録番号:T123xxxxxxxx03

課税売上げ
課税売上げ
課税売上げ

仕訳

【税込】
(未収家賃)312,950／(賃貸料収入)課売　312,950

【税抜】
(未収家賃)312,950／(賃貸料収入)課売　284,500
(仮受消費税等)　28,450

※水道光熱費は、実費精算の金額ではない。

(2) 住宅家賃収入（非課税売上げ）

【請求書】
令和6年11月30日
△△商店㈱　御中

12月分	貸室料	150,000円
12月分	共益費	20,000円
11月分	水道光熱費	6,510円
	非課税合計	170,000円
	10%合計	6,510円
	(消費税	591円)
	ご請求額	176,510円

㈱××不動産
登録番号:T123xxxxxxxx03

非課税売上げ
非課税売上げ
課税売上げ

仕訳

【税込】
(未収家賃)176,510／(賃貸料収入)非売　170,000
(賃貸料収入)課売　6,510

【税抜】
(未収家賃)176,510／(賃貸料収入)非売　170,000
(賃貸料収入)課売　5,919
(仮受消費税等)　591

※水道料は、実費精算の金額ではない。

（注）建物等の賃借人たる地位を賃貸人以外の第三者に譲渡し、その対価を立退料等として収受した場合は、これらは建物等の賃借権の譲渡に係る対価として受領されるものですので、資産の譲渡等の対価に該当します。（消基通５－２－７（注）書き）

２．非課税である土地の貸付けに該当しない場合（消令８、消基通６－１－５）

(1) 土地の貸付けで契約による期間が１か月未満の場合は課税売上げとなります。

(2) 施設の利用に伴う土地の貸付け

駐車場としての用途に応じアスファルト敷きなどの地面の整備又はフェンス、区画がされたものは、駐車場その他の施設の利用に伴う土地の使用であるため、非課税となる土地の貸付けから除外されています。

また、土地付きで建物を賃貸するような場合は、その土地の貸付けは建物の貸付けに必然的に伴うものですので、賃貸料を土地部分と建物部分に区分して設定していても、その全体を建物の貸付けに係る賃貸料として取り扱います。

STEP 4

1．権利金、更新料の課否判定

内容	消費税の課否判定
事務所、店舗等に係る権利金、更新料	課税売上げ
土地の貸付け、住宅の貸付けに係る権利金、更新料	非課税売上げ

2．礼金、保証金で返還されない部分の金額

(1) 契約時点で返還されない金額が確定している場合

設例1（住宅賃貸）

保証金50万円のうち、20万円は返還しない。→返還されない保証金20万円は契約時の非課税売上げ

（現金預金）500,000	（賃貸料収入）	非売	200,000
	（預り保証金）	対外	300,000

(2) 賃貸期間の経過により返還しない金額が生じる場合

設例2（事務所賃貸）

当初の保証金100万円　1年経過後に10%ずつ返還不要部分が増加する場合

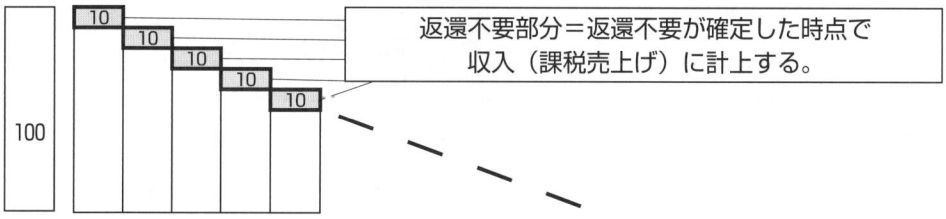

設例3（事務所賃貸）

当初の保証金100万円、契約時の返還不要部分50%
1年経過後に10%ずつ返還不要部分が減少する場合（当初より10%は返還不要となっている）

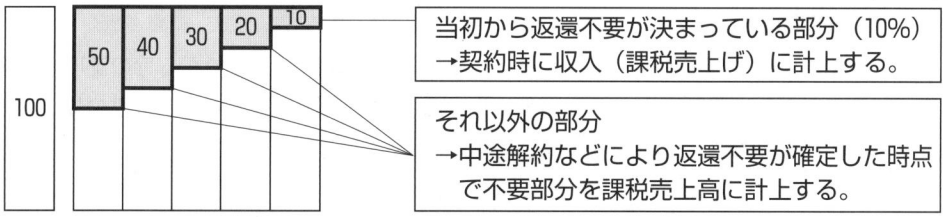

3．非課税である土地の貸付けに該当しない場合

【土地付建物の貸付け】

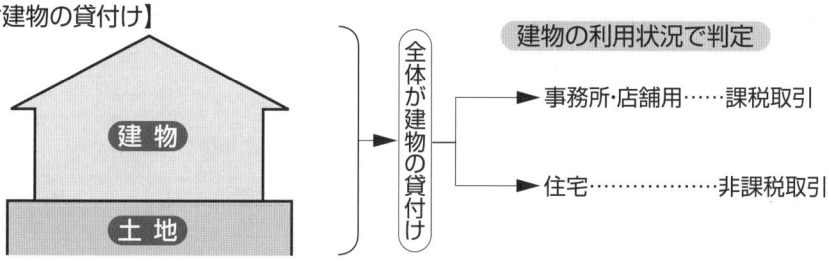

4．立退料の課否判定

内容	消費税の課否判定
通常の立退料として家主から受ける次の性質を有するもの 賃借権の消滅に対する補償、収益の補償、移転費用の補償	不課税取引
権利の譲渡の対価として第三者から受けるもの	課税売上げ

No.27 輸出売上げ

STEP 1 輸出免税の概要

消費税は国内において消費される商品の販売やサービスに対して課税するものですので、国外で消費される輸出取引については、消費税は免除されます。

STEP 2 免税とされる輸出取引等の範囲（消法７①、消令17、消基通７－２－１、措法85）

輸出免税の対象となる輸出取引等の範囲は次のとおりです。

①	日本からの輸出として行われる資産の譲渡、貸付け
②	外国貨物の譲渡、貸付け
③	国内及び国外の地域にわたって行われる旅客、貨物の輸送、通信、郵便、信書便
④	外航船舶等の譲渡、貸付け、修理で船舶運航業者等に対するもの
⑤	国際貨物の輸送の用に供されるコンテナーの譲渡、貸付け、修理で船舶運航業者等に対するもの
⑥	外航船舶等の水先、誘導、入出港、離着陸の補助又は入出港、離着陸、停泊、駐機のための施設の提供で船舶運航事業者等に対するもの
⑦	外国貨物の荷役、運送、保管、検数、鑑定等の役務の提供
⑧	非居住者に対する無形固定資産等の譲渡、貸付け
⑨	非居住者に対する役務の提供で次のもの以外のもの イ　国内に所在する資産に係る運送又は保管 ロ　国内における飲食又は宿泊 ハ　イ、ロに準ずるもので国内において直接便益を受けるもの
⑩	外航船等に積み込む物品の譲渡等
⑪	外国公館等に対する課税資産の譲渡等
⑫	海軍販売所等に対する物品の譲渡

STEP 3 適用要件（消規５）

輸出免税の適用を受けるためには、その取引が輸出取引等である旨の証明が必要です。輸出取引等に応じて右ページの表に掲げる書類や帳簿等を、確定申告書の提出期限から７年間保存しなければなりません。

STEP 4 輸出売上計上時期の確認

輸出売上げの計上時期は、その貿易条件に応じて右ページのようなものがあります。

STEP 1 輸出免税の概要

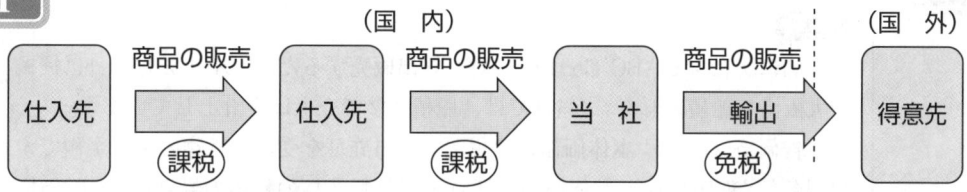

STEP 3 輸出証明書類を確認する

輸出の許可を受ける貨物（船舶、航空機の貸付を除きます。）			輸出許可書、輸出許可通知書、輸出申告控	
郵便による輸出	輸出時の時価が20万円を超える場合		郵便物輸出証明書	
	輸出時の時価が20万円以下の場合		資産の譲渡又は貸付けに該当	郵便又は信書便に該当
		小包郵便物又はEMS郵便物	引受けを証する書類及びその郵便物に貼付した書類の写し	次の帳簿又は書類 帳簿：輸出年月日、品名・数量・価額、受取人の氏名・住所等 受領書等：輸出者の氏名・住所等、品名の数量・価額、受取人の氏名・住所等、受取年月日
		通常郵便物	引受けを証する書類にその資産の品名、数量、価額を追記したもの	
・外国籍の船舶、航空機に内国貨物を積み込むために資産を譲渡 ・外航船等に積み込む指定物品の譲渡等			船（機）用品積込承認書	
上記以外の輸出			次の事項を記載した帳簿、契約書等 ・譲渡等年月日（期間） ・資産、役務提供の内容及び提供場所 ・対価の額　・相手方の氏名等、住所等	

STEP 4 輸出売上計上時期の確認

	輸出国渡し			輸入国渡し
貿易取引条件	EXW	CIF等（頭文字C）	FOB等（頭文字F）	DAF等（頭文字D）
所有権移転時期	工場渡し時	船積み時	船積み時	輸入国渡し時
国内・国外取引	国内	国内	国内	国外
消費税処理	輸出免税	輸出免税	輸出免税	対象外売上げ

※　貿易取引条件EXW（Ex Works）、CIF（Cost Insurance and Freight）、FOB（Free On Board）、DAF（Delivered at Frontier）
ただし、輸入国渡しの場合には、No.28「非課税資産を輸出した場合及び国内にある資産を海外に移送した場合」の取扱いがあります。

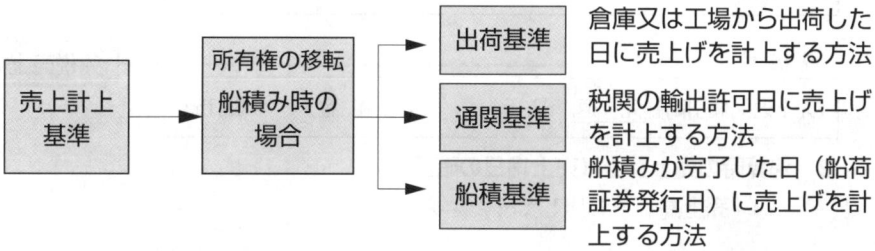

STEP 5 輸出免税の金額を確認する

請求金額と輸出証明書を突合します。

> **設例**
>
> 米国に所在するABC Co. Ltd.に対し輸出販売するため、本年２月10日に機械工具を大阪港で船積みした。（当社では、船積基準で売上げを計上しています。）
>
> 申告価格（FOB：本体価額）は税関で輸出許可を受ける貨物の参考金額ですから、取引条件がCIF条件（本体価額＋運賃＋保険料込）の輸出の場合にはCIF価格であるUS$38,461が輸出免税の金額となります。

STEP 6 輸出売上げを日本円に換算する（消基通10－１－７、所基通57の３－２、法基通13の２－１－２）

消費税の課税標準は円建てを前提としていますので、外貨建取引を行った場合にはこれを円建ての金額に換算する必要があります。

消費税では、所得税や法人税における外貨建取引と同様に、外国通貨で支払われる資産の販売及び購入、役務の提供、金銭の貸付け及び借入れ、剰余金の配当その他の取引が該当します。

したがって当社が、輸出取引を外貨建て（本設例の場合には米ドル建て）で行った場合の売上計上金額を、日本円に換算する必要があります。

当社では、当月の売上計上レートは、前月の電信売買相場の平均である１ドル＝150円25銭（仮定）で換算します。

150円25銭×US$38,461＝5,778,765円（円未満の端数処理は任意、当社は切捨て）

STEP 7 売上高の計上

１．日常の売上計上

毎月の売上計上は、INVOICE（仕切り状）等に基づき得意先元帳（売掛金補助簿、売掛金一覧表）を作成し「当月売上高」を次のように仕訳します。

税込仕訳

（売掛金）	45,384,681	／	（売上高）免税	45,384,681

免税売上げ

税抜仕訳

（売掛金）	45,384,681	／	（売上高）免税	45,384,681

免税売上げ

税込仕訳

（売上返品値引高）免返	63,150	／	（売掛金）	63,150

免税売上返還

税抜仕訳

（売上返品値引高）免返	63,150	／	（売掛金）	63,150

免税売上返還

２．決算時の売上計上（売上締日の確認）

No.24「**売上高**」を参照してください。

STEP 5 輸出免税の金額を確認する

COMMERCIAL INVOICE（商業送り状）

DATE OF EXPORTATION（輸出年月日）：4 July, 2024
EXPORT REFERENCE（備考欄）：123456789

C.I.F. USA

MARKS & NUMBERS 外装表示	NUMBER OF PKGS パッケージ数	DESCRIPTION OF GOODS 品名の詳細	WEIGHT 重量	Q'ty 数量	UNIT VALUE 単価 Currency 通貨	TOTAL VALUE 合計
ADDR	1	Milling Machine（フライス盤）	10kg	10	US$3846.1	US$38,461

輸出免税の金額

税関様式C第5010号

輸出申告書

あて先 大阪税関 長殿　申告年月日 令和6年7月4日　申告番号

品名	統計品目番号	単位	数量	申告価格（F.O.B）	※（調査欄）
(1) Milling Machine	8465.92-000	NO KG	10	3,657 千 000 円	

STEP 6 輸出売上げを日本円に換算する

取引発生時の処理

取引発生時の為替相場

- 原則：取引が行われた日の相場（電信売買相場の仲値）又は継続を要件に（電信買相場）
- 特例：継続適用を要件に合理的な平均相場（電信売買相場など）
- 特例：継続適用を要件に取引が発生した日の直近の一定日の為替相場（電信売買相場など）

- 今月の平均相場を翌月の取引レートとする
- 今週の平均相場を翌週の取引レートとする
- 毎月末の為替相場を翌月の取引レートとする
- 毎週金曜日の為替相場を翌週の取引レートとする
- 毎月1日の平均相場をその月の取引レートとする
- 毎週月曜日の為替相場をその週の取引レートとする

STEP 7 売上高の計上

令和6年7月　月別売掛金一覧表　（単位：円）

入金等は、現金出納帳、銀行帳、受取手形帳などで確認します。

得意先元帳

一致

	前月繰越額	当月売上高	入金等				当月残高
		売上高（円貨）	現預金	手形	返品値引	その他	
ABC CoLtd	3,640,000	5,778,765	907,500	2,730,000		2,500	5,778,765
DEF CoLtd	…	…	…			…	…
合計	48,536,781	45,384,681	28,965,610	17,150,000	63,150	17,325	47,725,377

一致　計 3,640,000

売上高の計上　売上返品値引の計　売掛金残高と一致

No.28 非課税資産を輸出した場合及び国内にある資産を海外に移送した場合

STEP 1

非課税資産を輸出した場合の課税仕入れ等（消法31①、消令51）

非課税資産の輸出取引等は、非課税取引を課税資産の譲渡等に係る輸出取引等に該当するものとみなし、仕入控除税額の計算について個別対応方式を適用する場合には、その非課税資産の輸出取引等に係る課税仕入れ等は、課税売上げに対応する課税仕入れ等に区分します。

非課税資産の輸出取引等には、身体障害者用物品の輸出、国内における非居住者からの利息の受取り、国内における外国債の利息の受取りなどが該当します。ただし、有価証券、支払手段、金銭債権の輸出は除きます。

STEP 2

国内にある資産を海外に移送した場合の課税仕入れ等（消法31②、消基通11－8－1）

国外において行う資産の譲渡等又は国外における自己の使用のために行う資産の輸出については、課税資産の譲渡等に係る輸出取引等に該当するものとみなし、仕入控除税額の計算について個別対応方式を適用する場合には、その資産の輸出に係る課税仕入れ等は、課税売上げに対応する課税仕入れ等に区分します。

STEP 3

課税売上割合の計算（消令51①～④）

課税売上割合の計算は、次のように取り扱います。

1．非課税資産を輸出した場合

分母と分子に非課税資産の売上高を算入します。→付表２－３「非課税資産の輸出等の金額③」に記載します。

ただし、有価証券、支払手段、金銭債権の輸出等は、除きます。

2．国内にある資産を海外に移送した場合

分母と分子に国外に移送する資産のFOB価格を算入します。→付表２－３「海外支店等へ移送した資産の価額③」に記載します。

STEP 4

会計処理と申告書（付表２－３）

設例の会計処理及び課税取引区分は下記のとおりです。

1．非課税資産を輸出した場合

（売掛金）	5,000,000 ／	（輸出売上げ）	輸出非売	5,000,000

2．国内にある資産を海外に移送した場合（FOB価格4,000,000円）

（商品（外国支店））	4,000,000 ／	（商品（本社））	国外移送	4,000,000

STEP 1

設例（非課税資産を輸出した場合）2,200千円（税込み）で材料を仕入れ、当社で製造し、身体障害者用物品として5,000千円で輸出販売した。

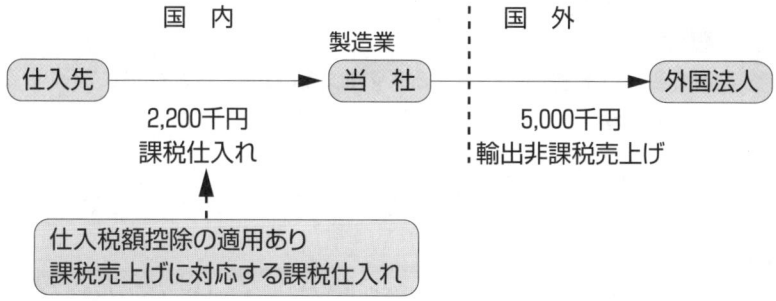

STEP 2

設例（国内にある資産を海外に移送した場合）3,300千円（税込み）で商品を仕入れ、外国支店で販売するため国外移送した。移送に係るFOB価格は4,000千円である。

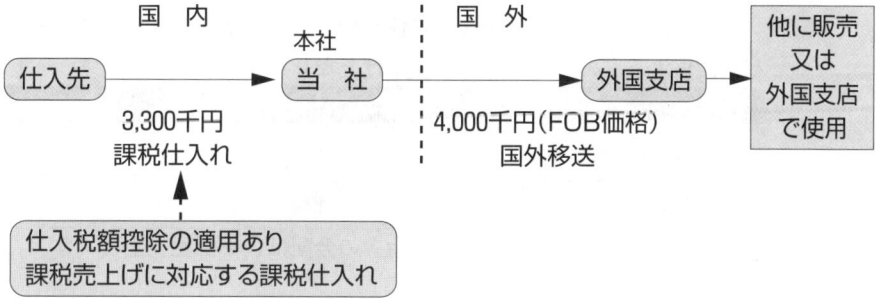

STEP 3

第4-(10)号様式
付表2－3　課税売上割合・控除対象仕入税額等の計算表　一般

課税期間	6・4・1～7・3・31	氏名又は名称	ステップ商事(株)

項目		税率6.24％適用分 A	税率7.8％適用分 B	合計 C (A+B)
課税売上額（税抜き）	①	円	円	円 56,000,000
免税売上額	②			60,000,000
非課税資産の輸出等の金額、海外支店等へ移送した資産の価額	③			9,000,000
課税資産の譲渡等の対価の額（①＋②＋③）	④			金第一表の㊀欄へ 125,000,000
課税資産の譲渡等の対価の額（④の金額）	⑤			125,000,000
非課税売上額	⑥			1,000,000
資産の譲渡等の対価の額（⑤＋⑥）	⑦			金第一表の㊁欄へ 126,000,000
課税売上割合（④／⑦）	⑧			[99.20%] 端数切捨て

輸出非課税売上5,000千円
＋
国外移送4,000千円

分子

課税売上割合

分母

No.29 受取利息・受取配当等

STEP 1

概要

消費税では、利息に該当するものは非課税売上げ、配当に該当するものは不課税売上げとなります。

STEP 2

非課税売上げ・不課税売上げとなるもの（消法６①、別表第二、消令10③、消基通12－１－４、14－１－４）

１．預金利子、貸付金利子、公社債の利子などは非課税売上げとなります。

２．証券投資信託の収益分配金は非課税売上げとなります。

証券投資信託の収益分配金は、法人税と消費税では取扱いが異なります。

法人税では、株式投資信託の収益分配金は配当として、公社債投資信託の収益分配金は利子として取り扱われます。

しかし、消費税では、株式投資信託の収益分配金も公社債投資信託の収益分配金も利子に類するものとして非課税売上げとなります。

内　容	消費税	法人税
株式投資信託の収益分配金	利子	配当
公社債投資信託の収益分配金		利子

３．剰余金の配当、利益の配当、剰余金の分配は、不課税売上げです。

４．売上割引・仕入割引

売掛金の早期回収における売上割引や、仕入代金の早期支払における仕入割引は、会計上は利息としての性格を有するものとして取り扱いますが、消費税ではそれぞれ売上げのマイナス項目、仕入れのマイナス項目として取り扱われます。

STEP 3

消費税の課否判定に基づいて仕訳する

１．預金利子等の場合

(1) 源泉所得税（※）控除前の金額（手取金額＋源泉所得税）を受取利息として計上します。

(2) 受取利息は非課税売上げとなります。

(3) 法人税、住民税及び事業税は、租税公課ですので消費税は不課税取引です。

２．受取配当金の場合

(1) 源泉所得税（※）控除前の金額（手取金額＋源泉所得税）を受取配当金として計上します。

(2) 受取配当金は不課税取引となります。

(3) 法人税、住民税及び事業税は、租税公課ですので消費税は不課税取引です。

（※）復興特別所得税を含みます。

STEP 1 概要

・利子、配当等の種類により消費税の取扱いが異なります。
・利息計算書や利益配当金計算書を確認して、取引を分類します。
・利子等の源泉所得税の金額を確認します。

STEP 2 非課税売上げと不課税売上げ

非課税売上げ	不課税売上げ
預金利子、貸付金利子、公社債利子	剰余金の配当
株式投資信託の収益分配金	利益の配当
公社債投資信託の収益分配金	剰余金の分配
合同運用信託の収益分配金	
手形の割引料収入	
割引債の償還差益	

STEP 3 課否判定に基づいて仕訳する

預金利息計算書

令和7年2月12日

ステップ商事株式会社 御中

東大阪銀行

預金種類	普通預金	
支　店	鷲洲支店	
口座番号	5678123	
口座名義	ステップ商事㈱	
利息計算期間	6. 8. 10～7. 2. 10	
利　息	2,022	①
税　金	309	
うち国　税	309	②
税引後利息	1,713	③

第 50 期 自令和5年4月1日 至令和6年3月31日 **配当金計算書**

所有株数	1株あたり配当金	配当金額 Ⓐ	税額合計	支払金額
2,000株	15.00円	30,000円	4,594円	25,406円 Ⓒ

内訳
所得税率 15.315%　所得税額 4,594円 Ⓑ
住民税率 0.00%　住民税額 0円

543-0002
大阪市天王寺区上汐８－２－３

当期の期末配当金は上記のとおりですのでご通知申し上げます。
令和６年6月29日

ステップ商事株式会社　御中

日の丸食品　株式会社

1. 預金利子 （入金額1,713円、国税309円）

（現金預金）　1,713③
（法人税、住民税及び事業税）［対外仕］　309②
／（受取利息）［非売］　2,022①

2. 剰余金の配当（入金額25,406円、国税4,594円）

（現金預金）　25,406Ⓒ
（法人税、住民税及び事業税）［対外仕］　4,594Ⓑ
／（受取配当）［対外売］　30,000Ⓐ

No.30 雑収入

STEP 1

概要

雑収入は、営業外収益に属するもののうち、他の勘定科目に当てはまらない又は独立科目とするには金額的に重要性が乏しいものをいい、以下のようなものがあります。

【例示】

・現金過剰
・保険契約に係る配当金
・保険契約に係る解約返戻金
・団体保険集金手数料
・税金の還付加算金
・販売奨励金
・無事故達成奨励金
・債務免除益
・クレジットカード会社から受け取るキャッシュバック
・社員食堂の売上げ
・役員・使用人から受け取る保養施設・福利厚生施設の利用料
・役員・使用人から受け取る社宅家賃、貸金利息
・自動販売機設置手数料
・保険金収入
・祝い金等、金銭・物品の受贈益
・作業屑・不用品の売却収入
・スクラップの売却代金
・為替差益
・立退料収入
・損害賠償金
・収益補償金、費用補償金、休業補償金、移転補償金
・国、地方公共団体から受け取る、補助金、助成金
・仮受消費税等と仮払消費税等の清算差額収入

STEP 2

課税対象となる取引を確認する（消法２、４③）

雑収入の課税対象は、「事業者が行う国内取引」に限られます。この「事業者が行う国内取引」で課税の対象となるのは、次の４つの要件を満たす取引です。

① 事業者が事業として行う取引であること
② 国内において行う取引であること
③ 資産の譲渡等（資産の譲渡、資産の貸付け、役務の提供）であること
④ 対価を得て行うもの

詳細は、**No. 7**「消費税の課税対象となる取引」を参照

STEP 2

課税対象となる取引を確認する

内容		消法税の課否判定	根拠
現金過剰		不課税	消法2①、4①
保険契約に係る配当金			
保険契約に係る解約返戻金			
団体保険集金手数料		課税売上げ	
税金の還付加算金		不課税	
販売奨励金（課税資産に係るもの）		課税仕入れのマイナス	消基通12－1－2
無事故達成奨励金		不課税	消法2①、4①
債務免除益		不課税	消基通12－1－7
クレジットカード会社から受け取るキャッシュバック			消法2①、4①
社員食堂の売上げ		課税売上げ	消基通5－4－4
役員使用人から受け取る保養施設福利厚生施設の利用料		課税売上げ	消基通5－4－4
役員使用人から受け取る社宅家賃		非課税	別表第二
役員使用人から受け取る貸金利息			別表第二
自動販売機設置手数料		課税売上げ	消法2①、4①
保険金収入		不課税	消基通5－2－4
祝い金等、金銭物品の受贈益			消基通5－2－14
作業屑不用品の売却収入		課税売上げ	消法2①、4①
スクラップの売却収入			
為替差益		不課税	消基通10－1－7
立退料収入（下記以外）			消基通5－2－7
立退料収入（賃借権の譲渡に該当するもの）		課税売上げ	
損害賠償金	心身又は資産につき加えられた損害に伴い受けるもの	不課税	消基通5－2－5
	実質が資産の譲渡等の対価に該当するもの	課税売上げ	
収益補償金、費用補償金、休業補償金、移転補償金		不課税	消基通5－2－10
国、地方公共団体から受け取る補助金、助成金			消基通5－2－15
仮受消費税等と仮払消費税等の精算差額収入			消法2①、4①

No.31 有価証券の譲渡

STEP 1

概要

有価証券等の譲渡は、資本の移転取引又は振替取引であり、消費されるものではないため非課税とされています。

STEP 2

有価証券等の範囲と非課税売上げ・課税売上げとなるもの

（消法６①、別表第二、消基通６－２－２）

有価証券等の売却収入は、原則として非課税売上げとなります。

消費税法に規定する有価証券等は、株式、公社債等の他、約束手形などの支払手段や貸付金、売掛金などの金銭債権も含まれます。

ゴルフ会員権の譲渡は、消費税において非課税となる有価証券等の譲渡に該当しないため株式形態又は預託金形態にかかわらず、課税売上げとなります。

STEP 3

譲渡収入が非課税売上高になる

有価証券等を譲渡した場合、会計処理では、その譲渡収入金額から帳簿価額を控除した金額を売却損益としますが、消費税の課税売上割合の計算では、譲渡収入金額を非課税売上高とします。

１．株式・公社債等の譲渡（消令48⑤）

譲渡収入金額の５％相当額を非課税売上高とします。これは、有価証券の譲渡が頻繁に行われた場合は、譲渡収入金額が多額になり、全額を非課税売上げとしてしまうと課税売上割合が低くなるため、譲渡収入金額の５％相当額を非課税売上げとして計算することとされています。

（例）証券会社を通じ上場会社の株式を520万円で譲渡した。
課税売上割合の計算では、520万円×５％＝26万円を非課税売上高へ計上する

２．貸付金等の金銭債権の譲渡（消令48⑤）

譲渡収入金額の５％相当額を非課税売上高とします。

３．売掛金や支払手段及び支払手段に類するものの譲渡（消令48②）

非課税取引となりますが、課税売上割合の計算には使いません。

ビットコインに代表される暗号資産の譲渡については、国内の暗号資産交換業者を通じて行った取引は支払手段の譲渡に該当し、非課税売上げとなります。この場合も、課税売上割合の計算には使いません。

STEP 4

有価証券等の非課税売上高の計上時期（消基通９－１－17）

有価証券等の非課税売上高の計上時期は、その引渡しがあった日です。

しかし、「その譲渡に係る契約をした日」に非課税売上高を計上することも認められています。

STEP 2 有価証券等の範囲

非課税売上げとなるもの	課税売上げとなるもの
国債、地方債、社債券 株式、証券投資信託等の受益証券 コマーシャルペーパー（CP） 合同会社等の持分 貸付金、売掛金、その他の金銭債権	ゴルフ会員権

STEP 3 課税売上割合の計算で非課税売上高に計上する金額

区分	計上する金額
① 国債、地方債、社債、株式、受益証券、CP、金銭債権（③の金銭債権を除く）など	対価の５％相当額を計上
② 抵当証券、合同会社等の持分	対価の全額
③ 資産の譲渡等の対価として取得した金銭債権（売掛金など）	含めない
④ 支払手段（現金、小切手、手形、暗号資産など）	含めない
⑤ 支払手段に類するもの	含めない

設例 Ａ社株式（帳簿価額380万円）を520万円で譲渡し、証券会社手数料286,000円（税込み）が差し引かれ4,914,000円の入金があった。

仕訳

（現金預金）		4,914,000		（有価証券売却益）	有証非売（課税区分）	5,200,000（譲渡収入）
（有価証券売却益）	対外売	3,800,000		（有価証券）		3,800,000
（支払手数料）	課仕	286,000				

※譲渡収入を把握するため「有価証券売却益」勘定を貸借両建てして仕訳をします。

STEP 4 有価証券等の非課税売上高の計上時期

区分	計上時期	通達
株券が発行されている株式	引渡しの日又は契約の日	消基通９－１－17
株券が発行されていない株式	譲渡の意思表示があった日	消基通９－１－17の２
持分会社の社員持分	譲渡の意思表示があった日	消基通９－１－17の４
株式の信用取引等	売付けに係る取引の決済を行った日	消基通９－１－18

No.32 固定資産の譲渡

STEP 1

概要

消費税では、商品・製品等の棚卸資産の販売だけではなく、固定資産を譲渡した場合も課税対象となります。

STEP 2

課税売上げ・非課税売上げとなるもの（消法２①九、６①、別表第二）

売却した資産の種類により、課否区分を判断する必要があります。

・土地・借地権の譲渡は非課税売上げとなります。

・建物や機械など土地以外の固定資産の譲渡は課税売上げとなります。

STEP 3

譲渡収入が課税売上高になる（消基通10－１－17）

固定資産を譲渡した場合、会計処理では、その譲渡収入から譲渡原価・譲渡費用を控除した金額を売却損益としますが、消費税は取引の対価に課税しますので、譲渡損益ではなく、譲渡収入が課税売上高となります。

なお、車両の買換えに際して下取りがあった場合、その下取り車両の下取金額が譲渡収入として課税売上高になります。（**No.56**「固定資産・繰延資産を取得した場合」を参照）

したがって、消費税では、損益計算書の「固定資産売却損益」ではなく、譲渡収入を把握しなければなりません。

（例）社用車（帳簿価額100万円）を、132万円（税込み）で譲渡した。
売却益32万円ではなく、売却収入132万円が課税売上高になります。

STEP 4

課税売上げの計上時期（消基通９－１－13）

固定資産を譲渡した場合には、固定資産を相手方に引き渡した日に課税売上げを計上しますが、土地建物等の場合は、契約の効力が発生した日に譲渡があったものとすることも認められます。

STEP 5

未経過固定資産税の取扱い（消基通10－１－６）

土地建物の譲渡契約に係る未経過固定資産税の精算金は、譲渡収入に含めます。固定資産税は毎年１月１日現在の所有者に対して１年分が課税されます。不動産取引の慣習として固定資産税が日割りで精算されますが、租税公課として経費にできるのは、課税された１月１日現在の所有者であり、売主が未経過分の固定資産税相当額を買主から収受しても、その金額はあくまで譲渡金額を構成するものであり、租税公課の精算としては取り扱いません。

建物に係る未経過固定資産税 ⇨ 建物の譲渡収入 ⇨ 課税売上高
土地に係る未経過固定資産税 ⇨ 土地の譲渡収入 ⇨ 非課税売上高

STEP 1

STEP 2

固定資産の売却	
課税売上げとなるもの	非課税売上げとなるもの
建物・機械など土地以外の固定資産の売却収入 特許権など無形固定資産の売却収入 ゴルフ会員権・レジャークラブ会員権の売却収入	土地・借地権の売却収入

STEP 3

譲渡収入が課税売上高になる

設例　社用車（帳簿価額100万円）を、132万円（税込み）で譲渡した。

仕訳　（現金預金）　1,320,000／（固定資産譲渡益）　課売　1,320,000　← 譲渡収入

（固定資産譲渡益）　対外売　1,000,000／（車両運搬具）　1,000,000

※譲渡収入を課税売上げとするため「固定資産譲渡益」勘定を貸借両建てして仕訳をします。

STEP 4

課税売上げの計上時期

固定資産	
土地建物等	土地建物以外
その引渡しがあった日	その引渡しがあった日
譲渡に関する契約の効力の発生の日	

STEP 5

未経過固定資産税

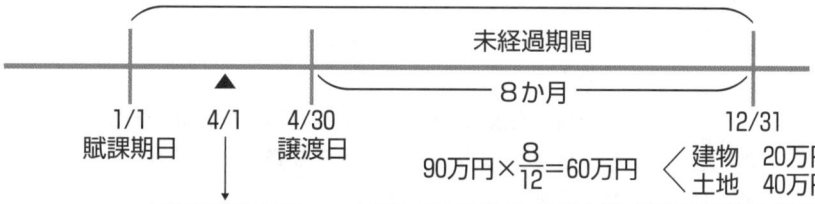

$90万円 \times \frac{8}{12} = 60万円$ ＜ 建物　20万円 / 土地　40万円

固定資産税
90万円納付

不動産取引の慣習として、未経過の固定資産税相当額60万円を買主は売主に支払いますが、この金額は譲渡収入に含めます。

	譲渡収入	未経過固定資産税	計	
建物	1,500万円	20万円	1,520万円	⇒課税売上げ
土地	3,000万円	40万円	3,040万円	⇒非課税売上げ
計	4,500万円	60万円	4,560万円	

No.33 土地建物の一括譲渡

STEP 1

概要

土地と建物を一括で譲渡した場合は、土地の譲渡は非課税売上げとなり、建物の譲渡は課税売上げとなります。

このように土地付建物を一括譲渡した場合は、その譲渡代金について、土地の対価部分と建物の対価部分に区分する必要があります。

STEP 2

譲渡対価の区分

土地付建物の一括譲渡の場合の課税売上高と非課税売上高にそれぞれ計上する金額は、次のとおりです。

契約書に土地と建物の金額の区分あり	記載金額の区分が合理的である	記載した金額
	記載金額の区分が合理的でない	時価により按分計算（消令45③）
契約書に土地と建物の金額の区分なし		

なお、土地と建物を同一の者に対し同時に譲渡した場合で、法人税又は所得税の土地の譲渡等に係る課税の特例計算による取扱い（措通63(2)－３など）により区分しているときは、消費税の課税標準もその区分した金額で計算します。（消基通10－１－５）

○合理的な区分方法の例

① 近隣の取引事例を参考に計算した建物及び土地の時価の比により按分計算
② 不動産鑑定評価額による区分
③ 相続税評価額や固定資産税評価額をもとに按分計算する
④ 土地や建物の原価をもとに按分計算する
⑤ (イ) 「建物の標準的な建築価額表」により建物の取得価額を算出する
(ロ) 建物の価額＝建物の取得価額－減価償却費
(ハ) 土地の価額＝総額－建物の価額

STEP 1

土地付建物の一括譲渡

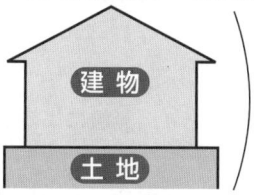

一括譲渡

土地の対価部分と建物の対価部分に区分する

→ 建物の譲渡＝課税売上高

→ 土地の譲渡＝非課税売上高

STEP 2

譲渡対価の区分

(1) 契約書に建物の消費税額の記載がある場合（記載金額の区分が合理的な場合）

土地建物譲渡契約書
第１条　土地付建物を5,000万円（うち消費税200万円）で譲渡する
・・・・・・・・・・

① 建物の価額：200万円÷10%×1.10＝2,200万円

② 土地の価額：総額5,000万円－建物2,200万円（税込み）＝2,800万円

(2) 契約書に総額のみの記載がある場合（固定資産税評価額をもとに按分計算）

土地建物譲渡契約書
・・・・・
第1条　土地付建物を5,000万円で譲渡する。
・・・・・

固定資産税賦課決定通知書
・・・　評価額　・・・

土地	1,000万円
建物	1,500万円

① 建物の価額：5,000万円× $\frac{1,500万円}{1,000万円+1,500万円}$ ＝3,000万円（税込み）

② 土地の価額：5,000万円× $\frac{1,000万円}{1,000万円+1,500万円}$ ＝2,000万円

(3) 契約書の記載金額の区分が合理的でないと認められる場合

土地建物譲渡契約書

第１条　土地付建物を下記のとおり譲渡する
(1) 土地の譲渡代金　4,000万円
(2) 建物の譲渡代金　1,000万円
・・・・・・・・・・

固定資産税賦課決定通知書
・・・　評価額　・・・

土地	1,000万円
建物	1,500万円

契約書記載金額が合理的に区分されていない場合には、譲渡時の時価の比で按分計算をします。ここでは固定資産税評価額を用いています。

① 建物の価額：5,000万円× $\frac{1,500万円}{1,000万円+1,500万円}$ ＝3,000万円（税込み）

② 土地の価額：5,000万円× $\frac{1,000万円}{1,000万円+1,500万円}$ ＝2,000万円

No.34 みなし譲渡

STEP 1

概要（消法４⑤）

消費税では対価を得て行う資産の譲渡が課税の対象となり、無償による資産の譲渡は課税対象となりません。

しかし、個人事業者が棚卸資産等を家事消費等した場合や、法人が役員に資産を贈与した場合は、事業として対価を得て行われた資産の譲渡とみなします。これを「みなし譲渡」といいます。

STEP 2

みなし譲渡となる取引

次に掲げる場合には、みなし譲渡としてその取引は課税対象となります。

(1) 個人事業者が、棚卸資産又は棚卸資産以外の事業用資産を家事のために消費又は使用した場合

(2) 法人が、資産をその法人の役員に対して贈与した場合

※役員とは、法人税法第２条第15号に規定する役員をいいます。

STEP 3

みなし譲渡時の時価を課税売上高に計上する

みなし譲渡に該当する場合は、家事消費等を行ったとき又は贈与時の資産の時価を課税売上高に計上します（消法28③）。

ただし、棚卸資産について家事消費等又は贈与を行った場合には、通常の販売価額の50％相当額又は仕入価額のいずれか大きい金額を課税売上高とすることができます。

【課税売上高に計上する金額】（消基通10－１－18）

	課税売上高に計上する金額
棚卸資産	① 通常の販売価額の50％相当額 ② 仕入価額 } いずれか大きい方の金額
棚卸資産以外	その資産の時価

STEP 4

資産の貸付け・サービスの無償提供の場合（消基通５－３－５）

消費税のみなし譲渡の規定は、法人が資産を自社の役員へ贈与した場合や個人事業者の棚卸資産等の家事消費等の場合に適用されます。

したがって、資産の無償貸付けやサービスの無償提供の場合は、みなし譲渡の規定は適用はなく、消費税の課税対象となりません。すなわち不課税取引となります。

STEP 5

自社の役員に対する資産の贈与でみなし譲渡に該当しない場合（消基通５－３－５）

所得税基本通達において、給与として課税しなくても差し支えないとされている永年勤続者の記念品や創業記念品等については、役員に対して無償支給する場合であっても、みなし譲渡に該当しないものとされています。

STEP 3 みなし譲渡の場合の課税売上高に計上する金額

1 棚卸資産の場合

設例 当社の役員へ商品（通常の販売価額10万円、仕入価額７万円）を贈与した。

【棚卸資産の場合】

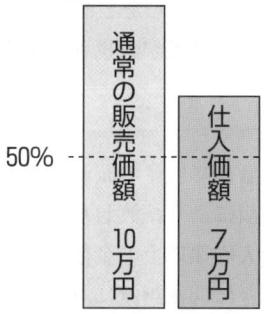

(1) 判定

① 通常の販売価額10万円×50%＝５万円

② 仕入価額　７万円

③ ①<②　∴７万円を課税売上高に計上する

仕訳

（役員給与）	対外仕	100,000	（売上高）	課売	70,000
			（売上高）	対外売	30,000

※棚卸資産の通常の販売価額10万円が役員に対する経済的利益となり、役員給与として計上します。

2 棚卸資産以外の場合

設例 当社の役員へ絵画（時価100万円、取得価額70万円）を贈与した。

【判定】時価の100万円を課税売上高に計上する

仕訳

（役員給与）	対外仕	1,000,000	（固定資産譲渡益）	課売	1,000,000
（固定資産譲渡益）	対外売	700,000	（絵　画）		700,000

※譲渡収入を把握するため「固定資産譲渡益」勘定を貸借両建てして仕訳をします。

STEP 4 無償による資産の貸付けの場合

設例

通常の社宅使用料が10万円のところ、役員乙に対しては無償で貸し付けていた。

(1) 判定：無償による資産の貸付けは、みなし譲渡に該当しないため、消費税の非課税売上高に計上しません。

(2) 仕訳

（役員給与）対外仕　100,000　／（家賃収入）対外売　100,000

※通常の社宅使用料10万円が役員に対する経済的利益となり、役員給与として計上します。

No.35 低額譲渡

STEP 1

概要（消法28①）

消費税では、原則として課税資産の譲渡等の対価の額を課税売上高に計上します。ただし、法人がその役員に対して、時価に比べて著しく低い価額で資産の譲渡（「低額譲渡」といいます。）をした場合には、実際に役員から受領した金額ではなく、その譲渡の時における時価に相当する金額を課税標準として消費税が課税されます。

STEP 2

低額譲渡を判定する（消基通10－１－２）

法人が役員に対して、時価に比べて著しく低い価額で資産の譲渡をした場合とは、その資産の時価の50％に相当する金額に満たない価額により譲渡した場合をいいます。

ただし、棚卸資産について、その譲渡金額が仕入価額以上の金額で、かつ、通常の販売価額の50％に相当する金額以上の金額であるときは低額譲渡に該当しないものとして取り扱われます。

※役員とは、法人税法第２条第15号に規定する役員をいいます。

STEP 3

譲渡時の時価を課税売上高に計上する

低額譲渡に該当する場合は、その資産の譲渡時の時価相当額を課税売上高に計上します。

【低額譲渡の判定及び課税売上高に計上する金額】（消基通10－１－２）

	低額譲渡の判定	課税売上高に計上する金額
棚卸資産	①対価 ＜ 仕入価額 ②対価 ＜ 通常の販売価額の50％相当額 いずれかに該当	通常の販売価額
棚卸資産以外	対価 ＜ その資産の時価の50％相当額	その資産の譲渡時の時価

STEP 4

自社の役員に対する低額譲渡を仕訳する

自社の役員への低額譲渡に該当する場合は、通常の販売価額や時価を課税売上高に計上します。この場合の通常の販売価額や時価と対価との差額は、その役員に対する給与等として計上することとなります。

ただし、役員及び使用人の全部について一律又は勤続年数等に応ずる合理的な基準で明示された値引率により譲渡が行われている場合は、低額譲渡として取扱わず実際の販売価額を課税売上高に計上します。（消基通10－１－２ただし書）なお、この場合は、所得税においても給与等の課税は行われません。（所基通36－23）

STEP 5

資産の貸付け・サービスの提供の場合（消基通５－３－５）

消費税の低額譲渡の規定は、法人が資産を自社の役員へ著しく低い対価の額で譲渡した場合に適用されます。自社の役員への資産の貸付けやサービスの提供の対価の額が著しく低い場合は、低額譲渡の規定は適用されません。課税売上高に計上する金額は、原則どおり実際の対価の額となります。

STEP 2

低額譲渡の判定と課税売上高

1．棚卸資産の場合

STEP 3

【当社の役員へ商品（通常の販売価額90万円、仕入価額70万円）を60万円で売却した】

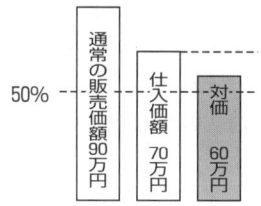

売却対価60万円は、通常の販売価額の50%（45万円）より高いが、仕入価額70万円未満なので、低額譲渡に該当する

↓

通常の販売価額90万円を課税売上高に計上する

2．棚卸資産以外の場合

【当社の役員へ時価100万円の応接室の絵画を30万円で売却した】

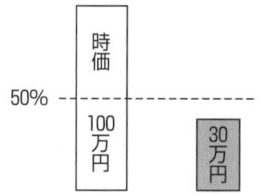

売却対価30万円は、絵画の売却時点での時価の50%（50万円）未満なので、低額譲渡に該当する

↓

絵画の時価100万円を課税売上高に計上する

STEP 4

低額譲渡を仕訳する

設例 商品A（通常の販売価額100万円、仕入価額60万円）を役員甲には50万円で、役員乙には65万円でそれぞれ売却した。

1．役員甲

(1) 判定　売却価額50万円　＜　仕入価額60万円

∴低額譲渡に該当するので、通常の販売価額100万円を課税売上高とします。

(2) 仕訳

（現金預金）		500,000	（売上高）	課売	1,000,000
（役員給与）	対外仕	500,000			

2．役員乙

(1) 判定　売却価額65万円　≧　仕入価額60万円及び通常の販売価額×50%

∴低額譲渡に該当しませんので、売却価額65万円を課税売上高に計上します。

(2) 仕訳

（現金預金）		650,000	（売上高）	課売	650,000
（役員給与）	対外仕	350,000	（売上高）	対外売	350,000

※上記1、2共に売却価額と通常の販売価額との差額が役員に対する経済的利益となり、役員給与として計上します。

STEP 5

低額による資産の貸付けの場合

設例 通常の社宅使用料が10万円のところ、役員丙に対しては4万円で貸し付けていた。

低額による資産の貸付けは、低額譲渡の規定は適用されないため、受領した金額を非課税売上高に計上します。

仕訳

（現金預金）		40,000	（家賃収入）	非売	40,000
（役員給与）	対外仕	60,000	（家賃収入）	対外売	60,000

No.36 貸倒損失

STEP 1 貸倒れの範囲（消法39、消令59）

課税売上に係る売掛金その他の債権が貸倒れとなったときは、貸倒れとなった金額に対応する消費税額を、貸倒れの発生した課税期間の課税標準額に対する消費税額から控除します。なお、貸倒れとなった金額に対応する消費税額は税込の金額で計算します。

売掛債権などの貸倒れの範囲は右図のとおりです。

STEP 2 控除の対象とならない貸倒れ

次のように売上計上時に消費税額の課税標準額に算入されない売掛債権等の貸倒れや貸付金の貸倒れについては、税額控除の適用はありません。

① 輸出売上げに係る債権
② 非課税売上げに係る債権
③ 不課税売上げに係る債権
④ 貸付金、立替金　など

STEP 3 貸倒れに係る消費税額の計算（消法39）

貸倒れに係る消費税額は、次の算式により計算します。

貸倒れに係る税額 ＝ 貸倒れ売掛金等の金額（税込） × $\frac{7.8}{110}$（1円未満切捨て）

※軽減税率が適用される課税資産の譲渡等に係る売掛金等が貸倒れとなった場合には$\frac{6.24}{108}$
※令和元年9月30日までの課税資産の譲渡等に係る売掛金等が貸倒れとなった場合には$\frac{6.3}{108}$
※平成26年3月31日までの課税資産の譲渡等に係る売掛金等が貸倒れとなった場合には$\frac{4}{105}$
※平成9年3月31日までの課税資産の譲渡等に係る売掛金等が貸倒れとなった場合には$\frac{3}{103}$

STEP 1 貸倒れの範囲（消令59、消規18）

債権の種類	貸倒れの形態	貸倒れ発生の事実等		貸倒れに係る消費税額の控除の対象となる金額
消費税の課税対象となる取引の売掛金その他の債権	法律等による貸倒れ	再生計画認可の決定による債権の切捨て	切り捨てられることとなった部分の金額	
		特別清算に係る協定の認可の決定による債権の切捨て		
		債権に係る債務者の財産の状況、支払能力等からみて当該債務者が債務の全額を弁済できないことが明らかであること		
		関係者の協議決定による債権の切捨て：債権者集会の協議決定で合理的な基準により債務者の負債整理を定めたもの		
		関係者の協議決定による債権の切捨て：行政機関、金融機関その他の第三者のあっ旋による当事者間の協議により締結された契約で合理的な基準によるもの		
		債務者に対し書面による債務免除（債務超過の状態が相当期間継続し、金銭債権の弁済が不可能と認められる場合）	書面による債務免除額	
	事実上の貸倒れ	債務者の資産状況、支払能力等からみて全額の回収ができないことが明らかとなった場合（担保物の処分後に限るものとし、保証債務については履行した後による。）	金銭債権の全額	
	形式上の貸倒れ	継続的取引のあった債務者との取引停止以後１年以上経過した場合（担保物のない場合に限る。）	売掛債権の額から備忘価額（１円以上）を控除した残額	
		同一地域の売掛債権の総額が取立旅費その他の費用に満たない場合に、支払督促したが弁済がない場合		

STEP 3 貸倒れに係る消費税額の計算（消法39）

設例 貸倒れ売掛金等の金額 500,000 円（税込み）

控除税額 500,000 円 $\times \frac{7.8}{110}$ ＝35,454 円⇒申告書「貸倒れに係る税額⑥」へ

この申告書による消費税の税額の計算			十兆	千	百	十億	千	百	十万	千	百	十	一円	
課税標準額		①					2	6	7	8	9	0	0	0	03
消費税額		②						2	0	8	9	5	4	2	06
控除過大調整税額		③													07
控除税額	控除対象仕入税額	④													08
	返還等対価に係る税額	⑤													09
	貸倒れに係る税額	⑥								3	5	4	5	4	
	控除税額小計	⑦													

STEP 4

貸倒れに係る税額控除の控除時期、納税義務の有無との関係

1．原　則

貸倒れの発生した課税期間において税額控除をします。

2．免税事業者であった課税期間における売掛金等の貸倒れ（消基通14－２－４）

免税事業者であった課税期間の課税売上げに係る売掛金等について、課税事業者になってから貸倒れとなった場合は、税額控除をすることはできません。免税事業者であった課税期間は消費税の納税を行っていませんので、税額控除をすることができません。

3．免税事業者等となった後における売掛金等の貸倒れ（消基通14－２－５）

課税事業者であった課税期間の課税売上げに係る売掛金等について、免税事業者になってから貸倒れとなった場合は、確定申告書の提出もないため税額控除の適用はありません。

STEP 5

書類の保存義務（消法39②、消規19）

貸倒れに係る税額控除を行う場合は、貸倒れの事実を証明する書類を確定申告期限から７年間保存することが義務付けられています。

貸倒れの事実を証明する書類の例

1　法律等による貸倒れ

更生計画書、再生計画案、裁判所からの文書、更生債権の届出書、債権者集会の議事録、債務免除の通知書、債務者についての各種情報の記録、社内稟議書、新聞等の記事

2　売掛債権についての形式上の貸倒れ

得意先元帳、請求書、売上伝票、取引停止の稟議書、取立費用の見積書など

STEP 4

貸倒れに係る税額控除の控除時期、納税義務の有無との関係

1．原則

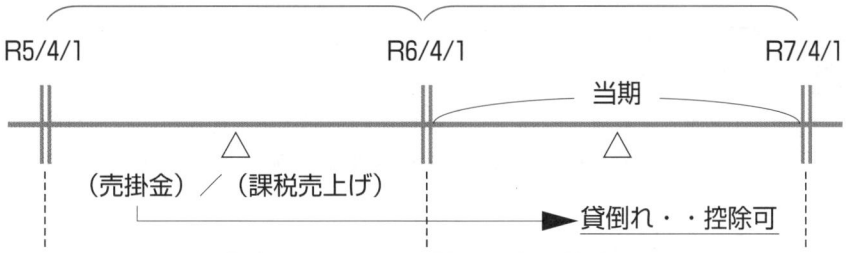

○貸倒れのあった課税期間で税額控除する

2．免税事業者であった期間の売上げの貸倒れ

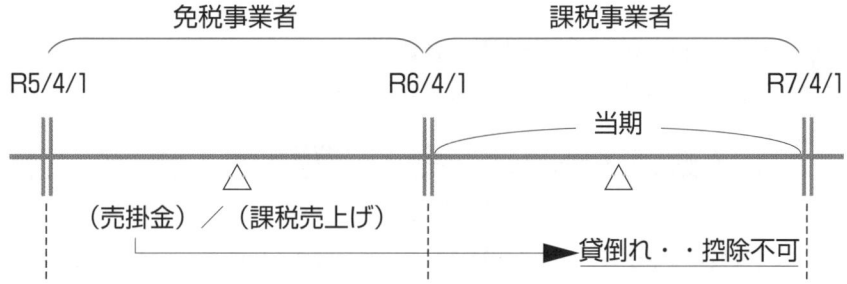

○免税事業者であった期間の課税売上げの貸倒れは税額控除できない

3．免税事業者になった期間の貸倒れ

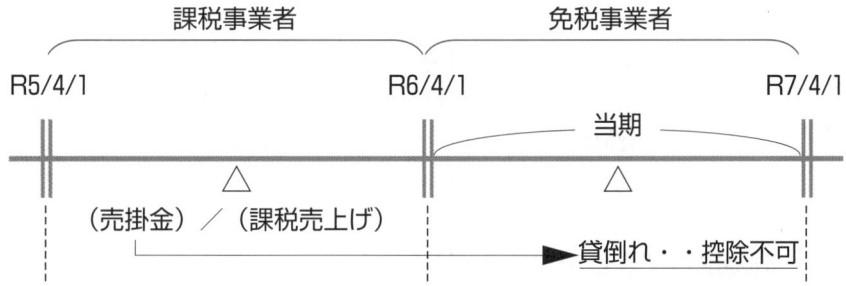

○免税事業者になった期間に生じた貸倒れは税額控除できない

No.37 償却債権取立益（貸倒債権を回収したときの消費税額の計算）

STEP 1

概要（消法39③）

課税売上げに係る売掛債権が貸倒れとなったときは、貸倒れとなった金額に対応する消費税額を、貸倒れの発生した課税期間の課税標準額に対する消費税額から控除します。

ところが、貸倒処理を行った売掛金など（以下「貸倒債権」といいます。）の一部又は全部について、その後の課税期間において回収することがあります。

この場合には、回収をした貸倒債権に含まれる消費税額を、回収をした課税期間の課税標準額に対する消費税額に加算します。なお、回収をした貸倒債権の額は税込みの金額で計算します。また、**No.36**の貸倒れに係る税額控除の適用を受けなかった売掛債権等を回収した場合は、適用しません。

STEP 2

貸倒回収に係る消費税額の計算

加算する消費税額は、次の算式により計算します。

加算する消費税額 ＝ 回収をした貸倒債権の金額（税込） × $\frac{7.8}{110}$（１円未満切捨て）

※軽減税率が適用される課税資産の譲渡等に係る貸倒債権を回収した場合には$\frac{6.24}{108}$

※令和元年９月30日までの課税資産の譲渡等に係る貸倒債権を回収した場合には$\frac{6.3}{108}$

※平成26年３月31日までの課税資産の譲渡等に係る貸倒債権を回収した場合には$\frac{4}{105}$

※平成９年３月31日までの課税資産の譲渡等に係る貸倒債権を回収した場合には$\frac{3}{103}$

STEP 3

原則課税により申告する場合

STEP2で計算した金額を一般用の申告書第一表「控除過大調整税額③」と、付表２－１、２の「貸倒回収に係る消費税額㉘」及び付表１－１、２の「控除過大調整税額③」（旧税率の適用がない場合には、付表２－３及び１－３）に記載します。

STEP 4

簡易課税により申告する場合

STEP2で計算した金額を簡易課税用の申告書第一表の「貸倒回収に係る消費税額③」と、付表４－１、２の「貸倒回収に係る消費税額③」及び付表５－１、２の「貸倒回収に係る消費税額②」（旧税率の適用がない場合には、付表４－３及び５－３）に記載します。

したがって、簡易課税制度を適用している事業者は、課税標準額に対する消費税額にその回収した貸倒債権に含まれる消費税額を加算した金額に、みなし仕入率を乗じて控除対象仕入税額を計算することになります。

STEP 1 償却債権取立益（貸倒回収）

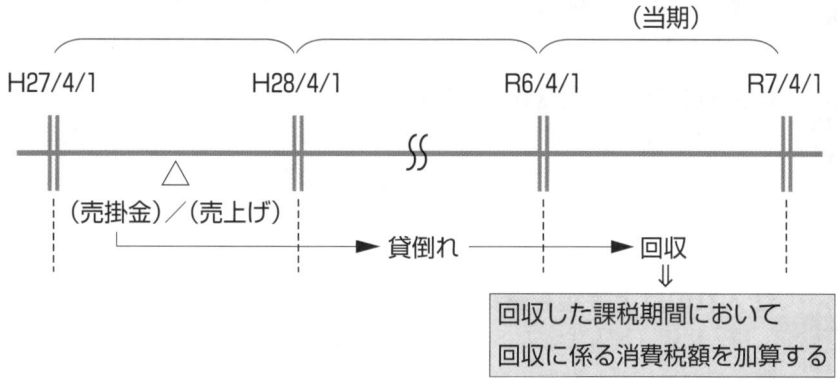

設例 前期に貸倒れ処理した売掛金の一部100万円を回収した。

仕訳 （現金預金） 1,000,000 ／（償却債権取立益） 課貸倒8%回 1,000,000

STEP 3 原則課税により申告する場合（一般用の申告書）

（令和元年９月30日までに行った課税資産の譲渡等に係る貸倒れ債権を回収した場合）

$$1{,}000{,}000(\text{税込}) \times \frac{6.3}{108} = 58{,}333$$

（１円未満切捨て）

この申告書による消費税の税額の計算			
課税標準額	①	3,256,400	03
消費税額	②	253,999	06
控除過大調整税額	③	58,333	07
控除対象仕入税額	④	951,275	08

STEP 4 簡易課税により申告する場合（簡易課税用の申告書）

（令和元年９月30日までに行った課税資産の譲渡等に係る貸倒れ債権を回収した場合）

$$1{,}000{,}000(\text{税込}) \times \frac{6.3}{108} = 58{,}333$$

（１円未満切捨て）

この申告書による消費税の税額の計算			
課税標準額	①	2,651,200	03
消費税額	②	206,793	06
貸倒回収に係る消費税額	③	58,333	07

付表 5-1　控除対象仕入税額の計算表

項目		旧税率分小計 X	税率7.8%適用分 E	合計 F (X+D+E)
課税標準額に対する消費税額	①	(付表5-2の①X欄の金額)	(付表4-1の②E欄の金額) 円	(付表4-1の②F欄の金額) 円 1,670,256
貸倒回収に係る消費税額	②	(付表5-2の②X欄の金額) 58,333	(付表4-1の③E欄の金額)	(付表4-1の③F欄の金額) 58,333
売上対価の返還等に係る消費税額	③	(付表5-2の③X欄の金額)	(付表4-1の⑤E欄の金額)	(付表4-1の⑤F欄の金額) 0
控除対象仕入税額の計算の基礎となる消費税額（①＋②－③）	④	(付表5-2の④X欄の金額)		1,728,589

貸倒回収に係る消費税額を加算した金額にみなし仕入率を乗じて控除対象仕入税額を計算する

No.38 仕入高

STEP 1

仕入れの計上時期を確認する（消法30、消基通11－3－1、9－1－2）

仕入れの計上時期は、引渡しがあった日に仕入れを計上する引渡基準が原則となっています。また、引渡基準には入荷基準と検収基準があり、一般的には入荷基準が採用されています。

STEP 2

仕入れの計上金額を確認する

購入代価（購入代金のほか引取運賃、荷役費、運送保険料、購入手数料、関税その他購入のために要した費用を含みます。）と付随費用の金額の合計額を仕入計上金額として計上します。

付随費用には次のものがあります。

① 間接的なもの	購入事務費、検収、整理、選別、手入れ等に要した費用
② 事後的なもの	保管場所から販売所への移管運賃、荷造費及び特別の時期に販売する等のため長期にわたって保管するために要した費用

ただし、①と②の費用で購入代価のおおむね３％以内である場合には、仕入高としないで別の勘定科目で費用として計上することができます。（法基通５－１－１）

STEP 3

仕入計上金額の課税区分（消法２①十二）

仕入計上金額の中には仕入税額控除の対象となる課税仕入れになるものとならないものが混在する場合がありますので、課否区分を判断する必要があります。

課税仕入れとなるもの	課税仕入れとならないもの
課税資産の仕入れ 国内取引に係る運賃、荷役費、荷造費、購入手数料、保管料	非課税資産の仕入れ 販売用土地等 国際運賃 運送保険料 関税、不動産取得税

上記の区分は契約書、納品書、請求書などで確認します。

１．保険金等による資産の譲受け等（消基通11－２－８）

課税仕入れに該当するかどうかは、資産の譲受け等のために支出した金銭の源泉を問いませんので、保険金・補助金・損害賠償金等を資産の譲受け等に充てた場合であっても、それが課税仕入れに該当するときは、仕入税額控除の対象となります。

２．滅失等した資産係る仕入税額控除（消基通11－２－９）

課税仕入れ等に係る資産が事故等により滅失・亡失した場合又は盗難にあった場合などのように、結果的に資産の譲渡等を行うことができなくなった場合においても、その課税仕入れ等については、仕入税額控除の対象となります。

STEP 1 仕入れの計上時期を確認する

仕入れの計上時期 → 引渡基準
- → 入荷基準　入荷時点で仕入計上
- → 検収基準　検収時点で仕入計上

STEP 2 仕入れの計上金額を確認する

仕入計上金額 ＝ 購入代金 ＋ 購入のために要した費用 ＋ 付随費用

STEP 3 仕入計上金額の課税区分

請　求　書

ステップ商事　株式会社　御中　　令和 6 年10月 15日

沢村事務機株式会社
○市○区○町○－○
06－66○6－09○2
登録番号:T123xxxxxxxx04

下記の通り請求します。

品名		数量	単価	金額
OAシステム機品		1台	600,000	600,000
同上部品		1個	34,000	34,000
小計				634,000
消費税等	10％対象		634,000	63,400
	8％対象		0	0
立替　運送保険				40,000
合計請求金額				737,400

納品場所：御社本社

課税仕入れとなるもの

課税仕入れとならないもの

STEP 4

買掛金残高を確認する

仕入計上すなわち買掛金の発生や、支払及び残高を確認するために、売掛金と同様に右ページの「月別買掛金一覧表」を作成し、締日ごとの買掛金の発生と、それに対応する買掛金の支払いとを突合します。

1．**長期滞留買掛金**…長期滞留買掛金について調査確認の上処理します。
（債務免除を受けた場合には課税対象外取引となります。）

（買掛金）　×××／（債務免除益）　対外売　×××

2．**過払金**…過払金の場合は、返金されるものであれば「未収金」勘定に、次回の買掛金の支払いに充当されるものであれば「前渡金」勘定に振り替えます。

STEP 5

仕入高を計上する

1．日常の仕入計上

毎月の仕入計上は、納品書、請求書等に基づき得意先元帳（買掛金補助簿、買掛一覧表）を作成し、「当月仕入高」を右ページのように仕訳します。

2．決算時の仕入計上（仕入締日の確認）

請求の締日ごとに1か月分の仕入れを計上している場合は、締日の翌日から期末までの分の仕入れ（帳端仕入れ）を計上する必要があります。

したがって、まず締日ごとの仕入先一覧表を作成しておき、月末締以外の仕入先については帳端仕入れがないか確認します。

3．国外取引に係る仕入税額控除（消基通11－2－11）

国外において行う資産の譲渡等のための課税仕入れ等がある場合にも、その課税仕入れ等については仕入税額控除の対象となります。この場合において、仕入控除税額の計算について、個別対応方式を適用するときは、課税資産の譲渡等にのみ要するものに該当します。

STEP 4 買掛金残高を確認する

支払等は、現金出納帳、銀行帳、支払手形帳などで確認します。

仕入先元帳

一致

令和6年10月　　月別買掛金一覧表　　（単位：円）

		前月繰越額	当月仕入高				支払等				当月残高
			仕入高(課税仕入)	消費税	仕入高(対象外)	計	現預金	手形	返品値引	その他	
杉田製作所㈱		1,595,800	1,130,000	113,000	27,400	1,270,400	94,920	1,500,000		880	1,270,400
㈱松本産業		…	…				…	計 1,595,800		…	…
合計	8%	30,008,271	1,850,000	148,000	256,000	40,149,000	19,772,151	10,200,000	0	10,395	40,149,000
	10%		34,450,000	3,445,000					25,725		

一致

仕入高の計上

仕入返品値引の計上

買掛金元帳の残高と一致

STEP 5 仕入高を計上する

課税(軽減)仕入れ

税込仕訳

(仕入高)	課対仕	37,895,000	／(買掛金)	39,893,000
(仕入高)	課対仕軽	1,998,000		

課税(軽減)仕入れ

税抜仕訳

(仕入高)	課対仕	34,450,000	(買掛金)	39,893,000
(仕入高)	課対仕軽	1,850,000		
(仕入高)	課対仕	3,445,000		
(仕入高)	課対仕軽	148,000		

(仕入高)	対外仕	256,000	／(買掛金)	256,000

対象外仕入れ

(仕入高)	対外仕	256,000	／(買掛金)	256,000

対象外仕入れ

税込仕訳

(買掛金)	25,725	／(仕入返品値引高)	課仕返	25,725

課税仕入れ返還

税抜仕訳

(買掛金)	25,725	／(仕入返品値引高)	課仕返	23,387
		(仮払消費税等)		2,338

課税仕入れ返還

仕入締日	得意先名	帳端仕入れ
10日	㈱松本産業…	11日～末日
15日	沢村事務機㈱…	16日～末日
20日	白井電気㈱、㈱樽本設備、山田商事㈱…	21日～末日
末日	㈱杉田製作所…	→不要

《20日締日の場合》

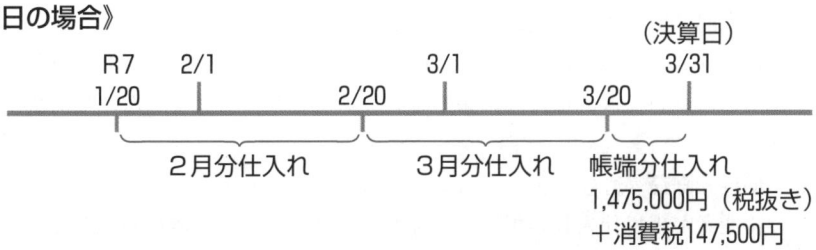

No.39 仕入値引・返品(仕入れに係る対価の返還等)

STEP 1

仕入値引・返品の処理（消法32、消令52、52の２、消基通12－１－12）

１．原則

課税仕入れについて値引・返品等（「仕入れに係る対価の返還等」といいます。）があった場合には、課税仕入れに係る消費税額から、その仕入れに係る対価の返還等を受けた金額に係る消費税額を控除します。

２．特例

ただし、課税仕入れの金額から、その仕入れに係る対価の返還等の金額を直接控除する経理処理を継続して行っている場合は、この処理も認められます。この場合、控除後の課税仕入れから仕入税額を計算しますので、税額の調整は行いません。なお、課税仕入れに係る消費税額から、仕入れに係る対価の返還等を受けた金額に係る消費税額を控除しきれない場合は、その控除しきれない額を課税標準額に対する消費税額に加算します。

※　売り手から受領した適格返還請求書は、適格請求書や支払通知書などと同様法律で定められた期間保存する必要があります。

STEP 2

税額の調整の時期

１．原則

仕入れに係る対価の返還等の税額の調整は、仕入値引・返品等を行った課税期間において行います。したがって前課税期間以前の課税仕入れであっても、当課税期間に値引き等を受けた場合は、当課税期間において課税仕入れに係る消費税額を減額します。なお、仕入割戻しを受けた日は、右の図の通りの区分によります（消基通12－１－10）。

２．免税事業者であった課税期間の課税仕入れに係る値引等（消基通12－１－８）

免税事業者であった課税期間の課税仕入れについて、課税事業者になってから値引・返品等を行ったとしても、もとの課税仕入れが仕入控除税額の計算の対象ではありませんので、税額の調整は行いません。

３．免税事業者になった課税期間に発生した値引等（消基通12－１－９）

課税事業者であった課税期間の課税仕入れについて、免税事業者になってから値引・返品等が発生したとしても、税額の調整は行いません。

STEP 3

調整の対象とならない仕入れに係る対価の返還等

１．非課税仕入れに係る値引等

仕入れに係る対価の返還等の税額の調整は、課税仕入れとして税額控除を行ったものについて返品・値引等があった場合に適用があります。したがって、もとの仕入れが消費税の課税取引でないものの返品・値引等については適用がありません。

２．輸入品に係る仕入割戻し（消基通12－１－５）

保税地域からの引取りに係る課税貨物について、課税貨物の購入先から受けた仕入割戻しについては、仕入れに係る対価の返還等に該当しませんので税額の調整は行いません。

３．債務免除益（消基通12－１－７）

事業者が課税仕入れの相手方に対する買掛金その他の債務の全部又は一部について受けた債務免除については、仕入れに係る対価の返還等に該当しませんので税額の調整は行いません。

STEP 1 仕入れに係る対価の返還等の処理方法

原則	税額調整	値引等に係る消費税額を課税仕入れに係る消費税額から控除する。（消法32）
特例	仕入高控除	課税仕入高から直接控除する。（継続適用が要件）消基通12－１－12

〈税額控除の場合の付表２の記入方法〉

設例

課税仕入れに係る支払対価の額　　24,655,120（10％）

仕入対価の返還等の金額　　527,485（10％）

⑨欄　仕入対価の返還等の金額を控除した金額を記入する。

24,655,120－527,485＝24,127,635

⑩欄　次の算式により計算した金額を記入する。

$$\left[\text{課税仕入れに係る支払対価の額（仕入対価の返還等の金額を控除する前の税込金額）}\times\frac{7.8}{110}\right]-\left[\text{仕入対価の返還等の金額（税込み）}\times\frac{7.8}{110}\right]$$

$$=24{,}655{,}120\times\frac{7.8}{110}-527{,}485\times\frac{7.8}{110}=1{,}710{,}869$$

付表2　3　課税売上割合・控除対象仕入税額等の計算表　　一般

課税期間	・・～・・	氏名又は名称	

項目		税率6.24％適用分 A	税率7.8％適用分 B	合計 C (A+B)
課税仕入れに係る支払対価の額（税込み）	⑨		24,127,635	24,127,635
課税仕入れに係る消費税額	⑩		1,710,869	1,710,869
適格請求書発行事業者以外の者から行った課税仕入れに係る経過措置の適用を受ける課税仕入れに係る支払対価の額（税込み）	⑪			
適格請求書発行事業者以外の者から行った課税仕入れに係る経過措置により課税仕入れに係る消費税額とみなされる額	⑫			
特定課税仕入れに係る支払対価の額	⑬	※⑬及び⑭欄は、課税売上割合が95％未満、かつ、特定課税仕入れがある事業者のみ記載する。		
特定課税仕入れに係る消費税額	⑭		(⑬B欄×7.8/100)	
課税貨物に係る消費税額	⑮			
納税義務の免除を受けない（受ける）こととなった場合における消費税額の調整（加算又は減算）額	⑯			
課税仕入れ等の税額の合計額（⑩＋⑫＋⑭＋⑮±⑯）	⑰		1,710,869	1,710,869

仕入れに係る対価の返還等の範囲

仕入返品、仕入値引、仕入割戻し（リベート）
金銭による販売奨励金（消基通12－１－２）、仕入割引（消基通12－１－４）
事業分量配当金（消基通12－１－３）、船舶の早出料（消基通12－１－１）
課税仕入れとそれ以外の取引を一括して対象とする仕入割戻し（消基通12－１－６）

※仕入割引は、会計上は支払代金を期日前に支払うことに伴う利息とされますが、消費税では仕入れに係る対価の返還等として仕入税額控除の調整項目となります。

STEP 2 仕入れに係る対価の返還等の時期（消基通12－１－10）

【仕入割戻しを受けた日】

算定基準が購入価額又は数量によっており、かつ、その算定基準が契約等により明示されている場合	資産の譲渡等を受けた日
上記に該当しない場合	仕入割戻しの金額の通知を受けた日

No.40 輸入取引がある場合の仕入税額控除

STEP 1

輸入取引に係る消費税の概要（消法５②、30①）

外国貨物を保税地域から引き取る者は、課税貨物につき、消費税を納める義務があります。また事業者が保税地域から課税貨物を引き取った場合には、その課税貨物に係る消費税額は、仕入控除税額の計算の対象となります。

STEP 2

課税対象となる輸入取引

（消法４②⑥、消令７、消法６②、別表第二の二、消基通５－６－１～５－６－６、輸徴法５、措法85、輸徴法11～13）

輸入取引についても国内取引と同様に課税取引、非課税取引、免税取引に区別されます。

課税取引とされるもの	非課税取引とされるもの	免税取引とされるもの
右以外の引取り	① 有価証券、支払手段 ② 郵便切手類 ③ 印紙・証紙 ④ 物品切手等 ⑤ 身体障害者物品 ⑥ 教科用図書	① 保税運送・難破貨物等の運送の承認を受け又は届出をしたもの ② 特例輸出貨物制度により輸出許可を受けたもの ③ 燃料、飲食物その他の消耗品等の貨物で船用品又は機用品として船舶又は航空機において使用するもの ④ その他一定のもの

さらに保税地域において消費又は使用される場合には次のようになります。

課税取引となる消費等	対象外取引となる消費等
右以外の消費等	① 税関職員が採取した外国貨物の見本の検査のための消費等 ② 法令により権限のある公務員が収去した外国貨物のその権限に基づく消費等 ③ 外国貨物が課税貨物の原料又は材料とされる消費等 ④ 外国貨物が災害等により亡失し、又は滅失した場合

STEP 3

輸入取引に係る消費税の申告納付（消法47、50、51）

１．申告納税方式（原則）

課税貨物を保税地域から引き取ろうとする者は、原則として輸入（納税）申告書を税関長に提出し、その申告に係る課税貨物を保税地域から引き取る時までに、その申告に係る消費税を納付しなければなりません。この場合に、担保の提供をしたときには、最長３か月の納期限の延長を受けることができます。

２．特例申告方式

関税法に規定する特例申告を行う場合には、先に輸入申告書を提出し、課税貨物の引取りの日の属する月の翌月末までに申告納税しなければなりません。ただし、申請により、最長２か月の納期限の延長を受けることができます。

３．賦課課税方式

賦課課税方式が適用される課税貨物を保税地域から引き取る者は、その課税貨物に係る課税標準を記載した申告書を税関長に提出しなければなりません。税関長が決定した消費税を引取りの際に徴収します。

STEP 1 輸入取引に係る消費税の概要

外国 | 日本国

陸揚げ → 保税地域

外国貨物
- 外国から日本に到着した貨物
- 輸出の許可を受けた貨物

税関長 ← 申告納税

引取り → 納税義務者
- 事業者（法人、個人）
- 個人消費者

- 「保税地域」…輸出入手続を行い、外国貨物を蔵置し又は加工、製造、展示等することができる特定の場所
- 「外国貨物」…外国から国内に到着した貨物で、輸入が許可される前のもの及び輸出許可を受けた貨物

STEP 2 外国貨物の課否判定をする

保税地域
外国貨物の引取り
外国貨物の消費・使用

- 課税貨物 → 課税事業者が納付する消費税額等は仕入税額控除ができます
- 対象外貨物
- 非課税貨物
- 免税貨物

→ 消費税は課税されませんので仕入税額控除はできません

STEP 3 輸入取引に係る消費税の申告納付

申告納税方式〈原則〉	申告納付期限	納付期限の延長
下記以外	保税地域からの引取りの時まで	最大3か月 担保必要
特例申告方式 ・税関長の事前承認を受けた者 ・認定通関業者に委託した者	申告納付期限 保税地域からの引取り月の翌月末まで	納付期限の延長 最大2か月
賦課課税方式 ・国内への入国者の携帯品 ・郵便物 ・不当廉売貨物 ・保税地域内での亡失貨物 など	申告納付期限 保税地域からの引取りの時まで	納付期限の延長 延長制度なし

STEP 4

輸入取引に係る消費税の課税標準と税額（消法28④、消基通15－4－2）

輸入取引に係る消費税額等は次のとおり計算されます。ただし1品目20万円以下となる品目が2以上ある場合にはまとめて申告することができます。

① 課税標準 ＝ 関税課税価格（C.I.F価格＝仕入価格＋貨物運送料＋貨物保険料） ＋ 関税の額 ＋ 消費税以外の個別消費税額（酒税、たばこ税、揮発油税、地方道路税、石油ガス税、石油石炭税） ＝ （千円未満切捨て）

（注） 加算する税金はすべて百円未満切捨て

② 消費税額 ＝ ①×7.8%（※） ＝ （百円未満切捨て）

（※）軽減税率が適用される輸入取引については6.24%

③ 地方消費税額 ＝ ②× $\frac{22}{78}$ ＝ （百円未満切捨て）

④ ②＋③ ＝ 消費税額等

設例

米国に所在するABC Incより金属製の箱を仕入れた。

仕入れ　US$16,000.　運賃　US$11,000.　運送保険　JP¥334,430

税関長の公示した為替レート　US$１＝130.25円（仮定）　関税率 3.9%

① 関税課税価格（ア＋イ＝ 3,851,180円 ）

ア　（US$16,000＋US$11,000）×130.25円＝3,516,750円

イ　334,430円

② 関税の計算

3,851,000円（千円未満切捨て）×3.9%＝ 150,100円 （百円未満切捨て）

③ 消費税の計算

（①＋②）＝4,001,000円（千円未満切捨て）×7.8%＝ 312,000円 （百円未満切捨て）

④ 地方消費税の計算

312,000円× $\frac{22}{78}$ ＝ 88,000円 （百円未満切捨て）

コラム

国内取引は、対価があることが要件となっていますので無償取引は課税の対象となりません。

これに対し輸入取引は、課税貨物を保税地域から無償で引き取る場合にも、関税課税価格（CIF価格）に対して関税、消費税等の納税義務があります。

STEP 4

輸入（納税）申告控（内国消費税等課税標準数量等申告控兼用）

代表税番	申告種別	区分	あて先税関	提出先	申告年月日	蔵置場所	申告番号
39235	RICS		2 NARIKOH BC 10A		2024.07.27	JLB 4289	1451

予備申告［ ］　申告予定年月日　2024.07.27　本申告［ ］

輸入者　99999 STEP SHOJI CO.,LTD
住所　OSAKA SHI TENNOUJI KU UESHIO 8-2-3
電話　06-6776-08X1
代理人　1MNEY　OSAKA EXPRES CO.,LTD　通関士コード
輸入取引者
輸出者名　ABC INC.
住所　8XX25 SANTA MONICA BLVD, LOS ANGELES CA 90069-4507
輸出の委託者

AWB番号　200 48513　MAWB番号　131 798025　貨物個数　10 個
積載機名　JLOO17/26JUL　入港年月日　2024.07.26　貨物重量　70.0KGM
取卸港　JPTYO NARITA APT/TOKYO　積出地

貿易形態別符号　調査用符号
貿易管理令［ ］輸入承認証［ ］支払手段等［ ］
関税法70条関係許可承認
共通管理番号

仕入書価格	A-FOB-USD-	16,000
運賃	A-USD-	11,000
保険	A-JPY-	334,430
通関金額	-USD	16,000

税科目	税額合計	欄数
D 関税	¥150,100	1
F 消費税	¥312,000	1
A 地方消費税	¥88,000	1

納税額合計　¥550,100
担保額［ ］
通貨レート　USD 130.25

記事1

記事2

<01欄>統合先欄
品目　METAL　BOXES, CASES
税表番号
申告価格（CIF）　¥3,851,180

関税率　3.9%
関税額　¥129,129
減免税額

減免税　定［ ］暫［ ］法条項号令条項号

内国消費税等(1)　消費税
課税標準額　¥4,001,000
税率　7.8%
税額　¥312,000
減免税額

内国消費税等(2)　地方消費税
課税標準額　¥312,000
税率　22/78
税額　¥88,000
減免税額

仕入先の請求書

COMMERCIAL　INVOICE（商業送り状）

DATE OF EXPORTATION（輸出年月日）：07／23／2024
Q17297

SHIPPER/EXPORTER（荷送人/輸出者）
ABC INC.
8XX25 SANTA MONICA BLVD, LOS ANGELES CA
90069-4507

CONSIGNEE（荷受人）
STEP SHOJI CO., LTD
OSAKA SHI TENNOUJI KU UESHIO 8-2-3

COUNTRY OF ORIGIN OF GOODS（品物の原産国）：USA
COUNTRY OF ULTIMATE DESTINATION（最終仕向国）：JAPAN
FOB. USA

MARKS & NUMBERS 外装表示	NUMBER OF PKGS パッケージ数	DESCRIPTION OF GOODS 品名の詳細	WEIGHT. 重量	Q'ty 数量	UNIT VALUE 単価 Currency 通貨	TOTAL VALUE 合計
ADDR	10	METAL BOXES CASE（金属製箱）	70kg	10	US$1,600	US$16,000

通関業者の請求書

請求書（輸入）（INVOICE）

2024/7/28
543-0002
大阪市天王寺区上汐８－２－３
ステップ商事　株式会社

品名	METAL BOXES CASES	個数 10個	重量 70kg	保険金額	
立替金	航空運賃 US＄11,000 1,432,750	関税 150,100	立替消費税等 400,000	保険料 334,430	
諸料金	通関料	特別作業料	取扱料		

運賃料金合計　¥2,317,280

大阪通運株式会社
天王寺支店
06-6763-6XX1

STEP 5

輸入取引の仕入計上時期と輸入諸掛

輸入取引に係る仕入れの計上基準は次のようなものがあります。一般的に通関日基準が採用されています。

① 船積日基準（FOB、CIF条件の場合）

② 通関日基準（輸入許可日）

③ 現品引取日基準

また、輸入取引に伴う次の諸掛は、仕入れとして計上します。

① 国際運賃、運送保険料、保管料、通関料、関税、検査料など

② 国内運賃、代理店への購入手数料など

STEP 6

課税貨物に係る仕入税額控除の時期（消法30、消基通11－3－9）

保税地域から引き取られる課税貨物について課された消費税額の仕入税額控除の時期はその消費税等の申告等の方式により次のとおりとなります。

① 申告納税方式（原則）の場合…課税貨物を引き取った日（輸入の許可を受けた日）

② 特例申告方式の場合…特例申告書を提出した日又はその申告に係る決定の通知を受けた日

③ 賦課課税方式の場合…課税貨物を引き取った日（輸入の許可を受けた日）

（注） 仕入計上基準によっては、仕入計上時期と仕入税額控除の時期が異なる場合があります。

STEP 7

輸入仕入高の計上（消基通10－1－7）

① 輸入商品本体については、INVOICE（仕切状）に基づき、円貨に換算し計上します。設例では、前月の電信売買相場の平均である1ドル＝130円25銭（仮定）で換算し計上します。

$16,000×130.25円＝2,084,000円

② 輸入諸掛

通関業者の請求書に基づき、課税区分を確認し計上します。

③ 消費税額

通関業者が税関に納付し、立替払いしていますので、請求書と輸入申告書の消費税額を確認し、記載されている金額を計上します。

なお、税込経理方式で経理している場合も、課税貨物に係る消費税額は、税抜経理で個別に計上する必要があります。また、一括税抜振替処理もできません。

（ポイント）

輸入仕入高（①＋②）×10％の金額と、税関に納付した消費税額は、換算レートの違いにより一致しません。仮払消費税等は、税関に実際に納付した金額を計上します。

STEP 5 輸入取引の仕入計上時期と輸入諸掛

期中処理

①船積日基準
②通関日基準
③現品引取日基準

→

期末処理

①～②について未着のものは
未着品処理を行う

仕入諸掛の課否区分

課税仕入れとなるもの	課税仕入れとならないもの
代理店手数料 国内運賃	関税その他の税金 国際運賃、保険料、通関料 保税倉庫保管料

STEP 6 課税貨物に係る仕入税額控除の時期

仕入税額控除の時期

申告納税方式（原則）
輸入の許可日

特例申告方式
特例申告書の提出日
又は
決定の通知を受けた日

賦課課税方式
輸入の許可日

STEP 7 輸入仕入高の計上

振替伝票

No.

令和6年7月28日

承認印	承認印	会計印	係印
杉田	石原	藤本	鈴木

課税区分「課税貨物仕入れ本体」

金額	借方科目		摘要	貸方科目		金額
2,084,000	輸入仕入高	課輸本	ABC Inc	買掛金		2,084,000
			大阪通運㈱	買掛金		2,317,280
1,432,750	輸入仕入高	課輸本	航空運賃			
150,100	輸入仕入高	課輸本	関税			
334,430	輸入仕入高	課輸本	保険料			
312,000	仮払消費税等	課輸税	消費税			
88,000	仮払消費税等	地貨割	地方消費税			
4,401,280	合計					4,401,280

税関に納付した消費税額を計上する

No.41 人件費と外注費

STEP 1 人件費を区分する（消法２①十二、消基通11－１－２、５－５－10、５－５－11）

企業会計上、人件費は給与等だけでなく、人材派遣料や出向がある場合の負担金支出などがありますが、それぞれ消費税の取扱いが異なります。

・給与等　……役員給与、給料手当、賃金給料、退職金などをいいます。
・出向社員給与……法人の使用人が他の法人に出向した場合の、出向元法人から出向者に支払う給与をいいます。
・給与負担金　……出向先法人が出向元法人に支払う負担金で、経営指導料等の名義で支出するものを含みます。
・人材派遣料　……労働者を派遣してもらう役務に対する対価をいいます。

STEP 2 請負による報酬を確認する

外注先との請負契約により支払う報酬については、原則として外注費として課税仕入れとなります。業務委託契約書、外注契約書、相手先からの請求書により、その内容を確認します。

STEP 3 給与と請負による報酬を区分する（消基通１－１－１）

役務の提供の対価が、給与であるか請負による報酬であるかの区分は、雇用契約又はこれに準ずる契約に基づく対価であるかどうかにより判定します。

たとえば、建設業の一人親方に対する報酬を外注費として処理していても、給与に該当するのではないかという課税上の問題があります。その報酬の計算が日当など従事した日数を基礎に支払われる場合で請負契約がないときや、契約書等において請負であることが明らかでないときには、右ページの事項により、給与であるか請負による報酬であるかを総合的に勘案して判定します。

STEP 4 外交員報酬・人材派遣料を確認する

１．外交員報酬（消基通11－２－３）

外交員、集金人、電力量計等の検針人等に対して支払う報酬又は料金のうち、所得税法に規定する給与所得に該当する部分については、課税仕入れに該当しませんので、報酬等を、給与所得に該当する部分とその他の部分とに区分する必要があります。

その区分は、所基通204－22《外交員又は集金人の業務に関する報酬又は料金》の例により区分することとなります。

２．人材派遣料（消基通５－５－11）

人材派遣料は、労働者を派遣してもらう役務に対する対価ですので、課税仕入れに該当します。

STEP 5 振替伝票を作成する

取引に、課税取引と課税対象外取引が混在する場合には、それぞれの勘定科目ごとに「課税仕入れ」、「対象外取引」などの課税区分を帳簿等に記載する必要があります。

STEP 1 人件費の区分

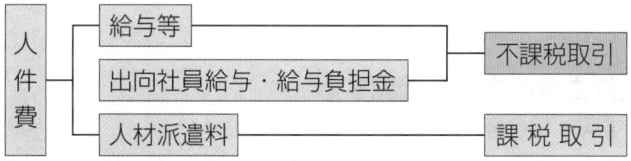

〔出向社員給与・給与負担金〕

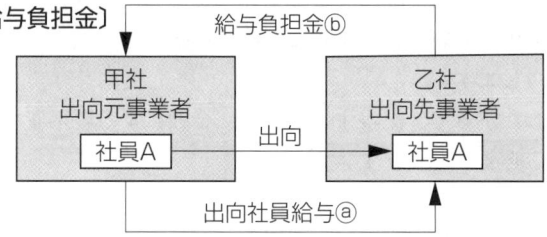

- 甲社が出向社員Aに支給する給与ⓐ
- 乙社が甲社に支払う給与負担金ⓑ

→ 不課税仕入れ

- 甲社が乙社から受け取る給与負担金ⓑ → 不課税売上げ

STEP 2 給与と報酬

〔給与と報酬の判定〕

雇用契約に基づく役務の提供	➡	給与	➡	課税仕入れとならない
請負契約に基づく役務の提供	➡	報酬	➡	課税仕入れとなる

STEP 3

〔給与と報酬の区分が明らかでないときの判定〕

判断基準	判定		
仕事内容が他人で代替可能	➡	報酬的性格	総合勘案して判定
その日の作業時間を自らが決定できる	➡		
事業者の指揮監督を受ける	➡	給与的性格	
引渡し前の完成品が不可抗力のため滅失した場合でも報酬を支払う	➡		
材料、用具等を供与する	➡		

STEP 4 外交員報酬

外交員報酬等	給与所得に該当する部分	課税仕入れとならない
	給与所得に該当しない部分	課税仕入れとなる

STEP 5 振替伝票を作成する

振替伝票

承認印	承認印	会計印	係印
杉田	石原	鈴木	藤本

No.

令和6年10月20日

金額	借方科目		摘要	貸方科目		金額
2,721,000	給与手当	対外仕	6月分給料	普通預金		2,257,800
125,980	旅費交通費	課仕	通勤交通費　社会保険料	預り金		237,250
			雇用保険料	法定福利費	対外仕	5,230
			源泉所得税	預り金		221,500
			特徴住民税	預り金		125,200
330,000	外注費	課仕	白川商会　機械据付工事	買掛金		330,000
3,176,980	合計					3,176,980

No.42 福利厚生費

STEP 1

福利厚生費の内容を確認する

1．香典・祝金等の慶弔費（消基通５－２－14）

香典、祝金、餞別などを金銭で支出した場合には、課税仕入れとなりません。ただし葬儀において榊、生花など物品を購入して供える場合は、その購入が課税仕入れに該当します。

したがって、記帳するときは、金銭による慶弔費である旨や購入した物品名を明記する必要があります。

2．慰安旅行費用

事業者が負担した国内の慰安旅行費用は課税仕入れとなりますが、温泉地の入湯税、旅館やバスの運転手等への心づけは課税仕入れとなりません。

海外の慰安旅行費用については、航空運賃は輸出免税により課税仕入れとなりません。また現地での旅費や宿泊費は国外取引となり、課税仕入れとなりません。

ただし、旅行会社への支払のうち、空港施設利用料や事務代行料等は課税仕入れに該当しますので、請求書をもとに、その内訳を区分して記帳する必要があります。

3．研修費・資格取得費用

社員研修の目的で支出したセミナー会費、教材費は課税仕入れとなりますが、負担した授業料や受講料などが、非課税となる教育役務の提供の対価に該当する場合は課税仕入れとなりませんので、授業料等の明細書の確認が必要です。

また、受講料相当額を従業員に対して現金で支給する場合は、その額は給与に該当しますので、課税仕入れに該当しないことになります。

ただし、その会社宛の受講料の領収証を受領した分については、実質的に会社が支払う場合と同様となりますので、課税仕入れに該当するものとして取り扱われます。

4．健康診断費用・産業医報酬

従業員の健康診断費用・人間ドック費用を負担した場合は、非課税とならない自由診療ですので課税仕入れとなります。社会保険診療は消費税の非課税となりますので、その費用は課税仕入れに該当しません。

労働安全衛生法第13条に規定する産業医（一定規模以上の事業所で選任しなければならないとされている労働者の健康管理に当たる医師）に対する報酬は、その委託する産業医が個人の開業医であれば給与に該当しますので、課税仕入れに該当しません。また、委託する産業医が医療法人の場合は、消費税の課税対象となり課税仕入れに該当します。

STEP 2

現物給与との関係（消基通11－２－１）

事業者が従業員に金銭以外の物品を給付する、いわゆる現物給付については、その資産の取得が課税仕入れに該当するかどうかは、その給付が従業員の給与として所得税の課税の対象とされるかどうかにかかわらず、給付する資産の取得が事業としての資産の譲受けであるかどうかを基礎にして判定します。

STEP 1 福利厚生費の内容を確認する

課税仕入れとなるもの	課税仕入れとならないもの
国内の慰安旅行費用	海外の慰安旅行費用
樒、生花などの慶弔費	祝金・香典等の慶弔費
研修費・資格取得費用	社宅借上げ家賃
健康診断費用（自由診療）	

（慰安旅行費用）

ステップ商事株式会社　御中　　令和６年10月15日

請　求　書

ラビットトラベル株式会社
登録番号：T123xxxxxxxx05
（単位：円）

内　容	単　価	数　量	金　額	
カンボジア３泊４日	150,000	10	※1,500,000	➡輸出免税
空港施設利用料	2,500	10	25,000	➡課税仕入れ
ビザ申請事務代行料	3,000	10	30,000	➡課税仕入れ
		10%対象	55,000	
		消費税10%	5,500	
		※対象外	1,500,000	
		合計金額	1,560,500	

振　替　伝　票

No.

令和６年10月30日

承認印	承認印	会計印	係印
杉田	石原	鈴木	藤本

金　額	借方科目		摘　要	貸方科目		金　額
1,500,000	福利厚生費	対外仕	慰安旅行費用　ラビットトラベル㈱	普通預金		1,560,500
27,500	福利厚生費	課対仕	〃　空港施設利用料			
33,000	福利厚生費	課対仕	〃　ビザ申請代行料			
660	雑費	課対仕	〃　振込手数料	普通預金		660
20,000	福利厚生費	対外仕	営業課田中課長実父逝去　香典	現金		20,000
11,000	福利厚生費	課対仕	〃　樒代　東大阪祭典㈱	現金		11,000
1,592,160	合計					1,592,160

（従業員の研修費等を負担した場合の取扱い）

【ケース１】

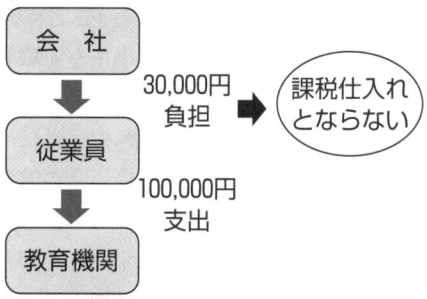

【ケース２】

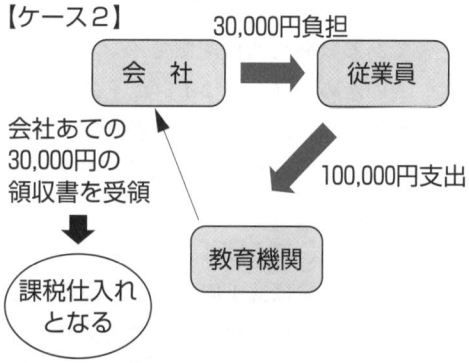

※非課税となる教育役務の提供の対価を除く。

No.43 旅費交通費

STEP 1

内容を確認する(消法30⑦、消令49①、70の9②一、消規15の4)

旅費交通費には、通勤や取引先への移動のための交通費、出張や海外渡航など遠方への移動に関する旅費などが含まれます。原則として、相手方から受領した請求書、領収書等により支出の内容を確認しますが、鉄道運賃やバス代は、領収書等の交付がありませんので、支出した記録として、日常より交通費計算書等の作成が必要です。

なお、海外への出張等に係る旅費は輸出免税取引又は国外取引ですので課税仕入れとなりません。

STEP 2

通勤手当、出張旅費等の取扱い

1．通勤手当（消基通11－6－5）

従業員等に支給する通勤手当は、給与等の手当として金銭支給した場合でも、事業者が定期券等を購入して現物支給した場合でも、その支給形態を問わず、通勤に通常必要であると認められる金額のものは、課税仕入れとなります。

―通勤に通常必要であると認められる金額―

① 公共交通機関・自動車利用の場合

所得税の通勤手当の非課税限度額にかかわらず、実際にこれらの費用に充てられる金額は、課税仕入れとなります。

② 自転車通勤の場合

所得税の通勤手当の非課税限度額の範囲内で支給した金額は、課税仕入れとなります。

2．出張旅費・宿泊費・日当等（消基通11－6－4）

従業員や就・退職者等に支給する出張や転任・転居に係る旅費・宿泊費・日当等については、その旅行について通常必要であると認められる金額（所得税法で非課税とされる金額）は、課税仕入れとなります。

ただし、海外出張の旅費等・日当については、課税仕入れとなりません。

STEP 3

インボイス制度における特例的取扱い

1．旅客運賃

船舶、バス、鉄道に係る旅客運賃のうち、税込３万円未満のものについては、売手である公共交通機関側でインボイスの交付が免除されています(公共交通機関特例)。このため、買手側はインボイスの受領が困難であることから、一定の事項を記載した帳簿の保存のみで仕入税額控除が認められます。

ここでいう旅客運賃には運賃のほか、「特急料金や寝台料金等の旅客の運送に直接的に附帯する費用」も含まれます。この取扱いを受ける場合は、帳簿に通常の記載事項に加え、例えば「３万円未満の鉄道料金」といった記載が必要です。なお、３万円未満の判定は、１回の取引の税込価額が３万円未満かどうかで行います。したがって、１商品（切符１枚）ごとの金額や、月まとめ等の金額で判定することはできません。

「３万円以上の旅客運賃」や、「入場料金・手回り品料金等の旅客の運送に直接的

STEP 1 内容を確認する

課税仕入れとなるもの	課税仕入れとならないもの
国内交通費 通勤手当（金銭支給・現物支給とも） 国内出張の旅費・宿泊費・日当	海外出張の旅費・宿泊費・日当

STEP 2 通勤手当、出張旅費等の取扱い

通勤手当

	所得税		消費税
公共交通機関・マイカー等を利用	非課税限度額の範囲内	非課税	課税仕入れとなる
	非課税限度額を超える部分	課　税	
自転車を利用	非課税限度額の範囲内	非課税	
	非課税限度額を超える部分	課　税	課税仕入れとならない

通勤に必要な交通機関の利用等に充てるものとして通常必要と認められるものであれば課税仕入れとなる
（所令20条の２に規定する非課税範囲に限定せず）

出張旅費等

	所得税		消費税
国内出張	通常必要な部分	非課税	課税仕入れとなる
	必要額を超える部分	課　税	課税仕入れとならない
海外出張	通常必要な部分	非課税	
	必要額を超える部分	課　税	

所基通９－３により所得税が非課税となる範囲のみが、通常必要と認められる部分の金額として課税仕入れとなる

STEP 3 インボイス制度における特例的取扱い

１．事業者が支出した旅費等の仕入税額控除の要件

	税込３万円未満	税込３万円以上	帳簿のみの場合の記載事項例
旅客運賃	帳簿のみ		「3万円未満の鉄道料金」等
入場券等	帳簿+インボイス （回収される場合は帳簿のみ）		「入場券等」
宿泊費等	帳簿+インボイス		－

に附帯しない旅客運賃以外の費用」については、原則としてインボイスの保存が必要となりますが、これらについても「簡易インボイスに該当する乗車券等の交付を受け、乗車・入場後にその乗車券等が回収される場合」には、帳簿の保存のみで仕入税額控除が認められます（回収特例）。この場合の帳簿には通常の記載事項に加え、例えば「入場券等」といった記載が必要です。

なお、公共交通機関特例の対象ではない航空機やタクシーによる旅客運賃、宿泊費等の旅客運賃以外の旅費についてはインボイス又は簡易インボイスの保存が必要です。

2．出張旅費等

従業員等に支給する出張旅費・宿泊費・日当等（出張旅費等）のうち、その旅行に通常必要であると認められる部分の金額については、帳簿のみの保存で仕入税額控除が認められます。この支給には、社内規程や基準の有無にかかわらず、また、概算払いによるもののほか、実費精算するものについても、通常必要であると認められる部分の金額については、帳簿のみの保存で仕入税額控除を行うことができます（出張旅費等特例）。

したがって、交通費計算書や旅費精算書を作成し、その支払額等をまとめて記載した帳簿を併せて保存することにより、仕入税額控除の要件を満たすものとして取り扱われます。

3．ＥＴＣ利用による高速道路料金

ETCカードで高速道路等を利用した場合、各種の特例に該当しないことから、仕入税額控除をするためにはインボイスの保存が必要となります。次のETCカードの種類によって取扱いが異なります。

なお、ETCを利用しない場合には、料金所において料金支払時に交付される簡易インボイスの保存が必要です。

① ETCパーソナルカード

高速道路会社６社が発行しているETCカードです。現在も利用に係る請求書が送付されており、その請求書がインボイスに該当します。

② ETCコーポレートカード

高速道路会社３社が発行しているETCカードです。こちらも①と同様に、利用した高速道路会社や事業協同組合から送付される請求書がインボイスに該当します。

③ ①、②以外のETCクレジットカード等

クレジットカード会社が発行しているETCカードです。クレジットカードの利用明細はインボイスに該当しないため、原則として高速道路会社ホームページの「ETC利用照会サービス」から、電子簡易インボイスに該当する「利用証明書」をダウンロードして保存する必要があります。なお、割引が適用されることもあるので、利用料金が確定するまではインボイスの対象外とされています。

ただし、高速道路の利用回数が非常に多い場合など、すべての高速道路利用について「利用証明書」を保存することが困難なときは、クレジットカード会社から受領するクレジットカード利用明細書（個々の高速道路の利用に係る内容が判明するものに限り、利用明細データ等を含みます。）と、任意の一取引（複数の高速道路会社の利用がある場合、高速道路会社ごとに任意の一取引）に係る「利

2．① 出張旅費等特例の取扱い

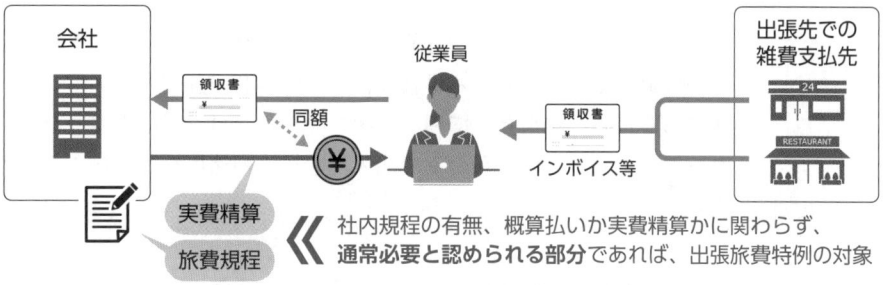

	事　例	課税仕入れとなる金額
ケース1	社内規程では「1回の旅行当たり3,000円」と規定し、所得税が非課税となる範囲は10,000 円と認められる場合に、8,000円支給	8,000円が特例対象
ケース2	社内規程はなく、社員が出張にかかった交通費10,000円を実費で請求してきたので10,000円支給(注)	10,000円が通常必要と認められるのであれば特例対象

(注)　実費精算が用務先に直接支払っているものと同視しうる場合は、通常必要と認められる範囲か否かに関わらず、インボイスの保存を要件に、仕入税額控除が可能です。
　この場合、3万円未満の公共交通機関など、他の特例の対象になるものであれば、帳簿のみの保存で仕入税額控除が可能となります。

②　交通費計算書・旅費精算書を作成する

交通費精算書

令和6年10月分　　営業部　山下幸三

日付	訪問先	利用路線	出発	到着	片／往	金額
10.1	大正物流㈱	JR西日本	大阪	大正	往	¥ 320
10.4	福島倉庫㈱	大阪シティバス	大阪駅	海老江	往	¥ 400
10.5	大正区役所	JR西日本	大阪	大正	往	¥ 320
10.5	同上	大阪シティバス	大正橋	区役所前	往	¥ 400
10.20	京阪運送㈲	阪急電鉄	梅田	松尾	往	¥ 780
				合計		¥ 2,220

従業員ごとに作成し、綴り合わせることにより、帳簿にまとめて記載することができる

交通費精算書綴
令和6年10月分
合計金額　37,200円

出張費精算書

令和6年10月30日提出　　営業部　白川和典

出張スケジュール

期　間	訪問先	用　件	宿泊地
10月28日～10月29日	東京機械㈱	新商品　営業	東京新宿
～	八千代機械㈱	売掛金回収	
～			

旅費明細

日付	内容		支払先	証票	金額
10.28	新幹線	大阪→東京	JR東海	－	¥ 14,250
10.28	地下鉄	東京機械㈱	東京メトロ	－	¥ 320
10.28	宿泊費		東京イン新宿	裏面添付	¥ 8,000
10.29	地下鉄	八千代機械㈱	東京メトロ	－	¥ 320
10.29	新幹線	東京→大阪	JR東海	－	¥ 14,250
10.29	タクシー代	大阪→会社	MMタクシー	裏面添付	¥ 960
			小　計　①		¥ 38,100

その他の支出明細

日付	内　容		支払先	証票	金額
10.28	東京機械㈱	営業社員2人と会食	東京イン新宿 レストラン	裏面添付	¥ 12,600
			小　計　②		¥ 12,600

日当　③		
日数	単価	金額
2	3,000	¥6,000

仮払金	旅費合計 ①+②+③	差引過不足
¥50,000	¥56,700	¥－6,700

振替伝票

No.

令和6年10月30日

承認印	承認印	会計印	係印
杉田	石原	鈴木	藤本

金　額	借方科目		摘　要	貸方科目		金　額
37,200	旅費交通費	課対仕	社員　令和6年10月分交通費精算	現　金		37,200
44,100	旅費交通費	課対仕	白川和典　東京出張費精算	仮　払　金		50,000
12,600	交　際　費	課対仕	〃	現　金		6,700
93,900	合　計					93,900

用証明書」をダウンロードして併せて保存することにより、仕入税額控除を行うことが認められています。

さらに、ダウンロードが可能な期間（15か月間）に、繰り返し同じ高速道路会社等の道路を利用している場合は、いつでも利用証明書をダウンロードできる状態にあるため、結果として利用証明書のダウンロードは不要となり、クレジットカード利用明細書の保存のみで仕入税額控除の適用を受けることが可能となります。

4．クレジットカード会社が発行しているタクシーチケット

クレジットカード会社が発行しているタクシーチケットの使用について仕入税額控除の適用を受けるためには、原則として、売手であるタクシー事業者等から受領した簡易インボイスの保存が必要となります。

しかしながら、タクシーチケットを取引先等に手交した場合など、簡易インボイスの保存が困難であるケースも考えられます。そのため、受領したクレジットカード利用明細書及び以下の資料に記載された内容等に基づき、利用されたタクシー事業者が適格請求書発行事業者であることが確認できる場合には、簡易インボイスに該当する証票が使用の際に回収される取引（回収特例）として、帳簿のみの保存により仕入税額控除の適用を受けることができます。

・タクシー事業者のホームページ
・クレジットカード会社のホームページ等に掲載されている利用可能タクシー一覧

3．高速道路の利用料金

支払手段	発行方法（発行場所）	請求書等	適用インボイス	備考
現金	書面（料金所）	領収書	適格簡易請求書（簡易インボイス）	
クレジットカード		利用証明書		
ETCクレジットカード	書面（料金所）	利用証明書	インボイス対象外	後日利用料金が確定するためインボイス対象外（従来どおり）の様式で発行されます。
	電子（ETC利用照会サービス）	利用証明書（確定時）	適格簡易請求書（電子簡易インボイス）	利用料金が確定した場合は利用証明書の表示時に、㊘マークで明示されます。なお、利用料金が未確定の利用証明書はインボイスの対象外です。
ETCパーソナルカード、ETCコーポレートカード	書面又は電子	請求書	適格請求書（インボイス）	

※ETCクレジットカードを使用した場合、料金所ではインボイス制度の要件を満たした利用証明書は発行されません。利用料金の確定後に「ETC利用照会サービス」からインボイス制度の要件を満たした利用証明書の発行が必要です。

※また、サービスエリア等に設置されている機械で発行されるETCの利用履歴は、インボイスに該当しません。

No.44 通信費

STEP 1 通信費の内容を確認する

通信費は、電話料金、郵便料金等が該当します。領収書や請求書からその内容を確認し、課税仕入れになるもの、非課税・輸出免税により課税仕入れとならないものに区分します。

1．電話料金

・国内通話料は、課税取引となり課税仕入れに該当します。

・国際通話料は、輸出免税取引となり課税仕入れに該当しません（消基通５－７－13）。したがって、国際通話料があるときは、国内通話料と区分して記帳する必要があります。

2．郵便料金・切手代

・郵便料金は、課税取引となり課税仕入れに該当します。ただし、郵便切手類の仕入税額控除の時期については、**STEP 2** により取り扱います。

・国際郵便料金は、輸出免税取引となり課税仕入れに該当しません（消基通５－７－13）。したがって、手持ちの切手を貼付して国際郵便を発送した場合は、課税区分を振り替える経理処理が必要です。

STEP 2 郵便切手類の仕入税額控除の時期を確認する（消基通11－３－７）

1．インボイス制度における郵便ポスト等への投函による郵便サービスの取扱い

郵便切手類のみを対価とする郵便ポスト等への投函による郵便サービス（切手を貼付してポストに投函した郵便物の配達）は、売手である郵便局等側でインボイスの交付義務が免除されており、買手側はインボイスの受領が不可能であることから、一定の事項を記載した帳簿のみの保存で仕入税額控除の適用を受けることができます（消基通11－３－７）。この取扱いを受ける場合は、帳簿に通常の記載事項に加え、例えば「郵便特例」といった記載が必要です。

なお、取引先に書類とともに郵便切手をあらかじめ貼付した返信用封筒を送付した場合も、上記と同様の取扱いとして、帳簿のみの保存で仕入税額控除の適用を受けることができます。

2．仕入税額控除の時期

会計上、郵便切手類は購入時ではなく、使用時での費用となります。したがって、購入時に通信費として経理処理した場合は、期末に棚卸しを行い未使用分を貯蔵品として振り替える必要があります。

消費税法上も、購入時においては原則として課税仕入れに該当せず、使用した時点で課税仕入れとなります

【原　則】

購入時（貯蔵品）		11,000	／（現金）	11,000	［摘要］110円切手×100枚
使用時（通信費）	課対仕	7,700	／（貯蔵品）	7,700	［摘要］110円切手70枚使用

ただし、この経理方法では切手を使用するたびに経理処理が必要であり、事務が煩雑となりますので、１の郵便サービスについて、継続適用と一定の事項を記載した帳簿の保存を要件に、購入時に全額を課税仕入れとすることが認められています。

【継続適用】

購入時（通信費）	課対仕	11,000	／（現金）	11,000	［摘要］110円切手×100枚「郵便特例」
決算時（貯蔵品）		3,300	／（通信費）	対外仕 3,300	［摘要］110円切手30枚未使用

STEP 1 概要

課税仕入れとなるもの	課税仕入れとならないもの
国内通話料金（固定電話、携帯電話） 国内郵便料金 インターネット関連費用（プロバイダ料金等） ＮＨＫ受信料（消令２①五） 郵便切手・ハガキ代	国際通話料金（固定電話、携帯電話） 国際郵便料金

（請求書・領収書を確認する）

領収証書
毎度ありがとうございます
〒100-8792 郵便事業株式会社
東京都千代田区大手町2-3-1
2024年11月20日　15:18
登録番号：T101XXXXXXXX77

[販売]
120円普通切手
120円　50枚　¥6,000
140円普通切手
140円　50枚　¥7,000
小　計　¥13,000

[別納２]
EMS第１　150g
@1,450　３通　¥4,350
小　計　¥4,350

10%課税計　¥13,000
（内消費税等　¥1,181）
非課税計　¥4,350
合　計　¥17350

電話料金請求書　西日本電信電話株式会社
令和６年11月分　登録番号　T712XXXXXXXX23

料金内訳名	金額(単位:円)	税区分	摘　要
回線使用料	2,500	10%	６年10月21日～11月20日
付加機能使用料	700	10%	
ダイヤル通話料	12,150	10%	
国際電話通話料	3,800		
10%対象	15,350	（消費税1,535）	
計	20,685		

国際通話料金＝課税仕入れとならない

国内郵便料金
＝課税仕入れとなる

国際郵便料金
＝課税仕入れとならない

区分して記帳する必要あり

STEP 2 郵便切手類の仕入税額控除の時期

郵便切手類	購入先	仕入税額控除の時期	
郵便切手 郵便葉書 郵便書簡	郵便局	原則	使用した時
		継続適用・帳簿への記載	購入した時
	郵便局以外（金券ショップ等）	購入した時	

振　替　伝　票
No.
令和６年11月20日

承認印	承認印	会計印	係印
杉田	石原	鈴木	藤本

金　額	借方科目		摘　要	貸方科目		金　額
16,885	通　信　費	課対仕	NTT西日本㈱　10月分	普 通 預 金		20,685
3,800	通　信　費	対外仕	〃　国際通話料			
13,000	通　信　費	課対仕	郵便事業㈱　切手代 郵便特例	現　金		17,350
4,350	通　信　費	対外仕	〃　国際郵便EMS３通			
2,520	通　信　費	課対仕	NHK受信料　10月分	普 通 預 金		2,520
40,555	合　計					40,555

No.45 交際費

STEP 1 交際費の内容を確認する

1．贈答費用、飲食代

中元・歳暮等の得意先への贈答品の購入や、得意先の接待のための飲食代の支払は、課税仕入れとなります。

ただし、贈答用の商品券やギフト券（物品切手等）の購入は、課税仕入れには該当しません（**STEP 3** 参照）。

2．香典・祝金等の慶弔費（消基通５－２－14）

金銭により香典、祝金、餞別などを支出した場合には、課税仕入れとなりません。ただし葬儀において榊、生花など物品を購入して供える場合は、その購入が課税仕入れに該当します。

3．ゴルフ代

ゴルフのプレー代金には、通常、ゴルフ場利用税(注)が含まれており、課税仕入れに該当しませんので、領収書の内訳により区分して経理することが必要です。

（注）ゴルフ場利用税は、18歳未満の者、70歳以上の者、障害者その他一定の者に対しては課されません。（地方税法75の２）

4．費途不明の交際費、渡切交際費(消基通11－２－23)

交際費、機密費等の名義をもって支出した金額でその費途が明らかでないもの、また費途を問わず精算を要しない渡切りの交際費については、法定事項を記載した帳簿及び請求書等がありませんので、課税仕入れとして仕入税額控除することはできません。

STEP 2 交際費に係るインボイスの取扱い

贈答品の購入や接待のための飲食など、交際費は売手となる事業者が主に小売業や飲食店業などの簡易インボイスの交付が認められている業種であるため、受領した領収書等については簡易インボイスとしての記載事項を満たしていれば問題ありません。具体的には以下の点に注意してください。

① 税額又は税率の記載がない場合

簡易インボイスについては、「適用税率」と「税率ごとの消費税額等」のうち、どちらか一方の記載があればよいので、税額の記載がない領収書であっても、税率の記載があれば問題ありません。例えば割り勘で支払をし、複数枚の領収書を受領する場合など、売手が税額を即座に計算することが困難な場合などが考えられます。

また、税率の記載がなく、税額の記載のみの領収書も問題ありません。

② 宛名の記載がない場合

簡易インボイスについては、「宛名」は記載不要ですので、領収書の宛名記載欄が空欄でも問題ありません。「上様」と記載していても同様です。

ただし、従業員が交際費の立替払をした場合に、従業員個人の宛名が記載された簡易インボイスの交付を受けたときは、従業員名簿等の保存がないと仕入税額控除の要件を満たさないこととなるため注意が必要です。このような場合には、宛名欄は空欄か、勤務先名が記載された簡易インボイスの交付を受けるべきと考えられます。

STEP 1 交際費の内容を確認する

課税仕入れとなるもの	課税仕入れとならないもの
樒、生花などの慶弔費 贈答品の購入 接待飲食費 ゴルフプレー費 ゴルフ場・レジャー施設の年会費	祝金・香典等現金による慶弔費 贈答用の商品券・ビール券等の購入 接待飲食費のうちチップ・心づけ ゴルフ場利用税 費途不明金・渡切交際費

ゴルフプレー費用とゴルフ場利用税

国税　太郎　様

令和６年10月12日

—計　算　書— No.20231012001

ステップカントリー倶楽部

項目	税率	金額（単位：円）
グリーンフィ	10%	13,200
キャディフィ	10%	4,950
レストラン　カレー	10%	1,100
売店　缶ビール	10%	550
ゴルフ場利用税	—	1,200
	10%合計	19,800
		(消費税　1,800)
	合計	21,000

—領　収　書— No.20231012001

令和６年10月12日

国税　太郎　様

２１，０００円也

上記正に領収致しました。

消費税1,800円　ゴルフ場利用税1,200円

兵庫県三木市口吉川町小島12番

ステップカントリー倶楽部

登録番号：T123XXXXXXXX13

振　替　伝　票

No.

令和６年10月30日

承認印	承認印	会計印	係印
杉田	石原	鈴木	藤本

金　額	借方科目		摘　　要	貸方科目		金　額
			田部商事㈱ゴルフコンペ　社長10/12精算	現　金		21,000
19,800	交　際　費	課対仕	ステップカントリー倶楽部			
1,200	交　際　費	対外仕	〃　ゴルフ場利用税			
10,000	交　際　費	対外仕	坂井商事㈱会長奥様逝去　香典	現　金		10,000
11,000	交　際　費	課対仕	〃　生花代　西大阪祭典㈱	現　金		11,000
42,000	合　計					42,000

STEP 2 交際費に係る簡易インボイスの記載例

宛名なしOK！

適用税率が書いてあるので消費税額は不要！

様　**領収書**　R６年●月●日

12,500円也（10%）

飲食代として

B株式会社

※簡易インボイス対象　T1234 ・・・・・・・

発行時のワンポイントアドバイス

法令上の記載事項ではありませんが「簡易インボイス対象である旨」を記載しておくと、「記載不備のインボイスでは？」と誤解した取引先から確認等を受ける手間が減らせます。

コラム

飲食代等の交際費の支払いには、クレジットカード等を使用する場合が多いですが、店頭で受け取る「利用明細書」やカード会社発行の「カード利用代金明細書」の保存では、仕入税額控除を受けることはできませんので、必ずインボイス対応の領収書等を保存しましょう。

STEP 3 商品券等を贈答した場合の課税関係

贈答用の商品券やギフト券、旅行券など（物品切手等）の購入は非課税とされ、贈答を受けた者が、物品切手等を使って商品の購入やサービスの提供を受けた時点で、課税仕入れの支払対価の額となります。贈答を受けた事業者は、物品切手等を資産計上し、使用時に費用処理することとなります。

なお、贈答を受けた者が物品切手等を使用してサービスの提供等を受けた際に、その物品切手等（取引年月日以外の簡易インボイスの記載事項が記載されているもの）が回収される場合は、一定の事項を記載した帳簿の保存のみで仕入税額控除の適用を受けることができます（消令49①一ロ）。

STEP 4 法人税の損金不算入額の計算の関係

消費税の経理処理には、税抜経理方式と税込経理方式がありますが、法人税における損金不算入額の計算との関係は次のとおりです。

税抜経理方式	－	税抜価額で支出交際費の額を計算する（注）
税込経理方式	－	税込価額で支出交際費の額を計算する

（注） 税抜経理方式を採用している場合で、課税売上高が５億円超又は課税売上割合が95%未満となった課税期間において、交際費に係る消費税額等のうち仕入税額控除ができなかった消費税等の額（以下、「控除対象外消費税額等」といいます。）がある場合には、税抜価額の支出交際費の額に、交際費に係る控除対象外消費税額等を加えて、交際費等の損金不算入額を計算します。（**No.65**「控除対象外消費税額等の処理」参照）

STEP 3

商品券等を贈答した場合の課税関係

【贈答した側の処理】

購入時（貯蔵品） 30,000 ／（現　金） 30,000　［摘要］贈答用商品券

贈答時（交際費） 30,000 ／（貯蔵品） 30,000　［摘要］商品券贈答

【贈答を受けた側の処理】

受贈時（貯蔵品） 30,000 ／（雑収入） 30,000　［摘要］商品券受贈

使用時（消耗品費）課対仕 30,000 ／（貯蔵品） 30,000　［摘要］商品券にて備品購入

STEP 4

交際費等の損金不算入額の計算

設例　支出交際費990万円（税込み）課税売上割合95％以上　資本金１億円以下の場合

（税込経理）　支出交際費の額　990万円

交際費等の損金不算入額の計算

（990万円－800万円）＝190万円　　∴190万円

（税抜経理）　支出交際費の額　990万円×$\frac{100}{110}$＝900万円

交際費等の損金不算入額の計算

（900万円－800万円）＝100万円　　∴100万円

※損金不算入額の計算にあたっては、税抜経理の方が有利になります。

No.46 租税公課

STEP 1

概要

国・地方公共団体に納付する税金や、罰金・科料・交通反則金、町会費などを租税公課として経理しますが、消費税ではほとんどが課税仕入れとなりません。例外として、課税資産を取得する際に支払った固定資産税や自動車税の未経過分が課税仕入れとなります。

STEP 2

収入印紙・証紙（消法６、別表第二④）

収入印紙・証紙の購入は、原則として非課税仕入れとなりますので、仕入税額控除の対象となりません。

しかし、購入先が金券ショップである場合には、その使用は課税仕入れに該当します。

STEP 3

収入印紙の貼付、印紙税と消費税額等

契約書や商品の販売代金の領収書などが課税文書に該当する場合、その課税文書に記載されている金額に応じて印紙税が課税されます。

この記載金額は、消費税及び地方消費税の額（消費税額等）を含んだ金額としますが、下記の課税文書については、消費税額等を区分して記載している場合、又は、税込価額及び税抜価額が記載されていることにより消費税額等が明らかである場合には、記載金額に消費税額等を含めないこととしています。

① 第１号文書　不動産の譲渡等に関する契約書
② 第２号文書　請負に関する契約書
③ 第17号文書　金銭又は有価証券の受取書

STEP 4

未経過固定資産税・自動車税（消基通10－１－６）

固定資産税については毎年１月１日、自動車税については毎年４月１日現在の所有者に対して地方公共団体が課税します。

不動産を売買した場合、引渡し日以後の期間に対応する固定資産税相当額を日割りにより精算する取引の慣習があります。ただし、租税公課として経費になるのは、課税された１月１日現在の所有者である売主だけであり、買主が未経過分の固定資産税相当額を売主に支払ったとしても、その金額は取得価額を構成するものであり、租税公課として経費にはなりません。

反対に、売主も受け取った固定資産税相当額は、租税公課の減額あるいは雑収入ではなく、譲渡収入金額に加算する必要があります。

したがって、売主、買主とも、未経過固定資産税は、譲渡価額に含めて処理し、課税仕入れになるかどうかの判断をします。

STEP 2

収入印紙の購入	日本郵便株式会社・印紙売りさばき所	非課税仕入れ
	上記以外（金券ショップ等）	課税仕入れ
証紙の購入	地方公共団体・売りさばき人	非課税仕入れ
	上記以外（金券ショップ等）	課税仕入れ

STEP 3

印紙税と消費税額等

領　収　書

令和６年10月３日

ステップ商事株式会社　様

金５３,９００円也

上記正に領収致しました。

（うち消費税額等4,900円）

大阪市福島区鷺洲２－１－１

株式会社　宮本商店

登録番号：T123XXXXXXXX90

消費税額4,900円は
記載金額に含めないので
記載金額は49,000円
↓
印紙税は非課税
（５万円未満非課税）

領　収　書

令和６年10月３日

ステップ商事株式会社　様

金５３,９００円也

上記正に領収致しました。

（消費税額等10%を含む）

収入印紙
200円

大阪市福島区鷺洲２－１－１

株式会社　宮本商店

登録番号：T123XXXXXXXX90

「消費税額等10%を含む」
の表現は消費税額等を
明記していませんので
記載金額は53,900円
↓
印紙税は200円
（５万円以上100万円以下）

STEP 4

未経過固定資産税

設例 ㈱英和より倉庫用として土地建物を購入した。契約内容は下記のとおりである。

	譲渡価額	固定資産税精算金	合計
建物	16,500,000	200,000	16,700,000
土地	30,000,000	400,000	30,400,000
合計	46,500,000	600,000	47,100,000

支払った固定資産税精算金は取得価額に含めます。

仕訳

(建物) 課対仕 16,500,000 ／ (現金預金) 46,500,000 〔摘要〕㈱英和より土地建物購入
(土地) 非仕 30,000,000

(建物) 課対仕 200,000 ／ (現金預金) 600,000 〔摘要〕㈱英和　固定資産税精算金
(土地) 非仕 400,000

No.47 個別消費税（酒税・たばこ税等）との関係

STEP 1 消費税と個別消費税

消費税法上の消費税に対して、特定の物品やサービスの消費行為などに対して課される消費税を個別消費税といいます。

個別消費税には、酒税、たばこ税、揮発油税、軽油引取税、ゴルフ場利用税、入湯税等があります。

STEP 2 販売者側の取扱い（消基通10－１－11）

消費税の課税標準である課税資産の譲渡等の対価の額には、酒税、たばこ税、揮発油税などを含みます。これらの個別消費税は、メーカー等が納税義務者となって負担する税金であり、その販売価額に含まれているためです。

これに対して、軽油引取税（注）、ゴルフ場利用税、入湯税等は、利用者等が納税義務者となるものですから、その税額を請求書・領収書等で明示し、預り金等の科目で経理するなど、明確に区分している場合は、課税資産の譲渡等の対価の額に含めませんが、明確に区分していない場合には、対価の額に含めることになります。

STEP 3 支払側の取扱い

個別消費税を含む物品やサービスの対価の支払側の処理は、**STEP2**の取扱いと同じです。

酒税やたばこ税などの個別消費税は、その販売価額に含まれていますので、課税仕入れとして仕入税額控除することができます。

軽油引取税（注）、ゴルフ場利用税、入湯税等については、請求書・領収書等で区分されているときは、その個別消費税を課税仕入れとすることはできません。区分されていない場合は、支払総額を課税仕入れとして仕入税額控除をします。

（注）軽油引取税の取扱い

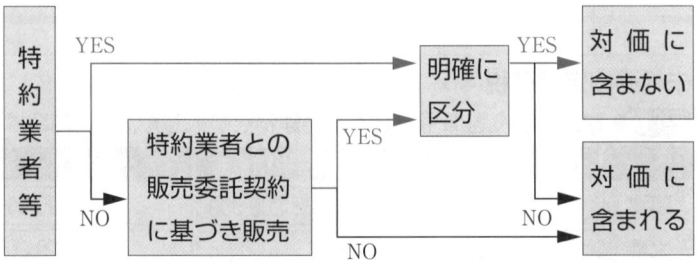

※特約業者等とは、軽油引取税の特別徴収義務者である事業者をいいます。

STEP 1

個別消費税の取扱い

種　類	税額相当額	販売者側の取扱い	支払者側の取扱い
酒税・たばこ税・揮発油税・石油税など	販売価額に含まれる	課税売上げに含める	課税仕入れとなる
ゴルフ場利用税・入湯税・軽油引取税	区分あり	課税売上げに含めない	課税仕入れとならない
	区分なし	課税売上げに含める	課税仕入れとなる

STEP 2

軽油引取税（明確な区分がある場合）

請　求　書

ステップ商事株式会社　御中

西尾石油株式会社（特約業者）
大阪市大正区三軒家東１－１－１
登録番号：T123XXXXXXXX06

請求金額　86,405円

令和６年10月分（令和６年10月１日～10月31日）

日付	商品名	数量（㍑）	単価（円）	金額（円）
10月５日	ガソリン代	402	125	50,250
10月５日	軽油代	325	90	
		（内　本体価格57.9）		18,817
		（内　軽油引取税32.1）		10,432
			10%対象	69,067
			消費税	6,906
	合計			86,405

－　販売者側　－

（売掛金）86,405 ／（売上）　課売　55,275　〔摘要〕ステップ商事㈱10月分　ガソリン代
（売上）　課売　20,698　〔摘要〕ステップ商事㈱10月分　軽油代
（預り金）　10,432　〔摘要〕ステップ商事㈱10月分　軽油引取税

明確に区分することにより課税売上げに含めない

－　支払者側　－

（燃料費）課対仕　55,275 ／（未払金）86,405　〔摘要〕西尾石油㈱10月分　ガソリン代
（燃料費）課対仕　20,698　〔摘要〕西尾石油㈱10月分　軽油代
（燃料費）対外仕　10,432　〔摘要〕西尾石油㈱10月分　軽油引取税

明確に区分されているため課税仕入れとならない

No.48 広告宣伝費

STEP 1 新聞・雑誌等の広告宣伝費

国内の新聞、雑誌などへの広告掲載料やチラシの作成料などの広告宣伝費は、課税仕入れとなります。

インターネット上の広告掲載料については、売手が国外事業者である場合と国内事業者である場合とで取扱いが異なります（**STEP4 2**参照）。

STEP 2 商品券、プリペイドカード等

商品券、プリペイドカード等（物品切手等）を購入した場合の消費税の課税関係は次のとおりです。

内　容	課税関係
広告宣伝用として得意先へ交付した場合	プリペイドカード等の販売は非課税取引ですので、購入したプリペイドカード等を自らは使用せず、他者へ交付する場合は課税仕入れとなりません。
業務用として自社で使用する場合	プリペイドカード等を使用した時点で、役務の提供等を受けることになります。したがって使用した時点での課税仕入れとなります。

STEP 3 広告宣伝用として交付するプリペイドカード等

広告宣伝用として得意先へ交付するプリペイドカード等で、無地のものを購入し、社名等を印刷した場合の消費税の課税関係は次のとおりです。

プリペイドカード等の購入費	非課税取引ですので、課税仕入れとなりません。
社名等の印刷費用	課税仕入れとなります。

STEP 4 海外での広告掲載（消法４③二三）

1．海外の雑誌への広告掲載

広告についての国内・国外判定は、広告役務の提供場所によって判定をします。海外の雑誌への広告掲載は、掲載場所が国外ですので、国外取引となり課税仕入れに該当しません。

2．ウェブサイトへの広告掲載

インターネット上の広告は、事業者向け電気通信利用役務の提供に該当し、広告役務の提供を受ける者の住所等の所在地により、国内・国外判定を行うため、ウェブサイト運営会社等が国内事業者・国外事業者のいずれであっても国内取引に該当します。

したがって、ウェブサイト運営会社へ支払う広告掲載料は、ウェブサイト運営会社が国内事業者である場合は課税仕入れとして仕入税額控除の対象となり、国外事業者である場合は特定課税仕入れとしてリバースチャージ方式の適用対象となります（詳細は**No.71**「国境を越えた役務の提供がある場合」参照）。

STEP 1 広告宣伝費

設例 国内の雑誌に新製品の広告を掲載し、広告掲載料を110,000円（税込み）支払った。

（広告宣伝費）課対仕　110,000　／（現預金）　110,000

STEP 2 クオカードなどプリペイドカードの取扱い

(1) プリペイドカード等を得意先へ交付した場合

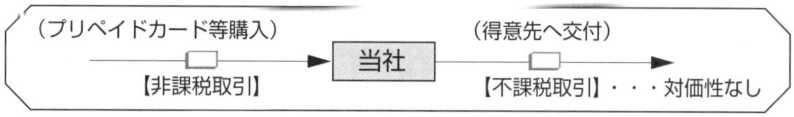

(2) プリペイドカード等を自社で使用した場合

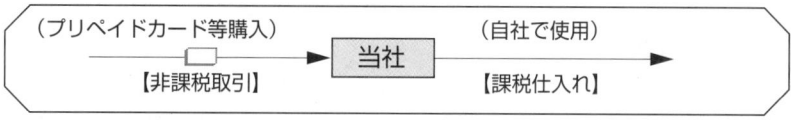

STEP 3 広告宣伝費として交付するプリペイドカード等の取扱い

設例 広告用として取引先へ交付する無地のプリペイドカードを100,000円で購入し、表面に当社の新製品名を印刷した。印刷代金は220,000円である。

（広告宣伝費）対外仕 100,000 ／（現預金）　320,000〔摘要〕プリペイドカード購入
（広告宣伝費）課対仕 220,000／　　〔摘要〕プリペイドカード印刷代金

STEP 4 海外での広告宣伝費

1．海外で発行される雑誌への広告掲載：課税仕入れに該当しない

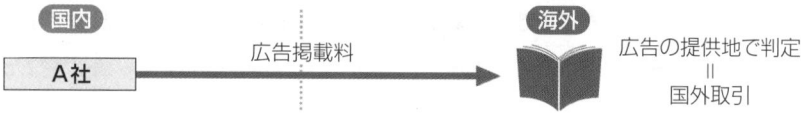

2．海外のウェブサイトへの広告掲載：特定課税仕入れに該当する

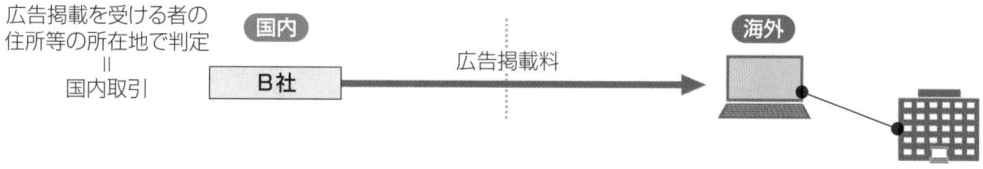

No.49 販売奨励金

STEP 1

金銭による販売奨励金（消基通14－1－2）

販売促進の目的で販売数量等に応じて取引先へ金銭で販売奨励金等を支払った場合は、売上げに係る対価の返還等として税額控除を行います。（**No.25**「売上値引・返品（売上げに係る対価の返還等）」参照）

STEP 2

適格返還請求書の交付の必要性を確認する（消法57の4③、消基通1－8－20）

STEP 1 のような販売奨励金等を支払った場合は、売上げに係る対価の返還等として税額控除を行いますので、原則として適格返還請求書の交付が必要です。（交付義務が免除される場合については、**No. 2**「適格請求書等保存方式（インボイス制度）の導入」**STEP 2** を参照）

適格返還請求書の交付については、例えば販売奨励金の精算について、当月分の請求書において、当月分の請求金額から前月分の販売奨励金の金額を控除する形式で行っている場合、当月販売した商品について、適格請求書として必要な事項を記載するとともに、前月分の販売奨励金について、適格返還請求書として必要な事項を記載すれば、1枚の請求書を交付することが可能となります。

なお、継続適用を条件に、税率ごとに区分して、請求金額（売上金額から販売奨励金の額を控除した金額）とその消費税額を記載することでも適格請求書と適格返還請求書の記載事項を満たすこととされています。

STEP 3

サービス券等

売上金額に応じて、自社のみで使用できるサービス券等を発行している場合の消費税の課税関係は次のとおりです。

サービス券等の発行	無償の取引ですので、不課税取引となります。
サービス券等と商品の交換	無償の取引ですので、不課税取引となります。
サービス券等での値引き	値引き後の実際に収受する金額が課税売上げの対価となります。

STEP 1 金銭による販売奨励金

A社 → 販売奨励金　110,000円 → B社

［A社の仕訳］

（販売奨励金）課売返　110,000／（現預金）　110,000〔摘要〕B社　販売奨励金

STEP 2

【原則的な取扱い】

請求書

㈱○○御中　　XX 年 12 月 15 日

11月分　87,400円（税込）

（11/1～11/30）

日付	品名	金額
11/1	オレンジジュース　※	5,400円
11/1	ビール	11,000円
11/2	リンゴジュース　※	2,160円
⋮	⋮	⋮
合計	109,200円（消費税9,200円）	
10%対象	66,000円（消費税6,000円）	
8%対象	43,200円（消費税3,200円）	
販売奨励金		
10/2	リンゴジュース　※	1,080円
⋮	⋮	⋮
合計	21,800円（消費税1,800円）	
10%対象	11,000円（消費税1,000円）	
8%対象	10,800円（消費税　800円）	
請求金額	87,400円	

※は軽減税率対象商品

△△商事㈱

登録番号 T1234567890123

適格請求書として必要な記載事項

適格返還請求書として必要な記載事項

売上げに係る対価の返還等に係る税込価額が１万円未満である場合には、その適格返還請求書の交付義務が免除されます（消法57の４③、消令70の９③二）。

【継続適用を条件に認められる例】

請求書

㈱○○御中　　XX 年 12 月 15 日

11月分　87,400円（税込）

（11/1～11/30）

日付	品名	金額
11/1	オレンジジュース　※	5,400円
11/1	ビール	11,000円
11/2	リンゴジュース　※	2,160円
⋮	⋮	⋮
合計	109,200円（消費税9,200円）	
販売奨励金		
10/2	リンゴジュース　※	1,080円
⋮	⋮	⋮
合計	21,800円（消費税1,800円）	
請求金額	87,400円（消費税7,400円）	
10%対象	55,000円（消費税5,000円）	
8%対象	32,400円（消費税2,400円）	

※は軽減税率対象商品

△△商事㈱

登録番号 T1234567890123

継続的に、
①課税資産の譲渡等の対価の額から売上げに係る対価の返還等の金額を控除した金額及び
②その金額に基づき計算した消費税額等を税率ごとに記載すれば記載事項を満たします。

STEP 3 サービス券等

設例　サービス券（500円分）を無償で発行し、当該サービス券と引き換えに2,200円の商品を1,700円で販売した。

C社 ←→ 顧客

①サービス券（500円分）の発行 →

②2,200円の商品購入
サービス券（500円分）＋1,700円の支払 ←

③2,200円の商品の引渡し →

［C社の仕訳］

①サービス券の発行　仕訳なし

②③商品の販売　実際に収受する金額1,700円が課税売上げの対価となる

（現預金）　1,700／（売上高）　課売　1,700〔摘要〕売上げ

STEP 4

スタンプカード

顧客へスタンプカードを発行し、売上金額に応じてスタンプを押し、一定数のスタンプが貯まったら商品等と交換したり、金券として使用できる場合の消費税の課税関係は次のとおりです。

スタンプの交付	売上金額に応じてスタンプを押す行為は、無償の取引ですので、不課税取引となります。
スタンプカードと商品等の交換	スタンプカードと商品等の交換等は、無償の取引ですので、不課税取引となります。
スタンプカードを金券として使用	スタンプカードを金券として、商品の代金を値引きした場合は、値引き後の実際に収受する金額が、課税売上げの対価となります。

STEP 5

特約店のセールスマンに支払う販売奨励金

販売促進の目的で取引先に対してではなく取引先のセールスマンへ販売奨励金等を支払った場合（その報酬につき所得税法第204条〔報酬・料金等に係る源泉徴収義務〕の規定の適用を受ける者に限る。）の消費税の課税関係は次のとおりです。

① 特約店等に専属するセールスマンに対し、その取扱数量又は取扱金額に応じてあらかじめ定められているところにより交付する金品の費用	役務の提供の対価に該当するため、課税仕入れとなります。
② 専ら自己の製品等を取り扱う特約店等の従業員等に対し、その者の外交販売に係る当該製品等の取扱数量又は取扱金額に応じてあらかじめ明らかにされているところにより交付する金品の費用	

※参考：法人税法の取扱いでは、当該金品の交付は交際費に該当しないこととされています。（措通61の4(1)−13、14）

STEP 4

スタンプカード

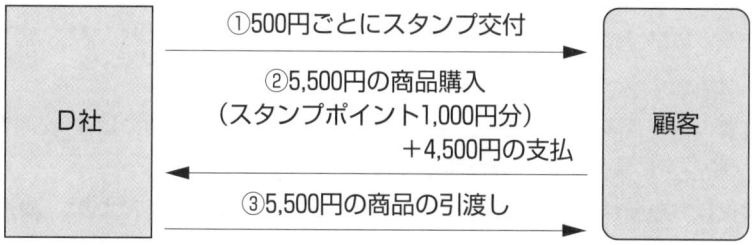

［D社の仕訳］

①スタンプ交付　仕訳なし

②③5,500円の商品の販売　実際に収受した金額4,500円が課税売上げの対価となる

（現預金）　4,500 ／（売上高）　課売　4,500〔摘要〕売上げ

STEP 5

特約店のセールスマンに支払う販売奨励金

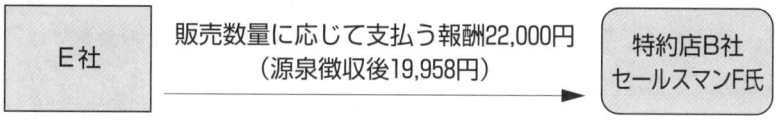

［E社の仕訳］

（販売奨励金）課対仕　22,000 ／（現預金）　19,958〔摘要〕販売奨励金　B社F氏

（預り金）　2,042〔摘要〕販売奨励金　B社F氏

源泉所得税

No.50 諸会費

STEP 1

概要

諸会費の内容は多岐にわたり、また法人税においては実質的には、「交際費」「福利厚生費」「給与」に該当するものもあります。

消費税においては、その支出の内容を確認し、対価性の有無により、課税区分を判断する必要があります。

STEP 2

同業者団体・組合等の会費（消基通５－５－３）

同業者団体・組合等の会費については、その対価性の有無により判定しますが、その判定が困難な場合に、その団体において継続して会費収入を課税対象としていないときは、支払側の事業者においても課税仕入れとされません。

ただし、会費の名目であっても、それが実質的に出版物の購読料、映画・演劇等の入場料、職員研修の受講料又は施設の利用料等であるときは、その会費等は、対価性の判定により、課税仕入れに該当します。同業者団体等が会員に対し行うこれらサービスの提供については、簡易インボイスの交付が認められる業種に該当するため、宛名の記載は不要です。

なお、対価性の判定が困難な会費について、団体側が課税対象としない場合には、その旨を組合員に通知することとされています。

STEP 3

その他の会費

１．社交団体・ロータリークラブ・ライオンズクラブの会費

社交団体・ロータリークラブ・ライオンズクラブの会費は、名目は会費ですが、法人税では、「交際費」や「給与」として取り扱われます。役員や使用人が負担すべきものとして「給与」とされる場合は、課税仕入れとなりませんが、「交際費」とされる場合はその対価性の有無により判定を行います。

例えば、通常会費や年会費といったものは、対価性がありませんので「交際費」とされる場合であっても課税仕入れとなりませんが、講演会や懇親会のような対価性がある会費は、課税仕入れとなります。

２．ゴルフクラブ・レジャークラブの会費

ゴルフクラブ・レジャークラブの会費は、名目は会費ですが、法人税では、その内容により、「交際費」、「福利厚生費」、「給与」として取り扱われます。法人税で「交際費」「福利厚生費」とされる場合は課税仕入れとなりますが、役員や使用人が負担すべきものとして「給与」とされる場合は課税仕入れとなりません。

STEP 1

概要

課税仕入れとなるもの	課税仕入れとならないもの
クレジットカード年会費 研修会・セミナー会費	同業者団体・組合の通常会費 法人税で給与となる会費

STEP 2

同業者団体・組合等の会費

○○組合「会費収入」

課税対象としている → 課税仕入れとなる（簡易インボイス交付可能！）

課税対象としない → 課税仕入れとならない（通知義務あり）

組合員「諸会費」

STEP 3

社交団体・ロータリークラブ・ライオンズクラブ・ゴルフクラブ・レジャークラブの会費

	法人税	消費税
社交団体、ロータリークラブ・ライオンズクラブの会費	交際費となるもの	対価性有り⇒課税仕入れ 対価性無し⇒課税仕入れとならない
	給与となるもの	課税仕入れとならない
ゴルフクラブ・レジャークラブの会費	交際費又は福利厚生費となるもの	課税仕入れとなる
	給与となるもの	課税仕入れとならない

No.51 支払手数料

STEP 1

概要

支払手数料には、税理士・司法書士等へ支払う報酬、金融機関の手数料、クレジットカード手数料等があります。課税仕入れになるもの、ならないものが混在しますので、個別に支出内容を確認し、課税区分を判断する必要があります。

なお、国・地方公共団体の行政手数料は非課税です。

No. 7「消費税の課税対象となる取引・ならない取引（課税・非課税・免税）」を参照。

STEP 2

金融機関の手数料

国内間の送金手数料は課税仕入れとなりますが、海外への送金手数料、為替手数料（外貨の交換手数料）は非課税取引で課税仕入れとなりません。

また、手形割引の際の手形割引料は非課税取引となりますが、手形取立手数料は課税仕入れとなりますので、両者を区分して経理する必要があります。

1．金融機関の振込手数料に係る適格請求書の保存方法

① インターネットで振込手数料を支払う場合

インターネットバンキングなどで振込みを行った場合の手数料については適格簡易請求書をダウンロードする必要があります。

ただし、同種の手数料等の支払が繰り返し行われるような場合において当該手数料の適格簡易請求書に係るダウンロードが、インターネットバンキングで随時確認可能な状態である等の要件を満たすのであれば、ダウンロードせずとも仕入税額控除が可能です。

② ATMで振込手数料を支払う場合

ATMで、３万円未満の振込手数料を支払った場合には、自動販売機特例の対象となり適格請求書の交付義務が免除されます。一定の事項を帳簿に記載することで仕入税額控除が可能です。（No. 2「適格請求書等保存方式の導入」を参照）

③ 金融機関の窓口で振込手数料を支払う場合

金融機関の窓口で振込手数料を支払った場合には、適格簡易請求書を保存することにより仕入税額控除が可能です。

また、金融機関が適格請求書発行事業者の登録を取りやめないことを前提に一回のみ取得・保存することでも差支えないとされています。

2．売手が負担する振込手数料の取扱い

① 売手が振込手数料相当額を売上値引とする場合

売上値引とする場合は、売上げに係る対価の返還等に該当しますが、その金額は通常、１万円未満になるので、適格返還請求書の交付義務はありません。軽減税率対象の売上値引は、軽減税率（８％）が適用されますので、注意が必要です。

また、経理処理は支払手数料としつつ、消費税法上は売上げに係る対価の返還等と処理することもできます。

② 売手が振込手数料相当額を課税仕入れとする場合

売手は、請求金額から差し引かれた振込手数料相当額について、仕入税額控除の

STEP 1

概要

課税仕入れとなるもの	課税仕入れとならないもの
税理士・司法書士・弁護士報酬 国内間の送金手数料	為替手数料・海外への送金手数料 クレジットカード手数料 国・地方公共団体の行政手数料

STEP 2

金融機関の手数料

設例 受取手形1,500,000円を銀行で割引し、割引料12,000円、取立手数料880円を支払った。

仕訳

(当座預金)		1,500,000	(割引手形)	1,500,000
(手形売却損)	非仕	12,000	(当座預金)	12,880
(支払手数料)	課対仕	880		

金融機関の振込手数料に係る適格請求書の保存方法

インターネットバンキング	【原則的な取扱い】 適格簡易請求書のデータをダウンロードする。 【想定される実務上の取扱い】 毎期、振込手数料を支払っており、適格簡易請求書や通帳・入出金明細等がいつでも確認可能な状態なら帳簿のみの保存で仕入税額控除が可能です。
ATM	帳簿のみ保存（自動販売機特例の対象）
窓口	適格簡易請求書の保存が必要です。

（注） 基準期間における課税売上高が１億円以下であることなどの一定規模以下の事業者については、少額特例の経過措置が設けられています。

適用を受けるためには、買手に適格請求書の交付を求めなければなりません（仕入明細書を作成して、買手の確認を受けて仕入税額控除を行うこともできます）

ただし、基準期間における課税売上高が１億円以下の事業者については、少額特例の経過措置が設けられています。（**No. 4**「経過措置②（いわゆる「少額特例」）」を参照）

STEP 3

税理士・司法書士報酬

税理士・司法書士の報酬は課税仕入れになりますが、これらの報酬は、所得税が源泉徴収されていること、また、司法書士報酬には印紙代・登録免許税の立替金が含まれていますので、請求書を確認し、正しく経理処理する必要があります。

STEP 4

クレジットカード手数料（消令10③八～十）

クレジットカードでの売上げの場合、カード加盟店には、カード会社からクレジットカード手数料が差し引かれて入金されます。このクレジットカード手数料は、手数料の名称がついていますが、実質的には債権譲渡の割引料ですので、利子を対価とする貸付金等に該当し、非課税取引であり課税仕入れとなりません。

バーコード決済等の手数料の取扱い

キャッシュレス決済のうち、一部のバーコード決済等（○○Pay）の手数料については、決済サービス（役務の提供）に対する手数料に該当するので課税仕入れになります。決済代行事業者が発行する明細書を確認するようにしてください。

STEP 3

税理士報酬・司法書士報酬

税理士報酬請求書

請　求　書

令和 6 年12月31日

ステップ商事株式会社

¥49,895

上記の通り請求いたします。

大阪市中央区天満橋1丁目7番17号
芦田税理士事務所
税理士　芦田　幸三
登録番号：T123xxxxxxxx07

区分	報酬内容	内訳	金額	源泉徴収税額
報酬	顧問報酬	顧問料　令和6年12月分	50,000	5,105
	記帳報酬			
	税務代理報酬			
	調査立会報酬			
	税務書類作成報酬			
	決算書類作成報酬			
	財務書類作成報酬			
	日当			
	旅費・宿泊費			
請求額	小計		50,000	5,105
	消費税 10 %		5,000	
	消費税含む差引額		55,000	5,105
立替費用	通信費			
	消耗品費			
	登記費用			
上記の通りご請求申し上げます。		請求額	¥49,895	

仕訳

(支払手数料) 課対仕 55,000 ／(現　金) 49,895
(預り金) 5,105

司法書士報酬請求書

請　求　書

令和 6 年11月30日

ステップ商事株式会社

¥32,977

上記の通り請求いたします。

大阪市中央区大手前1丁目1番1号
藤本司法書士事務所
司法書士　藤本　宏章
登録番号：T123xxxxxxxx08

区分	種別	報酬額	登録免許税又は印紙税
手続きの代理又は書類の作成等	株式会社　役員変更登記	20,000	10,000
	登記簿謄本	1,000	1,000
日当及び旅費			
小計		① 21,000	② 11,000
その他			
小計		③	
合計金額　①+②+③		④ 32,000	
消費税　①×10%		⑤ 2,100	
源泉所得税及復興特別所得税		⑥ 1,123	
合計請求額　④+⑤−⑥		⑦ 32,977	
前受金		⑧	
差引請求金額　⑦−⑧		⑨ 32,977	

仕訳

(支払手数料) 課対仕 23,100 ／(現　金) 32,977
(租税公課) 対外仕 11,000 ／(預り金) 1,123

STEP 4

クレジットカード手数料

設例 クレジットカードでの売上げ100,000円から、カード手数料7,000円が差し引かれ93,000円入金された。

仕訳 (当座預金) 93,000 ／(売掛金) 100,000
(支払手数料) 非仕 7,000

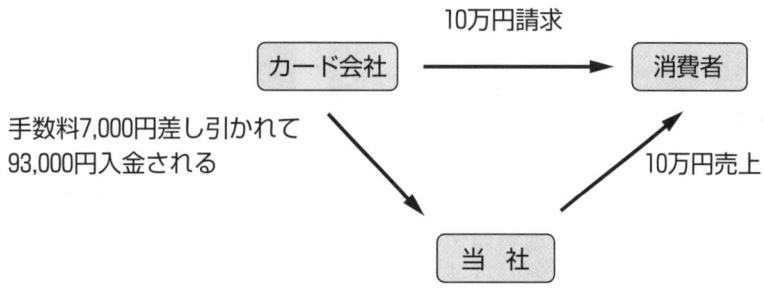

No.52 地代家賃

STEP 1

概要

地代家賃は、店舗や事務所の家賃、社宅の借上家賃、駐車場の使用料など多種にわたります。その支出の内容を確認し、課税区分を判断する必要があります。

（No.26「不動産賃貸収入」参照）

STEP 2

店舗、事務所、倉庫等の支払家賃

店舗、事務所、倉庫等の支払家賃及び家賃とともに支払う共益費などは、消費税の課税取引ですので、課税仕入れとなります。

契約時に支払う礼金も課税取引ですので、支払った課税期間の仕入税額控除の対象となります。なお、事務所等の退去時に返還される敷金は、単なる預け金ですので課税仕入れとなりません。

STEP 3

駐車場の使用料（消令８、消基通６－１－５）

駐車場の使用料は消費税の課税取引ですので、課税仕入れとなります。ただし、駐車場として地面の整備又は区画、フェンス等を設置せず、更地を駐車場として貸し付ける場合（いわゆる青空駐車場）は、消費税の非課税取引である土地の貸付けに該当しますので、課税仕入れとなりません。

STEP 4

社宅の借上家賃（消基通６－13－７）

会社が従業員等の社宅に供するため借り上げた賃貸マンション等の支払家賃は消費税の非課税取引である住宅の貸付けに該当しますので、課税仕入れとなりません。

STEP 5

支払地代（消令８、消基通６－１－４、６－１－５）

土地の貸付けは消費税の非課税取引に該当しますので、土地を賃借した場合の支払地代は、課税仕入れとなりません。ただし、賃貸借期間が１か月未満の短期の場合は、非課税取引に該当しませんので、課税仕入れとして仕入税額控除の対象となります。なお、その判定は、その土地の貸付けに係る契約において定められた貸付期間によって判定します。

また、店舗の利用に伴って土地が使用される場合は、土地部分も含めて課税取引に該当しますので、課税仕入れとなります。

STEP 1 地代家賃の課否区分

課税仕入れとなる	課税仕入れとならない
事務所、店舗、倉庫などの支払家賃 駐車場の使用料（フェンス、区画などがなく管理していない場合は課税対象外）	土地の賃借料（短期間、施設利用除く） 社宅の借上家賃

STEP 2 店舗、事務所等の家賃

〔事務所の支払家賃〕

【請 求 書】　令和６年11月20日

株式会社　島袋 御中

東福不動産㈱

登録番号：T123XXXXXXXX14

内容	金額	消費税	計
貸室料	200,000円	20,000円	220,000円
共益費	50,000円	5,000円	55,000円
水道光熱費	34,500円	3,450円	37,950円
ご請求額計	284,500円	28,450円	312,950円
10%対象	284,500円（消費税28,450円）		

仕訳（支払家賃）課対仕 275,000 ／（現金預金）312,950〔摘要〕東福不動産㈱12月分家賃

（水道光熱費）課対仕 37,950 〔摘要〕東福不動産㈱11月分水道光熱費

〔礼金・敷金〕

仕訳（長期前払費用）課対仕 2,200,000 ／（現金預金）3,200,000〔摘要〕東福不動産㈱店舗礼金

（差入保証金）対外仕 1,000,000 〔摘要〕東福不動産㈱店舗保証金

STEP 4 社宅の借上家賃

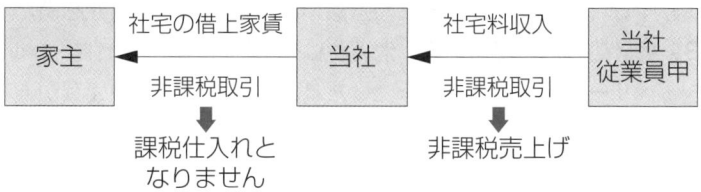

STEP 5 店舗を敷地と共に賃借した場合

店舗賃貸料　110,000
敷地賃貸料　80,000

賃貸料が区分している場合であっても

合計190,000円が課税仕入れとなります。

（支払家賃）課対仕 190,000 ／（現金預金）190,000

No.53 リース料

STEP 1

リース取引の概要

法人税、所得税において平成20年４月１日以後契約する所有権移転外ファイナンス・リース取引については、従来の賃貸借処理から売買処理へ改正されましたが、賃貸借処理による計算方法も認められています。

それに伴い、消費税においても、同様に取り扱うこととなりました。

１．賃貸借処理

通常の賃貸借取引に係る方法に準じた処理

２．売買処理

リース資産の引渡し時にリース資産の売買があったものとして取り扱う処理

STEP 2

所有権移転外ファイナンス・リース取引の消費税の処理

<table>
<tr><th>区分</th><th colspan="3">会計処理</th><th>消費税</th><th>法人税</th></tr>
<tr><td rowspan="2">上場企業
大企業</td><td rowspan="2">リース会計基準</td><td colspan="2">売買処理</td><td>一括控除</td><td rowspan="4">売買処理
（注）</td></tr>
<tr><td>少額リース資産</td><td>賃貸借処理</td><td>分割控除も可</td></tr>
<tr><td rowspan="2">中小企業</td><td rowspan="2">中小企業の会計に関する指針</td><td>原則</td><td>売買処理</td><td>一括控除</td></tr>
<tr><td>例外</td><td>賃貸借処理</td><td>分割控除も可</td></tr>
</table>

１．売買処理（消基通５－１－９、11－３－２）

リース資産の引渡しを受けた日に、リース資産の売買があったものとして、その引渡しを受けた日の課税期間において消費税を一括して仕入控除税額の計算を行います。

２．賃貸借処理の場合（国税庁質疑応答事例、インボイス制度に関するQ&A問99）

賃貸借処理をしている場合は、リース料の支払時に、仕入控除税額の計算を行うことが認められます。この場合、リース資産の引渡し時に交付を受けた適格請求書を保存することにより、仕入税額控除の請求書等の保存要件を満たすこととされています。

３．会計処理は賃貸借処理、消費税は売買処理（国税庁質疑応答事例）

① リース資産の引渡しを受けた日に、リース資産の売買があったものとして、税抜処理の場合、その資産に係る消費税額を「仮払消費税等」として計上し、消費税を一括して仕入控除税額の計算を行います。この場合、帳簿においてリース料総額を明示する必要があります。

② リース料の支払時は、消費税は課税対象外取引として処理します。

（注） 法人税においては、売買処理により資産に計上してリース期間定額法により減価償却費で費用計上しても、賃借料として費用計上しても所得計算上変わることはありません。

STEP 3

リース料に含まれる利息等の取扱い（消令10③十五、消基通６－３－１）

リース契約書において、リース料総額又はリース料のうち利息や保険料相当額が明示されている場合、その相当額部分は非課税となり仕入税額控除の対象となりません。

リース契約書に明示されていない場合は、リース料総額又はリース料の全額が仕入税額控除の対象となります。

STEP 1 リース取引の分類

- リース取引
  - ファイナンス・リース取引
    - 所有権移転ファイナンス・リース取引 ➡売買処理
    - 所有権移転外ファイナンス・リース取引 ➡賃貸借処理⇨売買処理に改正
    - セールアンドリースバック取引 ➡金融取引
  - オペレーティング・リース取引 ➡賃貸借処理

STEP 2 所有権移転外ファイナンス・リース取引の消費税の処理

設例

① 事業年度：令和６年４月１日～令和７年３月31日

② リース契約：令和６年11月１日契約締結　５年間

③ リース資産：デジタル複写機

④ リース料月額：22,000円（税込み）　リース料総額：1,320,000円（税込み）

⑤ 経理処理：税抜処理

（売買処理の場合）

売買があったものとして消費税を一括して仕入税額控除

(1) リース資産の引渡し時

（リース資産）課対仕	1,200,000	（リース債務）	1,320,000
（仮払消費税等）	120,000		

(2) 毎月のリース料支払時

（リース債務）対外仕	22,000	（現金預金）	22,000

（賃貸借処理の場合）

リース料の支払時に仕入税額控除

(1) リース資産の引渡し時　仕訳なし

(2) 毎月のリース料支払時

（支払リース料）課対仕	20,000	（現金預金）	22,000
（仮払消費税等）	2,000		

（会計処理は賃貸借処理、消費税は売買処理の場合）

(1) リース資産の引渡し時

（仮払消費税等）	120,000	（リース債務）	120,000＊

＊摘要欄に、リース料総額1,320,000円を明示する。

(2) 毎月のリース料支払時

（支払リース料）対外仕	20,000	（現金預金）	22,000
（リース債務）	2,000		

No.54 荷造運送費

STEP 1

概要

国内輸送に係る運送費は課税仕入れとなります。

ただし、輸出・輸入取引がある場合又は別途請求される保険料が含まれている運送費については、課否区分を判断する必要があります。

STEP 2

国内及び国外にわたって行われる貨物の輸送（消法7、消令17、消基通7-2-1、7-2-5）

国内から国外への貨物の輸送又は国外から国内への貨物の輸送（以下「国際輸送」といいます。）は輸出免税取引とされます。

発送地	到着地	課否判定
国内	国外	輸出免税
国外	国内	輸出免税

また、国際輸送として行う輸送の一部に国内における輸送（以下「国内輸送」といいます。）が含まれている場合であっても、運送契約において国際輸送の一環として行われる国内輸送は、国際輸送に該当するものとして取り扱います。

STEP 3

保税地域における通関業務料など（消基通７－２－12、７－２－13、７－２－13の２）

１．免税取引

・外国貨物に係る検量、港湾運送関連事業に係る業務

・輸入貨物に係る通関手続

・青果物に係る薫蒸などの役務提供

２．課税取引

・運送状の作成代行や通関手続以外の届出代行など

・本船扱い、ふ中扱い又は搬入前申告扱いの承認を受けた貨物の保税地域での荷役などの役務提供

STEP 4

国内輸送費の中に保険料が含まれている場合

国内輸送費の中に保険料が含まれている場合には次のように取り扱います。

１．保険契約者が運送会社である場合

① 原則→課税対象

② 荷主から付保の委任を受けて運送会社が名義人でかつ保険の効果が荷主となっている場合で運送会社が立替金処理をした場合→不課税

２．保険契約者が荷主である場合

① 運送会社がまとめて請求した場合→課税対象

② 運送会社が別途請求した場合→非課税

STEP 2 国内外にわたって行われる貨物の輸送

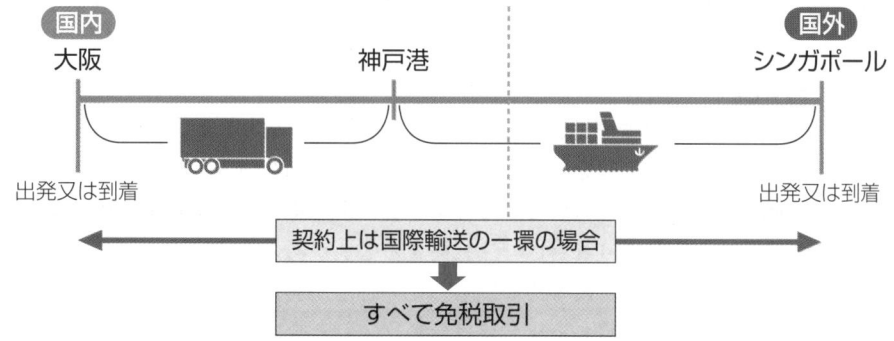

STEP 3 保税地域における通関業務料など

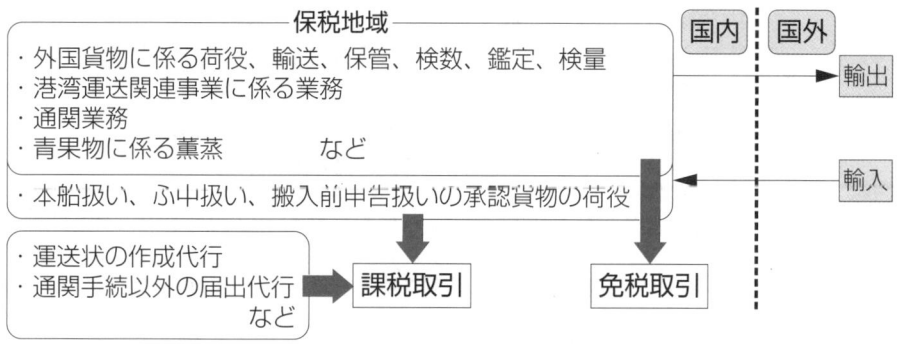

STEP 4 国内輸送費に保険料が含まれている場合

請求書

令和６年11月30日

ステップ商事株式会社 御中

東大阪市徳庵○一×
藤本運送株式会社
登録番号：T123XXXXXXXX09

請求額　176,000円

令和６年11月20日～分

内　訳	金　額
運送料　大阪～東京	165,000円
同上　運送保険	11,000円
10％対象合計	176,000円
消費税	16,000円

設例 保険契約者が運送会社である場合

仕訳

(荷造運賃) 課対仕 176,000円／(未払金) 176,000円

請求額　175,000円

令和６年11月20日～分

内　訳	金　額
運送料　大阪～東京	165,000円
同上　運送保険	10,000円
10％対象合計	165,000円
消費税	15,000円
非課税合計	10,000円

設例 保険契約者が荷主である場合

仕訳

(荷造運賃) 課対仕 165,000円 ／ (未払金) 175,000円
(保険料)　非仕　10,000円 ／

No.55 その他の費用（寄附金、損害賠償金、キャンセル料・違約金、ポイント使用）

STEP 1

寄附金

寄附金の支出は、対価を得て行われる取引ではありませんので、課税仕入れにはなりません。ただし金銭を寄附するのではなく、物品を購入して寄附した場合は、その物品の購入代金は課税仕入れとなります。したがって、その寄附が金銭によるものか、物品によるものかにより課否区分を判断する必要があります。

ただし、名目は寄附であっても、その寄附が実質的に資産の譲渡としての対価を構成すべきものと認められる場合には課税仕入れとなります。（消基通５－２－14）

STEP 2

損害賠償金

損害賠償金は次のように取り扱います。

心身又は資産に損害を与えた場合に支払うもの	課税対象外	消基通５－２－５
損害を与えた資産が当社に引き渡される場合で、その資産がそのまま又は軽微な修理で使用できるときに支払うもの	課税仕入れ	
無体財産権に侵害を与えた場合に支払うもの	課税仕入れ	
賃借土地又は賃借住宅の明渡しの遅滞によるもの	非課税	
賃借事務所、賃借店舗の明渡しの遅滞によるもの	課税仕入れ	

STEP 3

キャンセル料・違約金

キャンセル料・違約金は次のように取り扱います。

予約の取消し、変更等に伴うもの	課税対象外	消基通５－５－２
解約手数料、払戻手数料等の事務手数部分（一定額）	課税対象	
解約手数料、払戻手数料等で逸失利益部分（割増額）	課税対象外	
ゴルフ場のプレー予約の取消しに伴うもの	課税対象外	
賃借土地又は賃借住宅の賃貸契約の中途解約によるもの	課税対象外	
賃借事務所、賃借店舗の賃貸契約の中途解約によるもの	課税対象外	

STEP 1

寄附金

金銭による寄附	課税対象外	消基通５－２－14
国・地方公共団体に対する寄附金で実質的に資産の取得対価と認められるもの	土地…非課税 建物…課税対象	
物品を購入し現物で寄附	購入資産が課税対象	消基通11－２－17

設例 日本赤十字社に現金10,000円を寄附した。

仕訳 （寄附金） 対外仕 10,000円／（現金預金） 10,000円〔摘要〕日本赤十字社へ現金で寄附

設例 杉田画廊で絵画を550,000円で購入し、直ちに社会福祉法人ステップ会に寄附した。

仕訳 （器具備品） 課対仕 550,000円／（現金預金） 550,000円〔摘要〕杉田画廊　絵画購入
（寄附金） 対外仕 550,000円／（器具備品） 対外売 550,000円 上記絵画ステップ会へ寄附

STEP 2

損害賠償金

設例 当社の社員が配達中に人身事故を起こし、被害者に損害賠償金300,000円を支払った。

仕訳 （雑損失） 対外仕 300,000円／（現金預金） 300,000円〔摘要〕交通事故賠償金元木明様

設例 当社が㈱ステップの商標権を侵害し、損害賠償金1,000,000円を支払った。

仕訳 （雑損失） 課対仕 1,000,000円／（現金預金） 1,000,000円〔摘要〕㈱ステップ商標権侵害賠償金

STEP 3

キャンセル料・違約金

設例 当社の社員の都合により、購入した航空券をキャンセルし、払戻手数料880円と取消手数料4,000円が控除され22,120円が普通預金に入金された。（払戻手数料はキャンセルの時期に関わらず徴収され、取消手数料は取消時期、搭乗区間によって金額が異なる。）

仕訳 （支払手数料） 課対仕 880円
（支払手数料） 対外仕 4,000円
（現金預金） 22,120円
／（前払金） 27,000円〔摘要〕ＡＬ航空　払戻手数料
ＡＬ航空　取消手数料
ＡＬ航空　払戻し

設例 得意先の都合によりゴルフのプレー予約を取り消し、ステップゴルフクラブにキャンセル料として20,000円を支払った。

仕訳 （雑　　費） 対外仕 20,000円／（現金預金） 20,000円〔摘要〕ステップGCキャンセル料

STEP 4

商品購入時等にポイントを使用した場合の考え方

事業者が商品を購入する時などにポイントを使用した場合、仕入控除税額の計算については、以下の２つの場合が考えられます。なお、いずれに該当するかは、レシートの表記から判断して良いこととされています。

① ポイントの使用が「対価の値引き」に該当する場合

商品等の対価の合計額から、ポイントを使用した金額分を差し引いた金額、すなわち値引き後の金額で仕入控除税額の計算を行います。

② ポイントの使用が「対価の値引き」に該当しない場合

商品対価の合計額で仕入控除税額の計算を行います。

STEP 4

ポイント使用時の処理

【①の場合】

レシート
○○ストア
登録番号：T123XXXXXXXXX10
東京都…
2024年10月XX日(土)　16:45

ｵﾁｬ	＊ 1点	540	540円
ﾌﾞﾝﾎﾞｳｸﾞ	1点	550	550円
ポイント値引き			▲21円
合　計			1,069円
8%ﾀｲｼｮｳ			530円
(内消費税			39円)
10%ﾀｲｼｮｳ			539円
(内消費税			49円)
現金支払			1,069円

＊印は軽減税率対象品目

課税仕入れに係る支払対価の額は1,069円となる(値引き後の金額)。

【②の場合】

レシート
○○ストア
登録番号：T123XXXXXXXXX10
東京都…
2024年10月XX日(土)　16:45

ｵﾁｬ	＊ 1点	540	540円
ﾌﾞﾝﾎﾞｳｸﾞ	1点	550	550円
合　計			1,090円
8%ﾀｲｼｮｳ			540円
(内消費税			40円)
10%ﾀｲｼｮｳ			550円
(内消費税			50円)
○○ポイント支払			▲21円
現金支払			1,069円

＊印は軽減税率対象品目

課税仕入れに係る支払対価の額は1,090円となる(商品対価の合計額)。

(①の場合の仕訳)

(会 議 費)	課対仕軽	530	(現　金)	1,069
(消耗品費)	課対仕	539		

(②の場合の仕訳)

(会 議 費)	課対仕軽	540	(現　金)		1,069
(消耗品費)	課対仕	550	(雑 収 入)	対外売	21

No.56 固定資産・繰延資産を取得した場合

STEP 1

概要

消費税では、仕入れ、費用だけが課税仕入れとなるのではなく、固定資産や繰延資産を取得した場合にも、その資産の取得が課税仕入れとなるものもあります。

法人税では、固定資産・繰延資産を取得した場合は、耐用年数の期間で減価償却をして費用計上しますが、消費税では、課税仕入れと判断された場合には、取得した課税期間において、その全額を仕入控除税額の計算に含めます。

STEP 2

土地を取得した場合

1．土地を取得した場合

土地の譲渡は非課税取引ですので、その取得については課税仕入れとなりません。ただし、土地を取得するための仲介手数料、造成費用は課税取引ですので、課税仕入れとなります。

2．土地と建物を一括して取得した場合

土地の譲渡は非課税取引、建物の譲渡は課税取引ですので、土地建物を一括して取得した場合には、非課税仕入れと課税仕入れが混在します。契約書に土地建物それぞれの価額の記載がある場合は、その金額により計算しますが、記載がない場合は、取得時の時価により按分して土地建物のそれぞれの取得価額を計算し、非課税仕入れと課税仕入れを区分する必要があります。（**No.33**「土地建物の一括譲渡」を参照）

3．土地の取得を目的として土地建物を購入し、建物を取り壊した場合

当初から建物を取り壊して土地を利用する目的で土地建物を取得した場合、その建物の取得価額は、土地の取得価額に算入されます。（法基通7－3－6）

この場合、売買契約において建物の譲渡価額が記載されているときは、その建物の取得は課税仕入れに該当します。

STEP 3

建物、車両運搬具などの有形固定資産を取得した場合

建物、附属設備、機械装置、車両運搬具、器具備品などの有形固定資産を取得した場合、その資産の取得は課税仕入れとなります。

1．居住用賃貸建物の取得等に係る仕入税額控除の制限

令和２年10月１日以後に税抜き1,000万円以上で取得又は建築等をした居住用賃貸建物の課税仕入れ等に係る消費税額については、仕入税額控除の対象とならない等の制限が設けられています。（**No.83**「居住用賃貸建物の取得等に係る仕入税額控除の制限」を参照）

2．下取りがあった場合（消基通10－1－17）

車両の買換えに際して下取りがあった場合、下取金額と新車の購入価格を相殺して支払うことがありますが、この場合、下取金額を譲渡収入とする課税売上げと、新車の取得による課税仕入れとを区分して経理する必要があります。

STEP 1

概要

課税仕入れとなるもの	課税仕入れとならないもの
建物・機械など土地以外の固定資産 特許権などの無形固定資産 ゴルフ会員権・レジャークラブの入会金	土地・有価証券などの非課税資産
居住用以外の賃貸に係る敷金・保証金などで将来返還されないもの	敷金・保証金などで将来返還されるもの

STEP 2

土地を取得した場合

1．土地を購入した際の仲介手数料

設例 土地を30,000,000円で購入し、仲介手数料として990,000円支払った。

仕訳 (土地) 非仕 30,000,000 ／(現金預金) 30,000,000〔摘要〕㈱三光より土地購入
(土地) 課対仕 990,000／(現金預金) 990,000〔摘要〕日輪不動産　仲介手数料

2．土地建物を一括して取得した場合

不動産売買契約書

市岡産業株式会社（以下「売主」という）と国税商事株式会社（以下「買主」という）とは、売主所有の別紙目録記載の土地建物（以下「本件不動産」という）の売買に関し、次のとおり契約する。

第１条（目　的）　売主は、本件不動産を買主に売渡し、買主は、これを買い受ける。

第２条（売買代金）　本件不動産の売買代金は、金52,000,000円（うち消費税2,000,000円）とする。

（譲渡対価の区分の計算）

消費税額より課税資産（建物）の譲渡価額を計算する

建物　2,000,000×$\frac{110}{10}$　＝　22,000,000円（税込み）

土地　52,000,000－22,000,000＝30,000,000円

仕訳 (土地) 非仕 30,000,000 ／(現金預金) 52,000,000〔摘要〕市岡産業㈱より土地建物購入
(建物) 課対仕 22,000,000／

3．土地の取得を目的として土地建物を購入し、建物を取り壊した場合

設例 譲渡価額　土地　30,000,000円、建物13,200,000円の契約で購入したが、建物については取壊し費用2,200,000円をかけて取り壊し、更地とした。

仕訳 (土地) 非仕 30,000,000 ／(現金預金) 43,200,000〔摘要〕㈱英和より土地建物購入
(土地) 課対仕 13,200,000／
(土地) 課対仕 2,200,000／(現金預金) 2,200,000〔摘要〕山口土建　建物取壊費用

STEP 4

ゴルフ会員権を取得した場合（消基通５－５－５、６－２－２）

ゴルフ会員権を取得した場合は、取得先によって課税区分が異なります。

１．ゴルフクラブから会員権を取得する場合

ゴルフクラブが発行する会員権が株式形態の場合は出資金であり、預託金形式の場合は保証金ですので、不課税取引となり、課税仕入れとなりません。ただし、脱退時に返還されない入会金や名義書換料は課税仕入れとなります。

２．会員権業者又は会員権の所有者から会員権を取得した場合

会員権が株式形態の場合は株式の譲渡に、預託金形式の場合は金銭債権の譲渡に該当しますが、ゴルフ会員権の譲渡は、消費税の非課税取引に含まれませんので、課税対象となります。したがって、取得対価の全額が課税仕入れとなります。

STEP 5

特許権などの無形固定資産を取得した場合

（消法４、消令６①、消基通５－７－４～５－７－10）

特許権、営業権、鉱業権などの無形固定資産を取得した場合、その資産の取得が国内取引に該当するときは、その資産の取得は課税仕入れとなります。なお、国内取引の判定場所は右ページの表のとおりです。

・特許権を取得した場合

特許権を取得した場合に登録をした機関が国内である場合には、国内取引とされ消費税の課税対象となります。

特許権取得の際の出願料、特許料、名義変更手数料は、非課税取引に該当し課税仕入れにはなりません。

STEP 6

敷金、保証金、借家権利金などを支払った場合

建物を賃借する際には、敷金、保証金、借家権利金などの名称で貸主に一時金を支払いますが、その取扱いについては、名称で判断するのではなく、その一時金が将来返還されるものか否かで実質的に判断する必要があります。

将来返還されるもの	居住用	課税仕入れとならない
	居住用以外	
将来返還されないもの	居住用	
	居住用以外	課税仕入れとなる

STEP 4 ゴルフ会員権の課税関係

取得先	区分		課税区分
ゴルフクラブ	会員権	株式形態	課税仕入れとならない
		預託金形式	
	入会金	脱退時に返還されないもの	課税仕入れとなる
会員権業者 会員権所有者	会員権	株式形態	課税仕入れとなる
		預託金形式	

STEP 5 無形固定資産を取得した場合

資産の種類	国内取引の判定場所
鉱業権	鉱業権に係る鉱区の所在地
採石権	採石権に係る採石場の所在地
特許権、実用新案権、意匠権、商標権	権利の登録をした機関の所在地 （同一の権利について２以上の国において登録している場合には権利の譲渡又は貸付けを行う者の住所地）
著作権、ノウハウ	譲渡又は貸付けを行う者の住所地
営業権、漁業権、入漁権	これらの権利に係る事業を行う者の住所地
借家権利金	貸付資産の貸付時の所在場所

特許権を取得した場合

特許原簿の謄本（特許庁）

特許　第○○○号

表示部
出願年月日　平成29年６月３日
査定年月日　平成30年６月５日
発明の名称　○○

甲区
【特定承継による本権の移転】
受付年月日　令和６年10月10日
大阪市中央区大手前１－５　国税商事株式会社
登録年月日　令和６年10月25日

特許権譲渡契約書

国内の登録機関で登録

（設例）特許権を株式会社澤村機械から1,100,000円で購入し、特許料38,600円、名義変更手数料4,200円を特許庁に支払った。

仕訳

（特許権）	課対仕	1,100,000	（現金預金）	1,100,000	㈱澤村機械より○×特許購入 特許番号○○号
（特許権）	対外仕	42,800	（現金預金）	42,800	特許庁　特許料他

STEP 6 敷金・保証金を支払った場合

事務所賃貸契約書

（保証金）
第○条　賃借に係る保証金として甲は乙に525,000円を差し入れる。
２　前項の保証金のうち275,000円は返還しない。

住宅以外の建物賃貸契約

返還不要部分

設例 井上建物株式会社と事務所賃貸契約を締結し、保証金525,000円（うち保証金引きは275,000円）を支払った。

仕訳

（長期前払費用）	課対仕	275,000	（現金預金）	275,000	井上建物㈱　事務所保証金引き
（保証金）	対外仕	250,000	（現金預金）	250,000	井上建物㈱　事務所保証金

No.57 自動車リサイクル料金

STEP 1

概要

平成17年１月１日より、自動車リサイクル法が施行され、自動車ユーザーは、その自動車が廃車になった際に生じるリサイクル料金をあらかじめ負担することが義務付けられました。平成17年１月１日以降に新車を購入した場合は購入時に、以前から所有していた自動車がある場合は最初の車検時又は廃車時にリサイクル料金を支払うことになります。このリサイクル料は「資金管理法人」に預託され、最終的にその自動車が廃車されるときにリサイクルをする業者に払い出しされます。

STEP 2

新車購入時・車検時に初めて支払った際の取扱い

リサイクル料金は下記のとおり区分されます。

	経理処理	課税区分
(1) シュレッダーダスト料金 (2) エアバッグ類料金 (3) フロン類料金 (4) 情報管理料金	預託金	課税対象外
(5) 資金管理料金	支払手数料	課税仕入れ

(1)～(4)の料金は、廃車時まで資金管理法人で管理されますので、「預託金」として資産計上し、消費税の課税対象外取引となります。

(5)の資金管理料金は、資金管理法人で使用される費用ですので、支払時に費用計上することが可能であり、消費税については支払時に課税仕入れとなります。

STEP 3

中古車売買時の取扱い

すでにリサイクル料金が支払われている自動車を売買した場合、自動車の譲渡代金とともに必ず預託金（リサイクル料金）も譲渡されます。ただし、預託金は金銭債権に該当しますので、消費税は非課税取引になり**譲渡対価の５％**が課税売上割合の分母に算入されます。したがって、譲渡代金とリサイクル料金とは、別々に会計処理が必要です。

STEP 4

廃車時の取扱い

使用済自動車を引取業者に引き渡した時点で、リサイクル料金は資金管理法人からリサイクル業者に払い出しされますので、資産として計上していた預託金を費用処理することになり、消費税でもこの時点で課税仕入れとなります。

STEP 1 概要

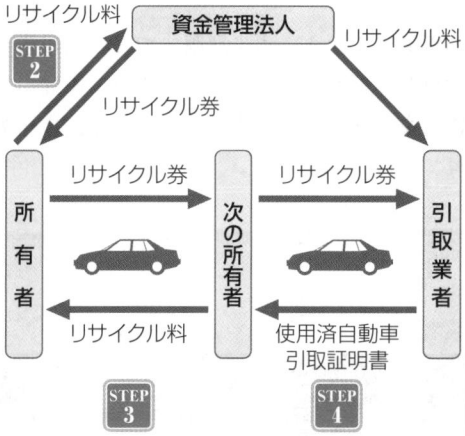

［A券］預託証明書（リサイクル券）

《車両欄》

リサイクル券番号	0100-XXX-XXXX
車台番号	ABC12PP-XXXX
車名	ABC

《料金欄》

シュレッダーダスト料金	¥7,700
エアバッグ類料金	¥2,290
フロン類料金	¥2,100
情報管理料金	¥130
預託金額合計	¥12,220

財団法人
自動車リサイクル促進センター

［C券］資金管理料金受領書

リサイクル券番号	0100-XXX-XXXX
車台番号	ABC12PP-XXXX
車名	ABC

受領金額 ¥290 消費税込

財団法人
自動車リサイクル
促進センター

STEP 2 新車購入時・車検時に初めて支払った際の取扱い

（車両運搬具）	課仕	1,100,000	（現預金）	1,100,000	〔摘要〕ABCモータース　GS150購入
（預　け　金）		12,220	（現預金）	12,220	〔摘要〕自動車リサイクル料金シュレッダーダスト料金他
（支払手数料）	課仕	290	（現預金）	290	〔摘要〕自動車リサイクル料金資金管理料金

STEP 3 中古車売買時の取扱い

※譲渡収入を把握するため「固定資産譲渡損」勘定を貸借両建てして仕訳します

購入時

（車両運搬具）	課対仕	880,000	（現　預　金）	880,000	〔摘要〕ABC中古車センター　GS100購入
（預　け　金）		12,220	（現　預　金）	12,220	〔摘要〕自動車リサイクル料金

売却時

（現　預　金）		220,000	（固定資産譲渡損）	課売	220,000	〔摘要〕ABC中古車センター　GS150売却
（固定資産譲渡損）	対外売	300,000	（車両運搬具）		300,000	〔摘要〕ABC中古車センター　GS150売却
（現　預　金）		12,220	（預　け　金）	非売	12,220	〔摘要〕自動車リサイクル料金

STEP 4 廃車時の取扱い

（固定資産除却損）		300,000	（車両運搬具）	300,000	〔摘要〕GS150廃車
（雑　損　失）	課対仕	12,220	（預　け　金）	12,220	〔摘要〕自動車リサイクル料金

No.58 中間申告を確認する

STEP 1 中間申告の義務を判定する（消法42）

消費税の課税事業者は、中間申告が不要の事業者を除き、申告期限までに中間申告書を提出し、その申告書に記載された税額を納付しなければなりません。また、中間申告は、直前の課税期間の確定消費税額（年税額）を基準に、中間申告の義務、中間申告の期間及び中間納付額が次表のとおり規定されています。

（中間申告が不要の事業者）

① 設立１期目の法人（合併によるものを除きます。）

② その年に開業した個人事業者

③ 課税期間の短縮の特例を受けている事業者

直前課税期間※1の確定消費税額（国税）※2			対象となる期間	中間申告回数	申告期限	直前課税期間実績による中間納付額
4,800万円超			1月ごとの期間	年11回	中間申告対象期間の末日の翌日から2月以内（最初の1か月は3月以内）	直前課税期間の確定消費税額×$\frac{1}{12}$
400万円超 4,800万円以下			3月ごとの期間	年3回	中間申告対象期間の末日の翌日から2月以内	直前課税期間の確定消費税額×$\frac{3}{12}$
48万円超 400万円以下			6月の期間	年1回	中間申告対象期間の末日の翌日から2月以内	直前課税期間の確定消費税額×$\frac{6}{12}$
48万円以下	中間申告不要	中間申告書を提出する旨の届出書を提出	6月の期間	年1回	中間申告対象期間の末日の翌日から2月以内	直前課税期間の確定消費税額×$\frac{6}{12}$

※1　個人の場合は前年、法人の場合は前事業年度

※2　地方消費税額は含みません。

STEP 2 任意の中間申告制度（消法42⑧～⑪）

中間申告義務のない事業者が、中間申告書を提出する旨を記載した届出書を納税地の所轄税務署長に提出した場合には、その届出書を提出した日以後にその末日が到来する６月の中間申告対象期間から、自主的に中間申告及び納付をすることができます。（No.107、108参照）

（不適用の届出）

任意の中間申告制度を選択した事業者が、その適用をやめようとするときは、その適用をやめる旨を記載した届出書を、納税地の所轄税務署長に提出しなければなりません。

（不適用のみなし規定）

任意の中間申告制度を選択した事業者が、その適用対象となる中間申告書をその申告期限までに提出しなかった場合には、その適用をやめる旨を記載した届出書の提出があったものとみなされます（STEP３ ３のみなし規定の適用はありません）。

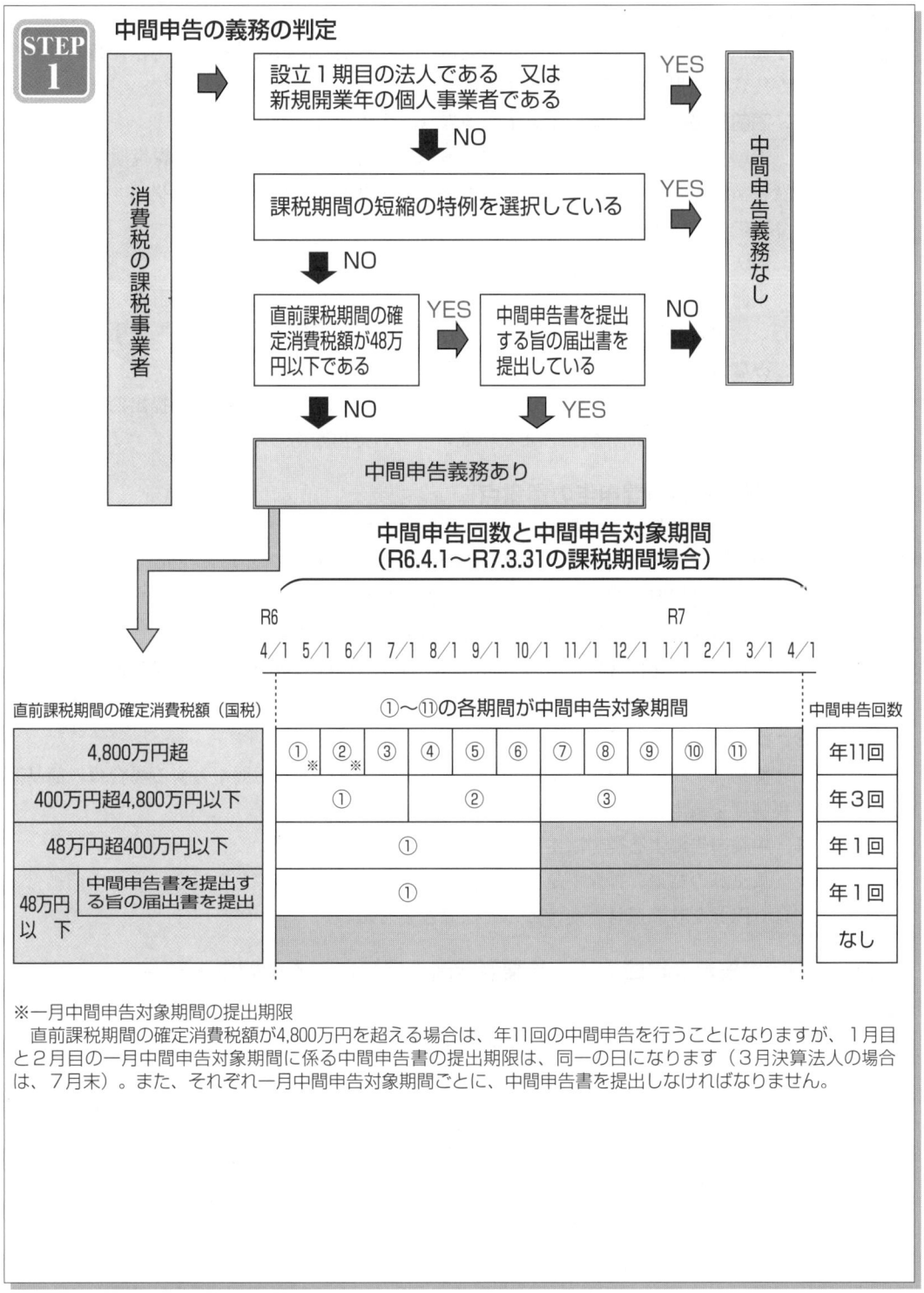

※一月中間申告対象期間の提出期限

直前課税期間の確定消費税額が4,800万円を超える場合は、年11回の中間申告を行うことになりますが、１月目と２月目の一月中間申告対象期間に係る中間申告書の提出期限は、同一の日になります（３月決算法人の場合は、７月末）。また、それぞれ一月中間申告対象期間ごとに、中間申告書を提出しなければなりません。

STEP 3

中間申告の方法

中間申告の方法は、前課税期間の実績による方法と、仮決算による方法があり、事業者が任意に選択することができます。

1．直前課税期間の実績による中間申告（消法42）

所轄税務署から送付されてくる、**STEP1**の計算式による直前の課税期間の確定消費税額に応じた中間納付額が記載された中間申告書（26号様式）を提出することにより申告を行います。

2．仮決算による中間申告（消法43）

中間申告対象期間を一課税期間とみなして確定申告と同様の税額計算（仮決算）を行い、中間納付額を計算します。申告書の様式は、確定申告書と同じです。

3．みなし規定（消法44、消基通15－１－６）

中間申告書の提出期限までにその提出がなかった場合には、その提出期限において１.の直前課税期間の実績による中間申告書の提出があったものとみなされます。

STEP 4

仮決算による中間申告の留意点

1．申告義務の判定（消基通15－１－４）

仮決算により納付税額を計算する場合でも、中間申告義務及び回数は、**STEP1**の直前の課税期間の確定消費税額により判定します。

2．前課税期間の実績による方法と仮決算の併用（消基通15－１－２）

１月ごとの又は３月ごとの中間申告を行う場合は、その中間申告対象期間ごとに、前課税期間の実績による方法と仮決算による方法を選択適用することができます。

3．簡易課税制度を適用している場合（消基通15－１－３）

簡易課税制度を適用している事業者が、仮決算により中間申告する場合は、簡易課税制度を適用して仮決算を行い中間申告します。

4．中間申告による還付は生じない（消基通15－１－５）

仮決算の結果、控除不足還付税額（申告書の⑧欄）が生じた場合でも、中間納付額は０円となり、還付を受けることはできません。

STEP 5

中間申告書を作成する―前課税期間の実績による中間申告書―

STEP1,2により中間申告の義務がある課税事業者に対しては、税務署から「消費税及び地方消費税の中間申告書（第26号様式）」が送付されてきます。

この中間申告書には、前課税期間、前課税期間の消費税額、中間申告対象期間、月数換算、納付すべき消費税額、納付すべき地方消費税額、消費税及び地方消費税の合計納付税額が、事前に印字されています。

納税地、名称、代表者氏名を記入し、納税地の所轄税務署に提出します。

設例　前課税期間の消費税額　1,800,200円　前課税期間　R5.4.1～R6.3.31

（判定）　480,000円＜1,800,200円≦4,000,000円　∴年１回の中間申告

国税　$1{,}800{,}200円 \times \frac{6}{12} = 900{,}099円$（注）　→　900,000円（100円未満切捨て）

地方税　$900{,}000円 \times \frac{22}{78} = 253{,}846円$　→　253,800円（100円未満切捨て）

合計　900,000円＋253,800円＝1,153,800円

（注）　課税期間の月数12で除し、これに６を乗じて計算します。

STEP 3 中間申告期限（3か月ごとの中間申告の場合）

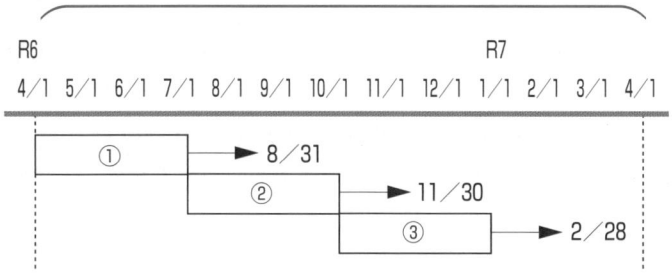

中間申告対象期間	申告期限
①4／1～6／30	8／31
②7／1～9／30	11／30
③10／1～12／31	2／28

各中間申告対象期間の末日の翌日から2か月以内が申告期限です。

STEP 4 中間申告・仮決算（3か月ごとの中間申告の場合）

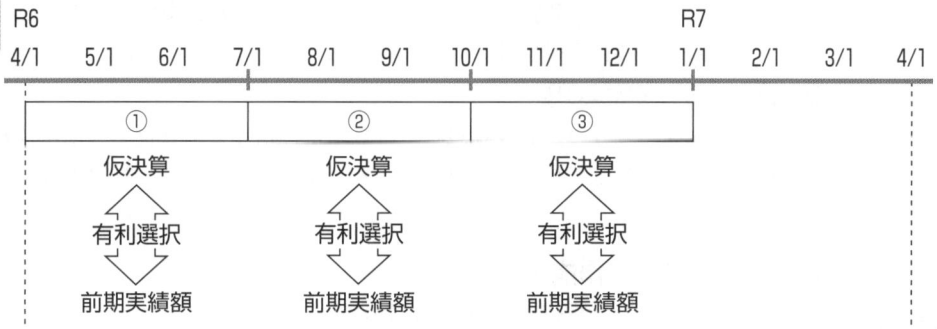

各中間申告対象期間ごとに、直前の確定消費税額から算出した中間納付額（前期実績額）と仮決算額の有利な方を選択できます。

STEP 5 中間申告書―第26号様式―

第26号様式

消費税及び地方消費税の中間申告書

納税地	大阪市天王寺区上汐8－2－3 （電話番号　06　－6776－08X1）
（フリガナ） 名称又は屋号	ステップ商事　株式会社
個人番号又は法人番号	1 個人番号の記載に当たっては、左端を空欄とし、ここから記載してください。
（フリガナ） 代表者氏名又は氏名	
税理士署名	（電話番号　－　－　）

令和　年　月　日

天王寺　税務署長殿

平成 令和 6年 4月 1日 / 7年 3月 31日　課税期間分の中間申告書

税務署処理欄	通信日付印	確認	番号確認
	年　月　日		
確認書類	個人番号カード／通知カード 運転免許証 その他（　　）	身元確認	□済 □未済

この申告書が修正の申告である場合の		百万	千	円
消費税	この申告前の税額			00
	この申告により増加する税額			00
地方消費税	この申告前の税額			00
	この申告により増加する税額			00
消費税及び地方消費税の合計納付税額				00

整理番号	01206969
消費税 前課税期間	平成 令和 自 5年 4月 1日 至 6年 3月 31日
修正・更正・決定の年月日	平成 令和 年 月 日
前課税期間の消費税額	百万 千 円：1 800 200
中間申告対象期間	平成 令和 自 6年 4月 1日 至 6年 9月 30日
月数換算	前課税期間の消費税額 × 6/12
納付すべき消費税額	百万 千 円：900 000
納付すべき地方消費税額	253 800
消費税及び地方消費税の合計納付税額	1 153 800

（注）平成28年1月1日以後に開始する課税期間分の中間申告書から、個人番号又は法人番号を記載する必要があります。

仕訳

【税込経理】

（租税公課）1,153,800／（現預金）1,153,800

【税抜経理】

（仮払金）1,153,800／（現預金）1,153,800

No.59 税抜振替処理を確認する

STEP 1

概要

消費税の経理処理方法には、税込経理方式と税抜経理方式がありますが、企業の損益計算や法人税の計算に影響が及ばないように、「中小企業の会計に関する指針」では、税抜経理方式を原則としています（**No.22**「消費税の経理処理を決定する」参照）。

しかし、一仕訳ごとに、「仮払消費税等」や「仮受消費税等」を計上することは事務処理が煩雑になりますので、仕訳時には税込経理方式で処理し、月末又は決算時に一括して税抜振替処理をし、税抜経理方式にすることが認められています。なお、輸入取引については、個別に消費税を集計する必要があるため、一括税抜振替処理はできません。

1．決算時一括税抜振替処理

期中仕訳はすべて税込経理方式で経理処理し、決算時に一括して消費税を税抜振替処理する方法をいいます。税抜振替処理は、決算時の一度だけですが、消費税の振替処理により決算時に損益に影響を及ぼす可能性があります。

2．月末一括税抜振替処理

日常仕訳は税込経理方式で経理処理し、月末に一括して消費税を税抜振替処理する方法をいいます。毎月末に税抜振替処理をする必要がありますが、月次損益を正しく把握することができます。

STEP 2

税抜振替計算表を作成する

ここでは、月末一括税抜振替処理の設例により計算します。

1．月次の試算表より、税抜振替計算表の「勘定科目」欄、「税込金額」欄に記入します。

2．1か月の取引について総勘定元帳より、「課税対象外」、「非課税」、「課税売上げ」、「課税仕入れ」の課税区分ごとに集計し、転記します。

3．「課税売上げ」、「課税仕入れ」欄の金額に、$\frac{10}{110}$（※）を乗じて計算した金額を、「税抜振替金額」欄に記入します。この金額がそれぞれ「仮受消費税等」、「仮払消費税等」の振替金額になります。

※8％、旧8％税率のものは$\frac{8}{108}$

（注）免税事業者等からの課税仕入れに係る経過措置（インボイス制度導入後6年間）

免税事業者等からの課税仕入れについては、一定の請求書を保存すること等により、仕入税額相当額の一定割合を課税仕入れに係る消費税額とみなす経過措置が設けられています。

【令和5年10月1日から令和8年9月30日まで】

課税仕入れに係る支払対価の額　×　$\frac{10}{110}$（軽減税率は$\frac{8}{108}$）×　80％

【令和8年10月1日から令和11年9月30日まで】

課税仕入れに係る支払対価の額　×　$\frac{10}{110}$（軽減税率は$\frac{8}{108}$）×　50％

STEP 3

税抜振替仕訳をする

税抜振替仕訳により、税抜振替計算表の税抜振替金額を、課税売上げの勘定科目については仮受消費税等に、課税仕入れの勘定科目については仮払消費税等に振り替えることにより、税込金額が税抜金額になります。

STEP 1 概要

日常仕訳

税込経理方式で経理処理 → 決算時又は月末 税抜振替処理 → 税抜経理方式

STEP 2 税抜振替計算表を作成する

STEP 2-2 総勘定元帳の課税区分ごとに集計し記入する

STEP 2-1 試算表から記入する

STEP 2-3 課税売上げ×$\frac{10}{110}$(※)
課税仕入れ×$\frac{10}{110}$(※)
を計算し記入する

ステップ商事株式会社

消費税 税抜振替計算表

自 令和6年12月1日　至 令和6年12月31日　　単位：円

勘定科目	税込金額	非課税	課税対象外	課税売上げ	税抜振替金額
国内売上高	42,637,115			42,637,115	3,876,101
国内売上高 8%	5,389,230			5,389,230	399,202
受取利息	119,784	119,784		0	0
雑収入	140,745		138,105	2,640	240
[小計]	48,286,874	119,784	138,105	48,028,985	4,275,543
(うち10%)	42,897,644	119,784	138,105	42,639,755	3,876,341
(うち8%)	5,389,230			5,389,230	399,202
(うち旧8%)	0			0	0

勘定科目	税込金額	非課税	課税対象外	課税仕入れ	税抜振替金額
国内仕入高	35,201,709			35,201,709	3,200,155
国内仕入高 8%	4,449,412			4,449,412	329,586
役員給与	1,300,000		1,300,000	0	0
給料手当	2,425,300		2,425,300	0	0
法定福利費	423,820		423,820	0	0
福利厚生費	1,689,500		1,600,000	89,500	8,136
福利厚生費 8%	25,920			25,920	1,920
福利厚生費(経過80)	16,500			16,500	1,200
租税公課	113,900		113,900	0	0
リース料 旧8%	54,000			54,000	4,000
荷造運賃	223,500		98,720	124,780	11,343
支払手数料	55,000			55,000	5,000
地代家賃	220,000			220,000	20,000
使用料	132,000			132,000	12,000
雑費	45,800			45,800	4,163
支払利息	23,512	23,512		0	0
手形売却損	37,124	37,124		0	0
仕入割引	-467,622			-467,622	-42,511
仕入割引 8%	-59,842			-59,842	-4,432
[小計]	47,980,690	60,636	6,195,165	41,724,889	3,715,155
(うち10%)	43,356,650	60,636	6,195,165	37,100,849	3,372,804
(うち8%)	4,443,540			4,443,540	329,151
(うち旧8%)	54,000			54,000	4,000
(うち10%経過80)	126,500			126,500	9,200

STEP 3 税抜振替処理をする

(例)　(国内売上高) 課売　3,876,101 ／ (仮受消費税等)　3,876,101
　　(国内売上高) 課売軽　399,202 ／ (仮受消費税等)　399,202

(例)　(仮払消費税等)　8,136 ／ (福利厚生費) 課仕　8,136
　　(仮払消費税等)　1,920 ／ (福利厚生費) 課仕軽　1,920
　　(仮払消費税等)　1,200 ／ (福利厚生費) 課仕経過80　1,200

No.60 消費税の課税区分を確認する

STEP 1 申告書の作成手順

消費税の確定申告書の作成の流れは次のとおりです。

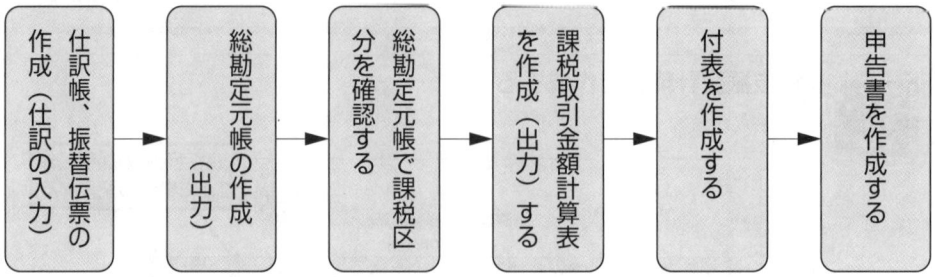

STEP 2 総勘定元帳で課税区分を確認する

1．総勘定元帳で、年間の取引について消費税の課税区分に誤りがないか確認します。当社の取引で注意すべき点は、次のとおりです。（当社は、税込経理で経理し、月末に税抜振替をする経理処理をしています。）

勘定科目	留意点
輸出売上高	輸出免税に区分されているか確認します。
固定資産売却益	売却損益ではなく売却価格が課税売上げになります。売却資産が土地の場合は非課税売上げになります。
償却債権取立益	貸倒れに係る税額控除を行った債権を回収した場合には、その債権に係る消費税額を控除過大調整税額として課税標準額に対する消費税額に加算します。
輸入仕入高	課税貨物の仕入れは税抜きで経理し、実際に税関に納付した消費税額を「仮払消費税等」に計上します。
土地	土地の取得は非課税取引ですが、仲介手数料は課税仕入れとなります。
貸倒損失	課税売上げに計上した債権が貸倒れとなった場合は税額控除の対象となります。

2．インボイス制度導入後（令和５年10月１日以降の取引）

取引先から受け取った請求書が、適格請求書または簡易適格請求書に該当するかどうかを確認する必要があります。同じ勘定科目でも適格請求書発行事業者とそれ以外の事業者が混在している可能性があります。また、クレジットカード払い・事務所の家賃などが自動引落になっている場合も確認が必要です。

3．年間の取引について、総戡定元帳と課税取引金額計算表を照合し、課税区分の集計に誤りがないか確認します。

STEP 2 総勘定元帳で課税区分を確認する

「輸出免税」で区分されているか？

総　勘　定　元　帳　（輸出売上高）

ステップ商事株式会社　　消費税：税抜経理

日付	相手科目	摘　要	課税区分	借方	貸方	残高
		前月より繰越				32,811,430
R7.2.28	売　掛　金	2月分　輸出売上高	免税		12,573,251	45,384,681
R7.2.28	売　掛　金	2月分　輸出売上返品	免税	63,150		45,321,631
		＊＊　2月計　＊＊		63,150	12,573,251	
R7.3.31	売　掛　金	3月分　輸出売上高	免税		23,834,379	69,156,010
		＊＊　3月計　＊＊			23,834,379	
		＊＊　年間計　＊＊		258,925	69,414,935	69,156,010

「課税売上げ」で区分されているか？
税率は正しいか？

総　勘　定　元　帳　（固定資産売却益）

ステップ商事株式会社　　消費税：税抜経理

日付	相手科目	摘　要	課税区分	借方	貸方	残高
R6.6.21	現 金 預 金	㈱徳製作所　社用車売却	課売		330,000	330,000
R6.6.21	車両運搬具	㈱徳製作所　社用車売却　帳簿価額	対外	100,000		230,000
R6.6.30	仮受消費税等	消費税額振替　税込金額：330,000	課売	30,000		200,000
		＊＊　6月計　＊＊		130,000	330,000	
		＊＊　年間計　＊＊		130,000	330,000	200,000

「課税仕入れ」で区分されているか？
税率は正しいか？

「課税貨物」で区分されているか？
税率は正しいか？

総　勘　定　元　帳　（輸入仕入高）

ステップ商事株式会社　　消費税：税抜経理

日付	相手科目	摘　要	課税区分	借方	貸方	残高
		前月より繰越				12,553,654
R7.2.28	買　掛　金	2月分　輸入仕入高	課貨課対	15,153,541		27,707,195
R7.2.28	買　掛　金	2月分　輸入仕入諸掛	課対	1,641,788		29,348,983
R7.2.28	買　掛　金	2月分　輸入仕入諸掛	対外	658,412		30,007,395
R7.2.28	仮払消費税等	消費税額振替　税込金額：1,641,788	課仕		149,253	29,858,142
		＊＊　2月計　＊＊		17,453,741	149,253	
：	：	：	：	：	：	：
		＊＊　年間計　＊＊		50,605,398	266,278	50,339,120

「課税貸倒れ」で区分されているか？
税率は正しいか？

総　勘　定　元　帳　（貸倒損失）

ステップ商事株式会社　　消費税：税抜経理

日付	相手科目	摘　要	課税区分	借方	貸方	残高
R6.12.15	売　掛　金	㈱高鷲製作所　売掛金貸倒れ	課貸倒旧8	1,166,398		
R6.12.15	貸　付　金	㈱高鷲製作所　貸付金貸倒れ	対外	120,000		
R6.12.31	仮受消費税等	消費税額振替　税込金額：1,166,398	課貸倒旧8		86,399	1,199,999
		＊＊　12月計　＊＊		1,286,398	86,399	
		＊＊　年間計　＊＊		1,578,977	112,997	1,465,980

No.61 課税取引金額計算表を作成する

STEP 1

課税取引金額計算表の概要

多くの税務・会計ソフトで右ページのような消費税の課税取引の集計表（以下「課税取引金額計算表」と呼びます。）の作成が可能です。この集計に誤りがあると正しい税額計算を行うことができません。ここでは、課税取引金額計算表の各項目がどのような意味を持つのかを確認します。

消費税申告書の「付表２－１、２－２」を作成するためには、課税期間中の下記の数値が必要となります。各数値は「課税取引金額計算表」の以下の項目の合計（課税取引については税率ごとの小計）欄の金額を用いて計算します。

課税売上高５億円超又は課税売上割合95%未満の場合

付表２－１、２－２の項目		使用する課税取引金額計算表の項目
課税売上額（税抜き）	①	売上項目、Ⅰ.資産の譲渡等の「課税売上げ」、「仮受消費税等」
免税売上額	②	売上項目、Ⅰ.資産の譲渡等の「輸出免税」
非課税資産の輸出等の金額 海外支店等へ移送した資産の価額	③	なし
非課税売上額	⑥	売上項目、Ⅰ.資産の譲渡等の「非課税売上」、「有価証券売却」
課税仕入れに係る支払対価の額（税込み）	⑨	仕入項目、Ⅲ.仕入税額控除(合計)の「課税仕入れ」、「仮払消費税等」
適格請求書発行事業者以外の者から行った課税仕入れに係る経過措置の適用を受ける課税仕入れに係る支払対価の額（税込み）	⑪	仕入項目、Ⅲ. 仕入税額控除（合計）の「課税仕入れ（経過80）」、「仮払消費税等（経過80）」
特定課税仕入れに係る支払対価の額	⑬	仕入項目、Ⅲ.仕入税額控除(合計)の「特定課税仕入れ」
課税貨物に係る消費税額	⑮	仕入項目、Ⅲ.仕入税額控除(合計)の課税貨物の内訳欄の「仮払消費税等」
納税義務の免除を受けない（受ける）こととなった場合における消費税額の調整（加算又は減算）額	⑯	なし
⑰のうち、課税売上げにのみ要するもの	⑲	仕入項目、Ⅲ.仕入税額控除(合計)、課税売上げ対応の「課税仕入れ」、「仮払消費税等」
⑰のうち、課税売上げと非課税売上げに共通して要するもの	⑳	仕入項目、Ⅲ.仕入税額控除(合計)、共通対応の「課税仕入れ」、「仮払消費税等」
課税売上割合変動時の調整対象固定資産に係る消費税額の調整（加算又は減算）額	㉓	なし
調整対象固定資産を課税業務用（非課税業務用）に転用した場合の調整（加算又は減算）額	㉔	なし
居住用賃貸建物を課税賃貸用に供した（譲渡した）場合の加算額	㉕	なし
貸倒回収に係る消費税額	㉘	売上項目、Ⅱ貸倒回収の「課税貸倒回収」、「仮受消費税等」

残高試算表の期末残高と一致します。

各勘定科目の課税区分別、税率別の内訳です。
総勘定元帳で課税区分、税率の入力に誤りがないか確認し、誤りがあれば訂正し、正しい計算表を完成させます。

ステップ商事株式会社

課税取引金額計算表

[売上項目]　　自 令和6年4月1日　至 令和7年3月31日　　(税込・税抜)

Ⅰ.資産の譲渡等　　単位：円

勘定科目	決算額	決算額の内訳					仮受消費税等
		非課税売上	課税対象外	有価証券売却	輸出免税	課税売上げ	
国内売上高	483,063,083					483,063,083	48,306,308
国内売上高 8%	70,105,524					70,105,524	5,608,441
輸出売上高	69,156,010				69,156,010	0	0
受取利息	975,341	975,341				0	0
受取配当金	780,000		780,000			0	0
有価証券売却益	1,400,000		-3,800,000	5,200,000		0	0
雑収入	5,720,385		3,804,232			1,916,153	191,615
雑損失	-3,100,000		-4,300,000			1,200,000	120,000
受取保険金	6,450,000		6,450,000			0	0
固定資産売却益	200,000		-100,000			300,000	30,000
固定資産売却損	-2,450,000	51,000,000	-53,450,000			0	0
[小計]	632,300,343	51,975,341	-50,615,768	5,200,000	69,156,010	556,584,760	54,256,364
(うち10%)	562,194,819	51,975,341	-50,615,768	5,200,000	69,156,010	486,479,236	48,647,923
(うち8%)	70,105,524	0	0	0	0	70,105,524	5,608,441
(うち旧8%)	0	0	0	0	0	0	0
合計	632,300,343	51,975,341	-50,615,768	5,200,000	69,156,010	556,584,760	54,256,364

×5%

付表2－1の非課税売上額⑥の計算へ

付表2－1の免税売上額②へ

付表2－1、2－2の課税売上額（税抜き）①の計算へ

残高試算表の期末残高と一致します。

Ⅱ.貸倒回収

勘定科目	決算額	決算額の内訳					仮受消費税等
			課税対象外			課税貸倒回収	
償却債権取立益 旧8%	952,380					952,380	76,190
[小計]	952,380	0	0	0	0	952,380	76,190
(うち10%)	0					0	0
(うち8%)	0					0	0
(うち旧8%)	952,380					952,380	76,190
合計	952,380	0	0	0	0	952,380	76,190

総勘定元帳で課税区分、税率の入力に誤りがないか確認し、誤りがあれば訂正し、正しい計算表を完成させます。

付表2－1、2－2の貸倒回収に係る消費税額㉘の計算へ

各勘定科目の課税区分別、売上げとの対応区分別、税率別の内訳です。
総勘定元帳で課税区分、税率の入力に誤りがないか確認し、誤りがあれば訂正し、正しい計算表を完成させます。

ステップ商事株式会社

課税取引金額計算表

[仕入項目]　　自 令和6年4月1日　至 令和7年3月31日　　(税込・(税抜))

Ⅰ．仕入税額控除（損益項目）

勘定科目	決算額	決算額の内訳		課税仕入れの内訳			仮払消費税等
		課税取引以外	課税取引	課税売上対応	共通対応	非課税売上対応	
国内仕入高	381,338,236		381,338,236	381,338,236			38,133,823
国内仕入高 8%	52,029,892		52,029,892	52,029,892			4,162,391
輸入仕入高	50,339,210	47,145,751	3,193,459	3,193,459			319,345
[小計]	483,707,338	47,145,751	436,561,587	436,561,587	0	0	42,615,559
(うち10%)	431,677,446	47,145,751	384,531,695	384,531,695	0	0	38,453,168
(うち8%)	52,029,892	0	52,029,892	52,029,892	0	0	4,162,391
(うち旧8%)	0	0	0	0	0	0	0
役員給与	17,200,000	17,200,000	0				0
給料手当	35,571,590	35,571,590	0				0
福利厚生費	2,846,121	2,000,000	846,121		846,121		84,612
福利厚生費 8%	43,562		43,562		43,562		3,484
福利厚生費(経過80)	30,600		30,600		30,600		2,400
リース料 旧8%	540,000		540,000		540,000		43,200
地代家賃	2,400,000		2,400,000		2,400,000		240,000
地代家賃(経過80)	1,020,000		1,020,000		1,020,000		80,000
使用料	1,440,000		1,440,000		1,440,000		144,000
雑費	210,600		210,600		210,600		21,060
[小計]	87,866,968	61,617,456	26,249,512	4,393,087	21,856,425	0	2,589,678
(うち10%)	86,185,906	61,617,456	24,568,450	4,362,387	20,206,063	0	2,456,842
(うち8%)	90,462	0	90,462	30,700	59,762	0	7,236
(うち旧8%)	540,000	0	540,000	0	540,000	0	43,200
(うち10%経過80)	1,050,600		1,050,600		1,050,600		82,400
支払利息	261,860	261,860	0				0
手形売却損	548,321	548,321	0				0
為替差損	436,000	436,000	0				0
仕入割引	-6,149,930		-6,149,930	-6,149,930			-614,993
仕入割引 8%	-749,231		-749,231	-749,231			-59,938
[小計]	-5,652,980	1,246,181	-6,899,161	-6,899,161	0	0	-674,931
(うち10%)	-4,903,749	1,246,181	-6,149,930	-6,149,930	0	0	-614,993
(うち8%)	-749,231	0	-749,231	-749,231	0	0	-59,938
(うち旧8%)	0	0	0	0	0	0	0
固定資産除却損	692,644	692,644	0				0
[小計]	692,644	692,644	0	0	0	0	0
(うち10%)	692,644	692,644	0	0	0	0	0
(うち8%)	0	0	0	0	0	0	0
(うち旧8%)	0	0	0	0	0	0	0
[合計]	566,613,970	110,702,032	455,911,938	434,055,513	21,856,425		44,530,306
(うち10%)	513,652,247	110,702,032	402,950,215	382,744,152	20,206,063	0	40,295,017
(うち8%)	51,371,123	0	51,371,123	51,311,361	59,762	0	4,109,689
(うち旧8%)	540,000	0	540,000	0	540,000	0	43,200
(うち10%経過80)	1,050,600		1,050,600		1,050,600		82,400

残高試算表の期末残高と一致します。

各勘定科目の課税区分別、売上げとの対応区分別、税率別の内訳です。総勘定元帳で課税区分、税率の入力に誤りがないか確認し、誤りがあれば訂正し、正しい計算表を完成させます。

残高試算表の期末残高と一致します。

II. 仕入税額控除（資産項目）

勘定科目	決算額	決算額の内訳		課税仕入れの内訳			仮払消費税等
		課税取引以外	課税取引	課税売上対応	共通対応	非課税売上対応	
器具備品	1,580,000		1,580,000		1,580,000		158,000
ソフトウェア	600,000		600,000	600,000			60,000
土地	30,900,000	30,000,000	900,000		900,000		90,000
[小計]	33,080,000	30,000,000	3,080,000	600,000	2,480,000	0	308,000
(うち10%)	33,080,000	30,000,000	3,080,000	600,000	2,480,000	0	308,000
(うち8%)	0	0	0	0	0	0	0
(うち旧8%)	0	0	0	0	0	0	0
長期前払費用	2,800,000		2,800,000		2,800,000		280,000
[小計]	2,800,000	0	2,800,000	0	2,800,000	0	280,000
(うち10%)	2,800,000	0	2,800,000	0	2,800,000	0	280,000
(うち8%)	0	0	0	0	0	0	0
(うち旧8%)	0	0	0	0	0	0	0
[合計]	35,880,000	30,000,000	5,880,000	600,000	5,280,000	0	588,000
(うち10%)	35,880,000	30,000,000	5,880,000	600,000	5,280,000	0	588,000
(うち8%)	0	0	0	0	0	0	0
(うち旧8%)	0	0	0	0	0	0	0

III. 仕入税額控除（合計）

付表2－1、2－2の課税仕入れに係る支払対価の額（税込み）⑨へ

【課税仕入れの内訳】

		課税売上対応	共通対応	非課税売上対応	仮払消費税等
課税仕入れ10%	408,830,215	383,344,152	25,486,063	0	40,883,017
課税仕入れ8%	51,371,123	51,311,361	59,762	0	4,109,689
課税仕入れ旧8%	540,000	0	540,000	0	43,200
仮払消費税等10%	40,883,017	38,334,411	2,548,605	0	
仮払消費税等8%	4,109,689	4,104,908	4,781	0	
仮払消費税等旧8%	43,200	0	43,200	0	

付表2-1、2-2の適格請求書発行事業者以外の者から行った課税仕入れに係る経過措置の適用を受ける課税仕入れに係る支払対価の額（税込み）⑪へ

【経過措置の内訳】

		課税売上対応	共通対応	非課税売上対応	仮払消費税等
課税仕入れ10%(経過80)	1,050,600	0	1,050,600		82,400
仮払消費税等10%(経過80)	82,400		82,400		

付表2－1、2－2の課税貨物に係る消費税額⑮の計算へ

【課税貨物の内訳】

		課税売上対応	共通対応	非課税売上対応	仮払消費税等
仮払消費税等10%	4,118,633	4,118,633	0		
仮払消費税等8%	475,383	475,383	0		
仮払消費税等旧8%	0	0	0		
			計		

付表2－1、2－2の⑰のうち、課税売上げと非課税売上げに共通して要するもの⑳の計算へ

付表2－1、2－2の特定課税仕入れに係る支払対価の額⑬へ

【特定課税仕入れの内訳】

		課税売上対応	共通対応	非課税売上対応
特定課税仕入れ10%	1,950,000		1,950,000	0
特定課税仕入れ8%				
特定課税仕入れ旧8%	0		0	0

IV. 貸倒れに係る税額控除

勘定科目	決算額	決算額の内訳		仮受消費税等
		課税取引以外	課税貸倒	
貸倒損失	265,981		265,981	26,598
貸倒損失 8%	0		0	0
貸倒損失 旧8%	1,199,999	120,000	1,079,999	86,399
合計	1,465,980	120,000	1,345,980	112,997

付表2－1、2－2の⑰のうち、課税売上げにのみ要するもの⑲の計算へ

付表1－1、1－2の貸倒れに係る税額⑥の計算へ

第4-(6)号様式

付表2－2　課税売上割合・控除対象仕入税額等の計算表
〔経過措置対象課税資産の譲渡等を含む課税期間用〕

一般

課税期間	6・4・1～7・3・31	氏名又は名称	ステップ商事株式会社

項目		税率3％適用分 A	税率4％適用分 B	税率6.3％適用分 C	旧税率分小計 X (A+B+C)
課税売上額（税抜き）	①	円	円	円	※付表2-1の①X欄へ 円
免税売上額	②				
非課税資産の輸出等の金額、海外支店等へ移送した資産の価額	③				
課税資産の譲渡等の対価の額（①＋②＋③）	④				（付表2-1の②F欄の金額） 625,740,768
課税資産の譲渡等の対価の額（④の金額）	⑤				
非課税売上額	⑥				
資産の譲渡等の対価の額（⑤＋⑥）	⑦				（付表2-1の③F欄の金額） 677,976,109
課税売上割合（④／⑦）	⑧				（付表2-1の③F欄の割合） [92 ％] ※端数切捨て
課税仕入れに係る支払対価の額（税込み）	⑨			583,200	※付表2-1の⑨X欄へ 583,200
課税仕入れに係る消費税額	⑩			34,020	※付表2-1の⑩X欄へ 34,020
適格請求書発行事業者以外の者から行った課税仕入れに係る経過措置の適用を受ける課税仕入れに係る支払対価の額（税込み）	⑪				※付表2-1の⑪X欄へ
適格請求書発行事業者以外の者から行った課税仕入れに係る経過措置により課税仕入れに係る消費税額とみなされる額	⑫				※付表2-1の⑫X欄へ
特定課税仕入れに係る支払対価の額	⑬	※⑬及び⑭欄は、課税売上割合が95%未満、かつ、特定課税仕入れがある事業者のみ記載する。			※付表2-1の⑬X欄へ
特定課税仕入れに係る消費税額	⑭			（⑬C欄×6.3/100）	※付表2-1の⑭X欄へ
課税貨物に係る消費税額	⑮				※付表2-1の⑮X欄へ
納税義務の免除を受けない（受ける）こととなった場合における消費税額の調整（加算又は減算）額	⑯				※付表2-1の⑯X欄へ
課税仕入れ等の税額の合計額（⑩＋⑫＋⑭＋⑮±⑯）	⑰			34,020	※付表2-1の⑰X欄へ 34,020
課税売上高が5億円以下、かつ、課税売上割合が95％以上の場合（⑰の金額）	⑱				※付表2-1の⑱X欄へ
課税売上高5億円超の場合又は課税売上割合95％未満の場合 個別対応方式 ⑰のうち、課税売上げにのみ要するもの	⑲				※付表2-1の⑲X欄へ
個別対応方式 ⑰のうち、課税売上げと非課税売上げに共通して要するもの	⑳			34,020	※付表2-1の⑳X欄へ 34,020
個別対応方式により控除する課税仕入れ等の税額〔⑲＋⑳×④／⑦〕	㉑			31,398	※付表2-1の㉑X欄へ 31,398
一括比例配分方式により控除する課税仕入れ等の税額（⑰×④／⑦）	㉒			31,398	※付表2-1の㉒X欄へ 31,398
課税売上割合変動時の調整対象固定資産に係る消費税額の調整（加算又は減算）額	㉓				※付表2-1の㉓X欄へ
調整対象固定資産を課税業務用（非課税業務用）に転用した場合の調整（加算又は減算）額	㉔				※付表2-1の㉔X欄へ
居住用賃貸建物を課税賃貸用に供した（譲渡した）場合の加算額	㉕				※付表2-1の㉕X欄へ
差引 控除対象仕入税額〔(㉑、㉑又は㉒の金額)±㉓±㉔＋㉕〕がプラスの時	㉖	※付表1-2の①A欄へ	※付表1-2の①B欄へ	※付表1-2の①C欄へ 31,398	※付表2-1の㉖X欄へ 31,398
差引 控除過大調整税額〔(⑱、㉑又は㉒の金額)±㉓±㉔＋㉕〕がマイナスの時	㉗	※付表1-2の③A欄へ	※付表1-2の③B欄へ	※付表1-2の③C欄へ	※付表2-1の㉗X欄へ
貸倒回収に係る消費税額	㉘			※付表1-2の⑤C欄へ 59,999	※付表2-1の㉘X欄へ 59,999

課税仕入れ 旧8％より

課税仕入れ［共通対応］ 旧8％より

課税貸倒回収より

注意
1　金額の計算においては、1円未満の端数を切り捨てる。
2　旧税率が適用された取引がある場合は、当該付表を作成してから付表2-1を作成する。
3　⑥、⑦及び⑤の欄には、付表2-1のF欄を計算した後に記載する。
4　⑨、⑬及び⑮欄には、値引き、割戻し、割引きなど仕入対価の返還等の金額がある場合（仕入対価の返還等の金額を仕入金額から直接減額している場合を除く。）には、その金額を控除した後の金額を記載する。
5　⑪及び⑫欄の経過措置とは、所得税法等の一部を改正する法律（平成28年法律第15号）附則第53条又は第53条の適用がある場合をいう。

（R5.10.1以後終了課税期間用）

※各欄の計算の詳細は、No.62を参照。

第4-(2)号様式

付表2－1　課税売上割合・控除対象仕入税額等の計算表
〔経過措置対象課税資産の譲渡等を含む課税期間用〕

課税売上げ8%より

課税売上げ10%より

一般

課税期間	5・4・1～6・3・31	氏名又は名称	ｽﾀｯﾌﾟ商事株式会社

項目		旧税率分小計 X	税率6.2%適用分	税率7.8%適用分	合計 F (X+D+E)
課税売上額（税抜き）	①	(付表2-2の①X欄の金額) 円	円 70,105,523	円 486,479,235	円 556,584,758
免税売上額	②				69,156,010
非課税資産の輸出等の金額、海外支店等へ移送した資産の価額	③				
課税資産の譲渡等の対価の額（①＋②＋③）	④				在第一表の⑤欄へ 付付表2-2の②X欄へ 625,740,768
課税資産の譲渡等の対価の額（④の金額）	⑤				625,740,768
非課税売上額	⑥				52,235,341
資産の譲渡等の対価の額（⑤＋⑥）	⑦				在第一表の⑨欄へ 付付表2-2の③X欄へ 677,976,109
課税売上割合（④／⑦）	⑧				付付表2-2の④X欄へ [92 %] 端数切捨て
課税仕入れに係る支払対価の額（税込み）	⑨	付表2-2の⑤X欄の金額) 583,200	55,480,812	449,713,232	505,777,244
課税仕入れに係る消費税額	⑩	付表2-2の⑥X欄の金額) 34,020	3,205,558	31,888,756	35,128,334
適格請求書発行事業者以外の者から行った課税仕入れに係る経過措置の適用を受ける課税仕入れに係る支払対価の額（税込み）	⑪	付表2-2の⑦X欄の金額)		1,133,000	1,133,000
適格請求書発行事業者以外の者から行った課税仕入れに係る経過措置により課税仕入れに係る消費税額とみなされる額	⑫	付表2-2の⑧X欄の金額)		64,272	64,272
特定課税仕入れに係る支払対価の額	⑬	付表2-2の⑨X欄の金額)	※⑬及び⑭欄は、課税売上割合が95%未満、かつ、特定課税仕入れがある事業者のみ記載する。	1,950,000	1,950,000
特定課税仕入れに係る消費税額	⑭	付表2-2の⑩X欄の金額)		(⑬E欄×7.8/100) 152,100	152,100
課税貨物に係る消費税額	⑮	付表2-2の⑪X欄の金額)	370,798	3,212,533	3,583,331
納税義務の免除を受けない（受ける）ことなった場合における消費税額の調整（加算又は減算）額	⑯	付表2-2の⑫X欄の金額)			
課税仕入れ等の税額の合計額（⑩＋⑫＋⑭＋⑮±⑯）	⑰	付表2-2の⑬X欄の金額) 34,020	3,576,356	35,317,661	38,928,037
課税売上高が5億円以下、かつ、課税売上割合が95%以上の場合（⑰の金額）	⑱	付表2-2の⑭X欄の金額)			
課税売上割合95%未満の場合 個別対応方式 ⑰のうち、課税売上げにのみ要するもの	⑲	付表2-2の⑮X欄の金額)	3,572,626	33,113,376	36,686,002
課税売上割合95%未満の場合 個別対応方式 ⑰のうち、課税売上げと非課税売上げに共通して要するもの	⑳	付表2-2の⑯X欄の金額) 34,020	3,729	2,204,284	2,242,033
課税売上割合95%未満の場合 個別対応方式により控除する課税仕入れ等の税額〔⑲＋(⑳×④／⑦)〕	㉑	付表2-2の⑰X欄の金額) 31,398	3,576,067	35,147,828	38,755,293
課税売上割合95%未満の場合 一括比例配分方式により控除する課税仕入れ等の税額（⑰×④／⑦）	㉒	付表2-2の⑱X欄の金額) 31,398	3,300,812	32,596,576	35,928,786
課税売上割合変動時の調整対象固定資産に係る消費税額の調整（加算又は減算）額	㉓	付表2-2の⑲X欄の金額)			
調整対象固定資産を課税業務用（非課税業務用）に転用した場合の調整（加算又は減算）額	㉔	付表2-2の⑳X欄の金額)			
居住用賃貸建物を課税賃貸用に供した（譲渡した）場合の加算額	㉕	付表2-2の㉑X欄の金額)			
差引 控除対象仕入税額〔(⑱、㉑又は㉒の金額)±㉓±㉔＋㉕〕がプラスの時	㉖	付表2-2の㉒X欄の金額) 31,398	※付表1-1の⑤D欄へ 3,576,067	※付表1-1の⑤E欄へ 35,147,828	38,755,293
差引 控除過大調整税額〔(⑱、㉑又は㉒の金額)±㉓±㉔＋㉕〕がマイナスの時	㉗	付表2-2の㉓X欄の金額)	※付表1-1の⑥D欄へ	※付表1-1の⑥E欄へ	
貸倒回収に係る消費税額	㉘	付表2-2の㉔X欄の金額) 59,999	※付表1-1の⑦D欄へ	※付表1-1の⑦E欄へ	59,999

注意 1　金額の計算においては、1円未満の端数を切り捨てる。
2　旧税率が適用された取引がある場合は、付表2-2を作成してから当該付表を作成する。
3　⑥、⑬及び⑭欄には、値引き、返品、割戻し、割引きなど仕入対価の返還等の金額がある場合（仕入対価の返還等の金額を仕入金額から直接減額している場合を除く。）には、その金額を控除した後の金額を記載する。
4　⑪及び⑫欄の経過措置とは、所得税法等の一部を改正する法律（平成28年法律第15号）附則第52条又は第53条の適用がある場合をいう。

(R5.10.1以後終了課税期間用)

課税売上割合95%未満の場合 個別対応方式 ⑰のうち、課税売上げにのみ要するもの

課税売上割合95%未満の場合 個別対応方式 ⑰のうち、課税売上げと非課税売上げに共通して要するもの

非課税売上等より

付表2－2 ⑨、⑪、⑬、⑮、⑲、⑳ と同じ計算方式で

※各欄の計算の詳細は、**No.62**を参照。

No.62 消費税の申告書を作成する（割戻し計算）

No.61で出力した「課税取引金額計算表」（以下「計算表」といいます。）をもとに「消費税及び地方消費税の申告書第一表（一般用）、第二表」、「付表１－１、１－２ 税率別消費税額計算表 兼 地方消費税の課税標準となる消費税額計算表」、及び「付表２－１、２－２ 課税売上割合・控除対象仕入税額等の計算表」を作成します。

申告に係る課税期間に旧税率が適用された取引がない場合には、付表１－３、２－３を使用します（STEP 8 参照）。

STEP 1 課税標準額、課税標準額に対する消費税額の計算

計算表（売上項目）の「Ⅰ．資産の譲渡等」の「小計」の税率ごとの「課税売上げ」欄の金額と「仮受消費税等」欄の金額を合計して、税込課税売上高を計算します。この税込課税売上高と「特定課税仕入れの支払対価の額」をもとに、課税標準額、課税標準額に対する消費税額を計算します。

STEP 1-1 付表１－１の①～②欄を記載する

税率引上げ後の税率適用分について計算します。

（1）「課税資産の譲渡等の対価の額①－１」欄

税率6.24％適用分Ｄ 70,105,524＋5,608,441＝75,713,965
75,713,965×100/108＝70,105,523

税率7.8％適用分Ｅ 486,479,236＋48,647,923＝535,127,159
535,127,159×100/110＝486,479,235

合計Ｆ 70,105,523＋486,479,235＝556,584,758

（2）「特定課税仕入れに係る支払対価の額①－２」欄

税率7.8％適用分Ｅ 1,950,000

合計Ｆ 1,950,000

（注）課税売上割合が95％以上である事業者は、特定課税仕入れがある場合でもこの欄の記載はありません。

（3）「課税標準額①」欄

税率6.24％適用分Ｄ 70,105,523 → 70,105,000（千円未満切捨て）

税率7.8％適用分Ｅ

486,479,235＋1,950,000 ＝488,429,235 → 488,429,000（千円未満切捨て）

合計Ｆ 70,105,000 ＋ 488,429,000 ＝ 558,534,000

（4）「消費税額②」欄

税率6.24％適用分Ｄ 70,105,000×6.24％＝ 4,374,552

税率7.8％適用分Ｅ 488,429,000×7.8％＝ 38,097,462

合計Ｆ 4,374,552 ＋ 38,097,462 ＝ 42,472,014

STEP 1 課税標準額、課税標準額に対する消費税額の計算

付表1－1　税率別消費税額計算表　兼　地方消費税の課税標準となる消費税額計算表
〔経過措置対象課税資産の譲渡等を含む課税期間用〕

一　般

課税期間	6・4・1～7・3・31	氏名又は名称	ステップ商事株式会社

区分		旧税率分小計 X	税率6.24％適用分 D	税率7.8％適用分 E	合計 F (X+D+E)
課税標準額	①	(付表1-2の①X欄の金額) 円 000	円 70,105,000	円 488,429,000	※第二表の①欄へ 円 558,534,000
①の内訳 課税資産の譲渡等の対価の額	①-1	(付表1-2の①-1X欄の金額)	※第二表の⑤欄へ 70,105,523	※第二表の⑥欄へ 486,479,235	※第二表の⑦欄へ 556,584,758
①の内訳 特定課税仕入れに係る支払対価の額	①-2	(付表1-2の①-2X欄の金額)	※①-2欄は、課税売上割合が95%未満、かつ、特定課税仕入れがある事業者のみ記載する。	※第二表の⑨欄へ 1,950,000	※第二表の⑩欄へ 1,950,000
消費税額	②	(付表1-2の②X欄の金額)	※第二表の⑮欄へ 4,374,552	※第二表の⑩欄へ 38,097,462	※第二表の⑪欄へ 42,472,014
控除過大調整税額	③	(付表1-2の③X欄の金額)	(付表2-1の㉗・㉘D欄の合計金額)	(付表2-1の㉗・㉘E欄の合計金額)	※第一表の③欄へ
控除税額 控除対象仕入税額	④	(付表1-2の④X欄の金額)	(付表2-1の㉙D欄の金額)	(付表2-1の㉙E欄の金額)	※第一表の④欄へ
控除税額 返還等対価に係る税額	⑤	(付表1-2の⑤X欄の金額)			※第二表の⑪欄へ
控除税額 ⑤の内訳 売上げの返還等対価に係る税額	⑤-1	(付表1-2の⑤-1X欄の金額)			※第二表の⑫欄へ
控除税額 ⑤の内訳 特定課税仕入れの返還等対価に係る税額	⑤-2	(付表1-2の⑤-2X欄の金額)	※⑤-2欄は、課税売上割合が95%未満、かつ、特定課税仕入れがある事業者のみ記載する。		※第二表の⑬欄へ
控除税額 貸倒れに係る税額	⑥	(付表1-2の⑥X欄の金額)			※第一表の⑥欄へ
控除税額 控除税額小計 (④+⑤+⑥)	⑦	(付表1-2の⑦X欄の金額)			※第一表の⑦欄へ
控除不足還付税額 (⑦−②−③)	⑧	(付表1-2の⑧X欄の金額)	※⑪E欄へ	※⑪E欄へ	
差引税額 (②+③−⑦)	⑨	(付表1-2の⑨X欄の金額)	※⑫E欄へ	※⑫E欄へ	
合計差引税額 (⑨−⑧)	⑩				※マイナスの場合は第一表の⑧欄へ ※プラスの場合は第一表の⑨欄へ
地方消費税の課税標準となる消費税額 控除不足還付税額	⑪	(付表1-2の⑪X欄の金額)		(⑧D欄と⑧E欄の合計金額)	
地方消費税の課税標準となる消費税額 差引税額	⑫	(付表1-2の⑫X欄の金額)		(⑨D欄と⑨E欄の合計金額)	
合計差引地方消費税の課税標準となる消費税額 (⑫−⑪)	⑬	(付表1-2の⑬X欄の金額)		※第二表の㉓欄へ	※マイナスの場合は第一表の⑫欄へ ※プラスの場合は第一表の⑬欄へ ※第二表の㉔欄へ
譲渡割額 還付額	⑭	(付表1-2の⑭X欄の金額)		(⑪E欄×22/78)	
譲渡割額 納税額	⑮	(付表1-2の⑮X欄の金額)		(⑫E欄×22/78)	
合計差引譲渡割額 (⑮−⑭)	⑯				※マイナスの場合は第一表の⑬欄へ ※プラスの場合は第一表の⑭欄へ

注意　1　金額の計算においては、1円未満の端数を切り捨てる。
　　2　旧税率が適用された取引がある場合は、付表1-2を作成してから当該付表を作成する。

STEP 1-1

(R5.10.1以後終了課税期間用)

STEP 1-2

申告書第二表の①～⑯欄を記載する

付表１－１、１－２より申告書第二表の各欄に転記します。

STEP 1-3

申告書第一表の①～②欄を記載する

申告書第二表より申告書第一表の①、②欄に転記します。

申告書第二表 課税標準額等の内訳書

課税標準額 ※申告書（第一表）の①欄へ			①	558534000
課税資産の譲渡等の対価の額の合計額	3 % 適用分		②	
	4 % 適用分		③	
	6.3 % 適用分		④	
	6.24 % 適用分		⑤	701055523
	7.8 % 適用分		⑥	486479235
			⑦	556584758
特定課税仕入れに係る支払対価の額の合計額（注1）	6.3 % 適用分		⑧	
	7.8 % 適用分		⑨	19500000
			⑩	19500000
消費税額 ※申告書（第一表）の②欄へ			⑪	42472014
⑪の内訳	3 % 適用分		⑫	
	4 % 適用分		⑬	
	6.3 % 適用分		⑭	
	6.24 % 適用分		⑮	4374552
	7.8 % 適用分		⑯	38097462
返還等対価に係る税額 ※申告書（第一表）の⑤欄へ			⑰	

STEP 1-2

申告書第一表 消費税及び地方消費税の確定申告書

この申告書による消費税の税額の計算				
課税標準額		①	558534000	03
消費税額		②	42472014	06
控除過大調整税額		③		07
控除税額	控除対象仕入税額	④		08
	返還等対価に係る税額	⑤		09
	貸倒れに係る税額	⑥		10
	控除税額小計（④＋⑤＋⑥）	⑦		
控除不足還付税額（⑦－②－③）		⑧		13
差引税額（②＋③－⑦）		⑨	00	15
中間納付税額		⑩	00	16
納付税額（⑨－⑩）		⑪	00	17
中間納付還付税額（⑩－⑨）		⑫	00	18
この申告書が修正申告である場合	既確定税額	⑬		19
	差引納付税額	⑭	00	20
課税売上割合	課税資産の譲渡等の対価の額	⑮		21
	資産の譲渡等の対価の額	⑯		22
この申告書による地方消費税の税額の計算				
地方消費税の課税標準となる消費税額	控除不足還付税額	⑰		51
	差引税額	⑱	00	52

付	割賦基準の適用	○ 有	○ 無	31
STEP 1-3	基準等の適用	○ 有	○ 無	32
	進行基準の適用	○ 有	○ 無	33
項	現金主義会計の適用	○ 有	○ 無	34
参考事項	課税標準額に対する消費税額の計算の特例の適用	○ 有	○ 無	35
控除税額の計算方法	課税売上高5億円超又は課税売上割合95％未満	○ 個別対応方式	○ 一括比例配分方式	41
	上記以外	○ 全額控除		
基準期間の課税売上高		千円		
○	税額控除に係る経過措置の適用（2割特例）			42

還付を受けようとする金融機関等		
	銀行 金庫・組合 農協・漁協	本店・支店 出張所 本所・支所
預金	口座番号	
ゆうちょ銀行の貯金記号番号	－	
郵便局名等		

STEP 2

課税売上割合の計算

STEP 1で計算した「課税資産の譲渡等の対価の額①－１」と、計算表（売上項目）の「Ⅰ．資産の譲渡等」の「小計」の「輸出免税」欄、「非課税売上」欄、「有価証券売却」の欄の金額をもとに、課税売上割合を計算します。

STEP 2-1

付表２－１の①～⑧欄を記載する

税率引上げ後の税率適用分について計算します。

（１）「課税売上額（税抜き）①」欄

この例では売上対価の返還等の金額がないので、付表１－１の①－１欄と同じとなります。

税率6.24％適用分Ｄ 70,105,523

税率7.8％適用分Ｅ 486,479,235

合計Ｆ 70,105,523 ＋ 486,479,235 ＝ 556,584,758

（２）「免税売上額②」欄

合計Ｆ 69,156,010

（３）「課税資産の譲渡等の対価の額④、⑤」欄

合計Ｆ 556,584,758＋69,156,010 ＝ 625,740,768

（625,740,768 ＞ ５億円 ∴全額控除不可）

（４）「非課税売上額⑥」欄

合計Ｆ 51,975,341＋5,200,000×５％ ＝ 52,235,341

（５）「資産の譲渡等の対価の額⑦」欄

合計Ｆ 625,740,768＋52,235,341 ＝ 677,976,109

（６）「課税売上割合⑧」欄

合計Ｆ 625,740,768／677,976,109 ＝ 92.295…％ → 92％

（92％ ＜ 95％ ∴リバースチャージ方式の適用あり※）

※ **No.71**「国境を越えた役務の提供がある場合（リバースチャージ方式）」参照

（７）付表２－２への転記

④Ｆ、⑦Ｆ、⑧Ｆ欄の金額を付表２－２の④Ｘ、⑦Ｘ、⑧Ｘ欄に転記します。

（８）申告書第一表⑮、⑯欄への転記

④Ｆ、⑦Ｆ欄の金額を申告書第一表の⑮、⑯欄に転記します。

付表2－1　課税売上割合・控除対象仕入税額等の計算表
〔経過措置対象課税資産の譲渡等を含む課税期間用〕

一般

課税期間	6・4・1～7・3・31	氏名又は名称	ステップ商事株式会社

項目		旧税率分小計 X	税率6.24％適用分 D	税率7.8％適用分 E	合計 F (X+D+E)
課税売上額（税抜き）	①	(付表2-2の①X欄の金額) 円	円 70,105,523	円 486,479,235	円 556,584,758
免税売上額	②				69,156,010
非課税資産の輸出等の金額、海外支店等へ移送した資産の価額	③				
課税資産の譲渡等の対価の額（①＋②＋③）	④				※第一表の⑲欄へ ※付表2-2の④X欄へ 625,740,768
課税資産の譲渡等の対価の額（④の金額）	⑤				625,740,768
非課税売上額	⑥				52,235,341
資産の譲渡等の対価の額（⑤＋⑥）	⑦				※第一表の⑳欄へ ※付表2-2の⑦X欄へ 677,976,109
課税売上割合（④／⑦）	⑧				※付表2-2の⑧X欄へ [92 %] ※端数切捨て
課税仕入れに係る支払対価の額（税込み）	⑨	(付表2-2の⑨X欄の金額)			
課税仕入れに係る消費税額	⑩	(付表2-2の⑩X欄の金額)			
適格請求書発行事業者以外の者から行った課税仕入れに係る	⑪	(付表2-2の⑪X欄の金額)			

STEP 2-1

付表2－2　課税売上割合・控除対象仕入税額等の計算表
〔経過措置対象課税資産の譲渡等を含む課税期間用〕

一般

課税期間	6・4・1～7・3・31	氏名又は名称	ステップ商事株式会社

項目		税率3％適用分 A	税率4％適用分 B	税率6.3％適用分 C	旧税率分小計X (A+B+C)
		円	円	円	※付表2-1の①X欄へ 円
非課税資産の輸出等の金額、海外支店等へ移送した資産の価額	③				
課税資産の譲渡等の対価の額（①＋②＋③）	④				(付表2-1の④F欄の金額) 625,740,768
課税資産の譲渡等の対価の額（④の金額）	⑤				
非課税売上額	⑥				
資産の譲渡等の対価の額（⑤＋⑥）	⑦				(付表2-1の⑦F欄の金額) 677,976,109
課税売上割合（④／⑦）	⑧				(付表2-1の⑧F欄の割合) [92 %] ※端数切捨て
課税仕入れに係る支払対価の額（税込み）	⑨				※付表2-1の⑨X欄へ

STEP 2-1

申告書第一表 消費税及び地方消費税の確定申告書

この申告書が修正申告である場合	既確定税額	⑬		19
	差引納付税額	⑭	00	20
課税売上割合	課税資産の譲渡等の対価の額	⑮	625740768	21
	資産の譲渡等の対価の額	⑯	677976109	22
この申告書による地方消費税の税額の計算				
地方消費税の課税標準となる消費税額	控除不足還付税額	⑰		51
	差引税額	⑱	00	52

還付を受けようとする金融機関等

銀行 / 金庫・組合 / 農協・漁協	本店・支店 / 出張所 / 本所・支所	
預金	口座番号	
ゆうちょ銀行の貯金記号番号	－	
郵便局名等		

STEP 2-1

STEP 3

課税仕入れ等の税額の合計額の計算

計算表（仕入項目）の「Ⅲ．仕入税額控除（合計）」の税率ごとの「課税仕入れ」欄の金額と「仮払消費税等」欄の金額を合計して、「課税仕入れに係る支払対価の額（税込み）」と計算します。同様に、「課税仕入れ（経過80）」欄の金額と「仮払消費税等（経過80）」欄の金額を合計して「適格請求書発行事業者以外の者から行った課税仕入れに係る経過措置の適用を受ける課税仕入れに係る支払対価の額（税込み）」を計算します。その他に、「特定課税仕入れに係る支払対価の額」や「課税貨物に係る消費税額」をもとに、課税仕入れ等の税額の合計額を計算します。

STEP 3-1

付表２－２の⑨～⑰欄を記載する

税率引上げ前の旧税率適用分について計算します。

（１）「課税仕入れに係る支払対価の額（税込み）⑨」欄

税率6.3％適用分C 540,000＋43,200 ＝ 583,200

（２）「課税仕入れに係る消費税額⑩」欄

税率6.3％適用分C 583,200 × 6.3/108 ＝ 34,020

（３）「納税義務の免除を受けない（受ける）こととなった場合における消費税額の調整（加算又は減算）額⑯」欄

免税事業者が課税事業者になった場合又は課税事業者が免税事業者になる場合には、棚卸資産に係る消費税額の調整額を記載します。

（**No.70**「棚卸資産に係る消費税額の調整」参照）

この例ではこの欄の記載はありません。

（４）「課税仕入れ等の税額の合計額⑰」欄

税率6.3％適用分C 34,020

その課税期間における課税売上高が５億円以下であり、かつ、課税売上割合が95％以上の場合は、この金額が控除対象仕入税額となり（全額控除）、⑱欄に転記します。この例では課税売上高が５億円超であり、全額控除には該当しないため、⑱欄の記載はせずに**STEP 4** の計算に進みます。

STEP 3 課税仕入れ等の税額の合計額の計算

付表2－2　課税売上割合・控除対象仕入税額等の計算表
〔経過措置対象課税資産の譲渡等を含む課税期間用〕

一般

課税期間	6・4・1～7・3・31	氏名又は名称	ステップ商事株式会社

項目		税率3％適用分 A	税率4％適用分 B	税率6.3％適用分 C	旧税率分小計X (A+B+C)
課税売上額（税抜き）	①	円	円	円	※付表2-1の①X欄へ 円
免税売上額	②				
非課税資産の輸出等の金額、海外支店等へ移送した資産の価額	③				
課税資産の譲渡等の対価の額（①＋②＋③）	④				(付表2-1の④F欄の金額) 625,740,768
課税資産の譲渡等の対価の額（④の金額）	⑤				
非課税売上額	⑥				
資産の譲渡等の対価の額（⑤＋⑥）	⑦				(付表2-1の⑦F欄の金額) 677,976,109
課税売上割合（④／⑦）	⑧				(付表2-1の⑧F欄の割合) [92 %] ※端数切捨て
課税仕入れに係る支払対価の額（税込み）	⑨			583,200	※付表2-1の⑨X欄へ 583,200
課税仕入れに係る消費税額	⑩			34,020	※付表2-1の⑩X欄へ 34,020
適格請求書発行事業者以外の者から行った課税仕入れに係る経過措置の適用を受ける課税仕入れに係る支払対価の額（税込み）	⑪				※付表2-1の⑪X欄へ
適格請求書発行事業者以外の者から行った課税仕入れに係る経過措置により課税仕入れに係る消費税額とみなされる額	⑫				※付表2-1の⑫X欄へ
特定課税仕入れに係る支払対価の額	⑬	※⑬及び⑭欄は、課税売上割合が95％未満、かつ、特定課税仕入れがある事業者のみ記載する。			※付表2-1の⑬X欄へ
特定課税仕入れに係る消費税額	⑭			(⑬C欄×6.3/100)	※付表2-1の⑭X欄へ
課税貨物に係る消費税額	⑮				※付表2-1の⑮X欄へ
納税義務の免除を受けない（受ける）こととなった場合における消費税額の調整（加算又は減算）額	⑯				※付表2-1の⑯X欄へ
課税仕入れ等の税額の合計額（⑩＋⑫＋⑭＋⑮±⑯）	⑰			34,020	※付表2-1の⑰X欄へ 34,020
課税売上高が5億円以下、かつ、課税売上割合が95％以上の場合（⑰の金額）	⑱				※付表2-1の⑱X欄へ
課税売上高5億円以上又は課税売上割合95％未満の場合 個別対応方式 ⑰のうち、課税売上げにのみ要するもの	⑲				※付表2-1の⑲X欄へ
課税売上高5億円以上又は課税売上割合95％未満の場合 個別対応方式 ⑰のうち、課税売上げと非課税売上げに共通して要するもの	⑳				※付表2-1の⑳X欄へ
課税売上高5億円以上又は課税売上割合95％未満の場合 個別対応方式 個別対応方式により控除する課税仕入れ等の税額〔⑲＋(⑳×④／⑦)〕	㉑				※付表2-1の㉑X欄へ
課税売上高5億円以上又は課税売上割合95％未満の場合 一括比例配分方式により控除する課税仕入れ等の税額（⑰×④／⑦）	㉒				※付表2-1の㉒X欄へ
課税売上割合変動時の調整対象固定資産に係る消費税額の調整（加算又は減算）額	㉓				※付表2-1の㉓X欄へ
調整対象固定資産を課税業務用（非課税業務用）に転用した場合の調整（加算又は減算）額	㉔				※付表2-1の㉔X欄へ
居住用賃貸建物を課税賃貸用に供した（譲渡した）場合の加算額	㉕				※付表2-1の㉕X欄へ

STEP 3-1

STEP 3-2

付表２－１の⑨～⑰欄を記載する

税率引上げ後の税率適用分について計算します。

まず、付表２－２の⑨Ｘ～⑰Ｘ欄の金額を付表２－１の同欄に転記します。

（１）「課税仕入れに係る支払対価の額（税込み）⑨」欄

税率6.24％適用分Ｄ 51,371,123＋4,109,689 ＝ 55,480,812

税率7.8％適用分Ｅ 408,830,215＋40,883,017 ＝ 449,713,232

合計Ｆ 583,200 ＋ 55,480,812 ＋ 449,713,232 ＝ 505,777,244

（２）「課税仕入れに係る消費税額⑩」欄

税率6.24％適用分Ｄ 55,480,812 × 6.24/108 ＝ 3,205,558

税率7.8％適用分Ｅ 449,713,232 × 7.8/110 ＝ 31,888,756

合計Ｆ 34,020 ＋ 3,205,558 ＋ 31,888,756 ＝ 35,128,334

（３）「適格請求書発行事業者以外の者から行った課税仕入れに係る経過措置の適用を受ける課税仕入れに係る支払対価の額（税込み）⑪」欄

税率7.8％適用分Ｅ 1,050,600 ＋ 82,400 ＝ 1,133,000

合計Ｆ 1,133,000

（４）「適格請求書発行事業者以外の者から行った課税仕入れに係る経過措置により課税仕入れに係る消費税額とみなされる額⑫」欄

税率7.8％適用分Ｅ 1,133,000 × 7.8/110 × 80％ ＝ 64,272

合計Ｆ 64,272

（５）「特定課税仕入れに係る支払対価の額⑬」欄

税率7.8％適用分Ｅ 1,950,000

合計Ｆ 1,950,000

（６）「特定課税仕入れに係る消費税額⑭」欄

税率7.8％適用分Ｅ 1,950,000 × 7.8/100 ＝ 152,100

合計Ｆ 152,100

（注）課税売上割合が95％以上である事業者は、特定課税仕入れがある場合でも⑬、⑭欄の記載はありません。

（７）「課税貨物に係る消費税額⑮」欄

税率6.24％適用分Ｄ 475,383×6.24/8 ＝ 370,798

税率7.8％適用分Ｅ 4,118,633×7.8/10 ＝ 3,212,533

合計Ｆ 370,798 ＋ 3,212,533 ＝ 3,583,331

（８）「納税義務の免除を受けない（受ける）こととなった場合における消費税額の調整（加算又は減算）額⑯」欄

免税事業者が課税事業者になった場合又は課税事業者が免税事業者になる場合には、棚卸資産に係る消費税額の調整額を記載します。

（**No.70**「棚卸資産に係る消費税額の調整」参照）

この例ではこの欄の記載はありません。

（９）「課税仕入れ等の税額の合計額⑰」欄

税率6.24％適用分Ｄ 3,205,558＋370,798 ＝ 3,576,356

税率7.8％適用分Ｅ 31,888,756 ＋ 64,272 ＋ 152,100 ＋ 3,212,533 ＝ 35,317,661

合計Ｆ 34,020 ＋ 3,576,356 ＋35,317,661 ＝ 38,928,037

付表2－1　課税売上割合・控除対象仕入税額等の計算表
〔経過措置対象課税資産の譲渡等を含む課税期間用〕

一般

課税期間	6・4・1～7・3・31	氏名又は名称	ステップ商事株式会社

項目		旧税率分小計 X	税率6.24％適用分 D	税率7.8％適用分 E	合計 F (X+D+E)
課税売上額（税抜き）	①	(付表2-2の①X欄の金額) 円	円 70,105,523	円 486,479,235	円 556,584,758
免税売上額	②				69,156,010
非課税資産の輸出等の金額、海外支店等へ移送した資産の価額	③				
課税資産の譲渡等の対価の額（①＋②＋③）	④				※第一表の⑲欄へ ※付表2-2の④X欄へ 625,740,768
課税資産の譲渡等の対価の額（④の金額）	⑤				625,740,768
非課税売上額	⑥				52,235,341
資産の譲渡等の対価の額（⑤＋⑥）	⑦				※第一表の⑳欄へ ※付表2-2の⑦X欄へ 677,976,109
課税売上割合（④／⑦）	⑧				※付表2-2の⑧X欄へ ［92％］ ※端数切捨て
課税仕入れに係る支払対価の額（税込み）	⑨	(付表2-2の⑨X欄の金額) 583,200	55,480,812	449,713,232	505,777,244
課税仕入れに係る消費税額	⑩	(付表2-2の⑩X欄の金額) 34,020	3,205,558	31,888,756	35,128,334
適格請求書発行事業者以外の者から行った課税仕入れに係る経過措置の適用を受ける課税仕入れに係る支払対価の額（税込み）	⑪	(付表2-2の⑪X欄の金額)		1,133,000	1,133,000
適格請求書発行事業者以外の者から行った課税仕入れに係る経過措置により課税仕入れに係る消費税額とみなされる額	⑫	(付表2-2の⑫X欄の金額)		64,272	64,272
特定課税仕入れに係る支払対価の額	⑬	(付表2-2の⑬X欄の金額)	※⑤及び⑥欄は、課税売上割合が95％未満、かつ、特定課税仕入れがある事業者のみ記載する。	1,950,000	1,950,000
特定課税仕入れに係る消費税額	⑭	(付表2-2の⑭X欄の金額)		(⑬E欄×7.8/100) 152,100	152,100
課税貨物に係る消費税額	⑮	(付表2-2の⑮X欄の金額)	370,798	3,212,533	3,583,331
納税義務の免除を受けない（受ける）ことなった場合における消費税額の調整（加算又は減算）額	⑯	(付表2-2の⑯X欄の金額)			
課税仕入れ等の税額の合計額 (⑩＋⑫＋⑭＋⑮±⑯)	⑰	(付表2-2の⑰X欄の金額) 34,020	3,576,356	35,317,661	38,928,037
課税売上高が5億円以下、かつ、課税売上割合が95％以上の場合 (⑰の金額)	⑱	(付表2-2の⑱X欄の金額)			
課税売上割合が95％未満の場合 個別対応方式 ⑰のうち、課税売上げにのみ要するもの	⑲	(付表2-2の⑲X欄の金額)			
課税売上割合が95％未満の場合 個別対応方式 ⑰のうち、課税売上げと非課税売上げに共通して要するもの	⑳	(付表2-2の⑳X欄の金額)			
課税売上割合が95％未満の場合 個別対応方式 個別対応方式により控除する課税仕入れ等の税額 〔⑲＋(⑳×④／⑦)〕	㉑	(付表2-2の㉑X欄の金額)			
課税売上割合が95％未満の場合 一括比例配分方式により控除する課税仕入れ等の税額 (⑰×④／⑦)	㉒	(付表2-2の㉒X欄の金額)			
課税売上割合変動時の調整対象固定資産に係る消費税額の調整（加算又は減算）額	㉓	(付表2-2の㉓X欄の金額)			
調整対象固定資産を課税業務用（非課税業務用）に転用した場合の調整（加算又は減算）額	㉔	(付表2-2の㉔X欄の金額)			
居住用賃貸建物を課税賃貸用に供した（譲渡した）場合の加算額	㉕	(付表2-2の㉕X欄の金額)			
差引 控除対象仕入税額 〔(⑱、㉑又は㉒の金額)±㉓±㉔＋㉕〕がプラスの時	㉖	(付表2-2の㉖X欄の金額)	※付表1-1の④D欄へ	※付表1-1の④E欄へ	
差引 控除過大調整税額 〔(⑱、㉑又は㉒の金額)±㉓±㉔＋㉕〕がマイナスの時	㉗	(付表2-2の㉗X欄の金額)	※付表1-1の③D欄へ	※付表1-1の③E欄へ	
貸倒回収に係る消費税額	㉘	(付表2-2の㉘X欄の金額)	※付表1-1の①D欄へ	※付表1-1の①E欄へ	

STEP 3-2

注意
1　金額の計算においては、1円未満の端数を切り捨てる。
2　旧税率が適用された取引がある場合は、付表2-2を作成してから当該付表を作成する。
3　⑨、⑪及び⑬欄には、値引き、割戻し、割引きなど仕入対価の返還等の金額がある場合（仕入対価の返還等の金額を仕入金額から直接減額している場合を除く。）には、その金額を控除した後の金額を記載する。
4　⑪及び⑫欄の経過措置とは、所得税法等の一部を改正する法律（平成28年法律第15号）附則第52条又は第53条の適用がある場合をいう。

（R5.10.1以後終了課税期間用）

その課税期間における課税売上高が５億円以下であり、かつ、課税売上割合が95％以上の場合は、この金額が控除対象仕入税額となり（全額控除）、⑱欄に転記します。この例では課税売上高が５億円超であり、全額控除には該当しないため、⑱欄の記載はせずにSTEP 4の計算に進みます。

STEP 4 控除対象仕入税額の計算

その課税期間における課税売上高が５億円超の場合又は課税売上割合が95％未満の場合は、個別対応方式又は一括比例配分方式により控除対象仕入税額を計算します。

STEP 4-1 付表２－２の⑲～㉑欄を記載する（個別対応方式）

税率引上げ前の旧税率適用分について計算します。

計算表（仕入項目）の「Ⅲ．仕入税額控除（合計）」の税率ごとの「課税売上対応」、「共通対応」各欄の、「課税仕入れ」欄の金額と「仮払消費税等」欄の金額を合計して、それぞれの「課税仕入れに係る支払対価の額」を計算します。この「課税仕入れに係る支払対価の額」と「課税貨物に係る消費税額」、「特定課税仕入に係る支払対価の額」をもとに、「課税売上対応」、「共通対応」の課税仕入れ等の税額の合計額を計算します。

（１）「⑰のうち、課税売上げと非課税売上げに共通して要するもの⑳」欄

税率6.3％適用分Ｃ

540,000＋43,200 ＝ 583,200
583,200×6.3/108 ＝ 34,020

（２）「個別対応方式により控除する課税仕入れ等の税額㉑」欄

税率6.3％適用分Ｃ

34,020×625,740,768／677,976,109 ＝ 31,398

（**No.20**「原則課税による控除税額の計算」参照）

STEP 4-2 付表２－２の㉒欄を記載する（一括比例配分方式）

税率引上げ前の旧税率適用分について計算します。

付表２－２⑰「課税仕入れ等の税額の合計額」に課税売上割合を乗じて計算します。

税率6.3％適用分Ｃ

34,020×625,740,768／677,976,109 ＝ 31,398

STEP 4 控除対象仕入税額の計算

付表2－2　課税売上割合・控除対象仕入税額等の計算表
〔経過措置対象課税資産の譲渡等を含む課税期間用〕

一般

課税期間	6・4・1～7・3・31	氏名又は名称	ステップ商事株式会社

項目		税率3％適用分 A	税率4％適用分 B	税率6.3％適用分 C	旧税率分小計X (A+B+C)
課税売上額（税抜き）	①	円	円	円	※付表2-1の①X欄へ 円
免税売上額	②				
非課税資産の輸出等の金額、海外支店等へ移送した資産の価額	③				
課税資産の譲渡等の対価の額（①＋②＋③）	④				(付表2-1の④F欄の金額) 625,740,768
課税資産の譲渡等の対価の額（④の金額）	⑤				
非課税売上額	⑥				
資産の譲渡等の対価の額（⑤＋⑥）	⑦				(付表2-1の⑦F欄の金額) 677,976,109
課税売上割合（④／⑦）	⑧				(付表2-1の⑧F欄の割合) [92 ％] ※端数切捨て
課税仕入れに係る支払対価の額（税込み）	⑨			583,200	※付表2-1の⑨X欄へ 583,200
課税仕入れに係る消費税額	⑩			34,020	※付表2-1の⑩X欄へ 34,020
適格請求書発行事業者以外の者から行った課税仕入れに係る経過措置の適用を受ける課税仕入れに係る支払対価の額（税込み）	⑪				※付表2-1の⑪X欄へ
適格請求書発行事業者以外の者から行った課税仕入れに係る経過措置により課税仕入れに係る消費税額とみなされる額	⑫				※付表2-1の⑫X欄へ
特定課税仕入れに係る支払対価の額	⑬	※⑬及び⑭欄は、課税売上割合が95%未満、かつ、特定課税仕入れがある事業者のみ記載する。			※付表2-1の⑬X欄へ
特定課税仕入れに係る消費税額	⑭			(⑬C欄×6.3/100)	※付表2-1の⑭X欄へ
課税貨物に係る消費税額	⑮				※付表2-1の⑮X欄へ
納税義務の免除を受けない（受ける）ことなった場合における消費税額の調整（加算又は減算）額	⑯				※付表2-1の⑯X欄へ
課税仕入れ等の税額の合計額（⑩＋⑫＋⑭＋⑮±⑯）	⑰			34,020	※付表2-1の⑰X欄へ 34,020
課税売上高が5億円以下、かつ、課税売上割合が95％以上の場合（⑰の金額）	⑱				※付表2-1の⑱X欄へ
課税売上高5億円超又は課税売上割合95％未満の場合 個別対応方式 ⑰のうち、課税売上げにのみ要するもの	⑲				※付表2-1の⑲X欄へ
課税売上高5億円超又は課税売上割合95％未満の場合 個別対応方式 ⑰のうち、課税売上げと非課税売上げに共通して要するもの	⑳			34,020	※付表2-1の⑳X欄へ 34,020
課税売上高5億円超又は課税売上割合95％未満の場合 個別対応方式 個別対応方式により控除する課税仕入れ等の税額〔⑲＋(⑳×④／⑦)〕	㉑		STEP 4-1	31,398	※付表2-1の㉑X欄へ 31,398
課税売上高5億円超又は課税売上割合95％未満の場合 一括比例配分方式により控除する課税仕入れ等の税額（⑰×④／⑦）	㉒		STEP 4-2	31,398	※付表2-1の㉒X欄へ 31,398
控除税額調整 課税売上割合変動時の調整対象固定資産に係る消費税額の調整（加算又は減算）額	㉓				※付表2-1の㉓X欄へ
控除税額調整 調整対象固定資産を課税業務用（非課税業務用）に転用した場合の調整（加算又は減算）額	㉔				※付表2-1の㉔X欄へ
控除税額調整 居住用賃貸建物を課税賃貸用に供した（譲渡した）場合の加算額	㉕				※付表2-1の㉕X欄へ
差引 控除対象仕入税額〔(⑱、㉑又は㉒の金額)±⑳±㉔＋㉕〕がプラスの時	㉖	※付表1-2の④A欄へ	※付表1-2の STEP 4-6	※付表1-2の④C欄へ 31,398	※付表2-1の㉖X欄へ 31,398

STEP 4-3

付表２－１の⑲～㉑欄を記載する（個別対応方式）

税率引上げ後の税率適用分について計算します。

まず、付表２－２の⑲Ｘ～㉑Ｘ欄の金額を付表２－１の同欄に転記します。

（１）「⑰のうち、課税売上げにのみ要するもの⑲」欄

税率6.24％適用分Ｄ 51,311,361＋4,104,908 ＝ 55,416,269
55,416,269×6.24/108＋475,383×6.24/8 ＝ 3,572,626

税率7.8％適用分Ｅ 383,344,152＋38,334,411 ＝ 421,678,563
421,678,563×7.8/110＋4,118,633×7.8/10 ＝ 33,113,376

合計Ｆ 3,572,626 ＋ 33,113,376 ＝ 36,686,002

（２）「⑰のうち、課税売上げと非課税売上げに共通して要するもの⑳」欄

税率6.24％適用分Ｄ 59,762＋4,781 ＝ 64,543
64,543×6.24/108 ＝ 3,729

税率7.8％適用分Ｅ 25,486,063 ＋ 2,548,605 ＝ 28,034,668
1,050,600 ＋ 82,400 ＝ 1,133,000

28,034,668×7.8/110 ＋ 1,133,000×7.8/110×80% ＋ 1,950,000×7.8/100 ＝ 2,204,284

合計Ｆ 34,020 ＋ 3,729 ＋ 2,204,284 ＝ 2,242,033

（３）「個別対応方式により控除する課税仕入れ等の税額㉑」欄

税率6.24％適用分Ｄ

3,572,626＋3,729×625,740,768／677,976,109 ＝ 3,576,067

税率7.8％適用分Ｅ

33,113,376 ＋ 2,204,284×625,740,768/677,976,109 ＝ 35,147,828

合計Ｆ 31,398 ＋ 3,576,067 ＋ 35,147,828 ＝ 38,755,293

STEP 4-4

付表２－１の㉒欄を記載する（一括比例配分方式）

税率引上げ後の税率適用分について計算します。

まず、付表２－２の㉒Ｘの金額を付表２－１の同欄に転記します。

付表２－１⑰「課税仕入れ等の税額の合計額」に課税売上割合を乗じて計算します。

税率6.24％適用分Ｄ

3,576,356×625,740,768／677,976,109 ＝ 3,300,812

税率7.8％適用分Ｅ

35,317,661×625,740,768/677,976,109 ＝32,596,576

合計Ｆ 31,398 ＋ 3,300,812 ＋ 32,596,576 ＝ 35,928,786

STEP 4-5

付表２－２、２－１の㉓、㉔欄を記載する（控除税額の調整）

次に該当する場合は、控除税額の調整が必要です。

（１）課税売上割合変動時の調整対象固定資産に係る消費税額の調整（加算又は減算）額（**No.75**「調整対象固定資産②－課税売上割合が著しく変動した場合」参照）㉓欄に記載します。

（２）調整対象固定資産を課税業務用（非課税業務用）に転用した場合の調整（加算又は減算）額（**No.74**「調整対象固定資産①－転用した場合」参照）㉔欄に記載します。

（３）居住用賃貸建物を課税賃貸用に供した（譲渡した）場合の加算額（**No.83**「居住用賃貸建物の取得等に係る仕入税額控除の制限」参照）㉕欄に記載します。

この例ではこの欄の記載はありません。

付表2－1　課税売上割合・控除対象仕入税額等の計算表
〔経過措置対象課税資産の譲渡等を含む課税期間用〕

一般

課税期間	6・4・1～7・3・31	氏名又は名称	ステップ商事株式会社

項目		旧税率分小計 X	税率6.24％適用分 D	税率7.8％適用分 E	合計 F (X+D+E)
		(付表2-2の①X欄の金額) 円	円	円	円
課税売上割合95％超の場合又は課税売上高5億円未満の場合	⑰のうち、課税売上げにのみ要するもの ⑲	(付表2-2の⑲X欄の金額)	3,572,626	33,113,376	36,686,002
	⑰のうち、課税売上げと非課税売上げに共通して要するもの ⑳	(付表2-2の⑳X欄の金額) 34,020	STEP 4-3 3,729	2,204,284	2,242,033
	個別対応方式により控除する課税仕入れ等の税額〔⑲+(⑳×④／⑦)〕 ㉑	(付表2-2の㉑X欄の金額) 31,398	3,576,067	35,147,828	38,755,293
	一括比例配分方式により控除する課税仕入れ等の税額 (⑰×④／⑦) ㉒	(付表2-2の㉒X欄の金額) 31,398	3,300,812	32,596,576	35,928,786
控除税額調整	課税売上割合変動時の調整対象固定資産に係る消費税額の調整（加算又は減算）額 ㉓	(付表2-2の㉓X欄の金額)	STEP 4-4		
	調整対象固定資産を課税業務用（非課税業務用）に転用した場合の調整（加算又は減算）額 ㉔	(付表2-2の㉔X欄の金額)			
	居住用賃貸建物を課税賃貸用に供した（譲渡した）場合の加算額 ㉕	(付表2-2の㉕X欄の金額)	STEP 4-6		
差引	控除対象仕入税額〔(⑱、㉑又は㉒の金額)±㉓±㉔+㉕〕がプラスの時 ㉖	(付表2-2の㉖X欄の金額) 31,398	※付表1-1の④D欄へ 3,576,067	※付表1-1の④E欄へ 35,147,828	38,755,293
	控除過大調整税額	(付表2-2の㉗X欄の金額)	※付表1-1の⑤D欄へ	※付表1-1の⑤E欄へ	

付表1－2　税率別消費税額計算表　兼　地方消費税の課税標準となる消費税額計算表
〔経過措置対象課税資産の譲渡等を含む課税期間用〕

一般

課税期間	6・4・1～7・3・31	氏名又は名称	ステップ商事株式会社

区分		税率3％適用分 A	税率4％適用分 B	税率6.3％適用分 C	旧税率分小計 X (A+B+C)
控除税額	控除対象仕入税額 ④	(付表2-2の㉔A欄の金額)	(付表2-2の㉔B欄の金額) STEP 4-7	(付表2-2の㉔C欄の金額) 31,398	※付表1-1の④X欄へ 31,398
	返還等対価 ⑤				※付表1-1の⑤X欄へ

付表1－1　税率別消費税額計算表　兼　地方消費税の課税標準となる消費税額計算表
〔経過措置対象課税資産の譲渡等を含む課税期間用〕

一般

課税期間	6・4・1～7・3・31	氏名又は名称	ステップ商事株式会社

区分		旧税率分小計 X	税率6.24％適用分 D	税率7.8％適用分 E	合計 F (X+D+E)
		(付表1-2の①X欄の金額) 円	STEP 4-7 円	円	※第二表の①欄へ 円
控除税額	控除対象仕入税額 ④	(付表1-2の④X欄の金額) 31,398	(付表2-1の㉔D欄の金額) 3,576,067	(付表2-1の㉔E欄の金額) 35,147,828	※第一表の④欄へ 38,755,293
	返還等対価 ⑤	(付表1-2の⑤X欄の金額)			※第二表の⑤欄へ

申告書第一表 消費税及び地方消費税の確定申告書

消費税額	②	06	
控除過大調整税額	③	07	
控除税額 控除対象仕入税額	④	08	3875529 3
控除税額 返還等対価に係る税額	⑤	09	
控除税額 貸倒れに係る税額	⑥	10	

事項				
工事進行基準の適用	○ 有	○ 無	33
現金主義会計の適用	○ 有	○ 無	34
STEP 4-8 税標準額に対する消費税額の計算の特例の適用	○ 有	○ 無	35
課税売上高5億円超又は課税売上割合95％未満	○ 個別対応方式	○ 一括比例配分方式	41

STEP 4-6

付表2－2、2－1の㉖、㉗欄を記載する（控除対象仕入税額・控除過大調整税額）

付表2－1の㉑X、㉒Xで個別対応方式と一括比例配分方式を比較し、いずれかの方式を選択します。ただし、税率ごとに異なる方式を選択することはできません。この例では金額が大きい個別対応方式を選択しています。

選択した金額に㉓～㉕の金額を加減算し、税率ごとに、計算結果がプラスのものは付表2－1、付表2－2㉖各欄に、マイナスのものは付表2－1、付表2－2㉗各欄に記載します。この例では、すべての税区分の計算結果がプラスとなっており、㉖各欄に記載しています。

税率6.3％適用分C 31,398
税率6.24％適用分D 3,576,067
税率7.8％適用分E 35,147,828
合計F 38,755,293

STEP 4-7

付表1－2、1－1の④欄を記載する（控除対象仕入税額）

付表2－2、付表2－1㉖各欄の金額を付表1－2、付表1－1④各欄に転記します。付表1－2の④X欄の金額は付表1－1の同欄に転記します。

STEP 4-8

申告書第一表の④欄を記載する

付表1－1④F欄の金額を申告書第一表の④欄に転記します。

STEP 5

控除過大調整税額の計算

STEP 5-1

付表2－2、2－1の㉘欄を記載する（貸倒回収に係る消費税額）

前期以前に貸倒れに係る消費税額の控除をした債権を当課税期間中に回収した場合には、回収した金額に含まれる消費税額を課税標準額に対する消費税額に加算します。

計算表（売上項目）の「Ⅱ．貸倒回収」の「課税貸倒回収」欄の金額と「仮受消費税等」欄の金額の合計額をもとに計算します。付表2－2の㉘X欄の金額は付表2－1の同欄に転記します。

税率6.3％適用分C (952,380＋76,190) × 6.3/108 ＝ 59,999
合計F 59,999

STEP 5-2

付表1－2、1－1の③欄を記載する（控除過大調整税額）

付表2－2，2－1の㉗、㉘の合計金額を付表1－2、1－1の③欄に記載します。付表1－2の③X欄の金額は付表1－1の同欄に転記します。

STEP 5-3

申告書第一表の③欄を記載する

付表1－1③F欄の金額を申告書第一表の③欄に転記します。

STEP 5 控除過大調整税額の計算

付表2－2　課税売上割合・控除対象仕入税額等の計算表
〔経過措置対象課税資産の譲渡等を含む課税期間用〕

一般

課税期間	6・4・1～7・3・31	氏名又は名称	ステップ商事株式会社

項目	税率3％適用分 A	税率4％適用分 B	税率6.3％適用分 C	旧税率分小計X (A+B+C)
〔(⑮、㉑又は㉒の金額)±㉓±㉔±㉕〕がマイナスの時				
貸倒回収に係る消費税額 ㉘	※付表1-2の③A欄へ	※付表1-2の③B欄へ STEP 5-1	※付表1-2の③C欄へ 59,999	※付表2-1の㉘X欄へ 59,999

注意　1　金額の計算においては、1円未満の端数を切り捨てる。
2　旧税率が適用される取引がある場合は、対象ごとに集計してから当該付表を作成する。

第4-(2)号様式

付表2－1　課税売上割合・控除対象仕入税額等の計算表
〔経過措置対象課税資産の譲渡等を含む課税期間用〕

一般

課税期間	6・4・1～7・3・31	氏名又は名称	ステップ商事株式会社

項目	旧税率分小計 X	税率6.24％適用分 D	税率7.8％適用分 E	合計 F (X+D+E)
	(付表2-2の①X欄の金額) 円	円	円	円
〔(⑮、㉑又は㉒の金額)±㉓±㉔±㉕〕がマイナスの時				
貸倒回収に係る消費税額 ㉘	(付表2-2の㉘X欄の金額) 59,999	※付表1-1の③D欄へ	※付表1-1の③E欄へ STEP 5-1	59,999

注意　1　金額の計算においては、1円未満の端数を切り捨てる。
2　旧税率が適用される取引がある場合は、対象ごとに集計してから当該付表を作成する。

付表1－2　税率別消費税額計算表　兼　地方消費税の課税標準となる消費税額計算表
〔経過措置対象課税資産の譲渡等を含む課税期間用〕

一般

課税期間	6・4・1～7・3・31	氏名又は名称	ステップ商事株式会社

区分	税率3％適用分 A	税率4％適用分 B	税率6.3％適用分 C	旧税率分小計 X (A+B+C)
	円	円	円	※付表1-1の①X欄へ 円
控除過大調整税額 ③	(付表2-2の㉑・㉙A欄の合計金額)	(付表2-2の㉑・㉙B欄の合計金額) STEP 5-2	(付表2-2の㉑・㉙C欄の合計金額) 59,999	※付表1-1の③X欄へ 59,999
控除対象仕入税額 ④	(付表2-2の㉚A欄の金額)	(付表2-2の㉚B欄の金額)	(付表2-2の㉚C欄の金額)	※付表1-1の④X欄へ

付表1－1　税率別消費税額計算表　兼　地方消費税の課税標準となる消費税額計算表
〔経過措置対象課税資産の譲渡等を含む課税期間用〕

一般

課税期間	6・4・1～7・3・31	氏名又は名称	ステップ商事株式会社

区分	旧税率分小計 X	税率6.24％適用分 D	税率7.8％適用分 E	合計 F (X+D+E)
	(付表1-2の①X欄の金額) 円	円	円	※第二表の①欄へ 円
控除過大調整税額 ③	(付表1-2の③X欄の金額) 59,999	(付表2-1の㉑・㉙D欄の合計金額)	(付表2-1の㉑・㉙E欄の合計金額) STEP 5-2	※第一表の③欄へ 59,999
控除対象仕入税額 ④	(付表1-2の④X欄の金額)	(付表2-1の㉚D欄の金額)	(付表2-1の㉚E欄の金額)	※第一表の④欄へ

申告書第一表 消費税及び地方消費税の確定申告書

消費税額	②					06
控除過大調整税額	③	5 9 9 9 9				07
控除対象仕入税額	④					08
地方消費税の課税標準となる消費税額						

事 工事進行基準の適用	○ 有	○ 無	33
金 主義会計の適用	○ 有	○ 無	34
参 税標準額に対する消費税額の計算の特例の適用	○ 有	○ 無	35
地域等			

STEP 5-3

STEP 6 控除税額の計算

STEP 6-1 付表１－２、１－１の⑤欄を記載する（返還等対価に係る税額）

（１）「売上げの返還等対価に係る税額⑤－１」欄

課税売上げについて、値引きや返品又は割戻しがあった場合には、その値引きや返品等に係る消費税額を計算し、付表１－２、１－１「返還等対価に係る税額⑤－１」の各欄へ記載します。付表１－２の⑤－１Ｘ欄の金額は付表１－１の同欄に転記します。

（注）売上値引等を、売上高から直接減額する経理処理を行っている場合には、この欄の記載はありません。

（**No.25**「売上値引・返品（売上げに係る対価の返還等）」参照）

税率6.3％適用分Ｃ　売上げに係る対価の返還等の金額 × 6.3/108

税率6.24％適用分Ｄ　売上げに係る対価の返還等の金額 × 6.24/108

税率7.8％適用分Ｅ　売上げに係る対価の返還等の金額 × 7.8/110

合計Ｆ　Ｃ＋Ｄ＋Ｅ

この例ではこの欄の記載はありません。

（２）「特定課税仕入れの返還等対価に係る税額⑤－２」欄

特定課税仕入れについて、値引きや返品又は割戻しがあった場合には、その値引きや返品等に係る消費税額を計算し、付表１－２、１－１「返還等対価に係る税額⑤－２」欄へ記載します。付表１－２の⑤－２Ｘ欄の金額は付表１－１の同欄に転記します。

（注）課税売上割合が95％以上である事業者は、特定課税仕入れがある場合でも⑤－２欄の記載はありません。

税率6.3％適用分Ｃ　特定課税仕入れに係る対価の返還等の金額 × 6.3/100

税率7.8％適用分Ｅ　特定課税仕入れに係る対価の返還等の金額 × 7.8/100

合計Ｆ　Ｃ＋Ｅ

この例ではこの欄の記載はありません。

（３）申告書第二表の⑰～⑲欄を記載する

付表１－１⑤～⑤－２欄より申告書第二表⑰～⑲欄に転記します。

この例ではこの欄の記載はありません。

STEP 6-2 付表１－２、１－１の⑥欄を記載する（貸倒れに係る税額）

課税売上げに係る売掛債権が貸倒れとなった場合には、課税標準額に対する消費税額から貸倒債権に含まれる消費税額を控除します。

計算表（仕入項目）の「Ⅳ．貸倒れに係る税額控除」の「課税貸倒」欄の金額と「仮受消費税等」欄の金額の合計額をもとに「貸倒れに係る税額」を計算し、付表１－２、１－１「貸倒れに係る税額⑥」欄へ記載します。付表１－２の⑥Ｘ欄の金額は付表１－１の同欄に転記します。

（**No.36**「貸倒損失」参照）

税率6.3％適用分Ｃ　1,079,999＋86,399 ＝ 1,166,398
1,166,398×6.3/108 ＝ 68,039

税率7.8％適用分Ｅ　265,981＋26,598 ＝ 292,579
292,579×7.8/110 ＝ 20,746

合計Ｆ　68,039＋20,746 ＝ 88,785

STEP 6 控除税額の計算

付表1－2　税率別消費税額計算表　兼　地方消費税の課税標準となる消費税額計算表
〔経過措置対象課税資産の譲渡等を含む課税期間用〕

一　般

課税期間	6・4・1 ～ 7・3・31	氏名又は名称	ステップ商事株式会社

区分			税率3％適用分 A	税率4％適用分 B	税率6.3％適用分 C	旧税率分小計 X (A+B+C)
			(付表2-2の㉙A欄の金額) 円	(付表2-2の㉙B欄の金額) 円	(付表2-2の㉙C欄の金額) 円	※付表1-1の④X欄へ 円
控除税額	控除対象仕入税額	④			31,398	※付表1-1の④X欄へ 31,398
	返還等対価に係る税額	⑤		STEP 6-1		※付表1-1の⑤X欄へ
	⑤の内訳 売上げの返還等対価に係る税額	⑤-1				※付表1-1の⑤-1X欄へ
	⑤の内訳 特定課税仕入れの返還等対価に係る税額	⑤-2	※⑤-2欄は、課税売上割合が95%未満、かつ、特定課税仕入れがある事業者のみ記載する。			※付表1-1の⑤-2X欄へ
	貸倒れに係る税額	⑥		STEP 6-2	68,039	※付表1-1の⑥X欄へ 68,039
	控除税額小計 (④+⑤+⑥)	⑦		STEP 6-3	99,437	※付表1-1の⑦X欄へ 99,437

付表1－1　税率別消費税額計算表　兼　地方消費税の課税標準となる消費税額計算表
〔経過措置対象課税資産の譲渡等を含む課税期間用〕

一　般

課税期間	6・4・1 ～ 7・3・31	氏名又は名称	ステップ商事株式会社

区分			旧税率分小計 X	税率6.24％適用分 D	税率7.8％適用分 E	合計 F (X+D+E)
			(付表1-2の①X欄の金額) 円	円	円	※第二表の①欄へ 円
控除税額	控除対象仕入税額	④	(付表1-2の④X欄の金額) 31,398	(付表2-1の㉙D欄の金額) 3,576,067	(付表2-1の㉙E欄の金額) 35,147,828	※第一表の④欄へ 38,755,293
	返還等対価に係る税額	⑤	(付表1-2の⑤X欄の金額) STEP 6-1			※第二表の⑪欄へ
	⑤の内訳 売上げの返還等対価に係る税額	⑤-1	(付表1-2の⑤-1X欄の金額)			※第二表の⑬欄へ
	⑤の内訳 特定課税仕入れの返還等対価に係る税額	⑤-2	(付表1-2の⑤-2X欄の金額)	※⑤-2欄は、課税売上割合が95%未満、かつ、特定課税仕入れがある事業者のみ記載する。		※第二表の⑲欄へ
	貸倒れに係る税額	⑥	(付表1-2の⑥X欄の金額) 68,039 STEP 6-2		20,746	※第一表の⑥欄へ 88,785
	控除税額小計 (④+⑤+⑥)	⑦	(付表1-2の⑦X欄の金額) 99,437 STEP 6-3	3,576,067	35,168,574	※第一表の⑦欄へ 38,844,078

申告書第一表 消費税及び地方消費税の確定申告書

控除過大調整税額	㉓			13
控除税額	控除対象仕入税額	④	3875529300	08
	返還等対価に係る税額	⑤	STEP 6-4	09
	貸倒れに係る税額	⑥	8878500	10
	控除税額小計 (④+⑤+⑥)	⑦	3844407800	
控除不足還付税額		㉔		13

参考事項	課税標準額に対する消費税額の計算の特例の適用	○ 有	○ 無	35
	控除税額の計算の基礎 課税売上高5億円超又は課税売上割合95％未満	○ 個別対応方式		41
		○ 一括比例配分方式		
	上記以外	○ 全額控除		
	基準期間の	千円		

STEP 6-3

付表１－２、１－１の⑦欄を記載する（控除税額小計）

付表１－２、１－１の④、⑤、⑥の合計金額を、付表１－２、１－１の各⑦欄に記入します。

STEP 6-4

申告書第一表の⑤～⑦欄を記載する

申告書第二表⑰欄の金額、付表１－１⑥Ｆ、⑦Ｆ欄の金額を⑤～⑦欄に転記します。

STEP 7

消費税額、地方消費税額の計算

STEP 7-1

付表１－２の⑧～⑨、付表１－１の⑧～⑩欄を記載する（差引税額）

（１）「控除不足還付税額⑧」欄、「差引税額⑨」欄

付表１－２、１－１の②、⑦、③の金額を用いて、差引税額又は控除不足還付税額を計算します。税率ごとに、②＋③－⑦で計算した結果がプラスの場合は「差引税額⑨」に、マイナスの場合は「控除不足還付税額⑧」に記載します。付表１－２の⑧Ｘ、⑨Ｘ欄の金額は付表１－１の同欄に転記します。この例では、税率6.3％適用分Ｃがマイナスに、6.24％適用分Ｄと7.8％適用分Ｅがプラスとなっています。

税率6.3％適用分Ｃ 59,999－99,437 ＝ －39,438

税率6.24％適用分Ｄ 4,374,552－3,576,067 ＝ 798,485

税率7.8％適用分Ｅ 38,097,462－35,168,574 ＝ 2,928,888

合計Ｆ⑧ 39,438

⑨ 798,485 ＋ 2,928,888 ＝ 3,727,373

（２）「合計差引税額⑩」欄

付表１－１の⑨Ｆ－⑧Ｆで計算した金額を⑩Ｆ欄に記載します。

合計Ｆ 3,727,373－39,438 ＝ 3,687,935

STEP 7-2

付表１－２の⑪～⑮、付表１－１の⑪～⑯欄を記載する（差引譲渡割額）

（１）地方消費税の課税標準となる消費税額

「控除不足還付税額⑪」、「差引税額⑫」欄

付表１－２の⑧各欄の金額を⑪各欄に、⑨各欄の金額を⑫各欄に、付表１－１の⑧Ｄと⑧Ｅの合計金額を⑪Ｅ欄に、⑨Ｄと⑨Ｅの合計金額を⑫Ｅ欄に、それぞれ記載します。付表１－２の⑪Ｘ～⑮Ｘ欄の金額は付表１－１の同欄に転記します。この例では、税率6.3％適用分が⑧各欄に、6.24％適用分と7.8％適用分が⑨各欄に記載されているため、下記金額を⑪、⑫各欄に記載します。

税率6.3％適用分Ｃ⑪ 39,438

税率7.8％適用分Ｅ⑫ 798,485 ＋ 2,928,888 ＝ 3,727,373

合計Ｆ⑪ 39,438

⑫ 3,727,373

STEP 7 消費税額、地方消費税額の計算

付表1－2　税率別消費税額計算表　兼　地方消費税の課税標準となる消費税額計算表
〔経過措置対象課税資産の譲渡等を含む課税期間用〕

一　般

課税期間	6・4・1 ～7・3・31	氏名又は名称	ステップ商事株式会社

区分		税率3％適用分 A	税率4％適用分 B	税率6.3％適用分 C	旧税率分小計 X (A＋B＋C)
課税標準額	①	円 000	円 000	円 000	※付表1-1の①X欄へ 円 000
①の内訳 課税資産の譲渡等の対価の額	①-1	※第二表の②欄へ	※第二表の③欄へ	※第二表の④欄へ	※付表1-1の①-1X欄へ
①の内訳 特定課税仕入れに係る支払対価の額	①-2	※①-2欄は、課税売上割合が95%未満、かつ、特定課税仕入れがある事業者のみ記載する。		※第二表の⑤欄へ	※付表1-1の①-2X欄へ
消費税額	②	※第二表の⑫欄へ	※第二表の⑬欄へ	※第二表の⑭欄へ	※付表1-1の②X欄へ
控除過大調整税額	③	(付表2-2の㉗・㉘A欄の合計金額)	(付表2-2の㉗・㉘B欄の合計金額)	(付表2-2の㉗・㉘C欄の合計金額) 59,999	※付表1-1の③X欄へ 59,999
控除税額 控除対象仕入税額	④	(付表2-2の㉙A欄の金額)	(付表2-2の㉙B欄の金額)	(付表2-2の㉙C欄の金額) 31,398	※付表1-1の④X欄へ 31,398
控除税額 返還等対価に係る税額	⑤				※付表1-1の⑤X欄へ
控除税額 ⑤の内訳 売上げの返還等対価に係る税額	⑤-1				※付表1-1の⑤-1X欄へ
控除税額 ⑤の内訳 特定課税仕入れの返還等対価に係る税額	⑤-2	※⑤-2欄は、課税売上割合が95%未満、かつ、特定課税仕入れがある事業者のみ記載する。			※付表1-1の⑤-2X欄へ
控除税額 貸倒れに係る税額	⑥			68,039	※付表1-1の⑥X欄へ 68,039
控除税額 控除税額小計 (④＋⑤＋⑥)	⑦			99,437	※付表1-1の⑦X欄へ 99,437
控除不足還付税額 (⑦－②－③)	⑧		※①B欄へ	※①C欄へ 39,438	※付表1-1の⑧X欄へ 39,438
差引税額 (②＋③－⑦)	⑨		※⑫B欄へ STEP 7-1	※⑫C欄へ	※付表1-1の⑨X欄へ
合計差引税額 (⑨－⑧)	⑩				
地方消費税の課税標準となる消費税額 控除不足還付税額	⑪		(⑧B欄の金額)	(⑧C欄の金額) 39,438	※付表1-1の⑪X欄へ 39,438
地方消費税の課税標準となる消費税額 差引税額	⑫		(⑨B欄の金額)	(⑨C欄の金額)	※付表1-1の⑫X欄へ
合計差引地方消費税の課税標準となる消費税額 (⑫－⑪)	⑬		※第二表の㉑欄へ STEP 7-2	※第二表の㉒欄へ △39,438	※付表1-1の⑬X欄へ △39,438
譲渡割額 還付額	⑭		(⑪B欄×25/100)	(⑪C欄×17/63) 10,642	※付表1-1の⑭X欄へ 10,642
譲渡割額 納税額	⑮		(⑫B欄×25/100)	(⑫C欄×17/63)	※付表1-1の⑮X欄へ
合計差引譲渡割額 (⑮－⑭)	⑯				

注意　1　金額の計算においては、1円未満の端数を切り捨てる。
　　2　旧税率が適用された取引がある場合は、当該付表を作成してから付表1-1を作成する。

（2）「合計差引地方消費税の課税標準となる消費税額⑬」欄

付表１－２、１－１の⑫各欄の金額－⑪各欄の金額を⑬各欄に、それぞれ記載します。付表１－２の⑬Ｘ欄の金額は付表１－１の同欄に転記します。

税率6.3％適用分Ｃ　0－39,438 ＝ △39,438

税率7.8％適用分Ｅ　3,727,373－0＝3,727,373

合計Ｆ　△39,438＋3,727,373＝3,687,935

（3）申告書第二表の⑳～㉓欄を記載する

付表１－２、１－１⑬各欄より申告書第二表⑳～㉓欄に転記します。

（4）譲渡割額「還付額⑭」、「納税額⑮」欄

付表１－２、１－１の⑪又は⑫各欄に記載された金額に、「税率４％適用分Ｂ」については25/100 を、「税率6.3％適用分Ｃ」については17/63 を、「税率7.8％適用分Ｅ」については22/78 をそれぞれ乗じて計算した金額を、⑭又は⑮各欄に記載します。付表１－２の⑭Ｘ、⑮Ｘ欄の金額は付表１－１の同欄に転記します。この例では、税率6.3％適用分を⑭欄に、6.24％適用分と7.8％適用分を⑮各欄に記載しています。

税率6.3％適用分Ｃ　39,438×17/63 ＝ 10,642

税率7.8％適用分Ｅ　3,727,373×22/78＝1,051,310

合計Ｆ⑭　10,642

合計Ｆ⑮　1,051,310

（5）「合計差引譲渡割額⑯」欄

付表１－１の⑮Ｆ－⑭Ｆで計算した金額を⑯Ｆ欄に記載します。

合計Ｆ　1,051,310－10,642＝1,040,668

申告書第一表の⑧、⑨欄、⑰～⑳欄を記載する

付表１－１⑩Ｆ欄の金額を、プラスの場合は申告書第一表の⑨欄（100 円未満切捨）に、マイナスの場合は⑧欄に転記します。

付表１－１⑬Ｆ欄の金額を、プラスの場合は申告書第一表の⑱欄（100 円未満切捨）に、マイナスの場合は⑰欄に転記します。

付表１－１⑯Ｆ欄の金額を、プラスの場合は申告書第一表の⑳欄（100 円未満切捨）に、マイナスの場合は⑲欄に転記します。

付表1－1　税率別消費税額計算表　兼　地方消費税の課税標準となる消費税額計算表　　一般

課税期間	6・4・1 ～ 7・3・31	氏名又は名称	ステップ商事株式会社

区分		旧税率分小計 X	税率6.24％適用分 D	税率7.8％適用分 E	合計 F (X+D+E)
		(付表1-2の①X欄の金額) 円	円	円	※第二表の①欄へ 円
控除不足還付税額 (⑦−②−③)	⑧	(付表1-2の⑧X欄の金額) 39,438	※⑪E欄へ	※⑪E欄へ	39,438
差引税額 (②+③−⑦)	⑨	(付表1-2の⑨X欄の金額)	※⑫E欄へ 798,485	※⑫E欄へ 2,928,888	3,727,373
合計差引税額 (⑨−⑧)	⑩		STEP 7-1		※マイナスの場合は第一表の⑧欄へ ※プラスの場合は第一表の⑨欄へ 3,687,935
地方消費税の課税標準となる消費税額 控除不足還付税額	⑪	(付表1-2の⑪X欄の金額) 39,438		(⑧D欄と⑧E欄の合計金額)	39,438
地方消費税の課税標準となる消費税額 差引税額	⑫	(付表1-2の⑫X欄の金額)		(⑨D欄と⑨E欄の合計金額) 3,727,373	3,727,373
合計差引地方消費税の課税標準となる消費税額 (⑫−⑪)	⑬	(付表1-2の⑬X欄の金額) △39,438	STEP 7-2	※第二表の㉓欄へ 3,727,373	※マイナスの場合は第一表の⑫欄へ ※プラスの場合は第一表の⑬欄へ ※第二表の㉒欄へ 3,687,935
譲渡割額 還付額	⑭	(付表1-2の⑭X欄の金額) 10,642		(⑪E欄×22/78)	10,642
譲渡割額 納税額	⑮	(付表1-2の⑮X欄の金額)		(⑫E欄×22/78) 1,051,310	1,051,310
合計差引譲渡割額 (⑮−⑭)	⑯				※マイナスの場合は第一表の⑭欄へ ※プラスの場合は第一表の㉑欄へ 1,040,668

申告書第二表 課税標準額等の内訳書

訳	特定課税仕入れの返還等対価に係る税額（注1）	⑲		33

地方消費税の課税標準となる消費税額 (注2)				
4％適用分	STEP 7-2	⑳	3687935	41
6.3％適用分		㉑		42
6.24%及び7.8%適用分		㉒	-3944338	43
		㉓	3727373	44

(注1) ⑲～㊶及び㊹欄は、一般課税により申告する場合で、課税売上割合が95％未満、かつ、特定課税仕入れがある事業者のみ記載します。

申告書第一表 消費税及び地方消費税の確定申告書

課税標準額小計 (④+⑤+⑥)	⑦		
控除不足還付税額 (⑦−②−③)	⑧		13
差引税額 (②+③−⑦)	⑨	3687900	15
中間納付税額	⑩	00	16

課税標準額に対する消費税額			
控除税額小計 (⑫+⑬+⑭)	⑮		
還付税額 (⑮−⑫)	⑯		
差引税額 (⑫−⑮)	⑰		31
中間納付税額	⑱		32
納付税額 (⑰−⑱)	⑲		33
還付税額 (⑱−⑰)	⑳		34
中間納付譲渡割額	㉑	00	35
納付譲渡割額 (㉑−⑳)	㉒		36
還付譲渡割額 (⑳−㉑)	㉓		37

この申告書による地方消費税の税額の計算			
地方消費税の課税標準となる消費税額 控除不足還付税額	⑰		51
地方消費税の課税標準となる消費税額 差引税額	⑱	3687900	52
譲渡割額 還付額	⑲		53
譲渡割額 納税額	⑳	1040668	54
中間納付譲渡割額	㉑	00	55

課税方式の選択	上記以外	◯	全額控除
基準期間の課税売上高	千円		
税額控除に係る経過措置の適用（2割特例）			42

STEP 7-3

還付金の受け取り方法	預金	口座番号
機構	ゆうちょ銀行の記号番号	-
局名等		
◯	（個人の方）公金受取口座の利用	
※税務署整理欄		

STEP 7-4

申告書第一表の⑩～⑫欄、㉑～㉓欄、㉖欄を記載する

（1）「中間納付税額⑩」、「中間納付譲渡割額㉑」欄

中間申告をした場合には、中間納付税額を⑩欄に、中間納付譲渡割額を㉑に記載します。

（2）「納付税額⑪」、「中間納付還付税額⑫」欄

⑨－⑩で計算した金額を、計算結果がプラスとなる場合は⑪欄に記載し、計算結果がマイナスとなる場合は⑩－⑨で計算した金額を⑫欄に記載します。

（3）「納付譲渡割額㉒」、「中間納付還付譲渡割額㉓」欄

⑳－㉑で計算した金額を、計算結果がプラスとなる場合は㉒欄に記載し、計算結果がマイナスとなる場合は㉑－⑳で計算した金額を㉓欄に記載します。

（4）「消費税及び地方消費税の合計（納付又は還付）税額㉖」欄

下記の算式により、納付又は還付する消費税及び地方消費税の合計税額を計算し、㉖欄に記載します。なお、計算結果がマイナスの場合には還付されますので、マイナス記号（－）を付して記載します（△は記入しないでください）。

（「納付税額⑪」＋「納付譲渡割額㉒」）－（「控除不足還付税額⑧」＋「中間納付還付税額⑫」＋「譲渡割還付額⑲」＋「中間納付還付譲渡割額㉓」）

STEP 7-5

申告書第一表を完成させる

（1）「付記事項」、「参考事項」欄

① 付記事項

割賦基準、延払基準等、工事進行基準、現金主義会計の特別な売上基準を適用している場合には、該当する売上基準の「有」の欄に○を付します。適用していない場合は「無」の欄に○を付します。

② 控除税額の計算方法

STEP 4 で選択した計算方法に○を付します。

③ 基準期間の課税売上高

この申告に係る課税期間の基準期間（前々事業年度）の課税売上高（申告書第一表⑮欄の金額）を記入します。

（2）「還付を受けようとする金融機関等」欄

「消費税及び地方消費税の合計税額」欄がマイナスとなる場合は、消費税等が還付されますので、還付を受けようとする金融機関等を記入します。

（3）納税地・名称等を記入して申告書を完成させる

申告書を提出する税務署名、納税者の納税地、電話番号、名称又は屋号、個人又は法人番号、代表者氏名又は氏名を記入します。

第３－(1)号様式

STEP 7-5

令和 7 年 5 月 日　天王寺 税務署長殿

収受印

納税地	大阪市天王寺区上汐6-7-8（電話番号 06 - 6776 - 0821）
(フリガナ) 名称又は屋号	ステップショウジカブシキガイシャ ステップ商事株式会社
個人番号又は法人番号	↓個人番号の記載に当たっては、左端を空欄とし、ここから記載してください。 1 1 2 3 4 5 6 7 8 9 0 0 3
(フリガナ) 代表者氏名又は氏名	バンパク タロウ 万博 太郎

○（個人の方）振替継続希望

※税務署処理欄

所管	要否	整理番号		
申告年月日	令和 年 月 日			
申告区分	指導等	庁指定	局指定	
通信日付印 年 月 日	確認	確認書類：個人番号カード／通知カード・運転免許証／その他（ ）	身元確認	
指導年月日 令和	相談	区分1	区分2	区分3

第一表　令和五年十月一日以後終税期間分（一般用）

自 平成/令和 6 年 4 月 1 日
至 令和 7 年 3 月 31 日

課税期間分の消費税及び地方消費税の（ 確定 ）申告書

中間申告の場合の対象期間 自 平成/令和 年 月 日 至 令和 年 月 日

STEP 7-5

この申告書による消費税の税額の計算

		金額（十兆千百十億千百十万千百十一円）	
課税標準額	①	558,534,000	03
消費税額	②	42,472,014	06
控除過大調整税額	③	5,999,99	07
控除税額 控除対象仕入税額	④	38,755,293	08
返還等対価に係る税額	⑤		09
貸倒れに係る税額	⑥	88,785	10
控除税額小計（④＋⑤＋⑥）	⑦	38,844,078	
控除不足還付税額（⑦－②－③）	⑧		13
差引税額（②＋③－⑦）	⑨	3,687,900	15
中間納付税額	⑩	900,000	16
納付税額（⑨－⑩）	⑪	2,787,900	17
中間納付還付税額（⑩－⑨）	⑫	00	18
この申告書が修正申告である場合 既確定税額	⑬		19
差引納付税額	⑭	00	20
課税売上割合 課税資産の譲渡等の対価の額	⑮	625,740,768	21
資産の譲渡等の対価の額	⑯	677,976,109	22

STEP 7-4

この申告書による地方消費税の税額の計算

		金額	
地方消費税の課税標準となる消費税額 控除不足還付税額	⑰		51
差引税額	⑱	3,687,900	52
譲渡割額 還付額	⑲		53
納税額	⑳	1,040,600	54
中間納付譲渡割額	㉑	253,800	55
納付譲渡割額（⑳－㉑）	㉒	786,800	56
中間納付還付譲渡割額（㉑－⑳）	㉓	00	57
この申告書が修正申告である場合 既確定譲渡割額	㉔		58
差引納付譲渡割額	㉕	00	59
消費税及び地方消費税の合計（納付又は還付）税額	㉖	3,574,700	60

㉖＝(⑪＋㉒)－(⑬＋⑫＋⑲＋㉓)・修正申告の場合㉖＝⑭＋㉕
㉖が還付税額となる場合はマイナス「－」を付してください。

STEP 7-4

付記事項	割賦基準の適用	○ 有	○ 無	31
	延払基準等の適用	○ 有	○ 無	32
	工事進行基準の適用	○ 有	○ 無	33
	現金主義会計の適用	○ 有	○ 無	34
	課税標準額に対する消費税額の計算の特例の適用	○ 有	○ 無	35
参考事項 控除税額の計算方式	課税売上高5億円超又は課税売上割合95％未満	○ 個別対応方式		41
	上記以外	○ 一括比例配分方式		
		○ 全額控除		
基準期間の課税売上高	551,807 千円			
○ 税額控除に係る経過措置の適用（2割特例）				42

STEP 7-5

還付を受けようとする金融機関等

銀行 金庫・組合 農協・漁協	本店・支店 出張所 本所・支所
預金	口座番号
ゆうちょ銀行の貯金記号番号	－
郵便局名等	

○（個人の方）公金受取口座の利用

※税務署整理欄

税理士署名	税理士 芦田 幸三 （電話番号 06 －○○○○－××××）

○ 税理士法第30条の書面提出有
○ 税理士法第33条の2の書面提出有

STEP 8

第4-(9)号様式

付表1－3　税率別消費税額計算表　兼　地方消費税の課税標準となる消費税額計算表

一　般

課税期間	・　・　～　・　・	氏名又は名称	

区分			税率6.24％適用分 A	税率7.8％適用分 B	合計 C (A+B)
課税標準額		①	円 000	円 000	※第二表の①欄へ 円 000
①の内訳	課税資産の譲渡等の対価の額	①-1	※第二表の⑤欄へ	※第二表の⑥欄へ	※第二表の⑦欄へ
	特定課税仕入れに係る支払対価の額	①-2	※①-2欄は、課税売上割合が95%未満、かつ、特定課税仕入れがある事業者のみ記載する。	※第二表の⑨欄へ	※第二表の⑩欄へ
消費税額		②	※第二表の⑮欄へ	※第二表の⑯欄へ	※第二表の⑪欄へ
控除過大調整税額		③	(付表2-3の㉒・㉓A欄の合計金額)	(付表2-3の㉒・㉓B欄の合計金額)	※第一表の③欄へ
控除税額	控除対象仕入税額	④	(付表2-3の㉕A欄の金額)	(付表2-3の㉕B欄の金額)	※第一表の④欄へ
	返還等対価に係る税額	⑤			※第二表の⑫欄へ
	⑤の内訳 売上げの返還等対価に係る税額	⑤-1			※第二表の⑬欄へ
	⑤の内訳 特定課税仕入れの返還等対価に係る税額	⑤-2	※⑤-2欄は、課税売上割合が95%未満、かつ、特定課税仕入れがある事業者のみ記載する。		※第二表の⑭欄へ
	貸倒れに係る税額	⑥			※第一表の⑥欄へ
	控除税額小計 (④+⑤+⑥)	⑦			※第一表の⑦欄へ
控除不足還付税額 (⑦−②−③)		⑧			※第一表の⑧欄へ
差引税額 (②+③−⑦)		⑨			※第一表の⑨欄へ 00
地方消費税の課税標準となる消費税額	控除不足還付税額 (⑧)	⑩			※第一表の⑪欄へ ※マイナス「－」を付して第二表の㉑及び㉓欄へ
	差引税額 (⑨)	⑪			※第一表の⑫欄へ ※第二表の㉑及び㉓欄へ 00
譲渡割額	還付額	⑫			(⑩C欄×22/78) ※第一表の⑬欄へ
	納税額	⑬			(⑪C欄×22/78) ※第一表の㉑欄へ 00

注意　金額の計算においては、1円未満の端数を切り捨てる。

(R5.10.1以後終了課税期間用)

第4-(10)号様式

付表2－3　課税売上割合・控除対象仕入税額等の計算表

一般

課税期間	・・～・・	氏名又は名称	

項目		税率6.24％適用分 A	税率7.8％適用分 B	合計 C (A+B)
課税売上額（税抜き）	①	円	円	円
免税売上額	②			
非課税資産の輸出等の金額 海外支店等へ移送した資産の価額	③			
課税資産の譲渡等の対価の額（①＋②＋③）	④			※第一表の⑤欄へ
課税資産の譲渡等の対価の額（④の金額）	⑤			
非課税売上額	⑥			
資産の譲渡等の対価の額（⑤＋⑥）	⑦			※第一表の⑥欄へ
課税売上割合（④／⑦）	⑧			［　％］ ※端数切捨て
課税仕入れに係る支払対価の額（税込み）	⑨			
課税仕入れに係る消費税額	⑩			
適格請求書発行事業者以外の者から行った課税仕入れに係る経過措置の適用を受ける課税仕入れに係る支払対価の額（税込み）	⑪			
適格請求書発行事業者以外の者から行った課税仕入れに係る経過措置により課税仕入れに係る消費税額とみなされる額	⑫			
特定課税仕入れに係る支払対価の額	⑬	※⑬及び⑭欄は、課税売上割合が95%未満、かつ、特定課税仕入れがある事業者のみ記載する。		
特定課税仕入れに係る消費税額	⑭		(⑬B欄×7.8/100)	
課税貨物に係る消費税額	⑮			
納税義務の免除を受けない（受ける）ことなった場合における消費税額の調整（加算又は減算）額	⑯			
課税仕入れ等の税額の合計額（⑩＋⑫＋⑭＋⑮±⑯）	⑰			
課税売上高が5億円以下、かつ、課税売上割合が95％以上の場合（⑰の金額）	⑱			
課税売上高が5億円以下又は課税売上割合が95％未満の場合 個別対応方式 ⑰のうち、課税売上げにのみ要するもの	⑲			
課税売上高が5億円以下又は課税売上割合が95％未満の場合 個別対応方式 ⑰のうち、課税売上げと非課税売上げに共通して要するもの	⑳			
課税売上高が5億円以下又は課税売上割合が95％未満の場合 個別対応方式 個別対応方式により控除する課税仕入れ等の税額〔⑲＋(⑳×④／⑦)〕	㉑			
課税売上高が5億円以下又は課税売上割合が95％未満の場合 一括比例配分方式により控除する課税仕入れ等の税額（⑰×④／⑦）	㉒			
控除税額調整 課税売上割合変動時の調整対象固定資産に係る消費税額の調整（加算又は減算）額	㉓			
控除税額調整 調整対象固定資産を課税業務用（非課税業務用）に転用した場合の調整（加算又は減算）額	㉔			
控除税額調整 居住用賃貸建物を課税賃貸用に供した（譲渡した）場合の加算額	㉕			
差引 控除対象仕入税額〔(⑱、㉑又は㉒の金額)±㉓±㉔＋㉕〕がプラスの時	㉖	※付表1-3の④A欄へ	※付表1-3の④B欄へ	
差引 控除過大調整税額〔(⑱、㉑又は㉒の金額)±㉓±㉔＋㉕〕がマイナスの時	㉗	※付表1-3の③A欄へ	※付表1-3の③B欄へ	
貸倒回収に係る消費税額	㉘	※付表1-3の③A欄へ	※付表1-3の③B欄へ	

注意　1　金額の計算においては、1円未満の端数を切り捨てる。
　　2　③、⑪及び⑫欄には、値引き、割戻し、割引きなど仕入対価の返還等の金額がある場合（仕入対価の返還等の金額を仕入金額から直接減額している場合を除く。）には、その金額を控除した後の金額を記載する。
　　3　⑪及び⑫欄の経過措置とは、所得税法等の一部を改正する法律（平成28年法律第15号）附則第52条又は第53条の適用がある場合をいう。

（R5.10.1以後終了課税期間用）

No.63 還付申告とは

STEP 1

還付申告ができる場合（消法46、52、53）

課税事業者は、その課税期間において、国内における課税資産の譲渡等（免税となるものを除く）及び特定課税仕入れがない場合で、かつ、納付すべき差引税額がない場合は、確定申告書を提出する義務はありませんが、その場合でも還付税額が生ずる場合は、還付を受けるために申告書を提出することができます。

消費税が還付となるのは、下記の場合です。

（1）「控除不足還付税額⑧」がある場合

「課税標準額に対する消費税額②」＋「控除過大調整税額③」＜「控除税額小計⑦」

控除不足還付税額の還付を受けるときは、確定申告書に**「消費税の還付申告に関する明細書」**を添付する必要があります。

（2）「中間納付還付税額⑫」がある場合

「差引税額⑨」＜「中間納付税額⑩」

中間納付還付税額の還付を受けるときは「消費税の還付申告に関する明細書」の添付は不要です。

STEP 2

「消費税の還付申告に関する明細書」を作成する

① この明細書は、法人用と個人用の２種類があります。

② 記載金額は、法人用は千円単位（千円未満切捨て）、個人用は円単位です。

③ 「取引金額等」「決算額」「資産の取得価額」欄について、経理処理に応じて（税込・税抜）を○で囲みます。

STEP 2-1

還付申告となった主な理由

還付申告となった主な理由（輸出等の免税取引の割合が高い・設備投資（高額な固定資産の購入等）・その他）に○印を付けます。その他に該当する場合は、理由（例えば「期末に多額の棚卸資産を購入したため」）を簡単に記載します。

STEP 2-2

課税売上げ等に係る事項

(1) 「主な課税資産の譲渡等」

当課税期間の課税資産の譲渡等（輸出免税取引は下記(2)へ）について、１件当たりの取引金額（税抜金額）が100万円以上のものを上位10番目まで（個人事業者用は５番目まで）記載します。なお、継続的な取引先は当課税期間中の合計額が100万円以上の場合に記載し、「譲渡年月日等」には「継続」と記載します。

(2) 「主な輸出取引等の明細」

当課税期間の輸出免税取引について、取引金額総額の上位10番目まで（個人事業者用は５番目まで）記載します。

また、輸出取引等に利用する主な金融機関と主な通関業者について記載します。

STEP 2

消費税の還付申告に関する明細書を作成する

第28－(9)号様式

消費税の還付申告に関する明細書（法人用）

課税期間	6・4・1～7・3・31

所在地	大阪市大正区平尾8丁目6-9
名　称	今村産業株式会社

STEP 2-1

1 還付申告となった主な理由（該当する事項に○印を付してください。）

	輸出等の免税取引の割合が高い		その他（　　）
○	設備投資（高額な固定資産の購入等）		

STEP 2-2 (1)

2 課税売上げ等に係る事項

(1) 主な課税資産の譲渡等（取引金額が100万円以上の取引を上位10番目まで記載してください。）　単位：千円

資産の種類等	譲渡年月日等	取引金額等（税込・税抜）	取引先の氏名（名称）	取引先の住所（所在地）
機械部品	継・・続	81,543	(株)ステップ機械	大阪市大正区三軒家東○-○
機械部品	継・・続	60,899	ステップ商事(株)	大阪市天王寺区上汐8-2-3
機械部品	継・・続	57,225	(株)松田機械	大阪市天王寺区上汐1-○-5
機械部品	6・9・5	134	奄美商事(株)	大島郡龍郷町123-1
	・・			
	・・			
	・・			
	・・			
	・・			
	・・			

※　継続的に課税資産の譲渡等を行っている取引先のものについては、当課税期間分をまとめて記載してください。その場合、譲渡年月日等欄に「継続」と記載してください。輸出取引等は(2)に記載してください。

STEP 2-2 (2)

(2) 主な輸出取引等の明細（取引金額総額の上位10番目まで記載してください。）　単位：千円

取引先の氏名（名称）	取引先の住所（所在地）	取引金額	主な取引商品等	所轄税関（支署）名
秦有限公司	台北懸五股鄉孝義路○○	25,902	機械部品	大阪
昭久Co.Ltd	天津市河西区友誼路△△	10,683	機械部品	大阪

輸出取引等	主な金融機関	ABC	銀行・金庫・組合・農協・漁協	大正　本店・支店・出張所・本所・支所
		普通　預金	口座番号	987654
	主な通関業者	氏名（名称）	松田運輸株式会社	
		住所（所在地）	大阪市港区○-△-◇	

（1／2）

STEP 2-3 課税仕入れに係る事項

(1) 「仕入金額等の明細」

① 課税仕入れ等の税額の合計額の計算の基礎となった金額の明細を記載します。課税取引金額計算表を作成している場合は、それぞれの区分ごとに集計し転記します。

② 保税地域から引き取った課税貨物の金額は、「㋑ 決算額」又は「㋑ 資産の取得価額」に含めて記載し、「㋺ ㋑のうち課税仕入れにならないもの」に記載します。

③ 「課税仕入れ等の税額の合計額⑩」には、「⑤＋⑨の金額に対する消費税額」を記載します。すなわち、課税仕入れに係る消費税額と課税貨物に係る消費税額の合計額を記載します。なお、この金額は、付表２－１「課税仕入れ等の税額の合計額⑰」の「合計F」欄の金額と一致します。

(2) 「主な棚卸資産・原材料等の取得」

① 上記(1)の「損益科目」の「商品仕入高等①」の「(㋑－㋺) 課税仕入高」に記載した棚卸資産及び原材料等のうち、取引金額（税抜価額）が100万円以上のものについて、上位５番目まで記載します。なお、継続的な取引先は当課税期間中の合計額が100万円以上の場合に記載し、「取得年月日等」には「継続」と記載します。

② 「資産の種類等」には、棚卸資産等については機械用部品、製品原料など、外注費等については下請加工、支払手数料などとその内容を記載します。

(3) 「主な固定資産等の取得」

① 上記(1)の「資産科目」の「(㋑－㋺) 課税仕入高」に記載した固定資産等の取得のうち、１件当たりの取引金額（税抜価額）が100万円以上のものについて、上位10番目まで（個人事業者用は５番目まで）記載します。

② 「資産の種類等」には、資産の種類（建物、車両等）を記載します。

STEP 2-4 当課税期間中の特殊事情

当課税期間中の顕著な増減事項等及びその理由を記載します。

例えば、多額の売上返還等が発生した、多額の貸倒損失が発生したなどを記載します。

3 課税仕入れに係る事項

(1) 仕入金額等の明細　　単位：千円

区分			㋑ 決算額（税込・税抜）	㋺ ㋑のうち課税仕入れにならないもの	(㋑－㋺) 課税仕入高
損益科目	商品仕入高等	①	50,817	0	50,817
	販売費・一般管理費	②	25,955	18,333	7,622
	営業外費用	③	595	595	0
	その他	④	128	128	0
	小計	⑤	77,495	19,056	58,439

区分			㋑ 資産の取得価額（税込・税抜）	㋺ ㋑のうち課税仕入れにならないもの	(㋑－㋺) 課税仕入高
資産科目	固定資産	⑥	57,123	20,000	37,123
	繰延資産	⑦	0	0	0
	その他	⑧	0	0	0
	小計	⑨	57,123	20,000	37,123
課税仕入れ等の税額の合計額		⑩	⑤＋⑨の金額に対する消費税額		7,453

STEP 2-3 (1)

(2) 主な棚卸資産・原材料等の取得（取引金額が100万円以上の取引を上位5番目まで記載してください。）　単位：千円

資産の種類等	取得年月日等	取引金額等（税込・税抜）	取引先の登録番号	取引先の氏名（名称）	取引先の住所（所在地）
製品原料	継・続・	21,583	T1111111111111	(株)ステップ金属	大阪市此花区梅花0-0
下請加工	継・続・	16,982	T2222222222222	ステップ製作所(株)	大阪市西区新町0-0
	・・		T		
	・・		T		
	・・		T		

STEP 2-3 (2)

※1　継続的に課税資産の取得を行っている取引先のものについては、当課税期間分をまとめて記載してください。その場合取得年月日等欄に「継続」と記載してください。
2　「取引先の登録番号」欄に登録番号を記載した場合には、「取引先の氏名（名称）」欄及び「取引先の住所（所在地）」欄の記載を省略しても差し支えありません（以下(3)において同じ）。

(3) 主な固定資産等の取得（1件当たりの取引金額が100万円以上の取引を上位10番目まで記載してください。）　単位：千円

資産の種類等	取得年月日等	取引金額等（税込・税抜）	取引先の登録番号	取引先の氏名（名称）	取引先の住所（所在地）
建物	6・5・31	37,123	T3333333333333	藤本産業(株)	東大阪市俊徳道1-2
	・・		T		
	・・		T		
	・・		T		
	・・		T		
	・・		T		
	・・		T		
	・・		T		
	・・		T		
	・・		T		

STEP 2-3 (3)

4 当課税期間中の特殊事情（顕著な増減事項等及びその理由を記載してください。）

STEP 2-4

設備投資(建物の取得)を行った。

No.64 納付税額・還付税額の経理

STEP 1 経理処理の概要

申告書の作成が完成したら、会社の経理処理方式に応じて次のように取り扱います。

1．消費税を納付する場合

① 税抜経理… 申告書により計算した納付すべき消費税額を、「未払消費税等」として計上します。「仮受消費税等」の金額から「仮払消費税等」の金額を控除した金額と、納付すべき消費税額との差額は、「雑収入」又は「雑損失」として計上します。

② 税込経理

（原則） 納付すべき消費税額は、「租税公課」として、申告書が提出された日の属する事業年度の損金の額に算入します。

（特例） 納付すべき消費税額を「未払金」として計上した場合は、その計上した事業年度の損金の額に算入します。

2．消費税が還付される場合

① 税抜経理… 申告書により計算した還付を受ける消費税額を、「未収消費税等」として計上します。「仮払消費税等」の金額から「仮受消費税等」の金額を控除した金額と、還付される消費税額との差額は、「雑収入」又は「雑損失」として計上します。

② 税込経理

（原則） 還付を受ける消費税額は、「雑収入」等として、申告書が提出された日の属する事業年度の益金の額に算入します。

（特例） 納付すべき消費税額を「未収入金」として計上した場合は、その計上した事業年度の益金の額に算入します。

STEP 2 当社の経理処理

当社はすべて税抜経理方式で行っていますので、次の精算を行います。

「仮受消費税等」の期末残高　28,142,554円
「仮払消費税等」の期末残高　25,827,368円
中間申告の消費税額　1,125,000円（「仮払金」で計上しています。）
申告書「納付税額㉖」の金額　1,189,800円

仕訳				
（仮受消費税等）	28,142,554	（未払消費税等）		1,189,800
		（仮払消費税等）		25,827,368
		（仮　払　金）		1,125,000
		（雑　収　入）	対外	386

「仮受消費税等」28,142,554円－「仮払消費税等」25,827,368円－「中間申告の消費税額」1,125,000円＝1,190,186円と、申告書「納付税額㉖」1,189,800円の差額386円は、「雑収入」として計上します。

STEP 1 経理処理の概要

1．消費税を納付する場合

税抜経理方式

(仮受消費税等)XXX ／ (未払消費税等) XXX
(仮払消費税等) XXX
(雑　収　入) XXX

税込経理方式

(原則)　申告書提出日(翌期)に損金算入

(租 税 公 課)XXX ／ (現 金 預 金) XXX

(特例)　未払計上したときは、未払計上日(当期)に損金算入

(租 税 公 課)XXX ／ (未　払　金) XXX

2．消費税が還付される場合

税抜経理方式

(未収消費税等)XXX ／ (仮払消費税等) XXX
(仮受消費税等)XXX ／ (雑　収　入) XXX

税込経理方式

(原則)　申告書提出日(翌期)に益金算入

(現 金 預 金)XXX ／ (雑　収　入) XXX

(特例)　未収計上したときは、未収計上日(当期)に益金算入

(未 収 入 金)XXX ／ (雑　収　入) XXX

STEP 2 当社の経理処理（簡易課税の場合）

設例 当社はすべて税抜経理方式で行い、簡易課税制度を適用しています。

「仮受消費税等」の期末残高　1,628,264円
「仮払消費税等」の期末残高　1,375,618円
申告書「納付税額㉖」の金額　162,800円

仕訳 (仮受消費税) 1,628,264 ／ (未払消費税等) 162,800
(仮払消費税等) 1,375,618
(雑　収　入) 対外 89,846

「仮受消費税等」1,628,264円－「仮払消費税等」1,375,618円＝252,646円と、申告書「納付税額㉖」162,800円の差額89,846円は、「雑収入」として計上します。

No.65 控除対象外消費税額等の処理

STEP 1

概要（法令139の４）

税抜経理方式を採用し、その課税期間の課税売上高が５億円超又は課税売上割合が95％未満である場合には、仕入控除税額は、課税仕入れ等に対する消費税額の全額ではなく、課税売上げに対応する部分の金額となり、仕入税額控除ができない仮払消費税等の額が生じることになります。この税額控除の対象とならない仮払消費税等を**控除対象外消費税額等**といいます。

控除対象外消費税額等については、次の**STEP2**又は**STEP3**に掲げる方法により処理します。

（注）税込処理方式を採用している場合は、消費税等は資産の取得価額又は経費の額に含まれますので、特別な処理は必要ありません。

STEP 2

資産に係る控除対象外消費税額等

資産に係る控除対象外消費税額等は、次のいずれかの方法により損金の額又は必要経費に算入します。

(1) 個々の資産の取得価額に算入し、以後の事業年度又は年分において償却費などとして損金の額又は必要経費にします。

(2) 次のいずれかに該当する場合には、法人については損金経理を要件としてその事業年度の損金の額に、個人事業者は全額をその年分の必要経費に算入します。

① その事業年度又は年分の課税売上割合が80％以上であること。

② 棚卸資産に係る控除対象外消費税額等であること。

③ 一の資産に係る控除対象外消費税額等が20万円未満であること。

(3) 上記に該当しない場合には、「繰延消費税額等」として資産計上し、５年以上の期間で償却します。

① 繰延消費税額等の生じた事業年度

$$\text{損金算入限度額} = \text{繰延消費税額等} \times \frac{\text{その事業年度の月数}}{60} \times \frac{1}{2}$$

② その後の事業年度

$$\text{損金算入限度額} = \text{繰延消費税額等} \times \frac{\text{その事業年度の月数}}{60}$$

STEP 1 控除対象外消費税額等の取扱い

- 税込経理方式を採用している → YES → 控除対象外消費税額等は発生しない
- ↓NO
- 課税売上割合が95%以上 かつ 課税売上高が５億円以下 → YES → 控除対象外消費税額等は発生しない
- ↓NO
- 控除対象外消費税額等が生じる → 法人税法・所得税法で取扱いが定められている

STEP 2 STEP 3 控除対象外消費税額等の処理

	区分		法人税	所得税
控除対象外消費税等	資産に係るもの	(1)資産の取得価格に算入する	償却費等として損金算入（損金経理要件）又は必要経費算入	
		(2)①課税売上割合が80%以上である ②棚卸資産に係る控除対象外消費税額等である ③一の資産に係る控除対象外消費税額等が20万円未満である	損金算入（損金経理要件）又は必要経費算入	
		(3)上記の(2)①から③のいずれにも該当しない（繰延消費税額等）	初年度：繰延消費税額等×$\frac{当期の月数}{60}$×$\frac{1}{2}$を損金算入（損金経理要件）又は必要経費算入	
			その後：繰延消費税額等×$\frac{当期の月数}{60}$を損金算入（損金経理要件）又は必要経費算入	
	経費に係るもの	交際費等及び寄附金等に係るもの	支出交際費等及び寄附金等に含めて損金不算入額を計算	必要経費算入
		交際費等及び寄附金等以外のもの	損金算入又は必要経費算入	

設例 当期に建物2,750万円（消費税額等250万円）を取得した。課税売上割合は60%である。

① 繰延消費税額等の計算　250万円×（１－60%）＝100万円

（繰延消費税額等）　1,000,000／（仮払消費税等）　1,000,000

② 繰延消費税額等の償却　100万円×$\frac{12}{60}$×$\frac{1}{2}$＝10万円→法人税申告書別表16(10)で計算します。

（繰延消費税額等償却費）　100,000／（繰延消費税額等）　100,000

（注）上記の他、取得価額に算入する方法も選択できます。

STEP 3

経費に係る控除対象外消費税額等

経費に係る控除対象外消費税額等は、その全額をその事業年度の損金の額又はその年分の必要経費に算入します。

ただし、法人の場合、法人税の計算において、交際費等に係る控除対象外消費税額等に相当する金額は、支出交際費等の額に含めて、交際費等の損金不算入額を計算します。また、課税資産を購入して、寄附した場合の控除対象外消費税額等に相当する金額は、支出寄附金等の額に含めて、寄附金等の損金不算入額を計算します。

なお、交際費等の損金算入に関する明細書（法人税申告書別表15）には、交際費自体の額とは別に、控除対象外消費税額等の金額を記載します。

(1) 個別対応方式で計算している場合

① 課税売上対応の交際費に係る税額……控除対象外消費税額等は生じません。

② 非課税売上対応の交際費に係る税額……その全額が控除対象外消費税額等になります。

③ 共通対応の交際費に係る税額……交際費等のうち、次の算式で計算した金額が控除対象外消費税額等になります。

控除対象外消費税額等の金額 ＝ 共通対応の交際費に係る税額 ×（1 － 課税売上割合）

(2) 一括比例配分方式で計算している場合

交際費等のうち、次の算式で計算した金額が控除対象外消費税額等になります。

控除対象外消費税額等の金額 ＝ 交際費に係る税額 ×（1 － 課税売上割合）

また、課税資産を購入して寄附した場合の控除対象外消費税額等に相当する金額は、支出寄附金の額として寄附金等の損金不算入額を計算します。

STEP 3

総　勘　定　元　帳　（交　際　費）

ステップ商事株式会社　　消費税：税抜経理

日付	相手科目	摘　要	課税区分	借方	貸方	残高
：	：	：	：	：	：	：
R6.5.12	現金預金	社長ゴルフ代　ｽﾃｯﾌﾟｶﾝﾄﾘｰｸﾗﾌﾞ	共通	19,800		253,653
R6.5.12	現金預金	〃　〃　ｺﾞﾙﾌ場利用税	対外	1,200		254,853
R6.5.31	仮払消費税	消費税額振替　税込金額：19,800	共通		1,800	253,053
		＊＊　5月計　＊＊		21,000	1,800	
：	：	：	：	：	：	：
		＊＊　年間計　＊＊		4,699,729	327,247	4,372,482
		＊＊＊　年間　消費税集計　＊＊＊	課対	1,305,400	118,672	1,186,728
			非対			0
			共通	2,294,329	208,575	2,085,754
			非仕	100,000		100,000
			対外	1,000,000		1,000,000

支出交際費へ加算する金額を計算します

【交際費の控除対象外消費税額等の計算】

(1)　課税売上割合……「**No.62　消費税の申告書を作成する**」の金額を使います。

①　課税資産の譲渡等の対価の額　625,740,768円

②　資産の譲渡等の対価の額　677,976,109円

③　課税売上割合　$\frac{625,740,768円}{677,976,109円}$

(2)　交際費の控除対象外消費税額等

①　共通対応の交際費に係る税額　2,085,754円×10%＝208,575円

②　支出交際費の額　208,575円×（1－課税売上割合（(1)③））＝16,069円

交際費等の損金算入に関する明細書　　別表十五

事業年度	6.4.1 7.3.31	法人名	ステップ商事株式会社

支出交際費等の額（8の計）	1	4,388,551 円	損金算入限度額 (2)又は(3)	4	0 円
支出接待飲食費損金算入基準額（9の計）×$\frac{50}{100}$	2	0	損金不算入額 (1)－(4)	5	4,388,551
中小法人等の定額控除限度額 ((1)の金額又は800万円×$\frac{}{12}$ 相当額のうち少ない金額)	3	4,388,551			

支出交際費等の額の明細

科目	支出額	交際費等の額から控除される費用の額	差引交際費等の額	(8)のうち接待飲食費の額
	6	7	8	9
交際費	4,372,482 円	円	4,372,482 円	円
控除対象外消費税額	16,069		16,069	

法人税申告書別表15へ記入します

No.66 課税売上割合の計算方法

STEP 1

概要（消法30、消令48）

課税売上割合とは、課税期間中に国内において行った「売上高」のうちに「課税売上高」の占める割合をいいます。

課税売上割合が95%以上かつ課税期間における課税売上高が５億円以下の場合は、課税仕入れに係る消費税額は全額控除することができます。

$$\text{課税売上割合} = \frac{\text{課税売上高}}{\text{売上高}} = \frac{\text{課税売上高＋免税売上高}}{\text{課税売上高＋免税売上高＋非課税売上高}}$$

STEP 2

課税売上割合の計算上の留意点

１．売上げに係る対価の返還等がある場合

返品、値引き、割戻し等の売上げに係る対価の返還等の金額は、分母・分子それぞれの売上高から控除します。

なお、免税事業者であったときの売上げについて、課税事業者になってから売上値引き等があった場合は、税抜きにしないでその全額を控除します（消基通11－５－２）。

２．貸倒れがある場合

貸倒金額は、分母・分子から控除しません。

３．有価証券の売却及び金銭債権の譲渡がある場合（消令48）

有価証券及び金銭債権の譲渡収入は非課税売上げですが、分母の非課税売上高には、譲渡収入の５％相当額を計上します。

（注）金銭債権の譲渡収入の５％相当額を非課税売上高に計上するのは、貸付金等の金銭債権に限られます。売掛金や資産の売却により生じた未収金など、資産の譲渡等の対価として取得した金銭債権の譲渡については非課税売上高には計上しません。

４．端数処理（消基通11－５－６）

課税売上割合については、原則として端数処理は行いませんが、切り捨てることはできます。（例）0.94657　→　0.946（切捨て○）　0.94657→0.95（切上げ×）

５．課税売上割合の計算単位（消基通11－５－１）

課税売上割合は、事業者の全ての売上高のうちに課税売上高の占める割合をいいますので、事業所や事業部単位で計算することはできません。

６．課税売上割合が95%未満であるかの判定（消基通11－５－９）

仕入控除税額の計算において、課税売上割合が95%未満であるかの判定は、必ず課税売上割合で判定します。課税売上割合に準ずる割合（**No.72**参照）で判定することはできません。

STEP 1 課税売上割合の計算

設例

国内売上高（税込み）	38,525,678円
国内売上の値引・返品（税込み）	1,526,271円
輸出売上高	61,235,628円
家賃収入（住宅家賃）	4,800,000円
受取利息	201,357円
受取配当金	120,000円
有価証券の売却収入	1,980,000円
貸倒損失	2,100,000円

※税率はすべて10%とする

① 課税売上げ　$(38{,}525{,}678円 \times \frac{100}{110}) - (1{,}526{,}271円 \times \frac{100}{110}) = 33{,}635{,}824円$

② 免税売上げ　61,235,628円

③ 非課税売上げ　4,800,000円＋201,357円＋1,980,000円×５%＝5,100,357円

④ 課税売上割合

$$\frac{①+②}{①+②+③} = \frac{94{,}871{,}452円}{99{,}971{,}809円} = 0.94898 \rightarrow 94\%$$ （端数切捨て）

STEP 2 課税売上割合の計算上の注意点

課税売上割合の計算式における分母又は分子に、○は含める、×は含めません。

	分子	分母
消費税額及び地方消費税額	×	×
売上げに係る対価の返還等	○	○
法人の役員に対する課税資産の贈与・低額譲渡	○	○
個人事業者の課税資産の家事消費	○	○
貸倒金額	×	×
貸倒れに係る売掛債権等の回収金額	×	×
輸出取引に係る対価の額	○	○
国外取引に係る対価の額	×	×
受取配当金・受取保険金等　（不課税取引）	×	×
譲渡対価として取得した金銭債権の譲渡	×	×
他人から購入した金銭債権の譲渡	×	○（5%）
国債等の償還金額	×	×
国債等の償還金の差損益	×	○
合名会社等の持分の譲渡	×	○
株式・社債・受益証券等の譲渡	×	○（5%）
預貯金・貸付金・公社債の受取利息	×	○
投資信託等の収益分配金	×	○

No.67 税理士が添付書面を作成する

書面添付制度は、申告書の作成について、税理士が税務の専門家としてどの程度まで関与し、計算・整理したかを明らかにすることにより、適法に申告書が作成されていることを税務官公署に対して表明する制度です。また、意見聴取制度と一体で運用されることにより、納税義務の適正な実現に寄与し、納税者の負担が軽減される効果もあります。

STEP 1 書面添付制度とは（税理士法33の２）

(1) 書面添付制度は、税理士だけに認められた権利で税理士が税務に関する専門家として、その申告書に関して計算し、整理し、相談に応じた事項を記載した書面を申告書に添付する制度です。

(2) 書面には税理士がどのような書類に基づいて帳簿を作成したか、どのような帳簿に基づいて計算・整理を行ったか、どのような相談に応じたか等を記載します。

(3) また、計算・整理に関する顕著な増減事項や、会計処理方法の変更等があった場合には、その内容や理由等も記載します。

STEP 2 意見聴取制度との関係について（税理士法35）

(1) 税務職員はあらかじめ事前通知を行ったうえで調査を行う場合に、税理士が、

・税務代理権限証書（税理士法30）を提出しており、かつ、

・添付書面を申告書に添付している

ときは、その添付書面に記載された事項に関して、調査の事前通知前にその税理士に意見を述べる機会を与えなければなりません。また、更正処分を行う場合も同様です。

(2) したがって、調査の事前通知前に税理士に対して意見聴取が行われることになり、その結果、調査時間の短縮や調査省略もあり得るなど、納税者にとっても、税務調査における負担が軽減されるとともに、関与先に対して税理士の存在意義をより明確に表すことになります。

(3) また、意見聴取の結果、調査の必要がないと認められた場合には、税理士に対し「現時点では調査に移行しない」旨の連絡を、原則として「意見聴取結果についてのお知らせ」の文書により行われます。

STEP 3 書面作成に関わる税理士とは

(1) 添付書面には、実際に計算・整理し自らが申告書を作成した税理士の氏名や事務所所在地を記載します。

(2) また、税理士又は税理士法人に補助者として従事している税理士（所属税理士）が申告書を作成した場合には、その所属税理士の氏名を書面作成に係る税理士として記載します。

消費税及び
地方消費税 確定申告書（ 年分・ 6 年 4月1日 / 7 年 3月31日 事業年度分・ ）に係る

受付印

申告書の作成に関する計算事項等記載書面

33の2①

7 年 5 月 8 日
天王寺税務署長殿

※整理番号	

税理士又は税理士法人	氏名又は名称	税理士法人 DSA
	事務所の所在地	大阪市天王寺区上本町8丁目1−23 KSビル4階 電話(06)−6776−0822
書面作成に係る税理士	氏名	田部 純一
	事務所の所在地	大阪市天王寺区上本町8丁目1−23 KSビル4階 電話(06)−6776−0822
	所属税理士会等	近畿税理士会 天王寺支部 登録番号 第○○○○ 号
税務代理権限証書の提出		(有)（ 消費税及び地方消費税 ） ・ 無
依頼者	氏名又は名称	ステップ商事株式会社
	住所又は事務所の所在地	大阪市天王寺区上汐8−2−3 電話 (06)6776 − 08×1

私（当法人）が申告書の作成に関し、計算し、整理し、又は相談に応じた事項は、下記の1から5までに掲げる事項であります。

1 提示を受けた帳簿書類に関する事項

帳簿書類（申告書の作成に関し、計算し、又は整理するために用いたものに限る。）の名称	左記の帳簿書類以外の帳簿書類の名称
振替伝票、総勘定元帳、月次財務諸表 貸借対照表、損益計算書、 課税取引金額計算書	各種契約書、議事録

2 自ら作成記入した帳簿書類に関する事項

帳簿書類の名称	作成記入の基礎となった書類等
振替伝票、総勘定元帳、月次財務諸表 貸借対照表、損益計算書、 課税取引金額計算書	入出金伝票、金銭出納帳、銀行帳、 売掛金元帳、買掛金元帳 請求書綴り、領収書綴り

※事務処理欄	部門	業種			意見聴取連絡事績		事前通知等事績	
					年月日	税理士名	通知年月日	予定年月日
					・ ・		・ ・	・ ・

（1／4）

STEP 4

添付書面に記入する事項

添付書面には９号様式（税理士が自ら申告書を作成した場合）と10号様式（他人が作成した申告書を審査した場合）がありますが、ここでは９号様式について説明します。

(1)　（税理士が）提示を受けた帳簿書類に関する事項

会社が作成している売掛金元帳や買掛金元帳について、関係資料と突合して正しく記録されているか確認をした場合には、

「帳簿書類の名称」欄には、請求書綴、領収書綴等を記載し、

「備考」欄には、各種契約書、議事録等を記載します。

(2)　（税理士が）自ら作成記入した帳簿書類に関する事項

例えば、会社が入出金伝票を起票し、税理士が補助簿を基に振替伝票を起票して総勘定元帳などを作成している場合には、

「帳簿書類の名称」欄には、振替伝票、月次財務諸表、総勘定元帳等を記載し、

「作成記入の基礎となった書類等」欄には、入出金伝票、銀行帳、手形帳等を記載します。

(3)　計算し、整理した主な事項

①　区分・事項・備考

(1)に、申告書の作成に関して、計算・整理した事項を記載するとともに、関係資料との確認方法や留意した点について、区分ごとに記載します。

例えば、取引の課税判定について記載する場合には、「区分」欄には、「課税取引の判定」と記載し、「事項」欄には「振替伝票をチェックし、紛らわしい取引は証憑を確認して判定した。記帳内容を課否判定し、課税取引金額計算表を作成している。」などと記載します。

「備考」欄には、その際に留意した事項について記載します。

②　(1)のうち顕著な増減事項・増減理由

(1)に記載したもののうち前期と比較して金額が顕著に増減したものについてその項目を記載し、その原因や理由を記載します。例えば、

「(1)のうち顕著な増減事項」欄には、「車両運搬具」と記載し、「増減理由」欄には、「業務拡大に伴い、車両を１台増車した。」などと記載します。

③　(1)のうち会計処理方法に変更等があった事項・変更等の理由

(1)に記載したもののうち、当期において会計処理方法に変更があった事項について、その事項や理由を記載します。

(4)　相談に応じた事項

申告に当たって、特に重要だと思われる相談事項について、その項目や相談内容・回答要旨を記載します。

(5)　総合所見

申告書作成に当たっての税理士の所見を記載します。

(6)　その他

(1)～(5)の各欄に記載した事項以外の事項（申告書の作成に関し個別的、特徴的である事項や、税理士の監査の頻度、納税者の税に関する認識、申告書作成に当たって留意した事項など）を記載します。

※整理番号	

3　計算し、整理した主な事項

	区　　分	事　　項	備　　考
(1)	課税取引の判定	振替伝票をチェックし、必要に応じ証憑を確認して判定した。 記帳内容を課否判定し、課税取引金額計算表を作成している。 決算時に再度確認した取引は次のとおりであり、他の科目も確認している。	振替伝票、領収書等
	売上高	当社は適格請求書発行事業者です。当社が発行した適格請求書について、記載するべき項目が網羅されていることを確認するとともに、当社が発行した請求書控等を確認しました。	
	車両費	軽油代の支払時に軽油引取税は不課税仕入れとして処理した。	領収書等
	交際費	香典、祝い金等は不課税仕入れ、贈答品のうち飲食料品は軽減税率適用の課税仕入れとして処理した。	振替伝票、出金依頼票 区分記載請求書
	諸会費	会費等に対価性が認められるかを確認し、課否区分を適正に処理した。	領収書等
	車両運搬具	購入明細書を確認し、課否区分の判定を自動車税等は不課税仕入れ、自賠責保険料は非課税仕入れとし、行った。 リサイクル料金については、資金管理料金のみ課税仕入れとした。	購入明細書

	(1)のうち顕著な増減事項	増　減　理　由
(2)	輸入仕入高	対前期比25％増加し、税率区分はインボイスを確認し適正に処理を行った。
	特定課税仕入れ	当期からインターネットを通じて広告配信を行っており、リバースチャージ方式を適用した。

	(1)のうち会計処理方法に変更等があった事項	変　更　等　の　理　由
(3)	特になし	

（2／4）

【10号様式について】

10号様式は依頼者（他人）が作成した申告書について、税理士が、その相談について審査し、その申告書が法令の規定に従って作成されていると認めたときにその旨を記載する書面です。つまり、依頼者が作成した申告書について、その当否のチェックのみを行い、税理士の指導に基づいて依頼者が申告書を修正して完成させるような場合をいいます。

この10号様式を記載する場合「審査結果」欄には、申告書が法令の規定に従って作成されている旨を記載します。また、審査において、指導等を行った場合はその内容を具体的に記載します。

STEP 5

質問検査権と意見聴取の関係

(1) 質問検査権とは、税務職員が課税処分のために、納税者に対して、法律の規定に基づいて認められている課税要件事実に関する質問及び検査を行う権限をいいます。

(2) 質問検査権に基づいて実地調査が開始された後に、非違事項が発見され修正申告を行った場合は、更正があるべきことを予知してなされたものと解され、加算税が賦課されます。

(3) しかし、意見聴取は質問検査権の行使には当たらないので、具体的な非違事項の指摘に至らない範囲での意見聴取の後に提出された修正申告については、加算税は賦課されません。

（税務代理の権限の明示）税理士法第30条

税理士は、税務代理をする場合においては、財務省令で定めるところにより、その権限を有することを証する書面を税務官公署に提出しなければならない。

（計算事項、審査事項等を記載した書面の添付）税理士法第33条の２第１項

税理士又は税理士法人は、国税通則法第16条第１項第１号に掲げる申告納税方式又は地方税法第１条第１項第８号若しくは第11号に掲げる申告納付若しくは申告納入の方法による租税の課税標準等を記載した申告書を作成したときは、当該申告書の作成に関し、計算し、整理し、又は相談に応じた事項を財務省令で定めるところにより記載した書面を当該申告書に添付することができる。

（調査の通知）税理士法第34条第１項

税務官公署の当該職員は、租税の課税標準等を記載した申告書を提出した者について、当該申告書に係る租税に関しあらかじめその者に日時場所を通知してその帳簿書類を調査する場合において、当該租税に関し第30条の規定による書面を提出している税理士があるときは、あわせて当該税理士に対しその調査の日時場所を通知しなければならない。

（意見の聴取）税理士法第35条第１項

税務官公署の当該職員は、第33条の２第１項又は第２項に規定する書面（以下「添付書面」という。）が添付されている申告書を提出した者について、当該申告書に係る租税に関しあらかじめその者に日時場所を通知してその帳簿書類を調査する場合において、当該租税に関し第30条の規定による書面を提出している税理士があるときは、当該通知をする前に、当該税理士に対し、当該添付書面に記載された事項に関し意見を述べる機会を与えなければならない。

※整理番号

＊追加記載する事項

3　計算し、整理した主な事項

区　　分	事　　項	備　　考
旅費交通費	頻繁に高速道路（ＥＴＣシステム）を利用していますが、クレジットカード利用明細書が保存されていることと、ＥＴＣ利用照会サービスから利用明細書がいつでもダウンロードできる状態であることを確認しました。	
支払手数料	売り手が負担する振込手数料相当額については、消費税法上は売上に係る対価の返還等として処理していることを確認しました。	

＊追加記載する事項

（4／4）

※整理番号	

4　相談に応じた事項

事　　項	相　談　の　要　旨
貸倒損失	［相談］ 取引先が破産したため貸倒損失を計上したいとの相談を受けた。 ［回答］ 破産については切捨てという制度がないため、回収不能という状態になったときに貸倒損失が計上できるということを説明した。なお、控除税額は、当該売掛債権に係る売上計上時の税率を適用する旨を説明した。
土地建物の売却	［相談］ 土地と建物を一括で売却したいとの相談を受けた。 ［回答］ 土地と建物を一括で譲渡した場合においても、土地の部分は非課税売上げ、建物の部分は課税売上げになるので売却代金を土地の部分と建物の部分に、合理的に区分する必要があることを説明した。
適格請求書発行事業者以外との取引	［相談］ 免税事業者との取引について相談を受けた。 ［回答］ 令和５年10月１日から令和８年９月30日までの間に行われた適格請求書発行事業者以外の者（消費者、免税事業者又は登録を受けていない課税事業者）からの課税仕入れについては、当該課税仕入れに係る支払対価の額に110分の7.8（軽減税率の対象となる場合は108分の6.24）を乗じて算出した金額に100分の80を乗じて算出した金額を課税仕入れに係る消費税額とみなすことになります。すなわち、インボイス制度導入前の課税仕入れに係る消費税額の80％相当額について仕入税額控除の適用を受けることができます。

5　総合所見

消費税の課否判定に関しては取引ごとに月次でチェックしており、正確に処理されている。
帳簿の記載事項及び領収書等の保存状態は良好であり、記帳は正確に処理されている。

帳簿を基に法令の規定に従って申告書を作成した。
決算及び申告書の作成にあたり、会社は税理士の指導に誠実に応じている。

6　その他

（3／4）

No.68 簡易課税制度を選択する

STEP 1

概要（消法37）

簡易課税制度を選択すると、経理事務の負担軽減（仕入税額の計算のための適格請求書の確認が不要など）、税負担が原則課税より少なくなる可能性があることなどのメリットがあります。

適用するには基準期間の課税売上が5,000万円以下であること、選択すると２年間継続して簡易課税で申告しなければならないなどの制限があります。また、高額な設備投資をした場合には、簡易課税では消費税の控除や還付を受けることができず、原則課税を選択した方が有利なケースもあります。したがって、選択するかどうかについては、設備投資計画などを考慮した上で慎重に判断する必要があります（**No.19**参照）。

STEP 2

簡易課税制度の適用時期（消令56、消基通13－１－３の２～13－１－３の４）

簡易課税制度の適用を受ける場合は、その適用を受けようとする課税期間の初日の前日までに、所轄税務署長に「簡易課税制度選択届出書」を提出する必要があります。

ただし、一定の場合は提出した課税期間から簡易課税制度の適用を受けることができます。

〈適用開始時期〉

原則	提出日の属する課税期間の翌課税期間から	
特例	新たに課税資産の譲渡等に係る事業を開始した場合	提出日の属する課税期間から
	相続により課税事業者を選択していた被相続人の事業を承継した場合（※）	
	法人が合併により課税事業者を選択していた被合併法人の事業を承継した場合（※）	
	法人が吸収分割により課税事業者を選択していた被合併法人の事業を承継した場合（※）	

※相続、合併、吸収分割の納税義務の免除の特例により、免税事業者が課税事業者となる場合に限り、適用があります。

STEP 3

調整対象固定資産を取得した場合の簡易課税制度適用の制限

次の(1)又は(2)の期間中に調整対象固定資産（**No.74**参照）を取得した場合には、その取得の日の属する課税期間の初日から**３年**を経過する日の属する課税期間の初日以後でなければ、「簡易課税制度選択届出書」を提出することはできません。

また、これらの各課税期間中に「簡易課税制度選択届出書」を提出した後、同一の課税期間に調整対象固定資産を取得した場合には、既に提出したこの届出書は、その提出がなかったものとみなされます。

(1) 課税事業者選択届出書を提出して課税事業者を選択している場合（**No.77**参照）
　… 課税事業者となった日から２年を経過する日までの間に開始した各課税期間

(2) 新設法人又は特定新規設立法人に該当する場合（**No.13**、**No.15**参照）
　… 基準期間がない事業年度に含まれる各課税期間

STEP 1

簡易課税制度の適用要件

(1) 基準期間における課税売上高が5,000万円以下(※)

(2) 簡易課税制度選択届出書の提出

(※)相続、合併、吸収分割の税務義務の免除の特例規定を適用しないで判定します。

STEP 2

簡易課税制度の適用時期（原則）

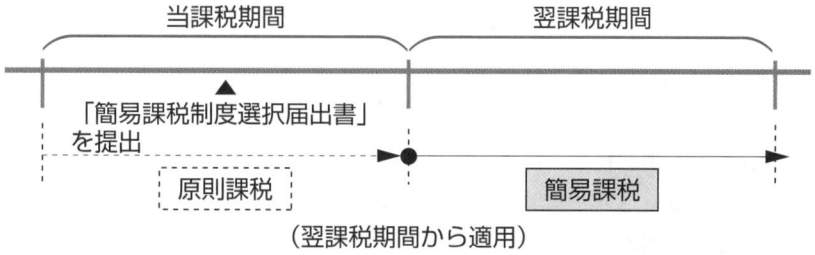

STEP 3

簡易課税制度適用の制限

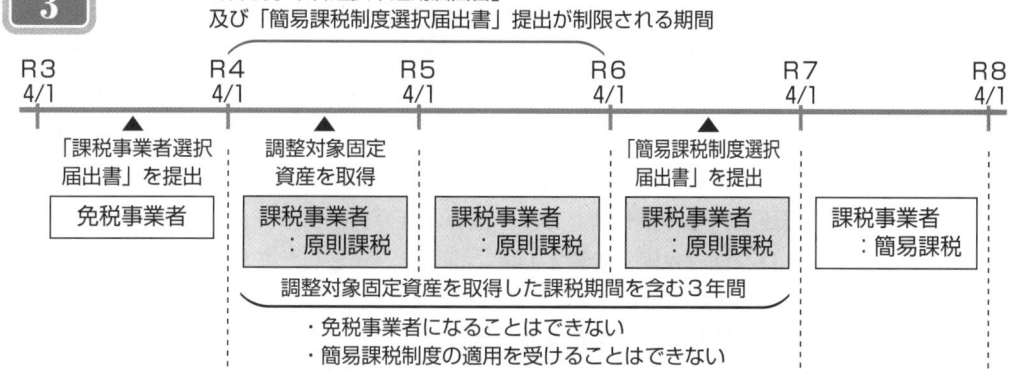

STEP 4

高額特定資産を取得した場合等の簡易課税制度適用の制限

(1) 高額特定資産

事業者が事業者免税点制度及び簡易課税制度の適用を受けない課税期間中に高額特定資産の仕入れ等を行った場合には、当該高額特定資産の仕入れ等の日の属する課税期間の初日から３年を経過する日の属する課税期間の初日の前日までの期間は、「簡易課税制度選択届出書」を提出することはできません。

なお「高額特定資産」とは、一の取引の単位につき、課税仕入れに係る支払対価の額（税抜き）が1,000万円以上の棚卸資産又は調整対象固定資産をいいます。（詳細は、**No.81**参照）

(2) 高額特定資産である棚卸資産

事業者が、高額特定資産である棚卸資産等について、棚卸資産の調整措置（**No.70**「棚卸資産に係る消費税額の調整」参照）の適用を受けた場合には、その適用を受けた課税期間の初日から３年を経過する日の属する課税期間の初日の前日までの期間は、「簡易課税制度選択届出書」を提出することはできません。

（注）令和２年４月１日以後に棚卸資産の調整措置の適用を受けることとなった場合から適用されます。

(3) 自己建設高額特定資産

自己建設高額特定資産については、当該自己建設高額特定資産の建設等に要した仕入れ等の支払対価の額（事業者免税点制度及び簡易課税制度の適用を受けない課税期間において行った原材料費及び経費に係るものに限り、消費税に相当する額を除きます。）の累計額が 1,000 万円以上となった日の属する課税期間の初日から、建設等が完了した課税期間の初日以後３年を経過する日の属する課税期間の初日の前日までの期間は、「簡易課税制度選択届出書」を提出することはできません。

なお「自己建設高額特定資産」とは、他の者との契約に基づき、又はその事業者の棚卸資産若しくは調整対象固定資産として、自ら建設等をした高額特定資産をいいます。

（注）平成28年４月１日以後に高額特定資産の仕入れ等を行った場合に適用されます。

(4) 自己建設高額特定資産である棚卸資産

事業者が、調整対象自己建設高額資産について、棚卸資産の調整措置の適用を受けた場合には、その適用を受けた課税期間の初日からその適用を受けた課税期間（その適用を受けることとなった日の前日までに建設等が完了していない場合について、その建設等が完了した日の属する課税期間）の初日以後３年を経過する日の属する課税期間の初日の前日までの期間は、「簡易課税制度選択届出書」を提出することはできません。

（注）令和２年４月１日以後に棚卸資産の調整措置の適用を受けることとなった場合から適用されます。

STEP 4 高額特定資産を取得した場合の特例措置の適用関係を確認する

(1) 高額特定資産

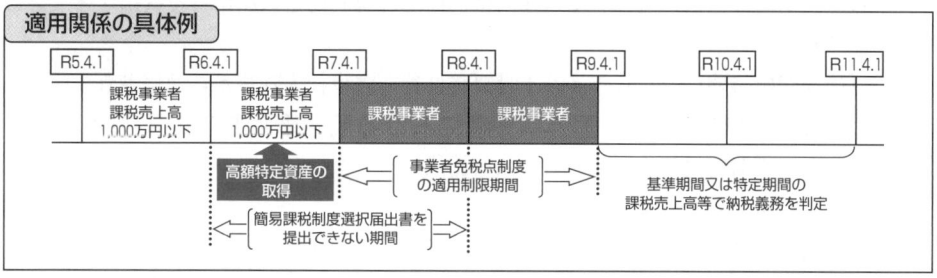

(2) 高額特定資産である棚卸資産

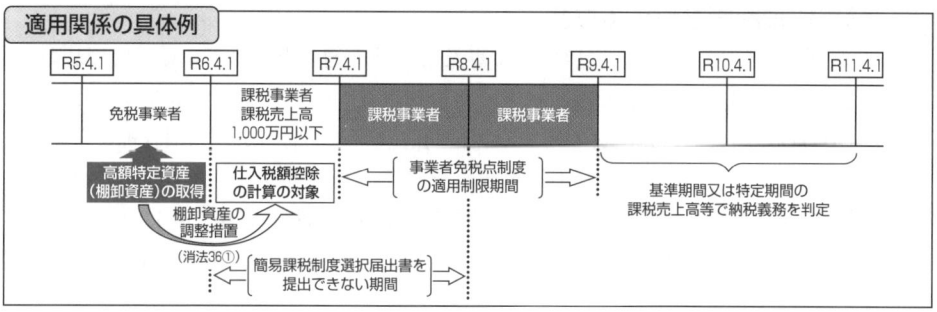

(3) 自己建設高額特定資産

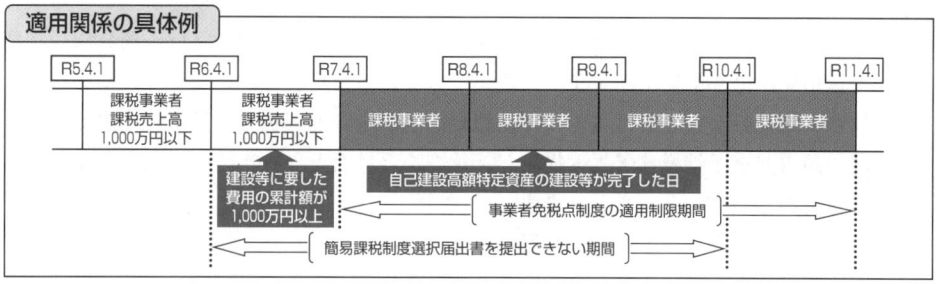

(4) 自己建設高額特定資産である棚卸資産

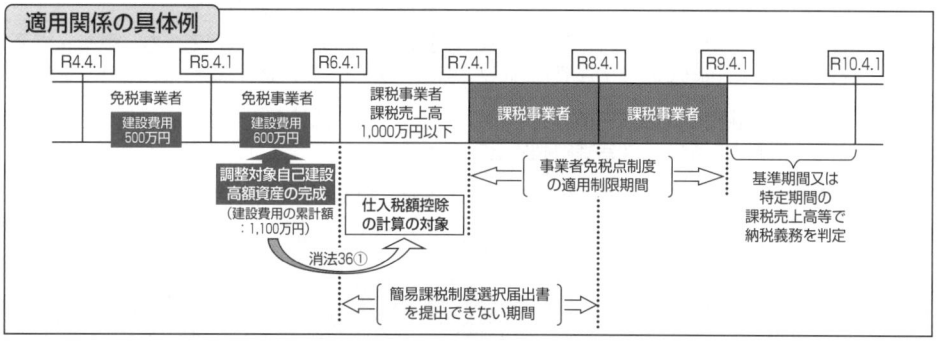

STEP 5

金又は白金の地金等を取得した場合の簡易課税制度適用の制限

課税事業者が簡易課税制度又は２割特例の適用を受けない課税期間中に金又は白金の地金等の仕入れ等を行い、それらの仕入れ等の金額の合計額（税抜金額）が200万円以上である場合には、当該仕入れ等を行った課税期間の初日以後３年を経過する日の属する課税期間の初日の前日までの期間は、簡易課税制度選択届出書を提出することはできません。

【適用開始時期】令和６年４月１日以後に行う課税仕入れ等から適用されます。

STEP 6

恒久的施設を有しない国外事業者における簡易課税制度の不適用

その課税期間の初日において恒久的施設を有しない国外事業者については、簡易課税制度は適用できません。

【適用開始時期】令和６年10月１日以後に開始する課税期間から適用されます。

※　適用開始前に簡易課税制度選択届出書を提出している場合であっても、令和６年10月１日以後に開始する課税期間の初日において恒久的施設を有しない場合には、簡易課税制度の適用はありません。

STEP 7

簡易課税制度をやめる場合（消法37）

簡易課税制度の適用を受けている事業者がその適用をやめるには、「簡易課税制度選択不適用届出書」（**No.102**参照）を所轄税務署長へ提出しなければなりません。この提出があった場合は、提出日の属する課税期間の翌課税期間から原則課税となります。

なお、「簡易課税制度選択不適用届出書」は、簡易課税制度を選択した初めての課税期間の初日から２年を経過する日の属する課税期間の初日以後でなければ提出できません。したがって、簡易課税制度を選択した場合は、最低２年間は簡易課税制度を適用することになります。

STEP 8

やむを得ない事情により届出書を提出できなかった場合

簡易課税制度を選択しようとする事業者又は簡易課税制度をやめようとする事業者が、災害等のやむを得ない事情により「簡易課税制度選択届出書」又は「簡易課税制度選択不適用届出書」を提出期限までに提出できなかった場合において、そのやむを得ない事情がやんだ日から２か月以内に「消費税簡易課税制度選択（不適用）届出に係る特例承認申請書」を所轄税務署長へ提出し、承認を受けたときは、その提出期限までに各届出書を提出したものとみなされます。

◎　やむを得ない事情（消基通13－１－５の２）

(1)　震災、風水害、雪害、凍害、落雷、雪崩、がけ崩れ、地滑り、火山の噴火等の天災又は火災その他の人的災害で自己の責任によらないものに基因する災害が発生したことにより、届出書の提出ができない状態になったと認められる場合
(2)　(1)に準ずるような状況又は当該事業者の責めに帰することができない状態にあることにより、届出書の提出ができない状態になったと認められる場合
(3)　その課税期間の末日前おおむね１か月以内に相続があったことにより、当該相続に係る相続人が新たに簡易課税制度選択届出書等を提出できる個人事業者となった場合
(4)　(1)から(3)までに準ずる事情がある場合で、税務署長がやむを得ないと認めた場合

STEP 7 簡易課税制度をやめる場合

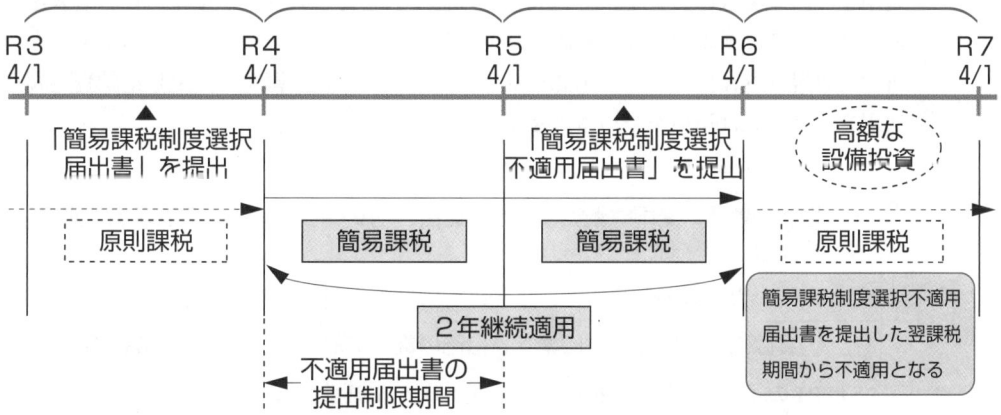

STEP 8 やむを得ない事情により届出書を提出できなかった場合

（例） 令和６年４月１日から簡易課税制度を選択する予定だったが、災害等により「簡易課税制度選択届出書」を提出期限（令和６年３月31日）までに提出できなかった場合

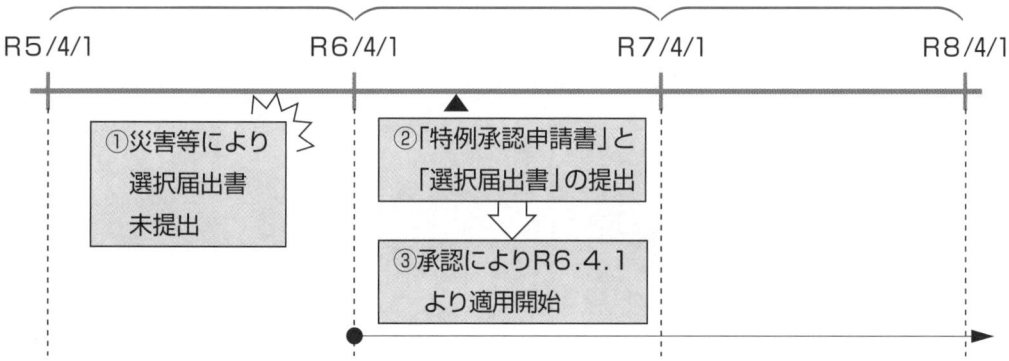

STEP 9

災害等があった場合の届出に関する特例（消法37の２）

災害その他やむを得ない理由が生じたことにより被害を受けた事業者が、その被害を受けたことによりその課税期間に簡易課税制度の適用を受ける場合又は簡易課税制度の適用をやめる場合において、その災害その他やむを得ない理由がやんだ日から２か月以内に「災害等による消費税簡易課税制度選択（不適用）届出に係る特例承認申請書」を所轄税務署長へ提出し、その承認を受けたときは、その**災害等が発生した課税期間**より適用を受け、又は適用をやめることができます。

◎　災害その他やむを得ない理由の範囲（消基通13－１－７）

(1)	地震、暴風、豪雨、豪雪、津波、落雷、地すべりその他の自然現象の異変による災害
(2)	火災、火薬類の爆発、ガス爆発、その他の人為による異常な災害
(3)	(1)又は(2)に掲げる災害に準ずる自己の責めに帰さないやむを得ない事実

※STEP 8の「やむを得ない事情」と異なりますので、ご注意ください

【具体的な事例】

(1)　簡易課税制度の適用を受ける場合
　→災害等により、帳簿書類を紛失した場合など

(2)　簡易課税制度の適用をやめる場合
　→災害等により、緊急の設備投資が必要となった場合など

STEP 9 災害等があった場合の届出に関する特例

（例） 災害等が発生し、緊急の設備投資が必要となったことから簡易課税制度の適用をやめて原則課税を選択する場合

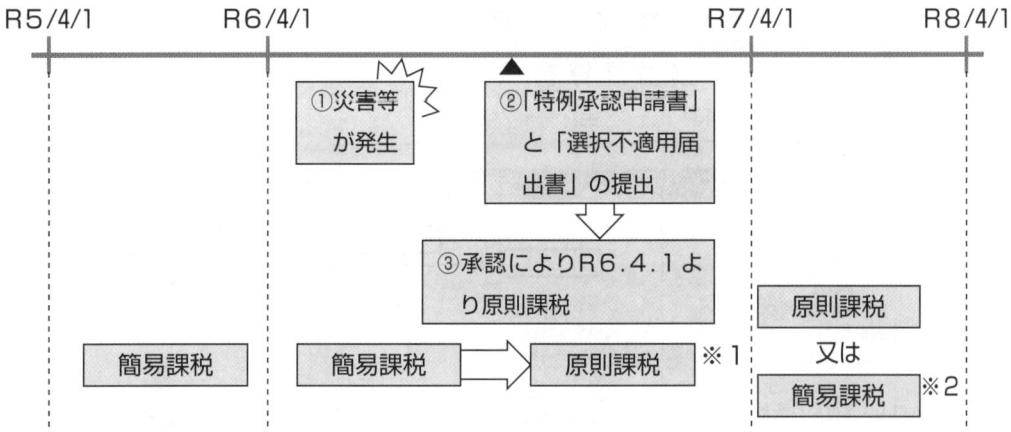

※1 簡易課税制度の適用を受けてから2年以内の課税期間においても「災害等による消費税簡易課税制度選択不適届出に係る特例承認申請書」を提出し、承認を受けることにより、その適用をやめることができます。

※2 令和7年4月1日～令和8年3月31日の課税期間について再び簡易課税制度の適用を受ける場合には、その適用を受けようとする課税期間の初日の前日までに「消費税簡易課税制度選択届出書」の提出が必要です。

No.69 消費税の申告書（簡易課税用）を作成する（割戻し計算）

設例

ステップ製パン㈱　　業種 ： パンの製造販売（店内飲食あり）
事業年度 ： 令和６年４月１日～令和７年３月31日

損益計算書

自　令和６年４月１日　　至　令和７年３月31日
ステップ製パン㈱　　（単位：円）

科目	金額	
[売上高]		
売上高		47,536,000
売上値引高	3,094,000	
[売上原価]		
期首商品棚卸高	1,155,000	
当期商品仕入高	17,280,000	
期末商品棚卸高	1,330,000	
売上総利益		27,337,000
[販売費及び一般管理費]	25,464,000	
営業利益		1,873,000
[営業外費用]	73,000	
経常利益		1,800,000
[特別損失]		
固定資産売却損	800,000	
税引前当期純利益		1,000,000
法人税など	294,500	
当期純利益		705,500

・小売業は第二種事業
・製造販売は第三種事業
・店内飲食は第四種事業

・貸倒損失30,000円が含まれる

・固定資産の売却収入は第四種事業

<仕訳>
(預金)1,000,000　(固定資産)1,800,000
(売却損)800,000
※1,000,000円が課税売上

◆ 当期の課税売上高等の状況（税込経理方式）

(1) 小売業 → 第二種事業

① 売上高	軽減８％	1,472,000円	② 売上値引高	軽減８％	68,000円
	標準10％	0円		標準10％	0円

(2) 製造販売 → 第三種事業

① 売上高	軽減８％	38,211,000円	② 売上値引高	軽減８％	2,196,000円
	標準10％	0円		標準10％	0円

(3) 店内飲食 → 第四種事業

① 売上高	軽減８％	0円	② 売上値引高	軽減８％	0円
	標準10％	7,853,000円		標準10％	830,000円

(4) 固定資産の売却収入 → 第四種事業
令和６年12月に固定資産を売却　標準10％　1,000,000円

(5) 貸倒処理した金額
令和５年12月の売上に係る売掛金が、令和７年３月に貸倒れとなったもの
軽減８％　30,000円

◆ 基準期間の課税売上高（自 令和４年４月１日　至 令和５年３月31日）
44,205,000円（税抜き）

［作成手順］

STEP 1

課税標準額・消費税額・返還等対価に係る税額を計算

付表４－３の①～②及び⑤欄を作成する

STEP 2

控除対象仕入税額を計算

⑴付表５－３の①～⑲欄を作成する

⑵付表５－３の⑳～㊱欄を作成する

⑶付表５－３の㊲欄を作成する

STEP 3

消費税額及び地方消費税額を計算

付表４－３の④及び⑥～⑯欄を作成する

STEP 4

申告書第一表・第二表の作成

⑴申告書　第二表を作成する

⑵申告書　第一表を作成する

※　旧税率が適用された取引がある場合は、付表４－１・４－２・５－１・５－２（旧税率分）の作成が必要です。

課税売上高などの抽出と事業区分

⑴　簡易課税制度では、事業区分によって、みなし仕入率が異なりますので、課税売上げを第一種事業から第六種事業のいずれの事業に該当するかを区分しておく必要があります。なお、事業区分は、取引（課税資産の譲渡等）ごとに行います。

⑵　第一種事業から第六種事業の具体的な区分方法としては、次のような方法などがあります。

①帳簿に事業の種類を記帳し、事業の種類ごとに課税売上高を計算する方法

②納品書、請求書、売上伝票、レジペーパーなどに事業の種類が分かるように売上げ内容を記載しておき、事業の種類ごとに課税売上高を計算する方法

（注）事業区分を行っていない場合には、その区分していない課税売上げについては、区分していない事業のうち、みなし仕入率が最も低い事業に係る課税売上げとして計算することになります。

税込金額（単位：円）

	令和６年４月１日～令和７年３月31日		合計金額
	税率6.24%適用分	税率7.8%適用分	
	軽減税率	標準税率	
課税売上高	39,683,000	8,853,000	48,536,000
うち第二種事業	1,472,000	0	1,472,000
うち第三種事業	38,211,000	0	38,211,000
うち第四種事業	0	8,853,000	8,853,000
売上対価の返還等	2,264,000	830,000	3,094,000
うち第二種事業	68,000	0	68,000
うち第三種事業	2,196,000	0	2,196,000
うち第四種事業	0	830,000	830,000
貸倒処理した金額	30,000		

※基準期間の課税売上高　44,205,000円（税抜き）

STEP 1 課税標準額・消費税額・返還等対価に係る税額の計算

付表４－３の①～②及び⑤欄を作成する

(1)「課税資産の譲渡等の対価の額①－１」欄・「課税標準額①」欄（千円未満切捨て）

税率6.24％適用分A　39,683,000×100/108 ＝ 36,743,518 → 36,743,000（千円未満切捨て）

税率7.8％適用分B　8,853,000×100/110 ＝ 8,048,181 → 8,048,000（千円未満切捨て）

（注）売上金額から売上対価の返還等の金額を直接減額する方法により経理している場合は、減額した後の金額を基に課税資産の譲渡等の対価の額及び課税標準額を計算します。

合計C　36,743,000 ＋ 8,048,000 ＝ 44,791,000

合計C　36,743,518 ＋ 8,048,181 ＝ 44,791,699

(2)「消費税額②」欄

税率6.24％適用分A　36,743,000 × 6.24％ ＝ 2,292,763

税率7.8％適用分B　8,048,000 × 7.8％ ＝ 627,744

合計C　2,292,763 ＋ 627,744 ＝ 2,920,507

A、B、C欄の金額を付表５－３①A、B、C欄へ転記します。

(3)「返還等対価に係る税額⑤」欄

税率6.24％適用分A　2,264,000 × 6.24/108 ＝ 130,808

税率7.8％適用分B　830,000 × 7.8/110 ＝ 58,854

合計C　130,808 ＋ 58,854 ＝ 189,662

A、B、C欄の金額を付表５－３③A、B、C欄へ転記します。

STEP 2 控除対象仕入税額を計算

(1) 付表５－３の①～⑲欄を作成する

①「Ⅰ 控除対象仕入税額の計算の基礎となる消費税額」欄

(イ)「課税標準額に対する消費税額①」欄及び「売上対価の返還等に係る消費税額③」欄

付表４－３②A、B及びC欄　及び　付表４－３⑤A、B及びC欄から転記

(ロ)「控除対象仕入税額の計算の基礎となる消費税額④」欄

税率6.24％適用分A　2,292,763 － 130,808 ＝ 2,161,955

税率7.8％適用分B　627,744 － 58,854 ＝ 568,890

合計C　2,161,955 ＋ 568,890 ＝ 2,730,845

②「Ⅱ　１種類の事業の専業者の控除対象仕入税額」欄

事業区分が１種類のみである場合

「控除対象仕入税額の計算の基礎となる消費税額④」×みなし仕入率

※本設例は３種類の事業を営んでいるため対象外。

STEP 1 付表4−3の①〜②及び⑤欄を作成する

第4-(11)号様式

付表4−3　税率別消費税額計算表 兼 地方消費税の課税標準となる消費税額計算表

簡易

課税期間	6・4・1 ～7・3・31	氏名又は名称	ステップ製パン株式会社

区分		税率6.24％適用分 A	税率7.8％適用分 B	合計 C (A+B)
課税標準額	①	円 36,743 000	円 8,048 000	※第二表の①欄へ 円 44,791 000
課税資産の譲渡等の対価の額	①-1	※第二表の⑤欄へ 36,743,518	※第二表の⑥欄へ 8,048,181	※第二表の⑦欄へ 44,791,699
消費税額	②	※付表5-3の①A欄へ ※第二表の⑧欄へ 2,292,763	※付表5-3の①B欄へ ※第二表の⑨欄へ 627,744	※付表5-3の①C欄へ ※第二表の⑩欄へ 2,920,507
貸倒回収に係る消費税額	③	※付表5-3の②A欄へ	※付表5-3の②B欄へ	※付表5-3の②C欄へ ※第一表の③欄へ
控除 控除対象仕入税額	④	(付表5-3の⑥A欄又は⑭A欄の金額)	(付表5-3の⑤B欄又は⑮B欄の金額)	(付表5-3の⑥C欄又は⑮C欄の金額) ※第一表の④欄へ
控除 返還等対価に係る税額	⑤	※付表5-3の③A欄へ 130,808	※付表5-3の③B欄へ 58,854	※付表5-3の③C欄へ ※第二表の⑫欄へ 189,662

付表5-3へ転記

STEP 2 (1)付表5−3の①〜⑲欄を作成する

第4-(12)号様式

付表5−3　控除対象仕入税額等の計算表

簡易

課税期間	6・4・1 ～7・3・31	氏名又は名称	ステップ製パン株式会社

Ⅰ 控除対象仕入税額の計算の基礎となる消費税額

項目		税率6.24％適用分 A	税率7.8％適用分 B	合計 C (A+B)
課税標準額に対する消費税額	①	(付表4-3の①A欄の金額) 円 2,292,763	(付表4-3の①B欄の金額) 円 627,744	(付表4-3の①C欄の金額) 円 2,920,507
貸倒回収に係る消費税額	②	(付表4-3の③A欄の金額)	(付表4-3の③B欄の金額)	(付表4-3の③C欄の金額)
売上対価の返還等に係る消費税額	③	(付表4-3の⑤A欄の金額) 130,808	(付表4-3の⑤B欄の金額) 58,854	(付表4-3の⑤C欄の金額) 189,662
控除対象仕入税額の計算の基礎となる消費税額 (①＋②－③)	④	2,161,955	568,890	2,730,845

Ⅱ 1種類の事業の専業者の場合の控除対象仕入税額

項目		税率6.24％適用分 A	税率7.8％適用分 B	合計 C (A+B)
④ × みなし仕入率 (90%・80%・70%・60%・50%・40%)	⑤	※付表4-3の④A欄へ 円	※付表4-3の④B欄へ 円	※付表4-3の④C欄へ 円

③「Ⅲ　２種類以上の事業を営む事業者の場合の控除対象仕入税額」欄

㈠「(1)　事業区分別の課税売上高（税抜き）の明細」欄

㋑「事業区分別の合計額⑥」欄

税率6.24％適用分A　39,683,000×100/108 － 2,264,000×100/108 ＝ 34,647,222

税率7.8％適用分B　8,853,000×100/110 － 830,000×100/110 ＝ 7,293,636

合計C　34,647,222 ＋ 7,293,636 ＝ 41,940,858

㋺「第二種事業⑧」欄

税率6.24％適用分A　1,472,000×100/108 － 68,000×100/108 ＝ 1,300,000

税率7.8％適用分B　0（⑨、⑮、⑯も同様のため省略）

合計C　1,300,000 ＋ 0 ＝ 1,300,000

売上割合　1,300,000 / 41,940,858 ＝ 3.099…％ → 3.0％

（3.099…％＜75％ ⇒ 特例計算適用不可）

㋩「第三種事業⑨」欄

税率6.24％適用分A　38,211,000×100/108 － 2,196,000×100/108 ＝ 33,347,222

合計C　33,347,222 ＋ 0 ＝ 33,347,222

売上割合　33,347,222 / 41,940,858 ＝ 79.510…％ → 79.5％

（79.510…％≧75％ ⇒ 特例計算適用可）

㋥「第四種事業⑩」欄

税率6.24％適用A　0（⑰欄も同様のため省略）

税率7.8％適用分B　8,853,000×100/110 － 830,000×100/110 ＝ 7,293,636

合計C　0 ＋ 7,293,636 ＝ 7,293,636

売上割合　7,293,636 / 41,940,858 ＝ 17.390…％ → 17.3％

（17.390…％＜75％ ⇒ 特例計算適用不可）

㈡「(2)　(1)の事業区分別の課税売上高に係る消費税額の明細」欄

㋑「第二種事業⑮」欄

税率6.24％適用分A　1,472,000×6.24/108 － 68,000×6.24/108 ＝ 81,120

合計C　81,120 ＋ 0 ＝ 81,120

㋺「第三種事業⑯」欄

税率6.24％適用分A　38,211,000×6.24/108 － 2,196,000×6.24/108 ＝ 2,080,866

合計C　2,080,866 ＋ 0 ＝ 2,080,866

㋩「第四種事業⑰」欄

税率7.8％適用分B　8,853,000×7.8/110 － 830,000×7.8/110 ＝ 568,904

合計C　0 ＋ 568,904 ＝ 568,904

㋥「事業区分別の合計額⑬」欄

税率6.24％適用分A　81,120 ＋ 2,080,866 ＋ 0 ＝ 2,161,986

税率7.8％適用分B　0 ＋ 0 ＋ 568,904 ＝ 568,904

合計C　2,161,986 ＋ 568,904 ＝ 2,730,890

(1)付表５－３の①～⑲欄を作成する

第4-(12)号様式

付表5－3　控除対象仕入税額等の計算表

簡易

課税期間	6・4・1 ～ 7・3・31	氏名又は名称	ステップ製パン株式会社

Ⅰ 控除対象仕入税額の計算の基礎となる消費税額

項目		税率6.24%適用分 A	税率7.8%適用分 B	合計C (A+B)
課税標準額に対する消費税額	①	(付表4-3の②A欄の金額) 円 2,292,763	(付表4-3の②B欄の金額) 円 627,744	(付表4-3の②C欄の金額) 円 2,920,507
貸倒回収に係る消費税額	②	(付表4-3の③A欄の金額)	(付表4-3の③B欄の金額)	(付表4-3の③C欄の金額)
売上対価の返還等に係る消費税額	③	(付表4-3の⑤A欄の金額) 130,808	(付表4-3の⑤B欄の金額) 58,854	(付表4-3の⑤C欄の金額) 189,662
控除対象仕入税額の計算の基礎となる消費税額（①＋②－③）	④	2,161,955	568,890	2,730,845

Ⅱ 1種類の事業の専業者の場合の控除対象仕入税額

項目		税率6.24%適用分 A	税率7.8%適用分 B	合計C (A+B)
④ × みなし仕入率 (90%・80%・70%・60%・50%・40%)	⑤	※付表4-3の④A欄へ 円	※付表4-3の④B欄へ 円	※付表4-3の④C欄へ 円

Ⅲ 2種類以上の事業を営む事業者の場合の控除対象仕入税額

(1) 事業区分別の課税売上高(税抜き)の明細

項目		税率6.24%適用分 A	税率7.8%適用分 B	合計C (A＋B)	
事業区分別の合計額	⑥	円 34,647,222	円 7,293,636	円 41,940,858	売上割合
第一種事業（卸売業）	⑦			※第一表「事業区分」欄へ	%
第二種事業（小売業等）	⑧	1,300,000	0	※ 〃 1,300,000	3.0
第三種事業（製造業等）	⑨	33,347,222	0	※ 〃 33,347,222	79.5
第四種事業（その他）	⑩	0	7,293,636	※ 〃 7,293,636	17.3
第五種事業（サービス業等）	⑪			※ 〃	
第六種事業（不動産業）	⑫			※ 〃	

(2) (1)の事業区分別の課税売上高に係る消費税額の明細

項目		税率6.24%適用分 A	税率7.8%適用分 B	合計C (A+B)
事業区分別の合計額	⑬	円 2,161,986	円 568,904	円 2,730,890
第一種事業（卸売業）	⑭			
第二種事業（小売業等）	⑮	81,120	0	81,120
第三種事業（製造業等）	⑯	2,080,866	0	2,080,866
第四種事業（その他）	⑰	0	568,904	568,904
第五種事業（サービス業等）	⑱			
第六種事業（不動産業）	⑲			

注意 1　金額の計算においては、1円未満の端数を切り捨てる。
2　課税売上げにつき返品を受け又は値引き・割戻しをした金額（売上対価の返還等の金額）があり、売上（収入）金額から減算しない方法で経理して経費に含めている場合には、⑥から⑫欄には売上対価の返還等の金額（税抜き）を控除した後の金額を記載する。

(1／2)

(R1.10.1以後終了課税期間用)

⑵ 付表５－３の⑳～㊱欄を作成する

①「イ　原則計算を適用する場合⑳」欄

税率6.24％適用分A「みなし仕入率」

$$\frac{\text{第二種事業}\ 81{,}120\times80\%+\text{第三種事業}\ 2{,}080{,}866\times70\%+\text{第四種事業}\ 0\times60\%}{2{,}161{,}986}=\frac{1{,}521{,}502}{2{,}161{,}986}$$

控除対象仕入税額　$2{,}161{,}955\times\frac{1{,}521{,}502}{2{,}161{,}986}=\underline{\underline{1{,}521{,}480}}$

税率7.8％適用分B「みなし仕入率」

$$\frac{\text{第二種事業}\ 0\times80\%+\text{第三種事業}\ 0\times70\%+\text{第四種事業}\ 568{,}904\times60\%}{568{,}904}=\frac{341{,}342}{568{,}904}$$

控除対象仕入税額　$568{,}890\times\frac{341{,}342}{568{,}904}=\underline{\underline{341{,}333}}$

合計C　$1{,}521{,}480+341{,}333=\underline{\underline{1{,}862{,}813}}$

②「ロ　特例計算を適用する場合」欄

㈠「㈠　１種類の事業で75％以上㉑」欄

設例の場合は第三種事業の課税売上高が全体の課税売上高の75％以上を占めることから、控除対象仕入税額の計算の基礎となる消費税額の全体に第三種事業に係るみなし仕入率（70％）を適用することができます。

税率6.24％適用分A　$2{,}161{,}955\times70\%=\underline{\underline{1{,}513{,}368}}$

税率7.8％適用分B　$568{,}890\times70\%=\underline{\underline{398{,}223}}$

合計C　$1{,}513{,}368+398{,}223=\underline{\underline{1{,}911{,}591}}$

㈡「㈡　２種類の事業で75％以上・第二種事業及び第三種事業㉗」欄

設例の場合は第二種事業及び第三種事業の課税売上高が全体の課税売上高の75％以上を占めることから、控除対象仕入税額の計算は次のとおりになります。

税率6.24％適用分A「みなし仕入率」

$$\frac{\text{第二種事業}\ 81{,}120\times80\%+\text{第二種事業以外}\ (2{,}161{,}986-81{,}120)\times70\%}{2{,}161{,}986}=\frac{1{,}521{,}502}{2{,}161{,}986}$$

控除対象仕入税額　$2{,}161{,}955\times\frac{1{,}521{,}502}{2{,}161{,}986}=\underline{\underline{1{,}521{,}480}}$

税率7.8％適用分B「みなし仕入率」

$$\frac{\text{第二種事業}\ 0\times80\%+\text{第二種事業以外}\ (568{,}904-0)\times70\%}{568{,}904}=\frac{398{,}232}{568{,}904}$$

控除対象仕入税額　$568{,}890\times\frac{398{,}232}{568{,}904}=\underline{\underline{398{,}222}}$

合計C　$1{,}521{,}480+398{,}222=\underline{\underline{1{,}919{,}702}}$

(2) 付表５－３の⑳～㊱欄を作成する

(3) 控除対象仕入税額の計算式区分の明細

イ 原則計算を適用する場合

控除対象仕入税額の計算式区分		税率6.24%適用分 A	税率7.8%適用分 B	合計 C (A+B)
④ × みなし仕入率 $\left(\frac{⑭\times90\%+⑮\times80\%+⑯\times70\%+⑰\times60\%+⑱\times50\%+⑲\times40\%}{⑬}\right)$	⑳	円 1,521,480	円 341,333	円 1,862,813

ロ 特例計算を適用する場合

(イ) 1種類の事業で75%以上

控除対象仕入税額の計算式区分		税率6.24%適用分 A	税率7.8%適用分 B	合計 C (A+B)
(⑦C／⑥C・⑧C／⑥C・⑨C／⑥C・⑩C／⑥C・⑪C／⑥C・⑫C／⑥C) ≧ 75% ④×みなし仕入率（90%・80%・70%・60%・50%・40%）	㉑	円 1,513,368	円 398,223	円 1,911,591

(ロ) 2種類の事業で75%以上

控除対象仕入税額の計算式区分		税率6.24%適用分 A	税率7.8%適用分 B	合計 C (A+B)
第一種事業及び第二種事業 (⑦C＋⑧C)／⑥C ≧ 75%	④× $\frac{⑭\times90\%+(⑬-⑭)\times80\%}{⑬}$	㉒ 円	円	円
第一種事業及び第三種事業 (⑦C＋⑨C)／⑥C ≧ 75%	④× $\frac{⑭\times90\%+(⑬-⑭)\times70\%}{⑬}$	㉓		
第一種事業及び第四種事業 (⑦C＋⑩C)／⑥C ≧ 75%	④× $\frac{⑭\times90\%+(⑬-⑭)\times60\%}{⑬}$	㉔		
第一種事業及び第五種事業 (⑦C＋⑪C)／⑥C ≧ 75%	④× $\frac{⑭\times90\%+(⑬-⑭)\times50\%}{⑬}$	㉕		
第一種事業及び第六種事業 (⑦C＋⑫C)／⑥C ≧ 75%	④× $\frac{⑭\times90\%+(⑬-⑭)\times40\%}{⑬}$	㉖		
第二種事業及び第三種事業 (⑧C＋⑨C)／⑥C ≧ 75%	④× $\frac{⑮\times80\%+(⑬-⑮)\times70\%}{⑬}$	㉗ 1,521,480	398,222	1,919,702
第二種事業及び第四種事業 (⑧C＋⑩C)／⑥C ≧ 75%	④× $\frac{⑮\times80\%+(⑬-⑮)\times60\%}{⑬}$	㉘		
第二種事業及び第五種事業 (⑧C＋⑪C)／⑥C ≧ 75%	④× $\frac{⑮\times80\%+(⑬-⑮)\times50\%}{⑬}$	㉙		
第二種事業及び第六種事業 (⑧C＋⑫C)／⑥C ≧ 75%	④× $\frac{⑮\times80\%+(⑬-⑮)\times40\%}{⑬}$	㉚		
第三種事業及び第四種事業 (⑨C＋⑩C)／⑥C ≧ 75%	④× $\frac{⑯\times70\%+(⑬-⑯)\times60\%}{⑬}$	㉛ 1,505,256	341,333	1,846,589
第三種事業及び第五種事業 (⑨C＋⑪C)／⑥C ≧ 75%	④× $\frac{⑯\times70\%+(⑬-⑯)\times50\%}{⑬}$	㉜		
第三種事業及び第六種事業 (⑨C＋⑫C)／⑥C ≧ 75%	④× $\frac{⑯\times70\%+(⑬-⑯)\times40\%}{⑬}$	㉝		
第四種事業及び第五種事業 (⑩C＋⑪C)／⑥C ≧ 75%	④× $\frac{⑰\times60\%+(⑬-⑰)\times50\%}{⑬}$	㉞		
第四種事業及び第六種事業 (⑩C＋⑫C)／⑥C ≧ 75%	④× $\frac{⑰\times60\%+(⑬-⑰)\times40\%}{⑬}$	㉟		
第五種事業及び第六種事業 (⑪C＋⑫C)／⑥C ≧ 75%	④× $\frac{⑱\times50\%+(⑬-⑱)\times40\%}{⑬}$	㊱		

(ハ)「(ロ) 2種類の事業で75%以上・第三種事業及び第四種事業㉛」欄

設例の場合は第三種事業及び第四種事業の課税売上高が全体の課税売上高の75%以上を占めることから、控除対象仕入税額の計算は次のとおりになります。

税率6.24%適用分A「みなし仕入率」

$$\frac{\text{第三種事業}\ 2{,}080{,}866\times70\%+\text{第三種事業以外}\ (2{,}161{,}986-2{,}080{,}866)\times60\%}{2{,}161{,}986}=\frac{1{,}505{,}278}{2{,}161{,}986}$$

控除対象仕入税額　$2{,}161{,}955\times\frac{1{,}505{,}278}{2{,}161{,}986}=\underline{1{,}505{,}256}$

税率7.8%適用分B「みなし仕入率」

$$\frac{\text{第三種事業}\ 0\times70\%+\text{第三種事業以外}\ (568{,}904-0)\times60\%}{568{,}904}=\frac{341{,}342}{568{,}904}$$

控除対象仕入税額　$568{,}890\times\frac{341{,}342}{568{,}904}=\underline{341{,}333}$

合計C　1,505,256 + 341,333 = 1,846,589

(3)付表5－3の㊲欄を作成する

「ハ　上記の算式区分から選択した控除対象仕入税額㊲」欄

合計C列の⑳から㊱のうち最大のもの⇒㊲ 1,919,702

税率6.24%適用分A ⇒㊲ 1,521,480

税率7.8%適用分B ⇒㊲ 398,222

(注)適用税率ごとに異なる計算方法を選択することはできません。

STEP 3

消費税額及び地方消費税額を計算

付表4－3の④及び⑥～⑯欄を作成する

(1)「控除対象仕入税額④」欄

付表5－3の㊲A、B及びC欄から転記

(2)「貸倒れに係る税額⑥」欄

税率6.24%適用分A　30,000 × 6.24/108 = 1,733

(3)「控除税額小計⑦」欄

税率6.24%適用分A　1,521,480 + 130,808 + 1,733 = 1,654,021

税率7.8%適用分B　398,222 + 58,854 + 0 = 457,076

合計C　1,654,021 + 457,076 = 2,111,097

(4)「差引税額⑨」欄

合計C　2,920,507 − 2,111,097 = 809,410→809,400（百円未満切捨て）

(5)「地方消費税の課税標準となる消費税額・差引税額⑪」欄

合計C　⑨欄の809,400を転記

(6)「譲渡割額・納税額⑬」欄

合計C　$809{,}400\times\frac{22}{78}=228{,}292$→228,200（百円未満切捨て）

(3) 付表５－３の㊲欄を作成する

ハ 上記の計算式区分から選択した控除対象仕入税額

項目		税率6.24%適用分 A	税率7.8%適用分 B	合計 C (A+B)
選択可能な計算式区分（⑳～㊱）の内から選択した金額	㊲	※付表4-3の①A欄へ 円 1,521,480	※付表4-3の①B欄へ 円 398,222	※付表4-3の①C欄へ 円 1,919,702

注意　金額の計算においては、1円未満の端数を切り捨てる。

(2／2)

付表4-3へ転記

STEP 3

付表４－３の④及び⑥～⑯欄を作成する

付表4－3　税率別消費税額計算表　兼　地方消費税の課税標準となる消費税額計算表

簡易

課税期間	6 ·4 ·1 ～7 ·3 ·31	氏名又は名称	ステップ製パン株式会社

区分		税率6.24%適用分 A	税率7.8%適用分 B	合計 C (A+B)
課税標準額	①	円 36,743,000	円 8,048,000	※第二表の①欄へ 円 44,791,000
課税資産の譲渡等の対価の額	①-1	※第二表の⑤欄へ 36,743,518	※第二表の⑥欄へ 8,048,181	※第二表の⑦欄へ 44,791,699
消費税額	②	※付表5-3の①A欄へ ※第二表の⑧欄へ 2,292,763	※付表5-3の①B欄へ ※第二表の⑨欄へ 627,744	※付表5-3の①C欄へ ※第二表の⑩欄へ 2,920,507
貸倒回収に係る消費税額	③	※付表5-3の②A欄へ	※付表5-3の②B欄へ	※付表5-3の②C欄へ ※第一表の③欄へ
控除税額 控除対象仕入税額	④	(付表5-3の⑤A欄又は⑱A欄の金額) 1,521,480	(付表5-3の⑤B欄又は⑱B欄の金額) 398,222	(付表5-3の⑤C欄又は⑱C欄の金額) ※第一表の④欄へ 1,919,702
控除税額 返還等対価に係る税額	⑤	※付表5-3の⑥A欄へ 130,808	※付表5-3の⑥B欄へ 58,854	※付表5-3の⑥C欄へ ※第二表の⑪欄へ 189,662
控除税額 貸倒れに係る税額	⑥	1,733		※第一表の⑤欄へ 1,733
控除税額 控除税額小計 (④+⑤+⑥)	⑦	1,654,021	457,076	※第一表の⑦欄へ 2,111,097
控除不足還付税額 (⑦−②−③)	⑧			※第一表の⑧欄へ
差引税額 (②+③−⑦)	⑨			※第一表の⑨欄へ 809,400
地方消費税の課税標準となる消費税額 控除不足還付税額 (⑧)	⑩			※第一表の⑪欄へ ※マイナス「−」を付して第二表の⑳及び㉑欄へ
地方消費税の課税標準となる消費税額 差引税額 (⑨)	⑪			※第一表の⑫欄へ ※第二表の㉒及び㉓欄へ 809,400
譲渡割額 還付額	⑫			(⑪C欄×22/78) ※第一表の⑬欄へ
譲渡割額 納税額	⑬			(⑨C欄×22/78) ※第一表の㉔欄へ 228,200

注意　金額の計算においては、1円未満の端数を切り捨てる。

(R1.10.1以後終了課税期間用)

申告書第一表・第二表を作成

STEP 4

(1) 申告書 第二表を作成する

付表4－3及び付表5－3の作成が終わりましたら、次のとおり第二表に転記します。

申告書第二表の記載項目			転記元項目
課税標準額		①	付表4－3 ①C 欄の金額
課税資産の譲渡等の対価の額の合計額	3%適用分	②	
	4%適用分	③	
	6.3%適用分	④	
	6.24%適用分	⑤	付表4－3 ①-1A 欄の金額
	7.8%適用分	⑥	付表4－3 ①-1B 欄の金額
		⑦	付表4－3 ①-1C 欄の金額
特定課税仕入れに係る支払対価の額の合計額	6.3%適用分	⑧	
	7.8%適用分	⑨	
		⑩	
消費税額		⑪	付表4－3 ②C 欄の金額
⑪の内訳	3%適用分	⑫	
	4%適用分	⑬	
	6.3%適用分	⑭	
	6.24%適用分	⑮	付表4－3 ②A 欄の金額
	7.8%適用分	⑯	付表4－3 ②B 欄の金額
返還等対価に係る税額		⑰	付表4－3 ⑤C 欄の金額
⑰の内訳	売上げの返還等対価に係る税額	⑱	付表4－3 ⑤C 欄の金額
	特定課税仕入れの返還等対価に係る税額	⑲	
地方消費税の課税標準となる消費税額		⑳	付表4－3 ⑪C 欄の金額
	4%適用分	㉑	
	6.3%適用分	㉒	
	6.24及び7.8%適用分	㉓	付表4－3 ⑪C 欄の金額

STEP 4

(1) 申告書 第二表を作成する

第３－(2)号様式

課税標準額等の内訳書

整理番号	

納税地	大阪市大正区三軒家東8-1-5 （電話番号 06 - 6551 - XXXX）
（フリガナ）名称又は屋号	ステップセイパン　カブシキガイシャ ステップ製パン 株式会社
（フリガナ）代表者氏名又は氏名	ヤマシタ　タツオ 山下 達夫

改正法附則による税額の特例計算			
軽減売上割合（10営業日）	○	附則38①	51
小売等軽減仕入割合	○	附則38②	57

第二表

令和四年四月一日以後終了課税期間分

自 令和 6 年 4 月 1 日
至 令和 7 年 3 月 31 日

課税期間分の消費税及び地方消費税の（ 確定 ）申告書

（中間申告の場合の対象期間　自 令和　年　月　日　至 令和　年　月　日）

課税標準額 ※申告書（第一表）の①欄へ		①	447910000	01
課税資産の譲渡等の対価の額の合計額	3 % 適用分	②		02
	4 % 適用分	③		03
	6.3 % 適用分	④		04
	6.24 % 適用分	⑤	367435178	05
	7.8 % 適用分	⑥	8048181	06
		⑦	447916999	07
特定課税仕入れに係る支払対価の額の合計額（注1）	6.3 % 適用分	⑧		11
	7.8 % 適用分	⑨		12
		⑩		13
消費税額 ※申告書（第一表）の②欄へ		⑪	29205507	21
⑪の内訳	3 % 適用分	⑫		22
	4 % 適用分	⑬		23
	6.3 % 適用分	⑭		24
	6.24 % 適用分	⑮	2292763	25
	7.8 % 適用分	⑯	627744	26
返還等対価に係る税額 ※申告書（第一表）の⑤欄へ		⑰	189662	31
⑰の内訳	売上げの返還等対価に係る税額	⑱	189622	32
	特定課税仕入れの返還等対価に係る税額（注1）	⑲		33
地方消費税の課税標準となる消費税額（注2）		⑳	8094400	41
	4 % 適用分	㉑		42
	6.3 % 適用分	㉒		43
	6.24%及び7.8% 適用分	㉓	8094400	44

（注1）⑧～⑩及び⑲欄は、一般課税により申告する場合で、課税売上割合が95%未満、かつ、特定課税仕入れがある事業者のみ記載します。
（注2）⑳～㉓欄が還付税額となる場合はマイナス「－」を付してください。

⑵ 申告書 第一表を作成する

① 申告書第二表の作成が終わりましたら、次のとおり申告書第一表に必要な事項を転記します。

申告書第一表の記載項目			転記元項目
課税標準額		①	申告書第二表① 欄の金額
消費税額		②	申告書第二表⑪ 欄の金額
貸倒回収に係る消費税額		③	
控除税額	控除対象仕入税額	④	付表4−3 ④C 欄の金額
	返還等対価に係る税額	⑤	申告書第二表⑰ 欄の金額
	貸倒に係る税額	⑥	付表4−3 ⑥C 欄の金額
	控除税額小計	⑦	付表4−3 ⑦C 欄の金額
控除不足還付税額		⑧	
差引税額(百円未満切捨て)		⑨	付表4−3 ⑨C 欄の金額
参考事項の「事業区分」欄(千円未満四捨五入)			付表5−3⑦〜⑫C 欄の金額等

地方消費税の課税標準となる消費税額	控除不足還付税	⑰	
	差引税額(百円未満切捨て)	⑱	付表4−3 ⑪C 欄の金額
譲渡割額	還付額	⑲	
	納付額(百円未満切捨て)	⑳	付表4−3 ⑬C 欄の金額

② 中間納付税額を記入し、納付税額を計算する

中間申告をした場合には、中間納付税額を「中間納付税額⑩」に記入します。

「差引税額⑨」−「中間納付税額⑩」を計算し、「納付税額⑪」に記入します。この金額がマイナスとなる場合は、⑪に記入しないで、「中間納付税額⑩」−「差引税額⑨」で計算した金額を「中間納付還付税額⑫」に記入します。

③ 中間納付譲渡割額を記入し、納付譲渡割額を計算する

中間申告をした場合には、中間納付譲渡割額を「中間納付譲渡割額㉑」に記入します。

「納税額⑳」−「中間納付譲渡割額㉑」を計算し、「納付譲渡割額㉒」に記入します。この金額がマイナスとなる場合は、㉒に記入しないで、「中間納付譲渡割額㉑」−「納税額⑳」で計算した金額を「中間納付還付譲渡割額㉓」に記入します。

④ 消費税額及び地方消費税額の合計税額を計算する

下記の算式により、納付又は還付する消費税及び地方消費税の合計税額を計算し、「消費税及び地方消費税の合計（納付又は還付）税額㉖」に記入します。なお、計算結果がマイナスの場合には、マイナス記号（−）を付して記入します。（△は記載しないでください。）

（納付税額⑪ ＋ 納付譲渡割額㉒）−（控除不足還付税額⑧ ＋ 中間納付還付税額⑫ ＋ 還付額⑲ ＋ 中間納付還付譲渡割額㉓）＝ 消費税及び地方消費税の合計税額㉖

⑤「この課税期間の課税売上高⑮」欄を計算する

課税売上高（税抜き）から、課税売上げに係る対価の返還等の金額（税抜き）を控除し、免税売上高を加算した金額を記載します。

課税売上高（39,683,000×100/108 ＋ 8,853,000×100/110）

−課税売上げに係る対価の返還等の金額（2,264,000×100/108 ＋ 830,000×100/110）

＋ 免税売上高 ＝ 41,940,858

⑥「基準期間の課税売上高⑯」欄を記入する

基準期間（自 令和４年４月１日　至 令和５年３月31日）の消費税等申告書第一表の「この課税期間の課税売上高」欄の金額を記入します。

⑦「事業区分」欄の記入

付表５－３より適用のある事業区分ごとの金額（千円未満四捨五入）及び売上割合を記入します。

(2) 申告書第一表を作成する

第３－(3)号様式

令和 7 年 5 月 日　港 税務署長殿

納税地　大阪市大正区三軒家東8-1-5（電話番号 06 - 6551 - XXXX）

（フリガナ）名称又は屋号　ステップセイパン　カブシキガイシャ　ステップ製パン 株式会社

個人番号又は法人番号　1 1 2 3 4 5 6 7 8 9 0 0 4

（フリガナ）代表者氏名又は氏名　ヤマシタ　タツオ　山下達夫

○（個人の方）振替継続希望

※税務署処理欄　所管　製否　整理番号　申告年月日　令和　年　月　日　申告区分　指導等　庁指定　局指定　通信日付印　確認　確認書類　個人番号カード　通知カード・運転免許証　その他（　）　身元確認　年　月　日　指導年月日　令和　相談　区分1　区分2　区分3

簡 第一表　令和五年十月一日以後終了課税期間分（簡易課税用）

自 平成(令和) 6 年 4 月 1 日　至 令和 7 年 3 月 31 日　課税期間分の消費税及び地方消費税の（確定）申告書

（中間申告の場合の対象期間　自 平成(令和)　年　月　日　至 令和　年　月　日）

この申告書による消費税の税額の計算

課税標準額	①	44,791,000	03
消費税額	②	2,920,507	06
貸倒回収に係る消費税額	③		07
控除税額 控除対象仕入税額	④	1,919,702	08
返還等対価に係る税額	⑤	189,662	09
貸倒れに係る税額	⑥	1,733	10
控除税額小計（④＋⑤＋⑥）	⑦	2,111,097	
控除不足還付税額（⑦－②－③）	⑬		13
差引税額（②＋③－⑦）	⑨	809,400	15
中間納付税額	⑩	00	16
納付税額（⑨－⑩）	⑪	809,400	17
中間納付還付税額（⑩－②）	⑫	00	18
この申告書が修正申告である場合 既確定税額	⑬		19
差引納付税額	⑭	00	20
この課税期間の課税売上高	⑮	41,940,858	21
基準期間の課税売上高	⑯	44,205,000	

この申告書による地方消費税の税額の計算

地方消費税の課税標準となる消費税額 控除不足還付税額	⑰		51
差引税額	⑱	809,400	52
譲渡割額 還付額	⑲		53
納税額	⑳	228,200	54
中間納付譲渡割額	㉑	00	55
納付譲渡割額（⑳－㉑）	㉒	228,200	56
中間納付還付譲渡割額（㉑－⑳）	㉓	00	57
この申告書が修正申告である場合 既確定譲渡割額	㉔		58
差引納付譲渡割額	㉕	00	59
消費税及び地方消費税の合計（納付又は還付）税額	㉖	10,376,000	60

㉖＝⑪＋㉒－⑫＋㉓－⑲＋㉔・修正申告の場合㉖＝⑭＋㉕
㉖が還付税額となる場合はマイナス「－」を付してください。

付記事項	割賦基準の適用	○ 有	◎ 無	31
	延払基準等の適用	○ 有	◎ 無	32
	工事進行基準の適用	○ 有	◎ 無	33
	現金主義会計の適用	○ 有	◎ 無	34
参考事項	課税標準額に対する消費税額の計算の特例の適用	○ 有	◎ 無	35

事業区分	課税売上高（免税売上高を除く）	売上割合 %
第１種	千円	
第２種	1,300	3.0
第３種	33,347	79.5
第４種	7,294	17.3
第５種		
第６種		

特例計算適用（令57③）　◎ 有　○ 無　40

○ 税額控除に係る経過措置の適用（２割特例）　44

還付を受ける金融機関等　銀行 金庫・組合 農協・漁協　本店・支店 出張所 本所・支所

預金口座番号

ゆうちょ銀行の貯金記号番号　－

郵便局名等

○（個人の方）公金受取口座の利用

※税務署整理欄

税理士署名　（電話番号　－　－　）

○ 税理士法第30条の書面提出有

○ 税理士法第33条の２の書面提出有

付表5-3より適用のある事業区分ごとの金額（千円未満四捨五入）及び売上割合を記入します

基準期間（自令和４年４月1日 至令和５年３月31日）の消費税等申告書第一表の「この課税期間の課税売上高⑮」欄の金額を記入します

No.70 棚卸資産に係る消費税額の調整

STEP 1

概要（消法36、消令54）

免税事業者であった課税期間に仕入れた商品等を課税事業者になった課税期間に販売すると、売上げに係る消費税額は計上されますが、原則課税では仕入れに係る消費税額は控除されません。

また、課税事業者であった課税期間に仕入れた商品等を免税事業者になった課税期間に販売すると、原則課税では仕入れに係る消費税額は控除されますが、売上げに係る消費税額は計上されません。

このような不合理を調整するために、免税事業者が課税事業者となった場合（相続、合併等により課税事業者となった場合、また、**適格請求書発行事業者の登録に関する経過措置の適用により、適格請求書発行事業者の登録を受け課税事業者となった場合**も含みます。）や、課税事業者が免税事業者となった場合には、棚卸資産に係る課税仕入れ等の消費税額を調整することとなっています。

STEP 2

免税事業者が課税事業者となった場合

課税事業者となった課税期間の期首（相続・合併等、適格請求書発行事業者の登録を受けた場合は課税事業者なった日。以下同じ。）における棚卸高に係る消費税額を「課税仕入れに係る消費税額」に加算します。

(1) 対象資産……免税事業者であった課税期間に仕入れた棚卸資産のうち、課税事業者となった課税期間の期首棚卸高となっているもの

(2) 調整税額

納税義務の免除を受けないこととなった場合における消費税額の調整額

＝期首棚卸資産の取得価額×$\frac{7.8}{110}$または$\frac{6.24}{108}$（令和元年９月30日以前に仕入れたものは$\frac{6.3}{108}$）

> **設例** 調整する期首棚卸高が1,100,000円の場合
> 1,100,000円×$\frac{7.8}{110}$＝78,000円・・・付表２-１⑯または付表２-３⑯で加算調整

(3) 適用要件……課税仕入れ等に係る棚卸資産の明細を記録した書類を確定申告期限から７年間保存することが義務づけられています。

STEP 3

課税事業者が免税事業者となった場合

免税事業者となる直前の課税期間の期末棚卸高に係る消費税額を「課税仕入れに係る消費税額」から控除します。

(1) 対象資産……免税事業者となる直前の課税期間に仕入れた棚卸資産のうち、当該課税期間の期末棚卸高となっているもの

(2) 調整税額

納税義務の免除を受けることとなった場合における消費税額の調整額

＝期末棚卸資産の取得価額×$\frac{7.8}{110}$または$\frac{6.24}{108}$

> **設例** 調整する期末棚卸高が2,200,000円の場合
> 2,200,000円×$\frac{7.8}{110}$＝156,000円・・・付表２-１⑯または付表２-３⑯で減算調整

STEP 1

免税事業者が課税事業者となった場合

R5 4/1 — 免税事業者 — R6 4/1 — 課税事業者 — R7 4/1

課税仕入れ 1,100 → 棚卸資産 → 課税売上げ 2,200

控除できない ~~▲100~~

売上税額	200
調整税額	▲100
差引税額	100

◎期首棚卸資産に係る消費税額を加算調整

課税事業者が免税事業者となった場合

R6 4/1 — 課税事業者 — R7 4/1 — 免税事業者 — R8 4/1

課税仕入れ 2,200 → 棚卸資産 → 課税売上げ 2,500

納税義務がない

税額控除	▲200
調整税額	＋200
差引税額	0

◎期末棚卸資産に係る消費税額を減算調整

STEP 2

免税事業者が課税事業者となった場合の調整

(対象資産) 免税事業者であった課税期間に仕入れた棚卸資産のうち、課税事業者となった課税期間の期首棚卸高となっているもの

課税事業者 | 免税事業者 | 免税事業者 | 免税事業者 | 課税事業者

免税事業者であった課税期間

課税事業者となった課税期間の期首棚卸高となっているものについて調整する

期首棚卸高1,100,000円 × 7.8/110 = 78,000円

課税貨物に係る消費税額	⑮	0
納税義務の免除を受けない(受ける)ことになった場合における消費税額の調整(加算又は減算)額	⑯	78,000
課税仕入れ等の税額の合計額	⑰	

STEP 3

課税事業者が免税事業者となった場合の調整

(対象資産) 免税事業者となる直前の課税期間に仕入れた棚卸資産のうち、当該課税期間の期末棚卸高となっているもの

課税事業者 | 課税事業者 | 課税事業者 | 課税事業者 | 免税事業者

これらの課税期間に課税仕入れしたものが、期末棚卸高となっていても調整しない

当該課税期間に課税仕入れした期末棚卸高のみ調整

期末棚卸高2,200,000円 × 7.8/110 = 156,000円

		0
納税義務の免除を受けない(受ける)ことになった場合における消費税額の調整(加算又は減算)額	⑯	▲156,000
課税仕入れ等の税額の合計額	⑰	

No.71 国境を越えた役務の提供がある場合(リバースチャージ方式)

STEP 1 特定課税仕入れ等の概要

(消法２①八の三～八の四、４③三、５①、28②、45①一、平27附則１三ロ、35、38)

電気通信回線（インターネット等）を介して国内の事業者・消費者に対して行われる電子書籍の配信等の役務の提供（**電気通信利用役務の提供**）について、平成27年９月30日までは、国内の事務所等から行われるもののみ消費税が課税されていました。平成27年10月１日以後は、国外から行われるものも、国内取引として消費税が課税されることとされました。これは、国内取引に該当するかの判定基準が、従来の「役務の提供を行う者の事務所等の所在地」から、「役務の提供を受ける者の住所等」に変更されたことによるものです。

消費税法においては、課税資産の譲渡等を行った事業者（売手）が、その課税資産の譲渡等に係る申告・納税を行うこととされていますが、電気通信利用役務の提供のうち**「事業者向け電気通信利用役務の提供」**については、国外事業者からその役務の提供を受けた買手である国内事業者が「特定課税仕入れ」として申告・納税を行う、いわゆる**「リバースチャージ方式」**が導入されました。

また**「特定役務の提供」**（**STEP5**参照）については、国外事業者から国内においてその役務の提供を受けた事業者が「特定課税仕入れ」として、**「リバースチャージ方式」**により申告・納税を行うこととなります。

STEP 2 電気通信利用役務の提供を確認する（消法２①八の三、消基通５－８－３）

「電気通信利用役務の提供」に該当する取引の具体例
電気通信利用役務の提供に該当する取引は、対価を得て行われる以下のようなものが該当します。 ○ インターネット等を通じて行われる電子書籍・電子新聞・音楽・映像・ソフトウエア（ゲームなどの様々なアプリケーションを含みます。）の配信 ○ 顧客に、クラウド上のソフトウエアやデータベースを利用させるサービス ○ 顧客に、クラウド上で顧客の電子データの保存を行う場所の提供を行うサービス ○ インターネット等を通じた広告の配信・掲載 ○ インターネット上のショッピングサイト・オークションサイトを利用させるサービス（商品の掲載料金等） ○ インターネット上でゲームソフト等を販売する場所を利用させるサービス ○ インターネットを介して行う宿泊予約、飲食店予約サイト（宿泊施設、飲食店等を経営する事業者から掲載料等を徴するもの） ○ インターネットを介して行う英会話教室

STEP 1

特定課税仕入れの概要

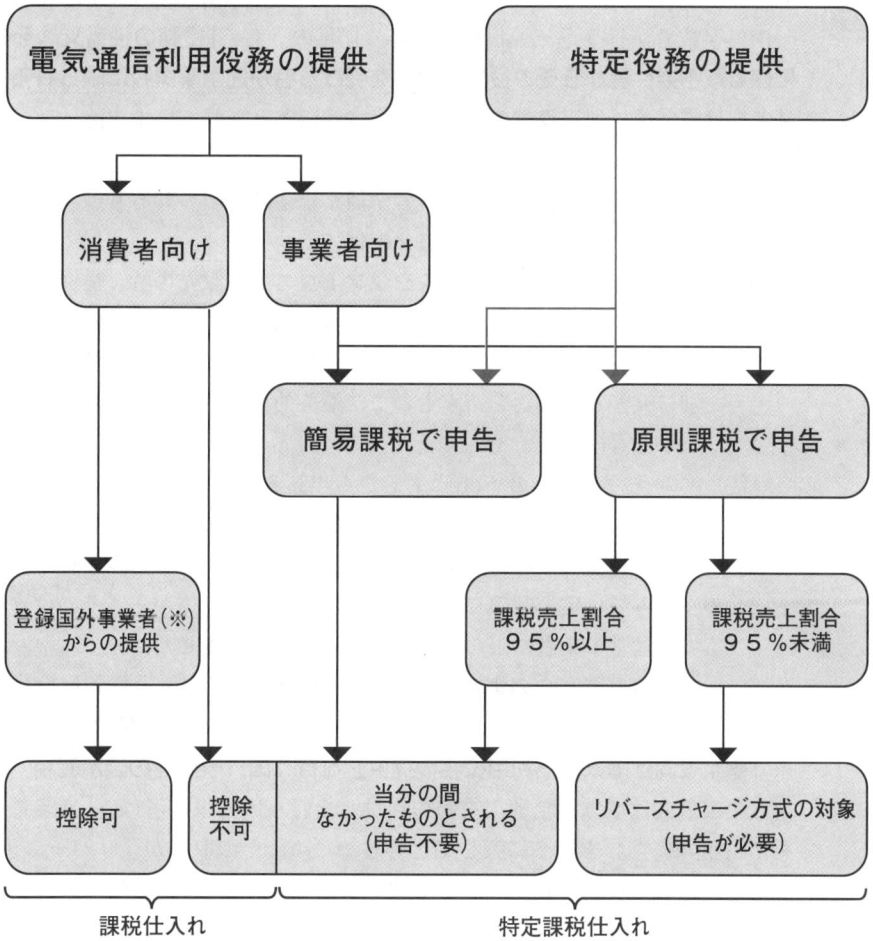

（※）令和５年10月１日以降は適格請求書発行事業者

STEP 2

電気通信利用役務の提供に該当しない取引

「電気通信利用役務の提供」に該当しない取引の具体例

電気通信利用役務の提供に該当しない取引は、通信そのもの、若しくは、その電気通信回線を介して行う行為が他の資産の譲渡等に付随して行われるもので、具体的には以下のようなものが該当します。

○ 電話、FAX、電報、データ伝送、インターネット回線の利用など、他者間の情報伝達を単に媒介するもの（いわゆる通信）
○ ソフトウエアの制作等
○ 国外に所在する資産の管理・運用等（ネットバンキングも含まれます。）
○ 国外事業者に依頼する情報の収集・分析等
○ 国外の法務専門家等が行う国外での訴訟遂行等

STEP 3 事業者向け電気通信利用役務の提供を確認する

（消法２①八の四、消基通５－８－４）

国外事業者が行う電気通信利用役務の提供のうち、**「役務の性質又はその役務の提供に係る取引条件等からその役務の提供を受ける者が通常事業者に限られるもの」**が、事業者向け電気通信利用役務の提供に該当することとされています。

「役務の性質」から提供を受ける者が通常事業者に限られるもの。

・インターネット上での広告を配信するサービス

・インターネット上でゲームやソフトウエアの販売場所を提供するサービス

「取引条件等」から提供を受ける者が通常事業者に限られるもの

クラウドサービス等であって、取引当事者間において提供する役務の内容を個別に交渉し、契約を結ぶもので、最終的に契約書で事業者向けであることが明らかなもの

（注）インターネットのWebサイトから申込みを受け付けるようなクラウドサービス等において、「事業者向け」であることをそのWebサイトに掲載していたとしても、消費者をはじめとする事業者以外の者からの申込みが行われた場合に、その申込みを事実上制限できないものは、取引条件等から「その役務の提供を受ける者が通常事業者に限られるもの」には該当しません。

したがって、このような取引は、「消費者向け電気通信利用役務の提供」に該当しますので、その役務の提供を行う事業者が申告・納税を行うこととなります。

※「事業者向け電気通信利用役務の提供」を行う国外事業者の表示義務（消法62）

「事業者向け電気通信利用役務の提供」を行う国外事業者は、「事業者向け電気通信利用役務の提供」を行うに際して、あらかじめ、その取引が「リバースチャージ方式」の対象である（役務の提供を受ける事業者において、「特定課税仕入れ」として消費税を納める義務がある）旨の表示を行わなければなりません。

STEP 4 消費者向け電気通信利用役務の提供を確認する

（消基通５－８－４（注）、平27附則38①）

消費者向け電気通信利用役務の提供に該当するものとは、例えば、次のようなものが該当します。

・広く消費者を対象に提供されている電子書籍・音楽・映像の配信等

・ホームページ等で、事業者を対象に販売することとしているものであっても、消費者をはじめとする事業者以外の者からの申込みが行われた場合に、その申込みを事実上制限できないもの

※「消費者向け電気通信利用役務の提供」は、消費者が提供を受けるものに限られず、事業者が提供を受けるものも含まれます。

国外事業者が行う「消費者向け電気通信利用役務の提供」については、経過措置により、当分の間、その役務の提供を受けた国内事業者において仕入税額控除が認められません。

ただし、その国外事業者が登録国外事業者（令和５年10月１日以降は適格請求書発行事業者）である場合には、仕入税額控除の対象となります。

STEP 3 事業者向け電気通信利用役務の提供を確認する

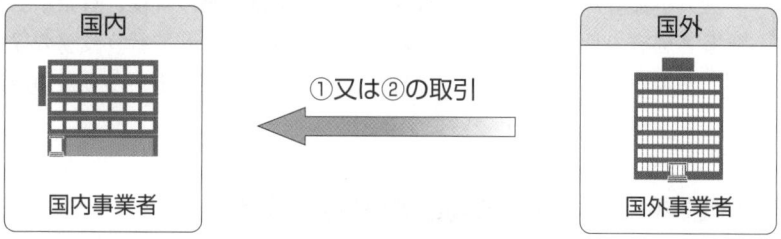

① インターネットを介した広告の配信やインターネット上でゲームやソフトウエアの販売場所を提供するサービス

② クラウドサービス等の電気通信利用役務の提供のうち、取引当事者間において提供する役務の内容を個別に交渉し、取引当事者間固有の契約を結ぶもので、契約において役務の提供を受ける事業者が事業として利用することが明らかなものなど

STEP 4 消費者向け電気通信利用役務の提供を確認する

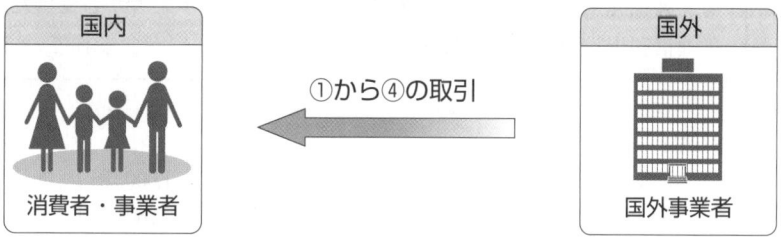

① インターネット等を通じて行われる電子書籍・電子新聞・音楽・映像・ソフトウエア（ゲームなどの様々なアプリケーションを含みます。）の配信

② 顧客に、クラウド上のソフトウエアやデータベースを利用させるサービス

③ 顧客に、クラウド上で顧客の電子データの保存を行う場所の提供を行うサービス

④ インターネット上のショッピングサイト・オークションサイトを利用させるサービス（商品の掲載料金等）

※インターネット上でゲームやソフトウエアの販売場所を提供するサービスなどは「事業者向け電気通信利用役務の提供」に該当します。

登録国外事業者（※）の氏名又は名称、住所又は本店所在地、登録番号等は、登録手続が終了次第、順次、国税庁ホームページで公表されていますので、取引の相手先である国外事業者が登録国外事業者（※）に該当するかどうかについては、国税庁ホームページでご確認ください。

※　令和５年10月１日以降は適格請求書発行事業者

STEP 5 特定役務の提供を確認する（消法２①八の五、消令２の２、消基通５－８－５）

国外事業者が国内において行う映画若しくは演劇の俳優、音楽家その他の芸能人又は職業運動家の役務の提供を主たる内容とする事業として行う役務の提供のうち、その国外事業者が他の事業者に対して行う役務の提供（不特定かつ多数の者に対して行う役務の提供を除きます。）をいいます。

STEP 6 特定課税仕入れがある場合の申告書の記載例

特定課税仕入れがある場合には、**「申告書　第二表　課税標準額等の内訳書」**を作成し、課税標準額の内訳を記入します。

設例

課税売上げ（税抜き）	100,000千円	非課税売上げ	14,000千円
課税仕入れ（税込み）	66,000千円	特定課税仕入れ（税抜き）	1,600千円
（内訳）課税売上対応※	44,000千円	（内訳）共通対応	1,600千円
非課税売上対応	15,400千円	【課税売上割合95％未満】	
共通対応	6,600千円		

※「課税売上対応」の課税仕入れには、登録国外事業者から受けた「消費者向け電気通信利用役務の提供」に係る課税仕入れ 21,600 円が含まれています。

会計処理（特定課税仕入れ）

（広告宣伝費）1,600 千円　／　（現預金）　1,600 千円　A社　海外広告代金
（仮払消費税等）160 千円　／　（仮受消費税等）　160 千円

課税標準

100,000 千円 ＋ 1,600 千円 ＝ 101,600 千円 ⇒ 第二表　⑥、⑨欄へ

リバースチャージ方式による申告は、特定課税仕入れに係る支払対価の額を課税標準額に算入します。

課税標準額に対する消費税額

101,600 千円 × 7.8％ ＝ 7,924,800 円（第一表②）

仕入控除税額の計算（個別対応方式）

44,000 千円 × 7.8 ／ 110 ＝ 3,120,000 円（課税売上対応）
6,600 千円 × 7.8 ／ 110 ＝ 468,000 円（共通対応）
1,600 千円 × 7.8 ／ 100 ＝ 124,800 円（共通対応） ⇒ 付表２－１または付表２－３ ⑬、⑭欄へ

特定課税仕入れに係る支払対価についても、仕入控除税額の計算を行います。

$$(468{,}000\text{円} + 124{,}800\text{円}) \times \frac{100{,}000\text{千円}}{100{,}000\text{千円} + 14{,}000\text{千円}} = 520{,}000\text{円}$$

3,120,000 円 ＋ 520,000 円 ＝ 3,640,000 円

課税売上割合が 95％未満ですので、「特定課税仕入れ」について申告が必要となります。

納付すべき消費税額

7,924,800 円 － 3,640,000 円 ＝ 4,284,800 円

納付すべき地方消費税の課税標準及び地方消費税額

4,284,800 円 ×22 ／ 78＝1,208,500 円（百円未満切捨て）

納付すべき消費税及び地方消費税の額

4,284,800 円＋1,208,500 円＝5,493,300 円

STEP 5 特定役務の提供を確認する

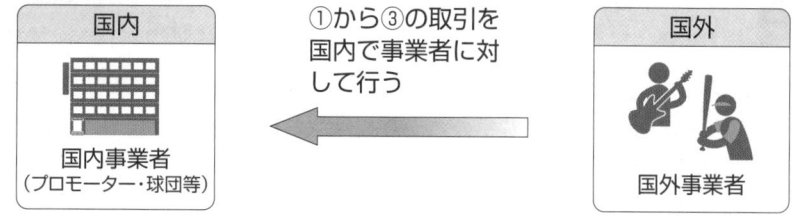

① 芸能人としての映画の撮影、テレビへの出演
② 俳優、音楽家としての演劇、演奏
③ スポーツ競技の大会等への出場

この場合に、国外事業者が個人事業者で、その個人事業者自身が①から③の役務の提供を行う場合も含まれます。

STEP 6 特定課税仕入れがある場合の申告書の記載例

【申告書　第二表　課税標準額等の内訳書】

課税標準額 ※申告書（第一表）の①欄へ		①	101,600,000 円
課税資産の譲渡等の対価の額の合計額	3 % 適用分	②	
	4 % 適用分	③	
	6.3 % 適用分	④	
	6.24 % 適用分	⑤	
	7.8 % 適用分	⑥	100,000,000 円
	（②～⑥の合計）	⑦	100,000,000 円
特定課税仕入れに係る支払対価の額の合計額（注1）	6.3 % 適用分	⑧	
	7.8 % 適用分	⑨	1,600,000 円
	（⑧・⑨の合計）	⑩	1,600,000 円
消費税額 ※申告書（第一表）の②欄へ		⑪	7,924,800 円
⑪の内訳	3 % 適用分	⑫	
	4 % 適用分	⑬	
	6.3 % 適用分	⑭	
	6.24 % 適用分	⑮	
	7.8 % 適用分	⑯	7,924,800 円

課税資産の譲渡等の対価の合計額と特定課税仕入れに係る支払対価の合計額

（100,000千円＋1,600千円）×7.8%

【付表2－3　課税売上割合・控除対象仕入税額等の計算表】

項目		税率6.24％適用分 A	税率7.8％適用分 B	合計 C (A+B)
		円	円	円
課税資産の譲渡等の対価の額（①＋②＋③）	④			税率一部の取扱い 100,000,000
課税資産の譲渡等の対価の額（④の金額）	⑤			100,000,000
非課税売上額	⑥			14,000,000
資産の譲渡等の対価の額（⑤＋⑥）	⑦			税率一部の取扱い 114,000,000
課税売上割合（④／⑦）	⑧			87 % 端数切捨て
課税仕入れに係る支払対価の額（税込み）	⑨		66,000,000	66,000,000
課税仕入れに係る消費税額	⑩		4,680,000	4,680,000
適格請求書発行事業者以外の者から行った課税仕入れに係る経過措置の適用を受ける課税仕入れに係る支払対価の額（税込み）	⑪			
適格請求書発行事業者以外の者から行った課税仕入れに係る経過措置により課税仕入れに係る消費税額とみなされる額	⑫			
特定課税仕入れに係る支払対価の額	⑬	申告書（付表）上、課税売上割合が95%未満、かつ、特定課税仕入れがある事業者のみ記載する。	1,600,000	1,600,000
特定課税仕入れに係る消費税額	⑭		(⑬の額×7.8/100) 124,800	124,800
課税貨物に係る消費税額	⑮			
納税義務の免除を受けない（受ける）ことなった場合における消費税額の調整（加算又は減算）額	⑯			
課税仕入れ等の税額の合計額（⑩＋⑪＋⑫＋⑬±⑯）	⑰		4,804,800	4,804,800
課税売上高が5億円以下、かつ、課税売上割合が95％以上の場合（⑰の金額）	⑱			

No.72 課税売上割合に準ずる割合

STEP 1

概要（消法30③）

課税売上げに係る消費税の額から控除する仕入控除税額を個別対応方式によって計算する場合には、課税売上げと非課税売上げに共通して要する課税仕入れ等に係る消費税額に、原則として、課税売上割合を乗じて計算します。

しかし、課税売上割合により計算した仕入控除税額が、その事業の実態を反映していないなど、課税売上割合により仕入控除税額を計算するよりも、別の割合によって計算する方が合理的である場合には、課税売上割合に代えて「課税売上割合に準ずる割合」によって仕入控除税額を計算することができます。

STEP 2

適用手続

1．適用の承認申請（消令47）

課税売上割合に準ずる割合の適用を受ける場合には、納税地の所轄税務署長に、その適用を受けようとする課税期間の末日までに「消費税課税売上割合に準ずる割合の適用承認申請書」を提出し、適用を受けようとする課税期間の翌課税期間の初日から１か月を経過する日までに税務署長の承認を受ける必要があります。

2．不適用の届出

納税地の所轄税務署長に、「消費税課税売上割合に準ずる割合の不適用届出書」を提出すれば、提出した日の属する課税期間から、課税売上割合に準ずる割合の適用を取りやめることができます。

STEP 3

課税売上割合に準ずる割合の算定方法と適用範囲

1．課税売上割合に準ずる割合の算定方法（消基通11－５－７）

課税売上げと非課税売上げに共通して要する課税仕入れ等の性質に応じた合理的な基準により算定します。具体的には、使用人の数、従事日数の割合、消費又は使用する資産の価額、使用数量、使用面積の割合などが挙げられます。

2．課税売上割合に準ずる割合の適用範囲（消基通11－５－８）

課税売上割合に準ずる割合を適用する場合、すべての事業について同一の割合を使うこともできますが、

(イ) 事業の種類が異なるごと

(ロ) 事業所の単位ごと

(ハ) 販売費一般管理費、その他の費用など経費の種類ごと

など、一定の単位ごとに、異なる割合を適用することができます。また、通常の課税売上割合を併用することもできます。

STEP 1 課税売上割合に準ずる割合

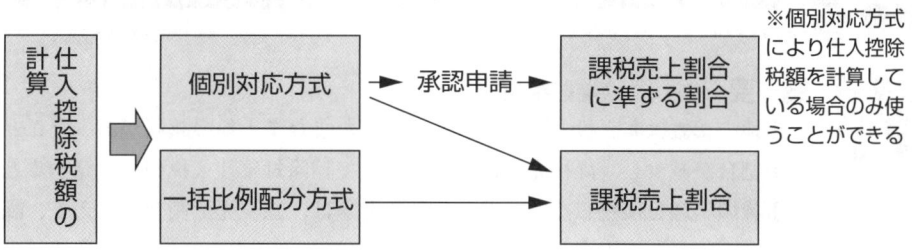

STEP 2 適用の承認申請・不適用の届出

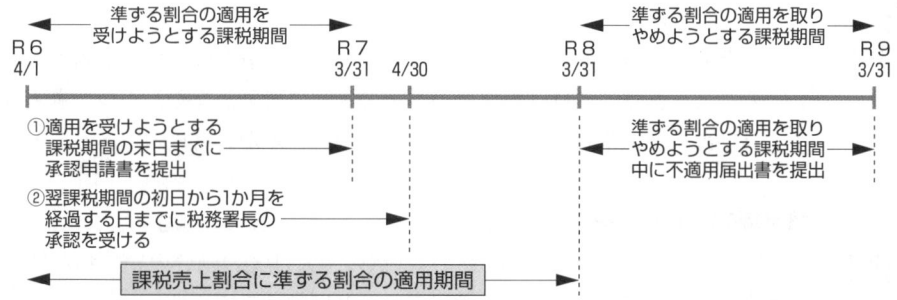

STEP 3 課税売上割合に準ずる割合の適用範囲と算定方法

適用範囲	
	事業の種類の異なるごと
	事業に係る**事業所**ごと
	販売費一般管理費その他の**費用の種類**の異なるごと

算定方法
使用人の数の割合
使用人の従事日数の割合
使用数量の割合
使用面積の割合
その他の合理的な割合
通常の課税売上割合

設例

売上げ　商品販売　3,000万円　不動産賃貸（住宅家賃）7,000万円
課税売上げのみ対応の課税仕入高　2,000万円
共通対応の課税仕入高　1,000万円
非課税売上げのみ対応の課税仕入高　500万円　計3,500万円（金額は税抜）

(1) 課税売上割合を使用する場合
① 課税売上割合 ＝ 3,000万円 ／ （3,000万円＋7,000万円）＝30%
② 個別対応方式　2,000万円＋1,000万円×30%＝2,300万円
③ 一括比例配分方式　3,500万円×30%＝1,050万円
④ ②＞③　2,300万円

(2) 課税売上割合に準ずる割合として、従業員数の割合で、承認を受けた場合
商品販売部門　8人　不動産賃貸部門　2人
① 課税売上割合に準ずる割合 ＝ 8人／（8人＋2人）＝80%
② 個別対応方式　2,000万円＋1,000万円×80%＝2,800万円
③ 一括比例配分方式　3,500万円×30%＝1,050万円　※課税売上割合のみ適用
④ ②＞③　2,800万円

No.73 土地の譲渡があった場合の課税売上割合に準ずる割合

STEP 1

概　要（国税庁　質疑応答事例）

土地の譲渡は非課税とされているため、たまたま土地の譲渡があったことにより課税売上割合が減少し、課税売上割合を適用して控除対象仕入税額を計算するとその事業者の事業の実態を反映しないと認められるときは、課税売上割合に代えて、課税売上割合に準ずる割合を適用することができます。

STEP 2

要　件

① 土地の譲渡が単発のものであること

② その土地の譲渡がなかったとした場合には、事業の実態に変動がないと認められること。具体的には、事業者の営業の実態に変動がなく、かつ、過去３年間で最も高い課税売上割合と最も低い課税売上割合の差が５％以内であることをいいます。

STEP 3

課税売上割合に準ずる割合

STEP2の要件に該当する場合には、次の①又は②の割合のいずれか低い割合を、課税売上割合に準ずる割合として適用することができます。

① 土地の譲渡があった課税期間の前３年に含まれる課税期間の通算課税売上割合

② 土地の譲渡があった課税期間の前課税期間の課税売上割合

STEP 4

「消費税課税売上割合に準ずる割合の適用承認申請書」

課税売上割合に準ずる割合を適用する場合は、その土地を譲渡した課税期間内に、「消費税課税売上割合に準ずる割合の適用承認申請書」を所轄税務署長に提出し、その承認を受けなければなりません。

なお、適用を受けようとする課税期間の末日までに承認申請書を提出し、同日の翌日以後１月を経過する日までに納税地の所轄税務署長の承認を受けた場合であっても、その承認申請書を提出した日の属する課税期間から適用されます。

STEP 5

「消費税課税売上割合に準ずる割合の不適用届出書」

この課税売上割合に準ずる割合の承認は、たまたま土地の譲渡があった場合に行うものですから、翌課税期間において「消費税課税売上割合に準ずる割合の不適用届出書」を提出しなければなりません。その提出がない場合には、課税売上割合に準ずる割合の承認の取消しが行われます。

設例

当社の土地の譲渡があった当期並びに過去３年間の課税売上割合は次のとおりです。

課税期間	課税売上高	非課税売上高	総売上高	課税売上割合
令和３年４月１日 ～令和４年３月31日	531,322,861	541,367	531,864,228	99.89%
令和４年４月１日 ～令和５年３月31日	560,891,884	1,120,145	562,012,029	99.80%
令和５年４月１日 ～令和６年３月31日	636,960,985	1,284,152	638,245,137	99.79%
令和６年４月１日 ～令和７年３月31日	561,324,766	201,495,314	762,820,080	73.58%

STEP 2

要件を確認する

① 土地の譲渡は単発のものである。

② (イ) 最も高い課税売上割合　99.89%

(ロ) 最も低い課税売上割合　99.79%

(ハ) (イ)−(ロ)＝0.10%≦５%　かつ　営業実態に変動がない

③ ∴　課税売上割合に準ずる割合を適用することができる

STEP 3

課税売上割合に準ずる割合を計算する

① 土地の譲渡があった課税期間の前３年の課税期間の通算課税売上割合

$$\frac{\text{課税売上高}}{\text{総売上高}}=\frac{531,322,861+560,891,884+636,960,985}{531,864,228+562,012,029+638,245,137}=\frac{1,729,175,730}{1,732,121,394}=99.82\%$$

② 土地の譲渡があった課税期間の前課税期間の課税売上割合

99.79%

③ ①>②　∴　99.79%

STEP 4 **STEP 5**

課税売上割合に準ずる割合の適用

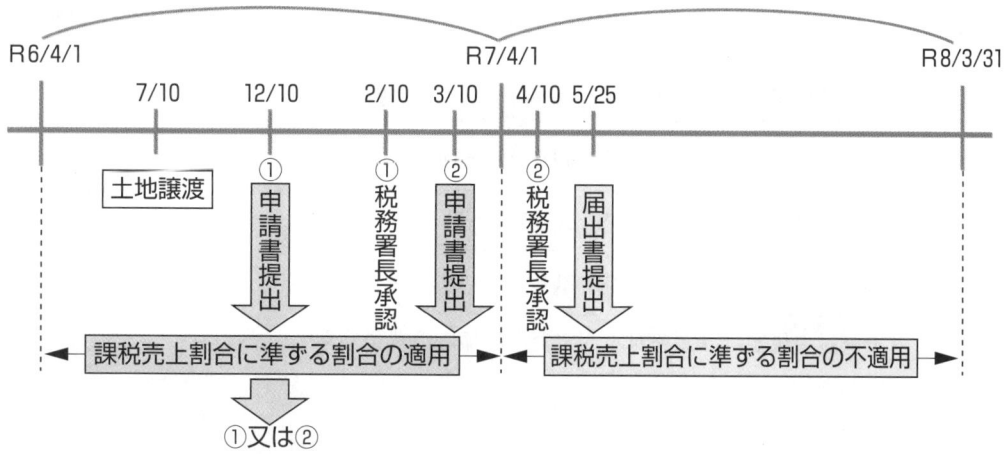

No.74 調整対象固定資産①－転用した場合

STEP 1

概要

会計上、建物や機械装置などの固定資産は、耐用年数で減価償却を行い、毎期費用配分しますが、消費税法では固定資産を取得したときの消費税は、その取得した課税期間において、その全額が仕入税額控除の対象となります。

しかし、固定資産は長期にわたり使用されるものであるため、固定資産の用途を変更した場合には、その固定資産の取得に係る仕入税額控除について、調整計算を行うこととしています。

STEP 2

調整対象固定資産（消法２①十六、消令５、消基通12－２－１）

調整の対象となる資産は、建物、機械装置等の固定資産で、一取引単位の税抜金額が100万円以上のものです。したがって、国内の課税仕入れの対象となる固定資産については、支払対価×$\frac{100}{110}$により、輸入貨物については、課税標準が100万円以上であるかにより判定します。なお、100万円以上の判定をする金額には、引取運賃など購入のための付随費用を含みません。

STEP 3

調整対象固定資産を転用した場合（消法34、35、消基通12－４－１、12－５－１）

調整対象固定資産を購入した課税期間において課税業務用資産として使用し、３年以内の課税期間において非課税業務用資産に転用した場合には、取得の日から転用の日までの期間に応じて計算した金額を転用した課税期間の仕入税額から控除します。

逆に、調整対象固定資産を購入した課税期間において非課税業務用資産として使用し、３年以内の課税期間において課税業務用資産に転用した場合には、取得の日から転用の日までの期間に応じて計算した金額を転用した課税期間の仕入税額に加算します。

なお、転用による調整の計算は、個別対応方式により仕入控除税額を計算した場合に行いますが、共通用の資産を転用した場合や、共通用に転用した場合には適用はありません。

STEP 4

転用の場合の調整税額の計算

転用した課税期間において仕入税額に調整税額を加算・減算します。調整税額は、転用した時期に応じて下記により計算します。

転用の時期		調整税額
仕入れの日から	１年以内	調整対象税額の全額
	２年以内	調整対象税額×$\frac{2}{3}$
	３年以内	調整対象税額×$\frac{1}{3}$

⇨ 転用日の属する課税期間の仕入税額に加算・減算する

調整対象税額は、調整対象固定資産に係る消費税額をいいます。

STEP 2 調整対象固定資産の判定

棚卸資産以外の固定資産	建物及びその附属設備、構築物、機械装置 船舶、航空機、車両運搬具、工具器具備品 鉱業権等の無形固定資産 ゴルフ会員権、課税資産を賃借するための権利金 ソフトウェア、生物、書画骨董　他
一組、一式の税抜金額が100万円以上	国内の課税資産　支払対価×$\frac{100}{110}$が100万円以上 輸入貨物　課税標準が100万円以上 （注）付随費用を除く。資本的支出を含む。 共有物は持分割合に応じて判定。

STEP 3 転用の判定

仕入時の処理		3年以内に転用	転用の調整
全額控除・簡易課税・2割特例		調整不要	
一括比例配分方式			
個別対応方式	共通用		
	課税売上用	→非課税売上用	調整税額を減算
	非課税売上用	→課税売上用	調整税額を加算

STEP 4 調整対象固定資産の転用の調整

【付表2－3　課税売上割合・控除対象仕入税額等の計算表】

項目	税率6.24％適用分 A 円	税率7.8％適用分 B 円	合計 (A+B) C 円
控除税額調整 課税売上割合変動時の調整対象固定資産に係る消費税額の調整（加算又は減算）額 ㉓			
控除税額調整 調整対象固定資産を課税業務用（非課税業務用）に転用した場合の調整（加算又は減算）額 ㉔		52,000	52,000
控除税額調整 居住用賃貸建物を課税賃貸用に供した（譲渡した）場合の加算額 ㉕			
差引 控除対象仕入税額 [(⑱、㉑又は㉒の金額)±㉓±㉔+㉕]がプラスの時 ㉖	※付表1-3の㉖A欄へ	※付表1-3の㉖B欄へ	
差引 控除過大調整税額 [(⑱、㉑又は㉒の金額)±㉓±㉔+㉕]がマイナスの時 ㉗	※付表1-3の㉗A欄へ	※付表1-3の㉗B欄へ	
貸倒回収に係る消費税額 ㉘	※付表1-3の㉘A欄へ	※付表1-3の㉘B欄へ	

設例 購入時　課税業務用の固定資産　220万円（税込み）

2年2か月経過後に、非課税業務用に転用した場合。

計算 判定　220万円×$\frac{100}{110}$=2,000,000円　≧　100万円　調整対象固定資産に該当

調整対象税額　220万円×$\frac{7.8}{110}$=156,000円

調整税額　156,000円×$\frac{1}{3}$（2年超3年以内）=52,000円

転用した課税期間の仕入税額より減算する。（付表2－3㉔欄へ）

No.75 調整対象固定資産②―課税売上割合が著しく変動した場合

STEP 1

概要

会計上、建物や機械装置などの固定資産は、耐用年数で減価償却を行い、毎期費用配分しますが、消費税法では固定資産を取得したときの消費税は、その取得した課税期間において、その全額が仕入税額控除の対象となります。

しかし、固定資産は長期間にわたり使用されるものであるため、課税売上割合が著しく変動した場合には、その固定資産の取得に係る仕入税額控除について、調整計算を行うこととしています。

STEP 2

要件（消法33）

調整対象固定資産（**No.74**参照）を購入した場合において、次の要件にすべて該当する場合は、調整対象固定資産に係る仕入税額について調整を行います。

① 調整対象固定資産を購入した課税期間において、調整対象固定資産に係る仕入税額につき、次のいずれかに該当する（比例配分法）。

(イ) 原則課税により、全額控除した場合

(ロ) 原則課税により、個別対応方式で共通用として計算した場合

(ハ) 原則課税により、一括比例配分方式により計算した場合

② 第三年度の課税期間の末日において、その調整対象固定資産を保有している。

③ 課税売上割合が著しく変動している。

STEP 3

課税売上割合が著しく変動した場合とは

1．課税売上割合が著しく増加

次の(イ)、(ロ)いずれにも該当する場合

(イ) 変動率が50%以上である

$$\text{変動率} = \frac{\text{通算課税売上割合} - \text{仕入れ等の課税期間の課税売上割合}}{\text{仕入れ等の課税期間の課税売上割合}} \geqq 50\%$$

(ロ) 変動差が５%以上である

$$\text{変動差} = \text{通算課税売上割合} - \text{仕入れ等の課税期間の課税売上割合} \geqq 5\%$$

2．課税売上割合が著しく減少

次の(イ)、(ロ)いずれにも該当する場合

(イ) 変動率が50%以上である

$$\text{変動率} = \frac{\text{仕入れ等の課税期間の課税売上割合} - \text{通算課税売上割合}}{\text{仕入れ等の課税期間の課税売上割合}} \geqq 50\%$$

(ロ) 変動差が５%以上である

$$\text{変動差} = \text{仕入れ等の課税期間の課税売上割合} - \text{通算課税売上割合} \geqq 5\%$$

STEP 1 STEP 2 調整の有無の判定

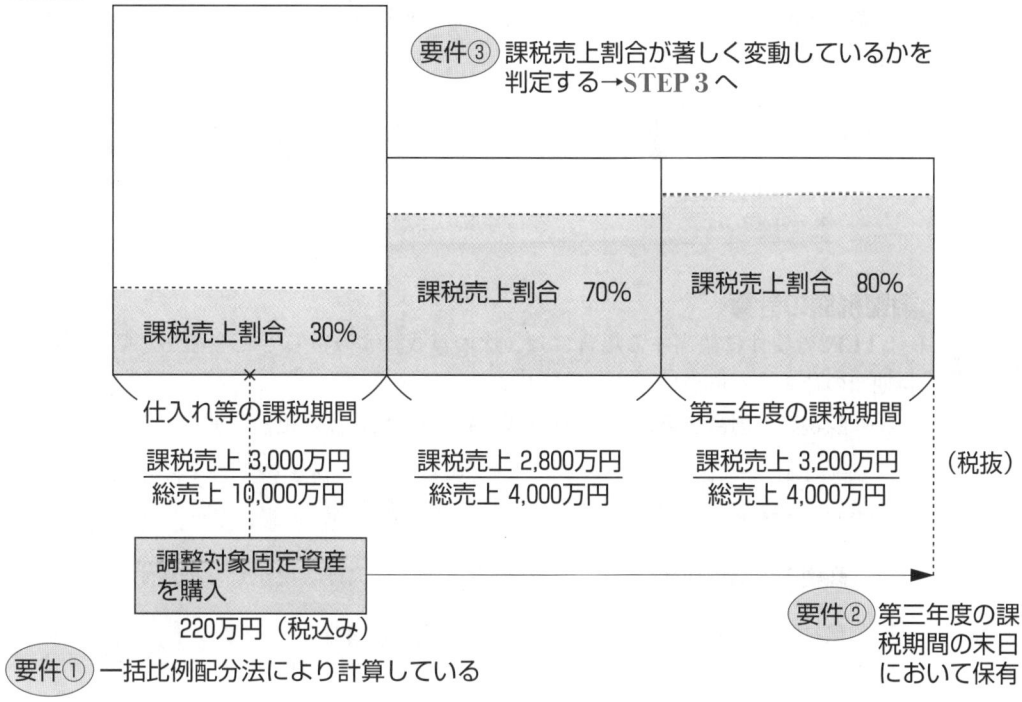

STEP 3 STEP 4 課税売上割合が著しく変動している場合とは

① 通算課税売上割合を計算する

$$\frac{\text{課税売上高}\quad 3{,}000\text{万円}+2{,}800\text{万円}+3{,}200\text{万円}}{\text{総売上高}\quad 10{,}000\text{万円}+4{,}000\text{万円}+4{,}000\text{万円}} = \frac{9{,}000\text{万円}}{18{,}000\text{万円}} = 50\%$$

② 変動率を計算する

$$\text{変動率} = \frac{\text{通算課税売上割合}50\%-\text{仕入れ等の課税期間の課税売上割合}30\%}{\text{仕入れ等の課税期間の課税売上割合}30\%} = 67\% \geqq 50\%$$

③ 変動差を計算する

$$\text{変動差} = \text{通算課税売上割合}50\%-\text{仕入れ等の課税期間の課税売上割合}30\% = 20\% \geqq 5\%$$

④ 判定

変動率≧50% かつ 変動差≧5%

∴課税売上割合が著しく増加している

STEP 4 通算課税売上割合とは

「通算課税売上割合」とは、仕入れ等の課税期間から第三年度の課税期間までの売上高を通算して計算した割合をいいます。

「第三年度の課税期間」とは、仕入れ等の課税期間の開始の日から３年を経過する日の属する課税期間をいいます。

通算課税売上割合 ＝

$$\frac{\text{第一年度の課税売上高} + \text{第二年度の課税売上高} + \text{第三年度の課税売上高}}{\text{第一年度の総売上高} + \text{第二年度の総売上高} + \text{第三年度の総売上高}}$$

STEP 5 調整税額の計算

STEP2の要件に該当する場合には、次の算式により計算した金額を、第三年度の課税期間の仕入控除税額に加算・減算します。

① **課税売上割合が著しく増加した場合** ⇒ 仕入控除税額に加算する

調整対象固定資産に係る消費税額 × 通算課税売上割合 － 調整対象固定資産に係る消費税額 × 仕入れ等の課税期間の課税売上割合

② **課税売上割合が著しく減少した場合** ⇒ 仕入控除税額から控除する

調整対象固定資産に係る消費税額 × 仕入れ等の課税期間の課税売上割合 － 調整対象固定資産に係る消費税額 × 通算課税売上割合

STEP 6 付表２に記入する

STEP5により計算した調整税額を、付表２－１または付表２－３「課税売上割合変動時の調整対象固定資産に係る消費税額の調整（加算又は減算）額㉓」に記入します。

STEP 7 適用上の注意点

① 第三年度の課税期間において免税事業者である場合や簡易課税制度の適用がある場合は、STEP2の要件に該当していても、仕入税額控除の調整は必要ありません。

② 仕入れ等の課税期間と第三年度の課税期間の間に免税事業者となった課税期間や簡易課税制度の適用を受けた課税期間が含まれている場合であっても、STEP2の要件に該当していれば、仕入税額控除の調整を行います。（消基通12－３－１）

この場合、免税事業者となった課税期間又は簡易課税制度の適用を受けた課税期間の売上高を含めて通算課税売上割合の計算を行います。免税事業者であった課税期間の課税売上高は税抜処理を行わないことに注意が必要です。

③ 調整対象固定資産について除却、廃棄、滅失又は譲渡があったため、第三年度の課税期間の末日においてその調整対象固定資産を有していない場合には、仕入税額控除の調整は必要ありません。（消基通12－３－３）

STEP 5 調整税額の計算

課税売上割合が著しく増加している ⇒ 仕入控除税額に加算する

(調整対象固定資産に係る消費税額)	(通算課税売上割合)	(調整対象固定資産に係る消費税額)	(仕入れ等の課税期間の課税売上割合)
220万円×$\frac{7.8}{110}$⇒156,000円 ×	50% −	156,000円 ×	30%

156,000円×50%－156,000円×30%＝31,200円

⇒仕入控除税額に加算する（付表２－３㉓欄へ）

STEP 6 付表２－３を作成する

【付表２－３　課税売上割合・控除対象仕入税額等の計算表】

項目	税率6.24%適用分 A 円	税率7.8%適用分 B 円	合計 (A+B) C 円

控除税額調整	課税売上割合変動時の調整対象固定資産に係る消費税額の調整（加算又は減算）額	㉓		31,200	31,200
	調整対象固定資産を課税業務用（非課税業務用）に転用した場合の調整（加算又は減算）額	㉔			
	居住用賃貸建物を課税賃貸用に供した（譲渡した）場合の加算額	㉕			
差引	控除対象仕入税額 〔(⑱、㉑又は㉒の金額)±㉓±㉔＋㉕〕がプラスの時	㉖	※付表1-3の㉟欄へ	※付表1-3の㊱欄へ	
	控除過大調整税額 〔(⑱、㉑又は㉒の金額)±㉓±㉔＋㉕〕がマイナスの時	㉗	※付表1-3の㉛欄へ	※付表1-3の㉜欄へ	
貸倒回収に係る消費税額		㉘	※付表1-3の㉝欄へ	※付表1-3の㉞欄へ	

STEP 7 適用上の注意点

① 第三年度の課税期間が免税事業者又は簡易課税制度の適用がある場合

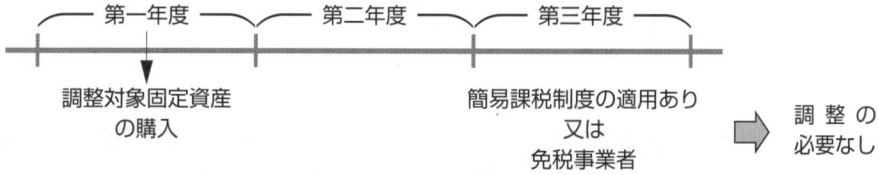

② 第二年度の課税期間が免税事業者又は簡易課税制度の適用がある場合

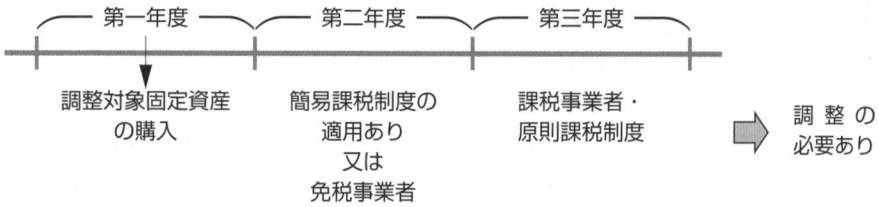

③ 第三年度の末日において調整対象固定資産を保有していない場合

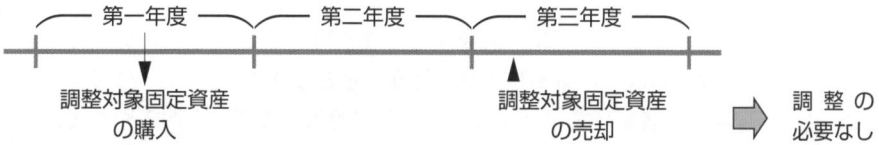

No.76 輸出物品販売場における輸出免税

STEP 1

輸出物品販売場における輸出免税の概要（消法８①）

輸出物品販売場（免税店）を経営する事業者が、外国人旅行者などの非居住者に対して免税対象物品を一定の方法で販売する場合には、消費税が免除されます。

輸出物品販売場を開設しようとする事業者(消費税の課税事業者に限ります。)は、販売場ごとに事業者の納税地を所轄する税務署長の許可を受ける必要があります。許可を受けるためには、現に国税の滞納がないこと等の一定の要件を満たしている必要があります。

STEP 2

免税購入できる対象者の確認（外国為替及び外国貿易法６①六、消令18①）

輸出物品販売場において免税で購入することができる非居住者（以下「免税購入対象者」）といいます。）の範囲について、令和５年４月１日以後に行われる課税資産の譲渡等については、次のとおり見直しが行われました。

① 日本国籍を有しない非居住者については、出入国管理及び難民認定法に規定する**「短期滞在」、「外交」又は「公用」の在留資格を有する者等に限る**こととされました。

② 日本国籍を有する非居住者については、国内以外の地域に引き続き２年以上住所又は居所を有することについて、**在留証明（※１）**又は**戸籍の附票の写し（※２）**で、その者が最後に入国した日から起算して６か月前の日以後に作成されたもの（以下「証明書類」といいます。）により確認された者に限ることとされました。

また、証明書類の作成日時点において「国内以外の地域に引き続き２年以上住所又は居所を有すること」が証明書類によって確認できる必要があります。

※１ 在留証明には「住所又は居所を定めた年月日」及び「本籍地の地番」が記載されたものが必要となります。

※２ 戸籍の附票の写しについては、「本籍地の地番」が記載されたものが必要となります。

なお、①のうち「短期滞在」の在留資格を有する者及び②の者であっても、国内に住所又は居所を有する者、国内にある事務所に勤務している者、入国後６か月以上経過した者等は、免税購入対象者に該当しません。

STEP 3

免税対象となる物品の範囲を確認する（消令18①②⑦、消基通８－１－１）

免税販売の対象となる物品は、次のとおりです。

① 通常生活の用に供される一般物品（消耗品以外のもの）については、同一の非居住者に対する同一店舗における１日の販売額の合計が５千円以上のもの。

② 通常生活の用に供される消耗品（食品類、飲料類、薬品類、化粧品類その他の消耗品）については、同一の非居住者に対する同一店舗における１日の販売額の合計が５千円以上50万円以下の範囲内のもの。

（注） 一般物品と消耗品の販売価額がそれぞれ５千円未満であったとしても、その合計額が５千円以上であれば、一般物品を消耗品と同様の指定された方法により包装することで、免税販売することができることとされました。この場合、その一般物品は消耗品として取り扱うこととなります。

非居住者が事業用又は販売用として購入することが明らかな物品は免税販売の対象になりません。

また、金又は白金の地金は免税対象物品から除かれています。

STEP 1 輸出物品販売場における輸出免税の概要

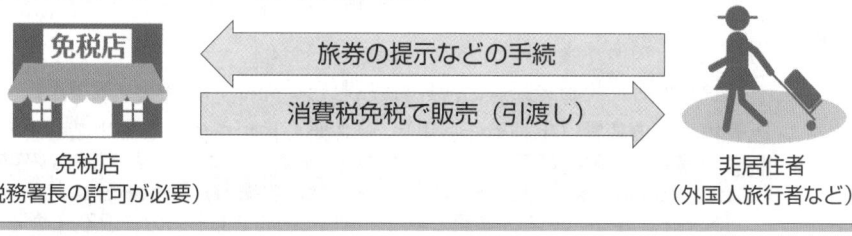

STEP 2 免税購入対象者

日本国籍を有しない者	①「短期在留」「外交」「公用」の在留資格をもって在留する者 ②寄港地上陸許可、船舶観光上陸許可、通過上陸許可、乗員上陸許可、緊急上陸許可、避難による上陸許可を受けて在留する者 ③アメリカ合衆国軍隊の構成員等
日本国籍を有する者	日本国内以外の地域に引き続き２年以上住所又は居所を有する者 証明書類…最後に入国した日から起算して６か月前の日以後に作成された以下の書類 ①在留証明（「住所又は居所を定めた年月日」及び「本籍地」が記載されたもの） ②戸籍の附票の写し（「本籍地の地番」が記載された者）

●最後に入国した日から起算して６か月前の日以後に作成された証明書類の例

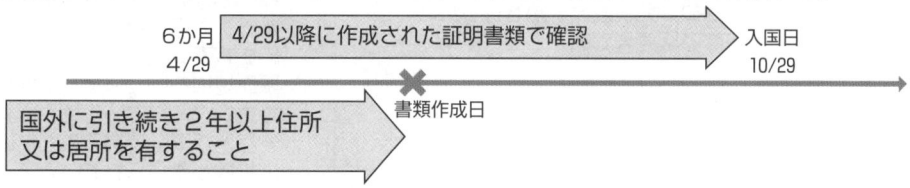

STEP 3 免税対象となる物品の範囲を確認する

通常生活の用に供する物品であっても、免税販売の対象となるのは、一般物品又は消耗品ごとに、同一の非居住者に対する同一の輸出物品販売場における１日の販売価額（税抜き）の合計額が、それぞれ次の基準を満たすものです。

免税対象物品の区分	販売価額（税抜き）の合計額
通常生活の用に供される一般物品（家電製品、カバン・靴、洋服・着物、時計・宝飾品、民芸品「消耗品以外のもの」）	５千円以上
通常生活の用に供される消耗品（飲食料品、医薬品、化粧品その他の消耗品）	５千円以上50万円以下

●免税手続カウンターにおける手続等の特例

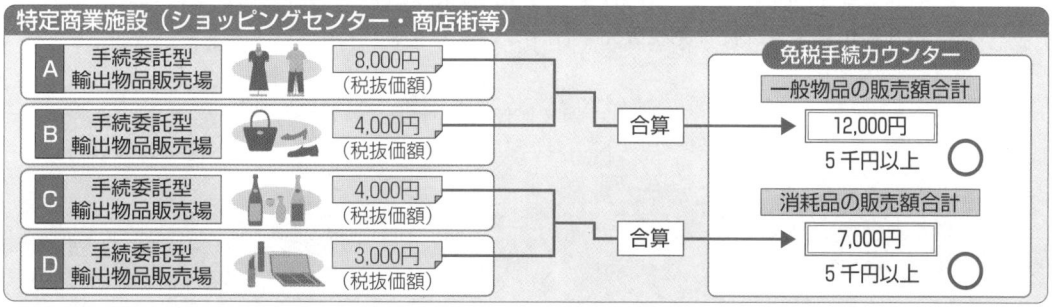

【指定された方法による包装】観光庁ホームページ参照　https://www.mlit.go.jp/common/001044306.pdf

STEP 4

輸出物品販売場における免税販売の要件を確認する（消法８⑥）

事業者が「輸出物品販売場」として物品を免税販売するためには、次の要件の全てを満たす必要があります。

納税地の所轄税務署長に、「輸出物品販売場許可申請書（一般型用）」又は「輸出物品販売場許可申請書（手続委託型用）」に必要な書類を添付して申請します。

<table>
<tr><th>一般型輸出物品販売場</th><th>手続委託型輸出物品販売場</th></tr>
<tr><td colspan="2">①現に国税の滞納（その滞納額の徴収が著しく困難であるものに限る。）がないこと</td></tr>
<tr><td colspan="2">②輸出物品販売場の許可を取り消され、その取消しの日から３年を経過しない者でないこと</td></tr>
<tr><td colspan="2">③輸出物品販売場を経営する事業者として特に不適当と認められる事情がないこと</td></tr>
<tr><td colspan="2">④現に非居住者の利用する場所又は非居住者の利用が見込まれる場所に所在する販売場であること</td></tr>
<tr><td>⑤免税販売手続に必要な人員を販売場に配置し、かつ、免税販売手続を行うための設備を有する販売場であること</td><td>⑤販売場を経営する事業者と当該販売場の所在する特定商業施設内に免税手続カウンターを設置する一の承認免税手続事業者（他の事業者が経営する販売場における免税販売手続を代理しようとする事業者）との間において次の要件の全てを満たす関係があること
イ）販売場において譲渡する物品に係る免税販売手続につき、代理に関する契約が締結されていること
ロ）販売場において譲渡した物品と免税手続カウンターにおいて免税販売手続を行う物品とが同一であることを確認するための措置が講じられていること
ハ）免税販売手続につき必要な情報を共有するための措置が講じられていること</td></tr>
</table>

STEP 5

免税販売手続きの電子化を確認する

令和２年４月１日以後に行う免税販売手続について、これまで輸出物品販売場において書面により行われていた購入記録票の作成等の手続が廃止され、輸出物品販売場を経営する事業者は、購入記録情報（購入者（非居住者）から提供を受けた旅券等に記載された情報及び購入の事実を記録した電磁的記録（データ））を、電子情報処理組織を使用して（インターネット回線等を通じて）、遅滞なく国税庁長官へ提供することとされました。

令和３年９月30日までの間は、経過措置として従来の書面による免税販売手続ができることとされていました。同日までに免税販売手続の電子化に対応しなかった場合、令和３年10月１日以後は免税販売を行うことはできません。

STEP 4

輸出物品販売場における免税販売の要件を確認する

1．一般型輸出物品販売場

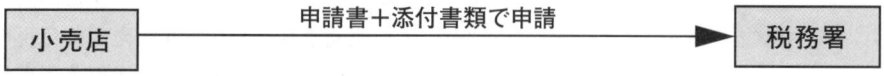

2．手続委託型輸出物品販売場

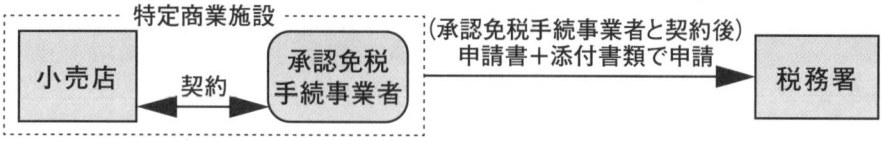

【添付書類】
①許可を受けようとする販売場または、所在する特定商業施設の見取図
②免税販売手続の代理に関する契約書の写し(手続委託型に限る)
③特定商業施設に該当することを証する書類(手続委託型に限る)
④申請者の事業内容が確認できる資料(会社案内など)
⑤許可を受けようとする販売場の取扱商品が確認できる資料(商品カタログなど)
⑥その他参考となる書類(免税販売手続マニュアル)

STEP 5

免税販売手続きの電子化を確認する

1．インターネット回線等を通じた購入記録情報の提供方法の選択

① 免税店が自ら購入記録情報を送信する方法。

免税店は、購入記録情報を国税庁が管理する免税販売管理システムへ送信するためのソフトウェア・アプリケーションを用意する必要があります。

② 承認送信事業者を介して購入記録情報を提供する方法。

免税店が、承認送信事業者と事前に契約して必要な情報を共有し、承認通信事業者が国税庁の管理する免税販売管理システムに購入記録情報を送信します。

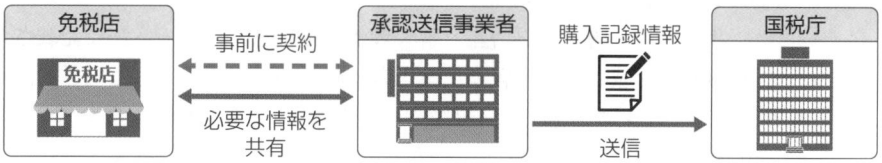

2．購入記録情報の提供方法の所轄税務署長への届出

輸出物品販売場を経営する事業者又は承認免税手続事業者（免税手続カウンター）は、輸出物品販売場ごとに「輸出物品販売場における購入記録情報の提供方法等の届出書」の納税地の所轄税務署長に提出します。

3．所轄税務署長から識別符号の通知

上記2の届出書の提出後、税務署長から輸出物品販売場ごとの識別符号が通知されます。この識別符号は、免税販売管理システムに送信する購入記録情報の記録項目の一つとなりますので、適切な管理が必要となります。

4．免税販売管理システム専用の電子証明書の発行

免税店が自ら購入記録情報を提供する場合は、免税販売管理システム専用の電子証明書が必要となりますので、上記2の届出書の「電子証明書発行の要否」の必要欄にチェックマークを記入して提出し、電子証明書の発行を受けて送信機器に事前インストールしておきます。

STEP 6 輸出物品販売場の販売方法を確認する（消令18②一）

輸出物品販売場には、販売場を経営する事業者自身がその販売場においてのみ免税販売手続きを行う「一般型輸出物品販売場」と、その販売場が所在する商店街やショッピングセンター等の特定商業施設内に免税販売手続きを代行するための免税手続きカウンター等の設備を設置する事業者が免税販売手続きを代理する「手続委託型輸出物品販売場」の２種類があります。

１．一般型輸出物品販売場の販売方法（消令18、消規６～７、消基通８－３－２）

① 旅券等の提示・情報の提供

輸出物品販売場を経営する事業者（「事業者」といいます。）は、購入者（免税購入対象者）から旅券等（旅券、乗員上陸許可証など）の提示を受けて、その旅券等に記載された情報の提供を受けます。旅券等の提示及び提供については、デジタル庁が整備及び管理をする情報システム（Visit Japan Web）で表示される免税販売用二次元コードを用いて行うことが可能となりました。

② 購入者への説明義務

事業者は、免税販売の際、購入者に対して次の事項を説明（注）しなければなりません。

(1) その免税購入した物品が輸出するため購入されるものである旨

(2) 本邦から出国する際、その出港地を所轄する税関長にその所持する旅券等を提示しなければならない旨

(3) 免税で購入した物品を出国の際に所持していなかった場合には、免除された消費税額（地方消費税額に相当する額を含みます。）に相当する額を徴収される旨

（注） 説明は口頭で行う方法のほかに、説明事項を日本語及び外国語で記載した書類等を交付する方法や販売場内に掲示する方法があります。なお、書面交付や場内掲示の方法により説明する場合には、単に書類等を交付又は掲示するだけではなく、購入者が内容を理解するよう「書類等をご一読ください」と口頭で伝える等して確認を促す必要があります。

③ 購入記録情報の提供

事業者は、購入記録情報（購入者から提供を受けた旅券等に記載された情報、証明書類に記載された情報及び購入者の購入の事実を記録した電磁的記録）を免税販売の際、インターネット回線等を通じて遅滞なく免税販売管理システムに送信します。

④ 購入記録情報の保存

事業者は、免税販売管理システムに送信した購入記録情報を整理して、免税販売を行った日の属する課税期間の末日の翌日から２か月を経過した日から７年間、これを納税地又は免税販売を行った輸出物品販売場の所在地に保存しなければなりません。

２．手続委託型輸出物品販売場の販売方法

上記１の一般型輸出物品販売場での販売方法との違いは、

(1) 店舗は通常の客と同様に外国人旅行者に販売し（右図①）、

(2) 免税手続については承認を受けた免税手続カウンターに委託できるようになります。（右図②～⑤）。

(3) 消費税相当額については、免税手続カウンターにて返金されます（右図⑥）。商店街やショッピングセンターの中で店舗の垣根を越えて合算して、免税販売手続きができます。

STEP 6

一般型輸出物品販売場の販売方法

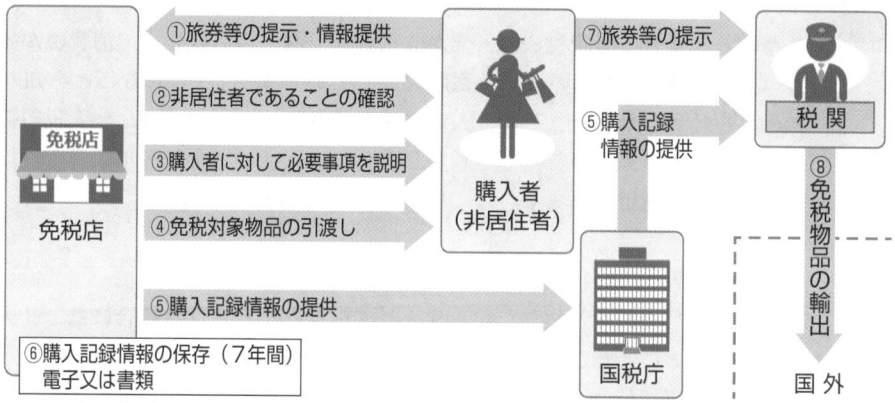

手続委託型輸出物品販売場の販売方法

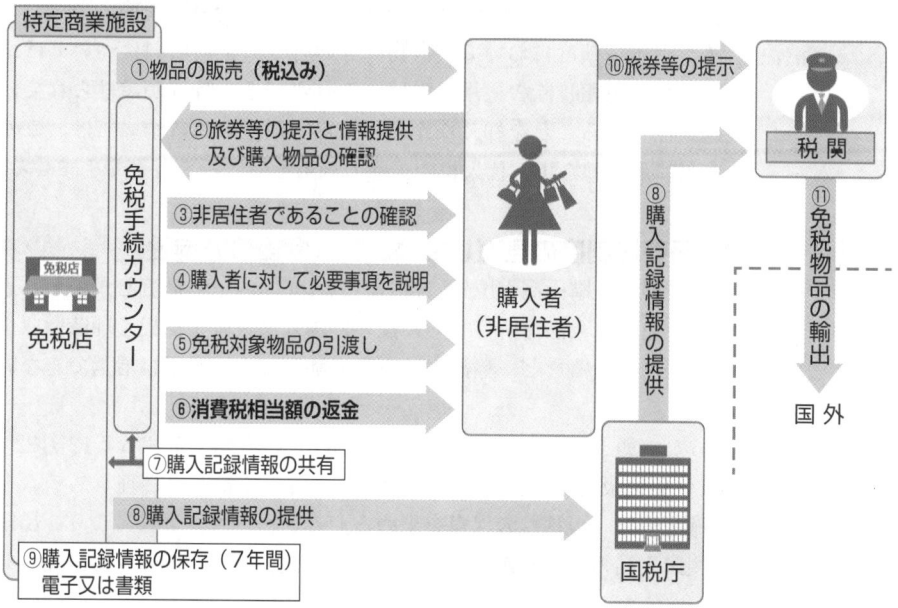

購入記録情報の内容

購入記録情報の種類	主な内容
①送信者の情報	送信者識別符号、送信者識別符号区分など
②旅券等の情報	氏名、国籍、生年月日、在留資格、上陸年月日、 旅券等の種類、旅券等の番号、証明書類の確認事項
③輸出物品販売場の情報	販売場識別符号、販売場の名称、譲渡年月日、 物品を海外へ直送する場合の運送業者の氏名名称、 一般物品合計額、消耗品合計額、酒税適用有無など
④物品の情報	品名、JANコード、数量、単位、単価、販売価額、 消費税軽減税率対象区分など

STEP 7 免税購入品と知りながら行った課税仕入れに係る仕入税額控除の制限

1．概要

令和６年４月に消費税法の一部が改正され、輸出物品販売場で消費税が免除された物品（以下**STEP7** において「免税購入品」といいます。）であることを知りながら、当該物品を仕入れた場合、その仕入れに係る消費税額については、仕入税額控除の適用を受けることができないこととされました。この取扱いは令和６年４月１日以後に行う課税仕入れから適用されます。

2．免税購入品と疑われる事例への対応

免税購入品であると知りながら仕入れていたと認められた場合には、仕入税額控除が認められないこととなるため、右表のような疑わしい物品の仕入れに当たっては、本人確認等を確実に行い、また、物品の調達先など取引内容について仕入先に確認し、その記録を残すといった対応や、現金で買い取らず、本人の口座へ振込みするなどの対応を行う、場合によっては仕入れそのものを避けるといった対応を取ることが考えられます。

（注） インボイス制度において、古物商等の行う一定の取引については、帳簿のみの保存で仕入税額控除の適用を受けることができる特例が設けられていますが、免税購入品であることを知りながら行った課税仕入れについては、この特例の適用の有無にかかわらず、仕入税額控除の適用を受けることができません。

STEP 8 輸出物品販売場制度の見直しについて（今後の方向性）

多額・多量の免税購入品が国外に持ち出されず国内での横流しが疑われる事例が多発し、出国時に免税購入品を所持していない外国人旅行者を捕捉し即時徴収を行っても、その多くが滞納となるなど、輸出物品販売場制度の不正利用は看過できない状況となっています。

このような実態を踏まえ、令和６年度税制改正の大綱（令和５年12 月22 日閣議決定）において、「免税販売の要件として、新たに政府の免税販売管理システムを通じて取得した税関確認情報（仮称）の保存を求める」こととされ、これにより、出国時に税関において免税購入品の持出しが確認された場合に免税販売が成立する制度へ見直す方向性が明示されました。

なお、具体的な制度の詳細については、令和７年度税制改正において結論を得ることとされています。

STEP 7

仕入れ時に免税購入品と疑われる事例

次のような場合、仕入れる物品が免税購入品である可能性があるため、注意が必要です。

古物商等として買取りを行う場合

- 本人確認書類等から、日本に居住の事実がない非居住者からの買取りであると認められる場合
- 本人確認書類として提示された書類の偽造が疑われる場合
- 持ち込まれた物品に免税用のパッケージがされていた（又はされていた痕跡があった）場合
- 同種同等の物品について、大量又は定期的に買取りを求められた場合
- 買取時の確認の際、本人確認書類等を提示した本人ではなく、付添人が主導的に対応するなど、持込者が購入した（又は所持していた）物品でないことが疑われる場合
- 高級物品の買取りを求められた場合において、持込者の様子などから当該高級物品の所有者であることに疑いがある場合

STEP 8

輸出物品販売場制度の見直しについて（今後の方向性）

現行制度	見直しの方向性
販売時：免税で販売 出国時：免税購入品と購入記録情報が一致しない場合は即時徴収 多くが滞納に！	販売時：税込みで販売 出国時：免税購入品の持出しが確認された場合に還付

No.77 課税事業者を選択する

STEP 1

概要（消法９④、９⑥、９⑦）

免税事業者は「消費税課税事業者選択届出書」を提出することにより課税事業者となることができます。

例えば、高額な設備投資をした場合には、課税仕入高が課税売上高を上回ることがあります。この場合、課税事業者は申告により消費税の還付を受けることができますが、免税事業者は申告書を提出することができませんので還付を受けることができません。このような場合、免税事業者は課税事業者になることを選択することにより、消費税の還付を受けることができます。

ただし、課税事業者を選択すると２年間（調整対象固定資産を取得した場合で一定の要件に該当するときは３年間）継続して課税事業者として申告する必要がありますので、還付を受ける予定であっても、複数年のトータルの納税額及び還付額を考慮した上で課税事業者を選択するかどうかを判断する必要があります。

STEP 2

課税事業者となる時期（消法９④、消令20、消基通１－４－12～１－４－13の２）

免税事業者が、「消費税課税事業者選択届出書」を所轄税務署長へ提出した場合は、提出した翌課税期間から課税事業者になることができます。したがって、課税事業者となることを選択しようとする課税期間の初日の前日までに提出しなければなりません。

ただし、一定の場合は提出した課税期間から課税事業者になることができます。

〈適用開始時期〉

<table>
<tr><td>原則</td><td colspan="2">提出日の属する課税期間の翌課税期間以後</td></tr>
<tr><td rowspan="4">特例</td><td>新たに国内において課税資産の譲渡等に係る事業を開始した場合</td><td rowspan="4">提出日の属する課税期間以後</td></tr>
<tr><td>相続により課税事業者を選択していた被相続人の事業を承継した場合</td></tr>
<tr><td>法人が合併により課税事業者を選択していた被合併法人の事業を承継した場合</td></tr>
<tr><td>法人が吸収分割により課税事業者を選択していた分割法人の事業を承継した場合</td></tr>
</table>

STEP 3

課税事業者を選択した事業者がその選択をやめる場合

１．「消費税課税事業者選択不適用届出書」（消法９⑤）

課税事業者を選択した事業者がその選択をやめるには、「消費税課税事業者選択不適用届出書」を所轄税務署長へ提出しなければなりません。

例えば、消費税の還付を受ける目的等のために課税事業者を選択することができますが、その後免税事業者に戻った方が有利な場合は、この届出書を提出することにより課税事業者の選択をやめることができます。

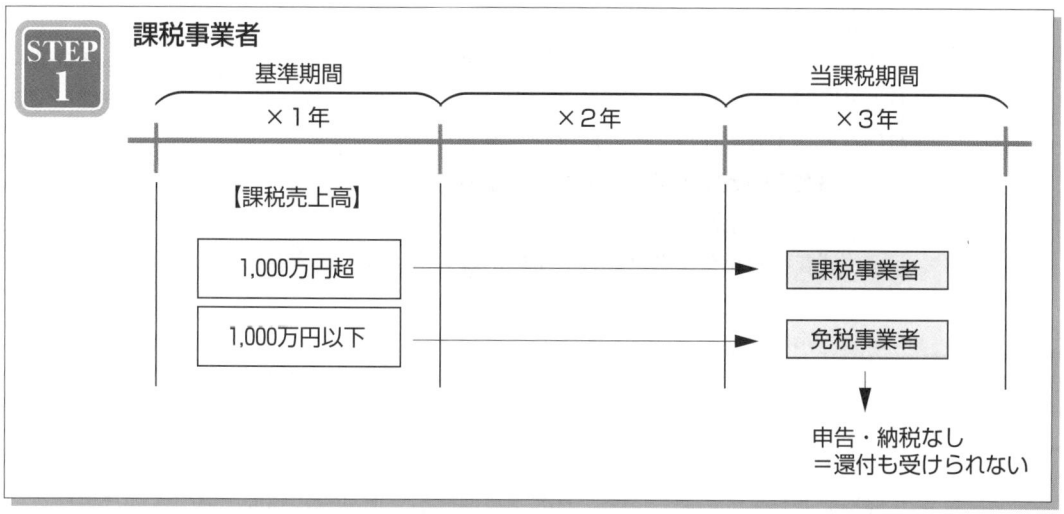
STEP 1
課税事業者
基準期間
当課税期間
×1年
×2年
×3年
【課税売上高】
1,000万円超
1,000万円以下
課税事業者
免税事業者
申告・納税なし
＝還付も受けられない

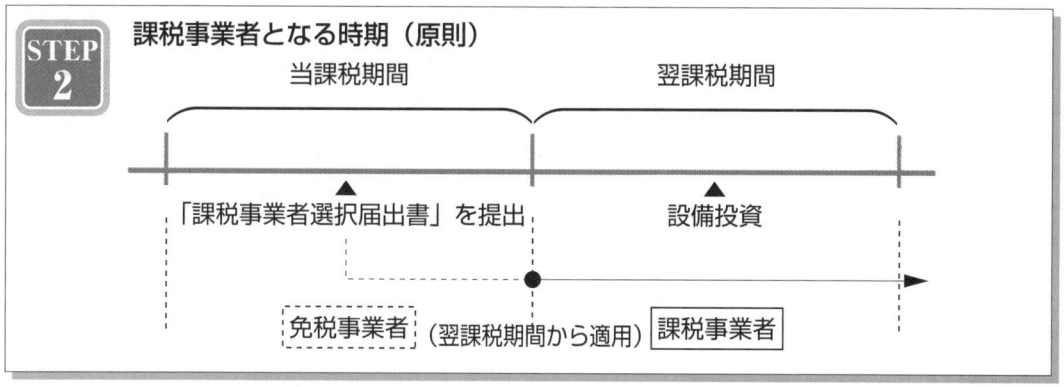
STEP 2
課税事業者となる時期（原則）
当課税期間
翌課税期間
「課税事業者選択届出書」を提出
設備投資
免税事業者
（翌課税期間から適用）
課税事業者

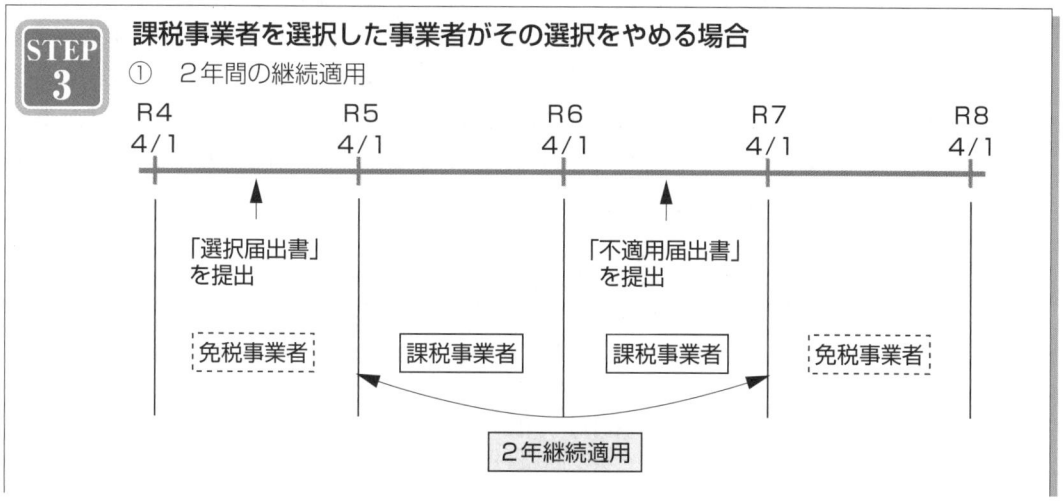
STEP 3
課税事業者を選択した事業者がその選択をやめる場合
① 2年間の継続適用
R4 4/1
R5 4/1
R6 4/1
R7 4/1
R8 4/1
「選択届出書」を提出
「不適用届出書」を提出
免税事業者
課税事業者
課税事業者
免税事業者
2年継続適用

2．提出時期（消法９⑧）

「消費税課税事業者選択不適用届出書」を提出すると、提出した日の属する課税期間の翌課税期間から免税事業者となります。したがって、選択をやめようとする課税期間の初日の前日までに提出しなければなりません。

3．課税事業者の継続適用が強制される期間

① **2年間の継続適用**（消法９⑥）

「消費税課税事業者選択不適用届出書」は、課税事業者となった課税期間の初日から２年を経過する日の属する課税期間の初日以後でなければ、提出できません。

したがって課税事業者を選択した場合は、２年間継続した後でなければ課税事業者をやめることはできません。

② **3年間の継続適用**（消法９⑦）

課税事業者を選択した事業者が、課税事業者となった課税期間の初日から２年を経過する日までの間に開始した各課税期間中（簡易課税制度の適用を受けている課税期間を除きます。）に、**調整対象固定資産を取得**した場合には、その取得があった課税期間の初日から３年を経過する日の属する課税期間の初日以後でなければ、「消費税課税事業者選択不適用届出書」は提出できません。

また、その課税事業者をやめることができない期間中に、この届出書を提出した後、同一の課税期間に調整対象固定資産を取得した場合には、既に提出したこの届出書はその提出がなかったものとみなされ無効となります。

STEP 4

災害等のやむを得ない事情がある場合の特例（宥恕規定）

（消法９⑨、消令20の２、消基通１－４－16、１－４－17）

課税事業者を選択しようとする事業者又は課税事業者の選択をやめようとする事業者が、やむを得ない事情により「消費税課税事業者選択届出書」又は「消費税課税事業者選択不適用届出書」を期限までに提出できなかった場合において、そのやむを得ない事情がやんだ日から２か月以内に事情等を記載した特例承認申請書を所轄税務署長へ提出し、その承認を受けたときは、提出期限までに各届出書を提出したものとみなされます。

◎　やむを得ない事情

(1)　震災、風水害、雪害、凍害、落雷、雪崩、がけ崩れ、地滑り、火山の噴火等の天災又は火災その他の人的災害で自己の責任によらないものに基因する災害が発生したことにより、届出書の提出ができない状態になったと認められる場合
(2)　(1)に準ずるような状況又は当該事業者の責めに帰することができない状態にあることにより、届出書の提出ができない状態になったと認められる場合
(3)　その課税期間の末日前おおむね１月以内に相続があったことにより、当該相続に係る相続人が新たに消法第９条第４項の届出書を提出できる個人事業者となった場合
(4)　(1)から(3)までに準ずる事情がある場合で、税務署長がやむを得ないと認めた場合

② 3年間の継続適用

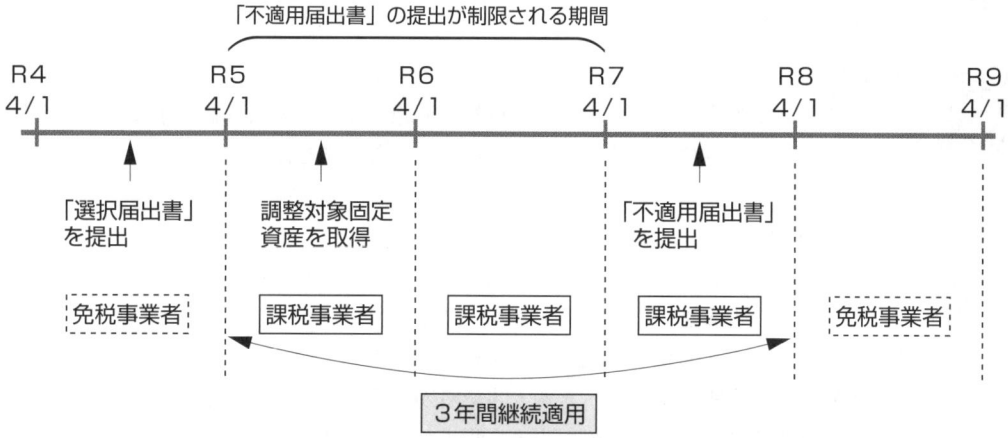

STEP 4

災害等のやむを得ない事情がある場合の特例

設例 令和6年4月1日から課税事業者を選択する予定だったが、災害により届出書を提出できなかった場合

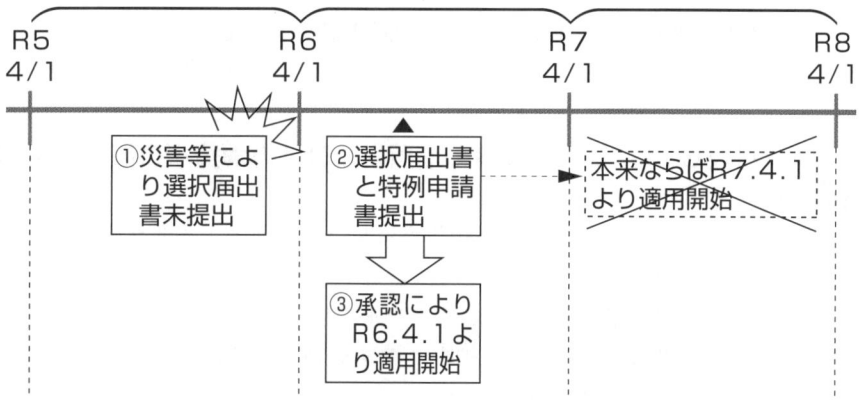

【当初はR6.4.1より課税事業者を選択する予定だった】

① しかし、災害等やむを得ない理由により「課税事業者選択届出書」を提出できなかった。

② 「課税事業者選択届出書」と「特例承認申請書」を提出した。
（本来ならば提出課税期間の翌課税期間より適用開始となる）

③ 税務署長の承認により、予定どおりR6.4.1より課税事業者の適用を開始することができる。

No.78 消費税の(準)確定申告

STEP 1

概要

個人事業者が死亡した場合には、所得税と同様、その相続人は個人事業者の死亡日の翌日から4か月以内に(準)確定申告をしなければなりません。

STEP 2

(準)確定申告 (消法45②③)

次に該当する場合は、相続人はその相続の開始があったことを知った日の翌日から4か月以内に、申告書を提出する必要があります。

1．課税事業者である個人事業者が、課税期間の中途に死亡した場合

2．消費税の申告書を提出すべき個人事業者が、その課税期間の末日の翌日から申告書の提出期限までの間に、その申告書を提出しないで死亡した場合

STEP 3

「死亡した事業者の消費税及び地方消費税の確定申告書」を作成する

1．課税事業者である個人事業者が、課税期間の中途に死亡した場合には、課税期間の初日から死亡した日までを課税期間とする消費税の確定申告書を作成します。

2．消費税の申告書を提出すべき個人事業者が、その課税期間の末日の翌日から申告書の提出期限までの間に、その申告書を提出しないで死亡した場合には、その課税期間と、死亡した日までを課税期間とする消費税の確定申告書を作成します。

STEP 4

「付表6 死亡した事業者の消費税及び地方消費税の確定申告明細書」を作成する

STEP3により作成した確定申告書に基づき、「死亡した事業者の消費税及び地方消費税の確定申告明細書」を作成します。

死亡した事業者の相続人は、事業を承継したか否かにかかわらず、消費税の申告書を提出する必要があり、この明細書に基づき計算した消費税額を負担し、又は還付税額がある場合は還付税額を請求します。

STEP 5

「個人事業者の死亡届出書」を作成する (消法57①四)

課税事業者である個人事業者が死亡した場合には、その相続人が「個人事業者の死亡届出書」を被相続人の納税地の所轄税務署長に提出する必要があります。

STEP 6

「適格請求書発行事業者の死亡届出書」を作成する

適格請求書発行事業者である個人事業者が死亡した場合には、その相続人が「適格請求書発行事業者の死亡届出書」を被相続人の納税地の所轄税務署長に提出する必要があります。被相続人の適格請求書発行事業者の登録については、この届出書の提出日の翌日または、死亡した日の翌日から4か月を経過した日のいずれか早い日にその効力を失うこととなります。

STEP 2

（準）確定申告

1．課税事業者である個人事業者が、課税期間の中途に死亡した場合（令和６年分）

2．消費税の申告書を提出すべき個人事業者が、その課税期間の末日の翌日から申告書の提出期限までの間に、その申告書を提出しないで死亡した場合（令和６年分及び令和７年分）

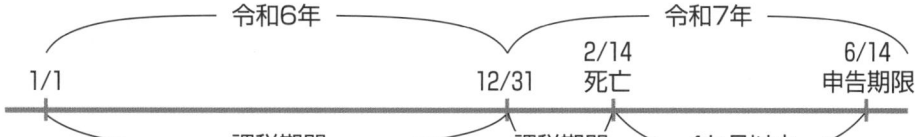

STEP 3

「死亡した事業者の消費税及び地方消費税の確定申告書」を作成する

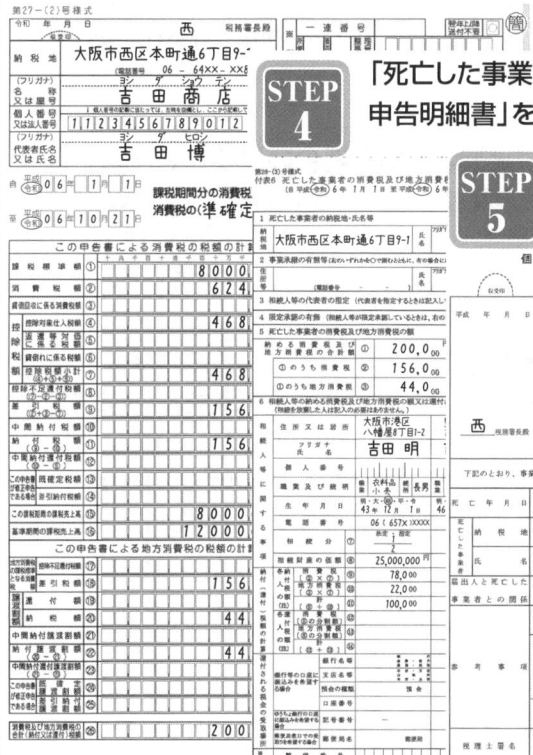

STEP 4

「死亡した事業者の消費税及び地方消費税の確定申告明細書」を作成する

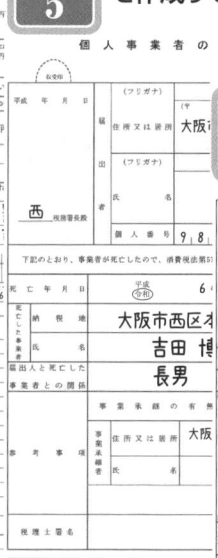

STEP 5

「個人事業者の死亡届出書」を作成する

STEP 6

「適格請求書発行事業者の死亡届出書」を作成する

No.79 相続があった場合の納税義務の免除の特例

STEP 1

概要

基準期間の課税売上高が1,000万円以下の事業者は、納税義務が免除されますが、相続により事業を引き継いだ場合には、納税義務判定の特例があります。

STEP 2

相続があった場合の納税義務の免除の特例（消法10①②、消基通１－５－４）

免税事業者である個人事業者や事業を営んでいなかった個人が相続により被相続人の事業を承継した場合には、次の区分によりその相続人の納税義務を判定します。

なお、複数の事業場を複数の相続人が事業場ごとに相続した場合は、それぞれの事業場の課税売上高で判定します。また、相続があった場合には、特定期間の課税売上高による判定は行いません。

１．相続があった年

被相続人の基準期間における課税売上高が、1,000万円を超える場合は、相続があった日の翌日からその年の12月31日までの間の相続人の納税義務は免除されません。

２．相続があった年の翌年又は翌々年

基準期間における相続人の課税売上高と被相続人の課税売上高の合計額が、1,000万円を超える場合は、相続があった年の翌年又は翌々年の相続人の納税義務は免除されません。

STEP 3

「相続等があったことにより課税事業者となる場合の付表」を作成する

相続があった場合の納税義務の免除の特例により、事業を承継した相続人が課税事業者となる場合は、「消費税課税事業者届出書」とともに「相続・合併・分割等があったことにより課税事業者となる場合の付表」を、納税地の所轄税務署長に提出する必要があります。

STEP 4

「消費税簡易課税制度選択届出書」の効力

被相続人が簡易課税制度を選択適用していた場合であっても、被相続人の死亡によりその効力は消滅します。したがって、相続人が簡易課税制度の適用を受けようとする場合は、相続人は「簡易課税制度選択届出書」を納税地の所轄税務署長に提出する必要があります。

なお、簡易課税制度の適用要件である基準期間の課税売上高5,000万円以下の判定は、相続人の課税売上高だけで行います。被相続人の課税売上高は、**STEP2**の納税義務の判定に使用しますが、簡易課税制度の判定には使用しません。

STEP 5

適格請求書発行事業者の登録（消法57の３③）

免税事業者である相続人が、適格請求書発行事業者である被相続人の事業を承継し、適格請求書発行事業者として登録する場合には、**登録申請書を提出する必要があります。**

この場合において、その相続があった日の翌日から、その相続人が登録を受けた日の前日または被相続人が死亡した日の翌日から４か月を経過する日のいずれか早い日までの期間（みなし登録期間）については、その相続人を登録事業者とみなす措置が設けられており、みなし登録期間中は、被相続人の登録番号をその相続人の登録番号とみなすこととされています。

STEP 2 相続があった場合の納税義務の免除の特例

設例

	令和4年	令和5年	令和6年	令和7年	令和8年
被相続人	課税売上高 1,200万円 課税事業者	課税売上高 900万円 課税事業者	1/1 課税売上高 800万円 課税事業者 10/21 死亡	12/31	
相続人	課税売上高 750万円 免税事業者	課税売上高 800万円 免税事業者	課税売上高 500万円 承継	課税売上高 700万円	

(注1) 課税事業者であった期間の課税売上高は税抜き金額で、免税事業者であった期間の課税売上高は税込み金額で判定します。

(注2) 相続により課税事業者となった場合(免税→課税)には、相続があった日の棚卸資産の調整を行います。(**No.70**参照)

相続人の納税義務の判定

相続があった年	相続があった年の翌年	相続があった年の翌々年
基準期間：令和４年	基準期間：令和５年	基準期間：令和６年
1月1日から10月21日まで 750万円≦1,000万円 ∴納税義務なし 10月22日から12月31日まで 1,200万円＞1,000万円 ∴納税義務あり	800万円＋900万円 ＝1,700万円＞1,000万円 ∴納税義務あり	500万円＋700万円＋800万円 ＝2,000万円＞1,000万円 ∴納税義務あり

STEP 3 「消費税課税事業者届出書」「相続・合併・分割等があったことにより課税事業者となる場合の付表」を作成する

第３－(1)号様式　基準期間用

消費税課税事業者届出書

収受印

令和　年　月　日

港 税務署長殿

届出者	(フリガナ) 納税地	(〒552－0014) 大阪市港区八幡屋8-1-2 (電話番号 06 －65XX－ XX09)
	(フリガナ) 住所又は居所(法人の場合)本店又は主たる事務所の所在地	(〒　－　) (電話番号　－　－　)
	(フリガナ) 名称(屋号)	吉田商店
	個人番号又は法人番号	1 個人番号の記載に当たっては、左端を空欄とし、ここから記載してください。 1 1 2 3 4 5 6 7 8 9 0 1 2
	(フリガナ) 氏名(法人の場合)代表者氏名	吉田　明
	(フリガナ) (法人の場合)代表者住所	(電話番号　－　－　)

下記のとおり、基準期間における課税売上高が1,000万円を超えることとなったので、消費税法第57条第1項第1号の規定により届出します。

適用開始課税期間	自 平成(令和) 6年 10月 22日	至 平成(令和) 6年 12月 31日	
上記期間の基準期間	自 平成(令和) 4年 1月 1日 至 平成(令和) 4年 12月 31日	左記期間の総売上高	12,000,000 円
		左記期間の課税売上高	12,000,000 円
事業内容等	生年月日(個人)又は設立年月日(法人) 43年 12月 1日	1明治・2大正・3昭和・4平成・5令和	法人のみ記載 事業年度 自 月 日 至 月 日
			資本金 円
	事業内容 衣料品小売業	届出区分 (新規)・合併・分割等・その他	
参考事項		税理士署名 (電話番号　－　－　)	

第４号様式

相続・合併・分割等があったことにより課税事業者となる場合の付表

収受印

届出者	納税地	大阪市港区八幡屋 8-1-2
	氏名又は名称	吉田　明

① 相続の場合 (分割相続 有・(無))

被相続人の	納税地	大阪市西区本町通 6-9-1 所轄署 (西)
	氏名	吉田　博
	事業内容	

② 合併の場合 (設立合併・吸収合併)

I 被合併法人の	納税地	所轄署 ( )
	名称	
	事業内容	
II 被合併法人の	納税地	所轄署 ( )
	名称	
	事業内容	

基準期間の課税売上高

課税事業者となる課税期間の基準期間	自 平成(令和) 4年 1月 1日 至 平成(令和) 4年 12月 31日	
上記期間の	①(相続人) ②合併法人 ③分割子法人 の課税売上高	7,500,000 円
	①(被相続人) ②被合併法人 ③分割親法人 の課税売上高	12,000,000 円
	合計	19,500,000 円

注意 1 相続により事業場ごとに分割承継した場合は、自己の相続した事業場に係る部分の被相続人の課税売上高を記入してください。

2 ①、②及び③のかっこ書については該当する項目を○で囲ってください。

3 「分割親法人」とは、分割等を行った法人をいい、「分割子法人」とは、新設分割、現物出資又は事後設立により設立された法人若しくは吸収分割により営業を承継した法人をいいます。

No.80 合併・分割等があった場合の納税義務の免除の特例

STEP 1

概要

免税事業者である法人が、合併により被合併法人の事業を承継した場合や、分割等（新設分割、一定の現物出資又は事後設立）により設立又は事業譲渡を受けた法人については、納税義務の免除について特例が設けられています。

STEP 2

合併により事業を承継した場合（消法11、消基通１－５－６・１－５－７）

免税事業者である法人が合併により被合併法人の事業を承継した場合や、合併により法人が設立された場合は、次の事業年度に応じ、それぞれの課税売上高が1,000万円を超える場合は、納税義務が免除されません。

なお、合併法人の特定期間の課税売上高の判定は、合併法人の課税売上高のみで行います。

（１）合併があった日の属する事業年度

> 合併法人のその事業年度の**基準期間に対応する期間**における被合併法人の課税売上高（被合併法人が２以上ある場合は、**いずれか**の被合併法人の課税売上高）。

【基準期間に対応する期間】（消令22①②③）

合併法人の合併があった日の属する事業年度開始の日の２年前の日の前日から１年を経過する日までの間に終了した被合併法人の各事業年度。

（２）合併があった日の事業年度の翌事業年度及び翌々事業年度

① 吸収合併の場合

> 合併法人の基準期間における課税売上高と被合併法人の**基準期間に対応する期間**における課税売上高（被合併法人が２以上ある場合は、各被合併法人の課税売上高の合計額）との合計額。

② 新設合併の場合

> 合併法人の基準期間における課税売上高（年換算をしない実額）と各被合併法人の**基準期間に対応する期間**における課税売上高との合計額。

STEP 2

合併により事業を承継した場合の納税義務の判定

【例】A社及びB社を吸収合併した場合

合併法人（3月末決算）

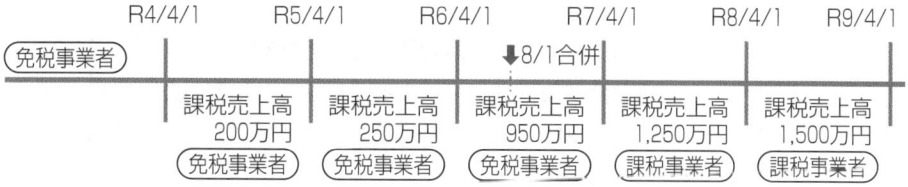

A被合併法人（9月末決算）

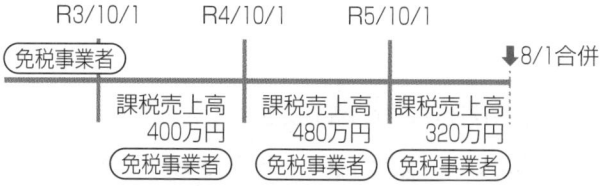

B被合併法人（6月末決算）

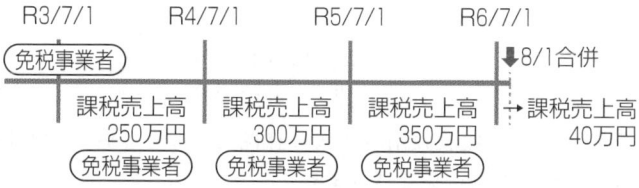

合併があった日を含む事業年度（R6/4/1～R7/3/31）

合併法人	200万円	≦	1,000万円
A被合併法人（R3/10/1～R4/9/30）	400万円	≦	1,000万円
B被合併法人（R3/7/1～R4/6/30）	250万円	≦	1,000万円

∴納税義務なし

合併の翌事業年度（R7/4/1～R8/3/31）

合併法人　250万円　≦　1,000万円

合併法人＋A被合併法人＋B被合併法人

250万円＋480万円＋300万円＝1,030万円　＞　1,000万円

∴納税義務あり

合併の翌々事業年度（R8/4/1～R9/3/31）

合併法人　950万円　≦　1,000万円

合併法人＋A被合併法人＋B被合併法人

950万円＋｛320万円×12/10（年換算）×4/12｝＋｛(350万円＋40万円）×12/13（年換算）×4/12｝＝1,198万円　＞　1,000万円

∴納税義務あり

STEP 3 分割等（新設分割、一定の現物出資又は事後設立）があった場合

（消法12、消基通１－５－６の２・１－５－９・１－５－13）

（１）分割等があった日の属する事業年度及び翌事業年度

イ　新設分割子法人

> 新設分割子法人の**基準期間に対応する期間**における新設分割親法人の課税売上高（新設分割親法人が２以上ある場合は、**いずれか**の新設分割親法人の課税売上高）が1,000万円を超えるときは、納税義務が免除されません。

【基準期間に対応する期間】（消令23①②）

新設分割子法人の分割等があった日の属する事業年度開始の日の２年前の日の前日から１年を経過する日までの間に**終了した**新設分割親法人の各事業年度。

ロ　新設分割親法人

> 新設分割親法人の基準期間における課税売上高で判定する。

（２）分割等（新設分割親法人が一社の場合に限る。）があった日の属する事業年度の翌々事業年度以後

イ　新設分割子法人

> 新設分割子法人がその事業年度の基準期間の末日において、特定要件に該当し、かつ、新設分割子法人の基準期間における課税売上高と、その**基準期間に対応する期間**における新設分割親法人の課税売上高との合計額が1,000万円を超える場合は、納税義務が免除されません。

【特定要件】（消法12③、消令24）

新設分割子法人の株式等の50％超が、新設分割親法人及びその特殊関係者の所有される場合など、新設分割親法人等に支配されていること。

なお、特定要件に該当しない場合は、特例の適用はありません。

【基準期間に対応する期間】（消令23④）

新設分割子法人のその事業年度開始の日の２年前の日の前日から１年を経過する日までの間に**開始した**新設分割親法人の各事業年度。

ロ　新設分割親法人

> 新設分割子法人がその事業年度の基準期間の末日において、特定要件に該当し、かつ、新設分割親法人の基準期間における課税売上高と、その**基準期間に対応する期間**の新設分割子法人の課税売上高との合計額が1,000万円を超える場合は、納税義務が免除されません。

【基準期間に対応する期間】（消令23⑤）

新設分割親法人のその事業年度開始の日の２年前の日の前日から１年を経過する日までの間に**開始した**新設分割子法人の各事業年度。

STEP 3

分割等（新設分割、一定の現物出資又は事後設立）があった場合の納税義務の判定

【例】新設分割（特定要件に該当）

新設分割親法人（3月末決算）

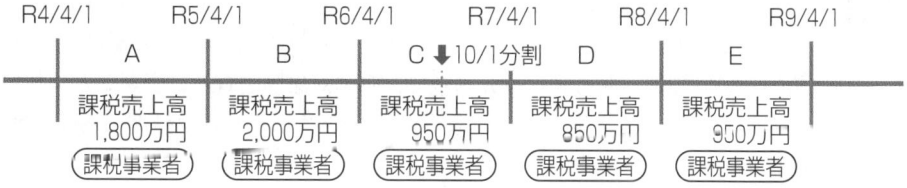

新設分割子法人（9月末決算、新設法人に該当しない）

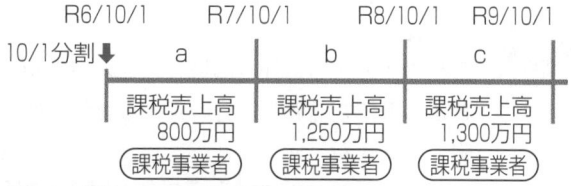

新設分割子法人の納税義務判定	
a課税期間	新設分割親法人（A）1,800万円 ＞ 1,000万円 ∴納税義務あり
b課税期間	新設分割親法人（B）2,000万円 ＞ 1,000万円 ∴納税義務あり
c課税期間	新設分割法人（a）800万円 ≦ 1,000万円 新設分割子法人（a）＋新設分割親法人（D） 800万円＋850万円＝1,650万円 ＞ 1,000万円 ∴納税義務あり

新設分割親法人の納税義務判定	
C課税期間	新設分割親法人（A）1,800万円 ＞ 1,000万円 ∴納税義務あり
D課税期間	新設分割親法人（B）2,000万円 ＞ 1,000万円 ∴納税義務あり
E課税期間	新設分割親法人（C）950万円 ≦ 1,000万円 新設分割親法人（C）＋新設分割子法人（a）×（R6/10/1～R7/3/31）/12 950万円＋800万円×6/12＝1,350万円 ＞ 1,000万円 ∴納税義務あり

No.81 高額特定資産を取得等した場合の納税義務の免除等の特例

STEP 1

高額特定資産とは（消令25の５①一）

棚卸資産及び調整対象固定資産（対象資産）で、一の取引の単位に係る課税仕入れに係る支払対価の額（付随費用は含まない）の$\frac{100}{110}$に相当する金額が、**1,000万円以上のもの**をいいます（共有物は持分割合で、調整対象固定資産は資産ごとに判定）。

保税地域から引き取られる対象資産の場合は、その課税標準である金額が、1,000万円以上のものをいいます。

STEP 2

高額特定資産を取得した場合（消法12の４①）

課税事業者が、簡易課税制度の適用を受けない課税期間中に、国内における**高額特定資産**の仕入れ等を行った場合、その高額特定資産の**仕入れ等の日**の属する課税期間の初日から**３年**を経過する日の属する課税期間までの各課税期間については、納税義務が免除されません。

また、その３年を経過する日の属する課税期間の初日の前日までの期間は、「消費税簡易課税制度選択届出書」を提出することはできません。

STEP 3

自己建設高額特定資産とは（消法12の４①）

他の者との契約に基づき又は事業者の棚卸資産若しくは調整対象固定資産として、自ら建設、製作又は製造（建設等）をした高額特定資産をいいます。

STEP 4

自己建設高額特定資産を建設等した場合

（消法12の４①、消令25の５①二、消令25の５②）

自己建設高額特定資産で、その建設等に要した仕入れ等の支払対価の額の$\frac{100}{110}$に相当する金額の累計額が、1,000万円以上となった日の属する課税期間の翌課税期間から、その**建設等が完了した日**の属する課税期間の初日以後**３年**を経過する日の属する課税期間までの各課税期間においては、納税義務が免除されません。

また、その３年を経過する日の属する課税期間の初日の前日までの期間は、「消費税簡易課税制度選択届出書」を提出することはできません。

※　建設等に要した仕入れ等の支払対価の額には、免税期間中及び簡易課税制度適用期間中の課税仕入れ等に係るものを除きます。

STEP 5

金又は白金の地金等を取得した場合

課税事業者が、令和６年４月１日以後、簡易課税制度又は２割特例の適用を受けない課税期間中に金又は白金の地金等の仕入れ等を行い、それらの仕入れ等の税抜きの金額の合計額が200万円以上である場合には、その仕入れ等を行った課税期間の初日以後３年を経過する日の属する課税期間までの各課税期間については、納税義務が免除されません。

また、その３年を経過する日の属する課税期間の初日の前日までの期間は、「消費税簡易課税制度選択届出書」を提出することはできません。

なお、200万円の判定は、課税期間が１年に満たない場合には、その課税期間の月数で除し、これに12を乗じて計算します。（月数は、暦に従って計算し、１月に満たない端数があるときは、切り捨てます。）

STEP 1 高額特定資産

対象資産	棚卸資産及び調整対象固定資産（**No.74**「調整対象固定資産①－転用した場合」参照）
一組、一式の税抜き金額が1,000万円以上	国内の課税資産　支払対価×$\frac{100}{110}$　が1,000万円以上 輸入貨物　課税標準が1,000万円以上 ※付随費用を除く。資本的支出を含む。共有物は持分割合で判定。

STEP 2 高額特定資産を取得した場合の納税義務の判定

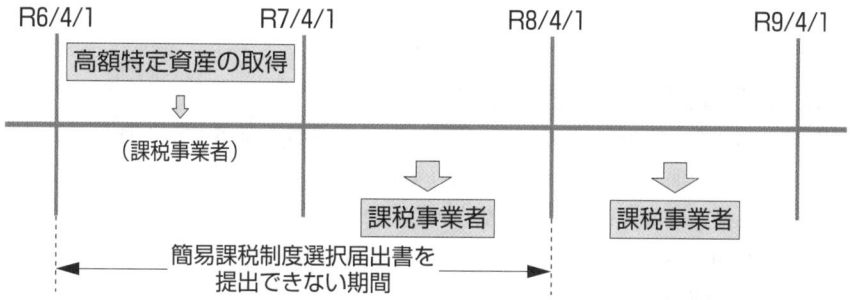

STEP 4 自己建設高額特定資産を建設等した場合の納税義務の判定

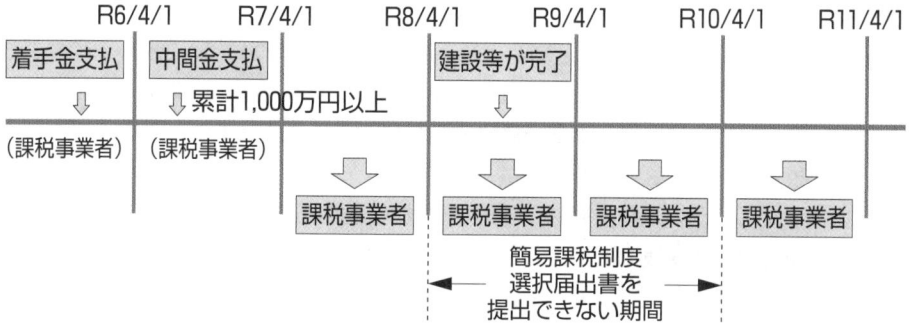

No.82 高額特定資産である棚卸資産等について調整措置の適用を受けた場合の納税義務の免除の特例の制限

STEP 1

高額特定資産とは（消令25の５①一）

棚卸資産及び調整対象固定資産（以下「対象資産」といいます。）で、一の取引の単位に係る課税仕入れに係る支払対価の額（付随費用は含まない）の$\frac{100}{110}$に相当する金額が、**1,000万円以上**のものをいいます（共有物は割合で、調整対象固定資産は資産ごとに判定）。

保税地域から引き取られる対象資産の場合は、その課税標準である金額が、**1,000万円以上**のものをいいます。

STEP 2

棚卸資産等の調整措置とは（消法36①③）

棚卸資産の調整措置とは、免税事業者が課税事業者となる日の前日に、免税事業者であった期間中に行った課税仕入れ等に係る棚卸資産を有している場合、その棚卸資産の課税仕入れ等に係る消費税額を、課税事業者となった課税期間の課税仕入れ等に係る消費税額とみなして仕入税額控除の計算の対象とする等の制度です。（**No.70**「棚卸資産に係る消費税額の調達」参照。）

STEP 3

高額特定資産である棚卸資産等について棚卸資産の調整措置を受けた場合（消法12の４②）

事業者が、「高額特定資産である棚卸資産等」について、「棚卸資産の調整措置」の適用を受けた場合は、その適用を受けた課税期間の翌課税期間から、その適用を受けた課税期間の初日以後３年を経過する日の属する課税期間までの各課税期間については、納税義務が免除されません。

また、その３年を経過する日の属する課税期間の初日の前日までの期間は、「消費税簡易課税制度選択届出書」を提出することができません。（消法37③四）

STEP 4

調整対象自己建設高額資産とは（消法12の４②、消令25の５③）

調整対象自己建設高額資産とは、他の者との契約に基づき、又は事業者の棚卸資産として自ら建設等をした棚卸資産で、その建設等に要した課税仕入れに係る支払対価の額の$\frac{100}{110}$に相当する金額等の累計額が1,000万円以上となったものをいいます。

「自己建設高額特定資産」とほぼ同義ですが、「棚卸資産の調整措置」の適用対象となることから、納税義務が免除されていた期間中の課税仕入れに係る支払対価も含まれます。

STEP 1 高額特定資産　STEP 4 調整対象自己建設高額資産

対象資産	高額特定資産 （自己建設の場合は原則課税期間中の課税仕入れの対価に限ります。）	調整対象自己建設高額資産 （免税期間中の課税仕入れの対価も含まれます。）
一組、一式の税抜き金額が1,000万円以上	国内の課税資産 支払対価×100／110が1,000万円以上 輸入貨物 課税標準が1,000万円以上 ※付随費用を除く。資本的支出を含む。共有物は持分割合で判定。	

STEP 2 棚卸資産等についての調整措置

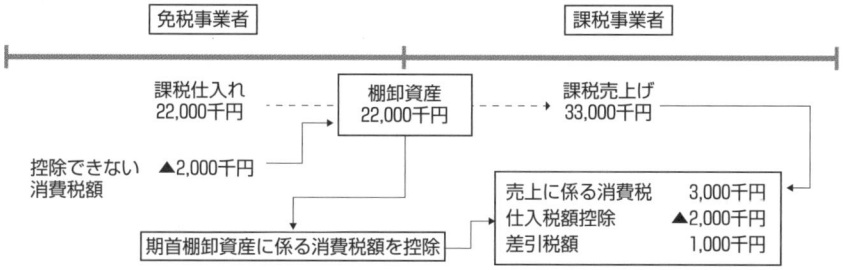

STEP 3 高額特定資産である棚卸資産等についての調整措置を受けた場合

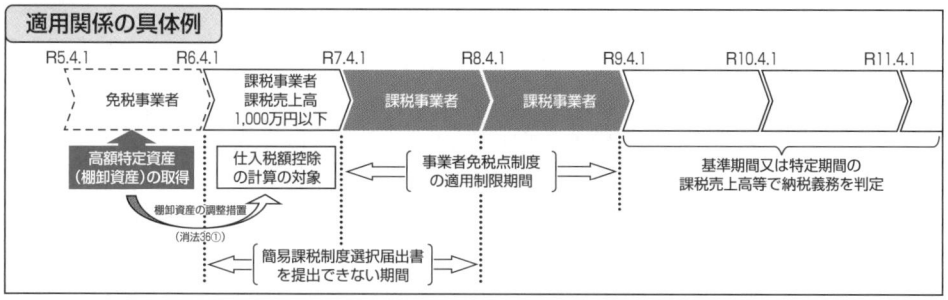

STEP 5

調整対象自己建設高額資産である棚卸資産等についての調整措置を受けた場合（消法12の４②）

事業者が、調整対象自己建設高額資産について、棚卸資産の調整措置の適用を受けた場合にも、その適用を受けた課税期間の翌課税期間から、その適用を受けた課税期間（その適用を受けることとなった日の前日までに建設等が完了していない調整対象自己建設高額資産にあっては、その建設等が完了した日の属する課税期間）の初日以後３年を経過する日の属する課税期間までの各課税期間については、納税義務が免除されません。

また、その３年を経過する日の属する課税期間の初日の前日までの期間は、「消費税簡易課税制度選択届出書」を提出することができません。（消法37③四）

【適用開始時期】 STEP３、STEP５の規定は、令和２年４月１日以後に棚卸資産の調整措置の適用を受けることとなった場合から適用されます。

STEP 5 調整対象自己建設高額資産である棚卸資産等についての調整措置を受けた場合

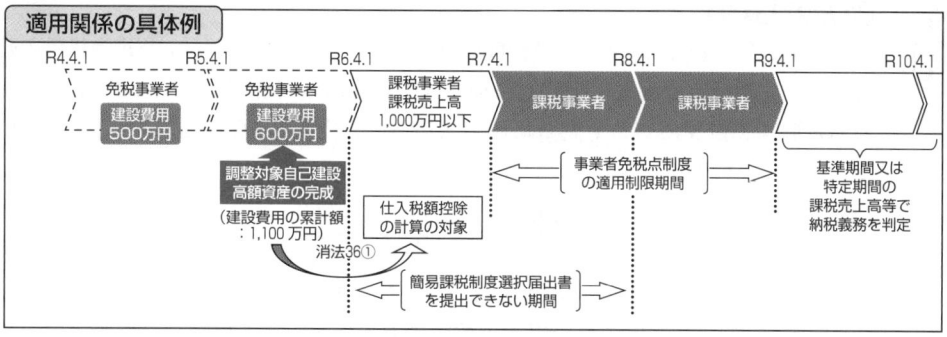

No.83 居住用賃貸建物の取得等に係る仕入税額控除の制限

STEP 1

居住用賃貸建物とは

居住用賃貸建物とは、住宅の貸付けの用に供しないことが明らかな建物以外の建物であって、**高額特定資産**又は**調整対象自己建設高額資産**（詳細は、**No.82**「高額特定資産である棚卸資産等について調整措置の適用を受けた場合の納税義務の免除の特例の制限」参照）に**該当**するものをいいます。

「**住宅の貸付けの用に供しないことが明らかな建物**」とは、建物の構造及び設備の状況その他の状況により住宅の貸付けの用に供しないことが客観的に明らかなものをいい、例えば、次に掲げるようなものがこれに該当します。（消基通11－7－1）

① 建物の全てが店舗等の事業用施設である建物など、建物の設備等の状況により住宅の貸付けの用に供しないことが明らかな建物

② 旅館又はホテルなど、旅館業法第2条第1項《定義》に規定する旅館業に係る施設の貸付けに供することが明らかな建物

③ 棚卸資産として取得した建物であって、所有している間、住宅の貸付けの用に供しないことが明らかなもの

STEP 2

居住用賃貸建物の判定時期（消基通11－7－2）

原則…課税仕入れを行った日

例外…課税仕入れを行った日の属する課税期間の末日において、住宅の貸付けの用に供しないことが明らかにされたときは、居住用賃貸建物に該当しないものとして差し支えありません。

STEP 3

仕入税額控除の制限（消法30⑩）

事業者が、国内において行う居住用賃貸建物を取得等した場合の課税仕入れの税額については、仕入税額控除の対象としないこととされました。

一方で、住宅の貸付けの用に供しないことが明らかな建物については、仕入税額控除の対象となります。

例えば、建物の一部が事務所用になっている又は、地下駐車場を有する居住用賃貸建物を、その構造及び設備その他の状況により**住宅の貸付けの用に供しないことが明らかな部分**と**それ以外の部分**（「**居住用賃貸部分**」といいます。）とに**合理的に区分**しているときは、その居住用賃貸部分以外の部分に係る課税仕入れ等の税額については、これまでと同様、仕入税額控除の対象となります。

（注1） 「合理的に区分している」とは、使用面積割合や使用面積に対する建設原価の割合など、その建物の実態に応じた合理的な基準により区分していることをいいます。（消基通11－7－3）

（注2） 税抜経理方式を採用している場合、仕入税額控除の制限を受けて控除することができない仮払消費税等の額は、資産に係る控除対象外消費税額等に該当し、繰延消費税額等として資産計上する必要があります。（**No.65**「控除対象外消費税額等の処理」参照）

STEP 1 居住用賃貸建物とは

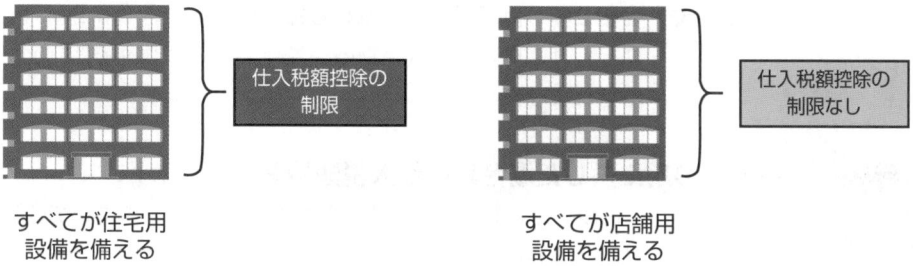

STEP 2 居住用賃貸建物の判定時期

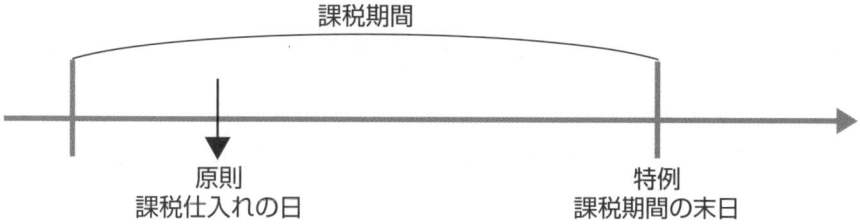

STEP 3 仕入税額控除の制限

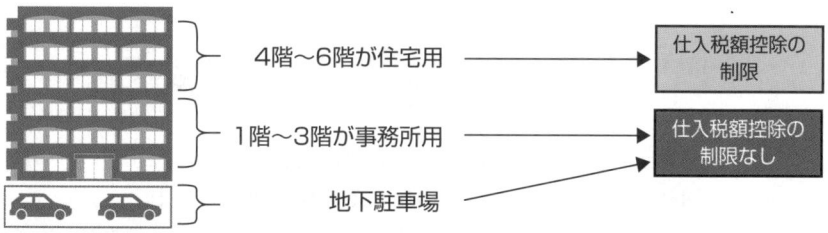

[適用開始時期]

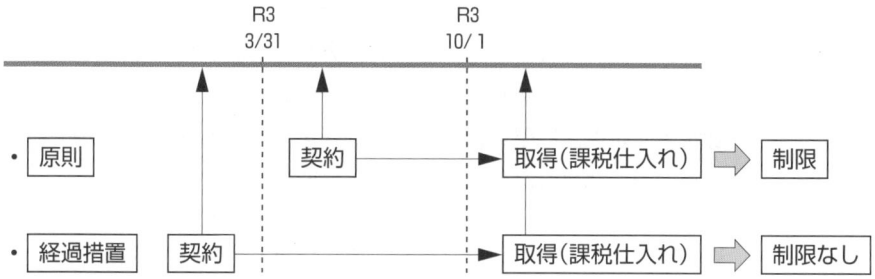

【適用開始時期】令和２年10月１日以後に行われる居住用賃貸建物の課税仕入れ等の税額について適用されます。

【経過措置】令和２年３月31日までに締結した契約に基づき令和２年 10 月１日以後に行われる居住用賃貸建物の課税仕入れ等については、上記の制限は適用されません。

STEP 4 課税賃貸の用に供した場合等の仕入税額控除（消法35の２）

STEP３の仕入税額控除の制限を受けた「居住用賃貸建物」について、次のいずれかに該当する場合は、仕入控除税額を調整します。

(1) 第三年度の課税期間の末日にその居住用賃貸建物を有しており、かつ、その居住用賃貸建物の全部又は一部を調整期間中に課税賃貸用に供した場合

次の算式で計算した消費税額を第三年度の課税期間の仕入控除税額に加算します。

$$\text{加算する消費税額} = \text{居住用賃貸建物の課税仕入れ等に係る消費税額} \times \frac{\text{Aのうち課税賃貸用に供したものに係る金額}}{\text{調整期間に行った居住用賃貸建物の貸付けの対価の額の合計額（A）}}$$

(2) その居住用賃貸建物の全部又は一部を調整期間中に他の者に譲渡した場合

次の算式で計算した消費税額を第三年度の課税期間の仕入控除税額に加算します。

$$\text{加算する消費税額} = \text{居住用賃貸建物の課税仕入れ等に係る消費税額} \times \frac{\text{Bのうち課税賃貸用に供したものに係る金額＋Cの金額}}{\text{課税譲渡等調整期間に行った居住用賃貸建物の貸付の対価の額の合計額（B）} + \text{居住用賃貸建物の譲渡の対価の額（C）}}$$

① **第三年度の課税期間**とは、居住用賃貸建物の仕入れ等の日の属する課税期間の初日以後３年を経過する日の属する課税期間をいいます。

② **調整期間**とは、居住用賃貸建物の仕入れ等の日から第三年度の課税期間の末日までの期間をいいます。

③ 課税賃貸用とは、非課税とされる住宅の貸付け以外の貸付けの用をいいます。

④ 対価の額は税抜き金額で、この対価の額について値引き等（対価の返還等）がある場合には、その金額を控除した残額で計算します。

⑤ **課税譲渡等調整期間**とは、居住用賃貸建物の仕入れ等の日からその居住用賃貸建物を他の者に譲渡した日までの期間をいいます。

（注） 居住用賃貸建物について、仕入税額控除額の加算調整が行われた場合であっても、資産を取得した課税期間（事業年度）に生じた繰延消費税額等を遡及して修正する必要はありません。

STEP 4

課税賃貸の用に供した場合の仕入税額控除

(1) 第三年度の課税期間の末日にその居住用賃貸建物を有しており、かつ、その居住用賃貸建物の全部又は一部を調整期間に課税賃貸用に供した場合

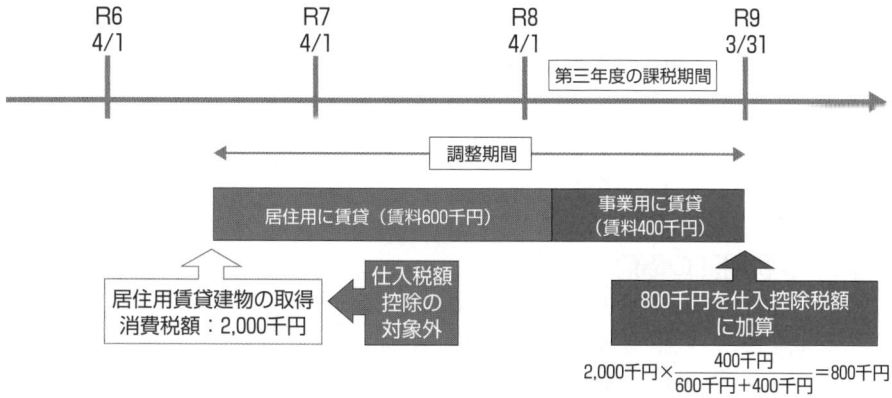

(2) その居住用賃貸建物の全部又は一部を調整期間に他の者に譲渡した場合

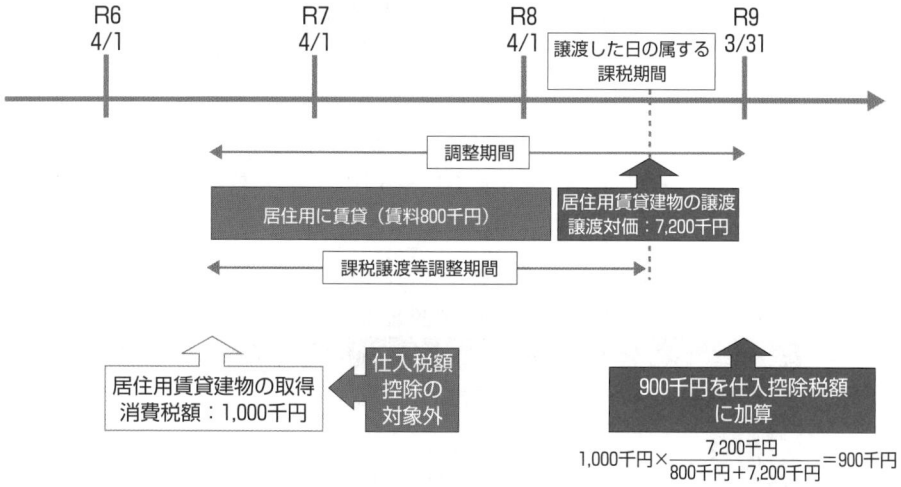

No.84 課税期間の短縮の特例

STEP 1

概要（消法19）

課税期間は、原則として、法人は事業年度、個人事業者は１月１日から12月31日までの期間と定められていますが、事業者の選択により課税期間を**３か月の期間**又は**１か月の期間**に短縮することもできます。

たとえば、輸出業者など免税売上げの多い事業者は、消費税の還付を受けることがありますが、その場合に課税期間を短縮すると、早期に還付を受けることができ、資金繰りの面で有利となります。

STEP 2

課税期間の原則

消費税の課税期間は原則として次のとおりです。

法　　人	事業年度
個人事業者	暦年（１月１日～12月31日）

STEP 3

課税期間短縮の届出書

「課税期間特例選択・変更届出書」を所轄税務署長へ提出した場合は、提出をした期間の翌期間から３か月毎又は１か月毎の課税期間となります。

例えば、法人の場合、短縮される課税期間は、事業年度開始の日から３か月毎又は１か月毎となります。

事業年度が４月１日～３月31日で、３か月に区分する場合
【区分される期間】　①　４月１日～６月30日　　②　７月１日～９月30日
③　10月１日～12月31日　　④　１月１日～３月31日

ただし、合併があった場合など一定の場合には、届出書を提出した期間から適用を受けることができます。（消令41、消基通３－３－２～３－３－４）

原　　則		提出日の属する区分される期間の翌期間以後
特　例	・新たに課税資産の譲渡等に係る事業を開始した場合 ・相続により課税期間を短縮していた被相続人の事業を承継した場合 ・法人が合併により課税期間を短縮していた被合併法人の事業を承継した場合 ・法人が吸収分割により課税期間を短縮していた分割法人の事業を承継した場合	提出日の属する期間以後

（注）　課税期間の短縮の特例を受ける課税期間においては、小規模事業者に係る税額控除に関する経過措置（２割特例）の適用を受けることはできません。

STEP 2

課税期間の原則

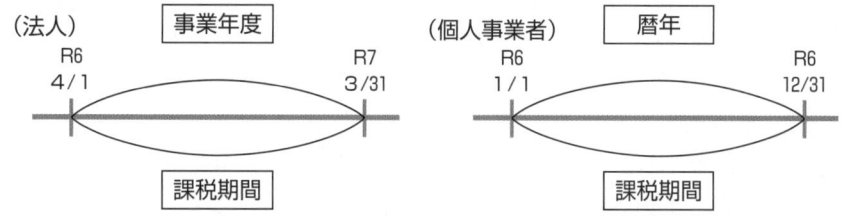

STEP 3

課税期間の短縮

(1)3か月に短縮する場合

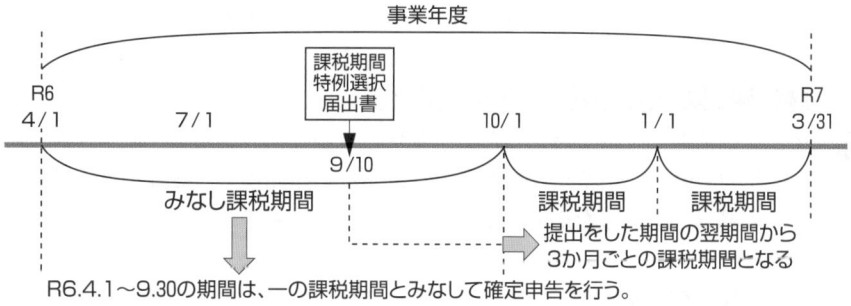

R6.4.1～9.30の期間は、一の課税期間とみなして確定申告を行う。

(2)1か月に短縮する場合

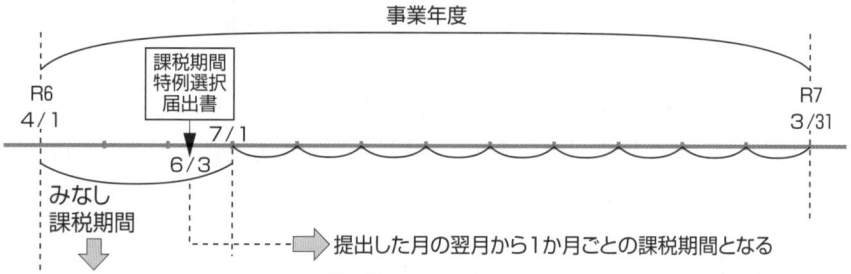

R6.4.1～6.30の期間は、一の課税期間とみなして確定申告を行う。

STEP 4

課税期間の短縮の変更

1．3か月の課税期間を1か月に又は1か月の課税期間を3か月に変更する場合には、所轄税務署長に「課税期間特例選択・変更届出書」を提出する必要があります。この場合、提出した期間の翌期間から課税期間が変更されます。

2．継続適用

(1) 3か月を1か月に変更する場合（消法19⑤、消令41②）

3か月毎の課税期間の特例の効力が生じた日から2年を経過する日の属する月の初日以後でなければ変更の届出書を提出することはできません。

(2) 1か月を3か月に変更する場合（消法19⑤、消令41②二）

1か月毎の課税期間の特例の効力が生じた日から2年を経過する日の属する月の前々月の初日以後でなければ変更の届出書を提出することはできません。

STEP 5

課税期間の短縮の特例をやめる場合

1．課税期間の特例を選択した事業者が、この特例の適用をやめようとするときは、所轄税務署長に「消費税課税期間特例選択不適用届出書」を提出する必要があります。この場合、提出した期間の末日の翌日以後、短縮の効力がなくなり、原則の課税期間に戻ります。

2．2年間継続適用

課税期間の特例を選択した場合は、選択・変更の効力が生じた日から2年を経過する日の属する期間の初日以後でなければ不適用の届出書を提出することはできません。

STEP 6

課税期間の短縮を選択するケースとは

	提出する届出書	効　果
輸出業者が還付を受ける場合	課税期間特例選択・変更届出書	3か月毎（又は1か月毎）に還付を受けることができる
簡易課税制度の適用を受ける場合	簡易課税制度選択届出書 課税期間特例選択・変更届出書	短縮後の翌課税期間から簡易課税制度等適用を受けること又はやめることができる
簡易課税制度の適用をやめる場合	簡易課税制度選択不適用届出書 課税期間特例選択・変更届出書	
課税事業者を選択する場合	課税事業者選択届出書 課税期間特例選択・変更届出書	
課税事業者の選択をやめる場合	課税事業者選択不適用届出書 課税期間特例選択・変更届出書	

STEP 4

課税期間の短縮の特例の変更

(1)3か月を1か月に変更する場合

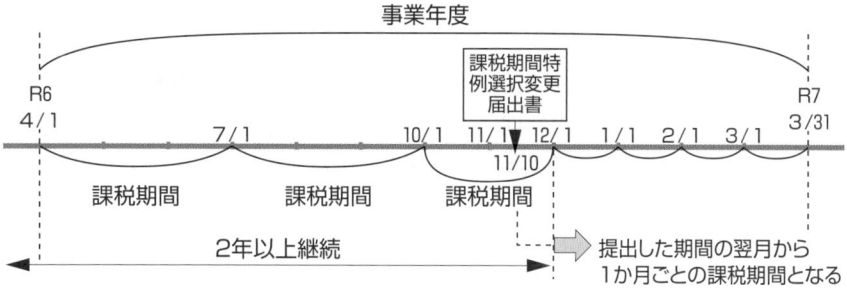

(2)1か月を3か月に変更する場合

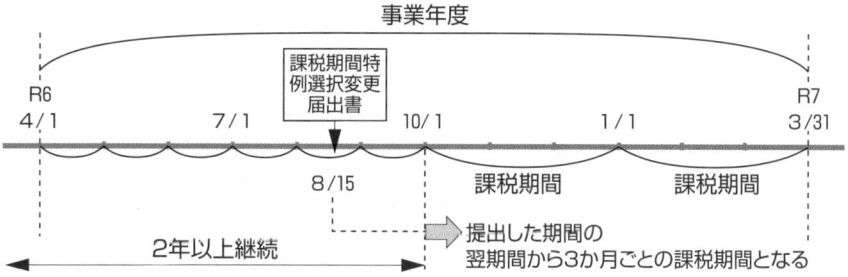

STEP 5

課税期間特例選択の不適用

課税期間の短縮をやめる場合

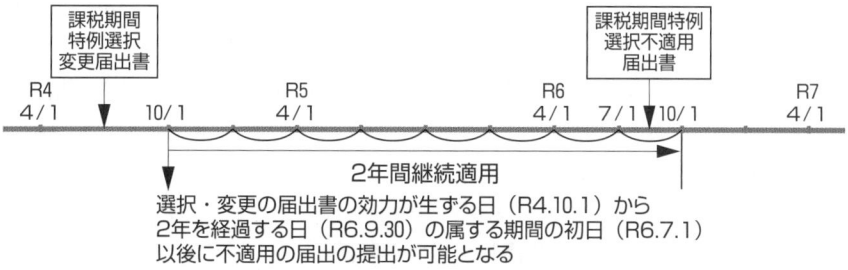

STEP 6

課税期間の短縮を選択するケース

例：輸出業者が還付を受ける場合

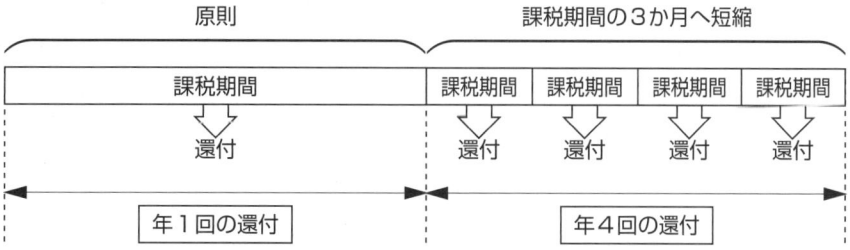

原則の場合は、年1回の確定申告時のみ還付を受けます。

課税期間を短縮（例：3か月）した場合は、年4回確定申告しますので、その度毎に還付を受けます。

No.85 特定非常災害に係る消費税の届出等に関する特例

STEP 1

特例の概要（措法86の５）

平成29年４月に租税特別措置法の一部が改正され、**特定非常災害**の被災者である事業者について、消費税法の特例（以下「災害特例」といいます。）が設けられました。

これにより消費税の課税事業者の選択や簡易課税制度の選択の届出期限を、通常の課税期間の初日の前日から一定の指定日とすることができることとなりました。

この特例は、原則として平成29年４月１日以後発生する特定非常災害から適用されます。

１．届出の特例

特定非常災害の**被災事業者**が、その被害を受けたことによって、**被災日**を含む課税期間以後の課税期間について、**指定日**までに所轄税務署長に次の届出書を提出すれば、その適用を受けよう（又はやめよう）とする課税期間の初日の前日に提出があったものとみなし、適用を受ける（又はやめる）ことができます。

届　出　書
消費税課税事業者選択届出書（又は選択不適用届出書）
消費税簡易課税制度選択届出書（又は選択不適用届出書）

この特例により、例えば、

① 免税事業者が、被害を受けた機械装置を買い換えるため、課税事業者を選択し原則課税により申告を行い還付を受けた後、課税事業者の選択をやめて免税事業者になることができます。

② また、簡易課税を選択している事業者が、特定非常災害により相当な損失を受け、緊急な設備投資等を行う場合には、簡易課税制度の適用をやめて原則課税により申告を行うことができます。

２．調整対象固定資産を取得した場合の特例

課税事業者を選択し、課税事業者となった日から２年を経過する日までの間に開始した各課税期間中に調整対象固定資産を取得し、その課税期間について原則課税で申告を行う場合、取得の日の属する課税期間の初日から原則として３年間は、課税事業者選択をやめること及び簡易課税制度を選択することができませんが（**No.13**、**77**参照）、被災日前又は指定日までに「消費税課税事業者選択届出書」を提出した事業者が、被災事業者となった場合には、被災日の属する課税期間以後の課税期間から、これらの選択不適用の届出書を提出することができます。

STEP 1

届出の特例

特定非常災害	「特定非常災害の被害者の権利利益の保全等を図るための特別措置に関する法律」第２条第１項の規定により、特定非常災害として指定された非常災害
被災事業者	・特定非常災害により申告期限等が延長される（国税通則法11）こととなる地域に納税地を有する事業者 ・その他の地域に納税地を有する事業者のうち特定非常災害により被災した事業者
被災日	事業者が特定非常災害により被災事業者となった日
指定日	特定非常災害の状況及び特定非常災害により申告に関する期限の延長の状況を勘案して国税庁長官が定める日

【課税事業者を選択する場合】

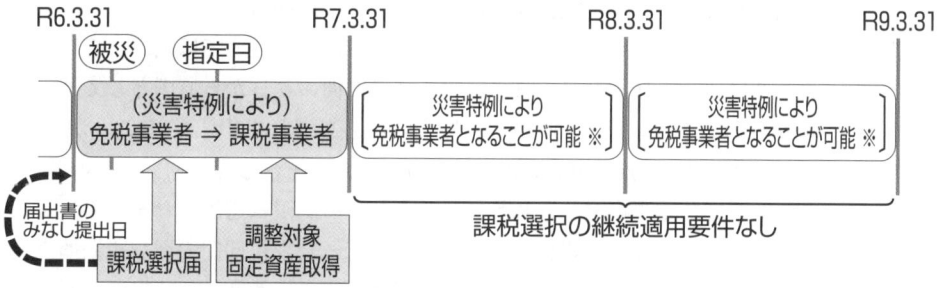

R７年３月期のみ課税事業者を選択し、R８年３月期から選択をやめる場合には、**選択をやめようとする課税期間の初日の前日（R７年３月31日）までに「課税事業者選択不適用届出書」**の提出が必要です。指定日までに提出する「課税事業者選択届出書」と併せて提出できます。

【簡易課税制度の適用をやめる場合】

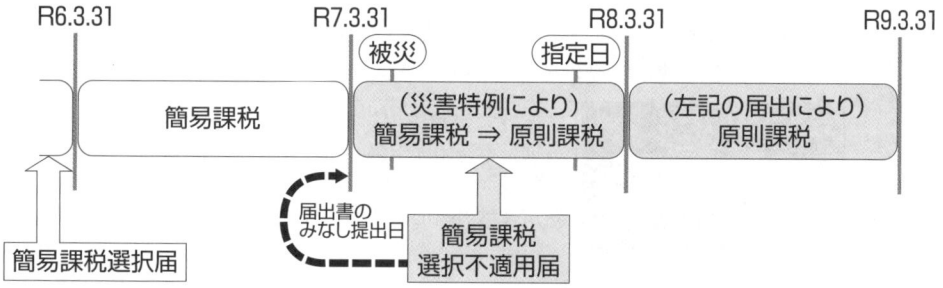

事例の場合において

R９年３月期について、再び簡易課税制度の適用を受ける場合には、**適用を受けようとする課税期間の初日の前日（R８年３月31日）までに「簡易課税制度選択届出書」**の提出が必要です。指定日までに提出する「**簡易課税制度選択不適用届出書**」と併せて提出できます。

（注）災害特例により、簡易課税制度を２年継続して適用した後でなくても、その選択をやめることができます。

STEP 2 調整対象固定資産を取得した場合、高額特定資産の仕入れ等を行った場合の事業者免税点制度及び簡易課税制度の適用制限の解除

1．被災事業者である新設法人等が調整対象固定資産を取得した場合

新設法人又は特定新規設立法人は、基準期間がない各課税期間（通常設立１期目及び２期目）中に調整対象固定資産を取得し、その課税期間について原則課税で申告を行う場合、取得日の属する課税期間の初日から原則として３年間は納税義務が免除されず、その間は簡易課税制度を選択することができませんが（**No.13**参照）、新設法人又は特定新規設立法人が被災事業者となった場合は、被災日を含む課税期間以後の課税期間から、これらの制限規定が適用されません。

したがって、被災事業者の基準期間ができてからの課税期間（通常設立３期目）以後の納税義務の判定は、原則どおり、基準期間における課税売上高等により行うこととなります。

2．被災事業者が高額特定資産の仕入れ等を行った場合

高額特定資産の仕入れ等を行い、その課税期間について原則課税で申告を行う場合、事業者は、その仕入れ等の日の属する課税期間の初日から原則として３年間は納税義務が免除されず、その間は簡易課税制度を選択して申告することができませんが（**No.109**参照）、被災事業者については、被災日を含む課税期間以後の課税期間（注）から、高額特定資産の仕入れ等に係るこれらの制限は適用されません。

したがって、高額特定資産の仕入れ等を行った課税期間の翌課税期間以後（被災日を含む課税期間以後の課税期間に限ります。）の納税義務の判定は、原則どおり、基準期間における課税売上高等により行うこととなります。

（注）被災日以後に取得する場合は、「『被災日』から『指定日以後２年を経過する日の属する課税期間の末日』までの間」に高額特定資産の仕入れ等を行った場合に限ります。

3．特定非常災害に係る申告期限等の延長（国税通則法11）の規定の適用を受けていない場合

支店が被災するなど、特定非常災害に係る申告期限等の延長の規定の適用を受けていない事業者については、次の届出書を一定の期日までに所轄税務署長へ提出すれば、上記１、２の適用を受けることができます。

新設法人又は特定新規設立法人	特定非常災害による消費税法第12条の２第２項（第12条の３第３項）不適用届出書
高額特定資産を取得した被災事業者	特定非常災害による消費税法第12条の４第１項不適用届出書

STEP 2

【新設法人等が被災事業者となった場合（納税義務の免除制限の解除）】

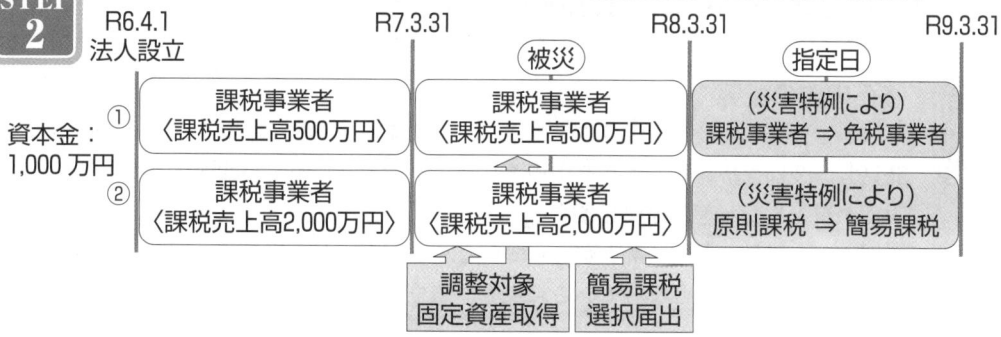

①納税義務の免除制限の解除

新設法人又は特定新規設立法人の基準期間ができた以後の課税期間の納税義務の判定については、基準期間における課税売上高等により行うこととなります。

また、新設法人又は特定新規設立法人のその基準期間がない課税期間は、課税事業者となるため、本特例により免税事業者となることはありません。（**No.13**参照）

②簡易課税制度適用制限の解除

被災事業者となった新設法人が、基準期間がない課税期間中に調整対象固定資産を取得し、その取得の日の属する課税期間の翌課税期間から簡易課税を選択する場合には、R８年３月31日までに「簡易課税制度選択届出書」の提出が必要です。

なお、指定日がその選択をする課税期間の開始日以後に到来する場合には、指定日が提出期限となります。

【被災事業者が高額特定資産を取得する場合（納税義務の免除制限の解除）】

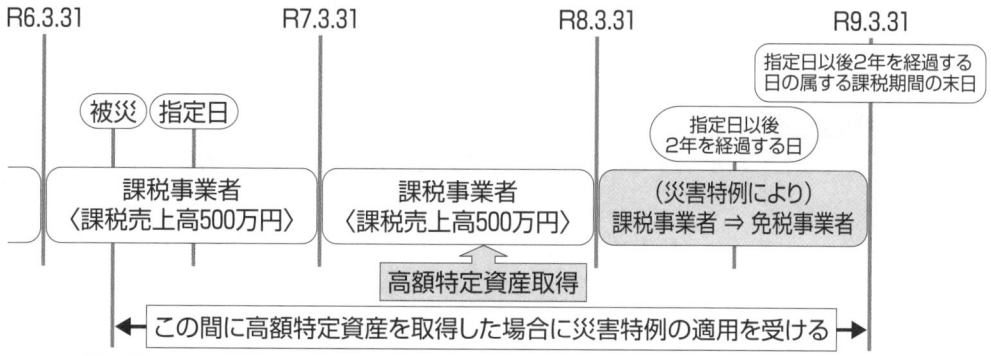

災害特例により高額特定資産を取得した場合の事業者免税点制度の適用制限は解除されるため、R９年３月期の納税義務については、原則どおり、基準期間における課税売上高等により判定することとなります。

【被災事業者が高額特定資産を取得する場合（簡易課税制度適用制限の解除）】

被災事業者が高額特定資産を取得した課税期間の翌課税期間から簡易課税を選択する場合、被災した課税期間の末日までに「簡易課税制度選択届出書」の提出が必要です。

なお、指定日がその選択をする課税期間の開始の日以後に到来する場合には、指定日が提出期限となります

No.86 修正申告書を作成する①（税込経理で原則課税の場合）

STEP 1

修正申告の概要

修正申告書は、確定申告書の提出後に、課税標準額や税額の計算に誤りがあることを発見し、又は税務調査で誤りを指摘されたことにより、不足税額が生じたとき又は還付税額が減少したときに作成します。

例えば、課税売上げの計上がもれていたことが判明した場合は、確定申告書の課税標準額にその計上もれとなっている課税売上高を加算して正しい納付税額を計算し直すこととなります。

次の設例をもとに修正申告書を作成します。

設例

前期（R 5.4.1～R 6.3.31）の決算について、下記の修正事項があった。（金額は税込み）

（修正事項）当期に売上計上した660,000円は、前期に売上計上（標準10%）すべきであった。

（確定申告）

課税売上高	437,300,000円	
うち軽減8%	0円	
うち標準10%	437,300,000円	⇒修正事項
課税仕入額	337,695,720円	
うち旧8%	2,358,720円	
うち軽減8%	300,000円	
うち標準10%	335,037,000円	

課税売上割合　95%以上かつ課税売上高5億円以下（全額控除）

納付税額　2,594,100円（消費税2,021,900円、地方消費税572,200円）

税務上の修正仕訳をする

売上計上もれとなっている前期分の売上高660,000円の税務上の修正仕訳を行います。

（売掛金）　660,000　／（売　上）課売　660,000

STEP 2

消費税の修正申告書を作成する

(1) 付表１－１の①～②欄を作成する

①「課税資産の譲渡等の対価の額①－1」・「課税標準額①（千円未満切捨）」

税率7.8適用分E　（確定申告額 437,300,000 ＋ 修正事項 660,000）× 100/110 ＝ 398,145,454 ⇒ 398,145,000

②「消費税額②」

税率7.8%適用分E　398,145,000×7.8%＝31,055,310

※その他の付表・第二表・第一表については、確定申告書を作成した手順に従って転記、計算してください。

STEP 1 修正申告の概要

当期に売上計上していた660,000円（税込み）は前期に売上計上すべきであった。

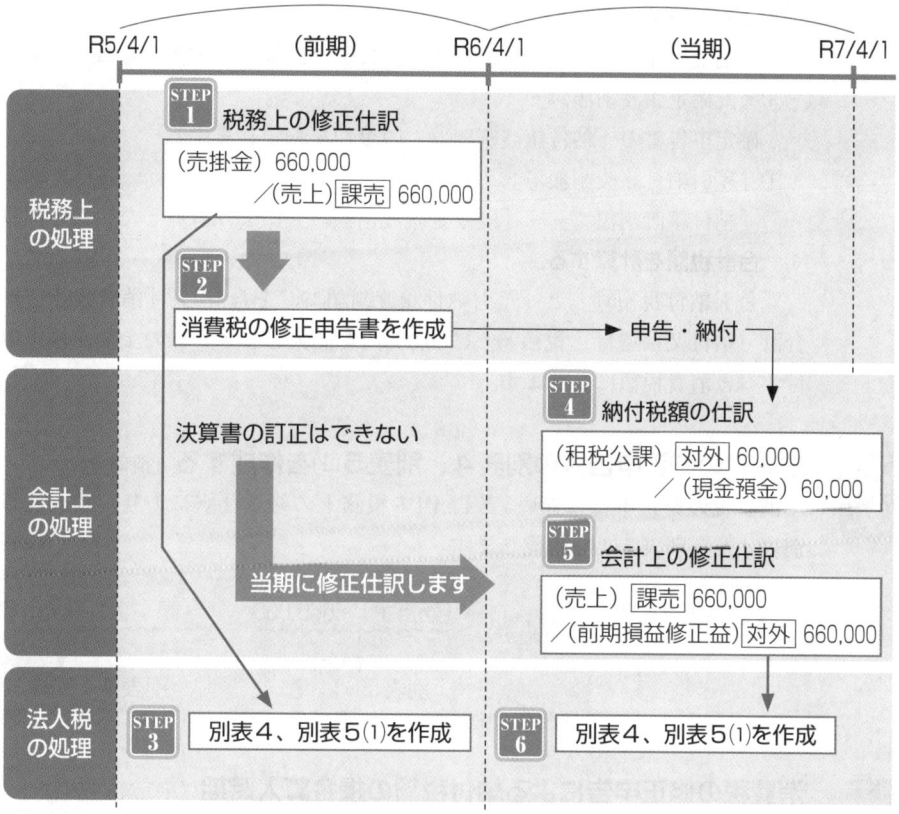

STEP 2 (1) 付表1－1の①～②欄を作成する

第4-(1)号様式

付表1－1　税率別消費税額計算表　兼　地方消費税の課税標準となる消費税額計算表
〔経過措置対象課税資産の譲渡等を含む課税期間用〕

一　般

課税期間	5・4・1～6・3・31	氏名又は名称	国税商事株式会社

区分		旧税率分小計 X	税率6.24％適用分 D	税率7.8％適用分 E	合計 F (X+D+E)
課税標準額	①	(付表1-2の①X欄の金額) 円 000	円 000	円 398,145 000	※第二表の①欄へ 円 398,145, 000
①の内訳 課税資産の譲渡等の対価の額	①-1	(付表1-2の①-1X欄の金額)	※第二表の③欄へ	※第二表の⑤欄へ 398,145,454	※第二表の⑦欄へ 398,145,454
①の内訳 特定課税仕入れに係る支払対価の額	①-2	(付表1-2の①-2X欄の金額)	※①-2欄は、課税仕入割合が95％未満、かつ、特定課税仕入れがある事業者のみ記載する。	※第二表の②欄へ	※第二表の⑨欄へ
消費税額	②	(付表1-2の②X欄の金額)	※第二表の⑤欄へ	※第二表の⑨欄へ 31,055,310	※第二表の⑪欄へ 31,055,310

(2) 第一表の「この申告書が修正申告である場合」の欄を作成する

①「既確定税額⑬」

確定申告書の「納付税額⑪」の金額を転記します。

②「差引納付税額⑭」

「納付税額⑪」－「既確定税額⑬」により計算した金額を記載します。

③「既確定譲渡割額㉔」

確定申告書の「納付譲渡割額㉒」の金額を転記します。

④「差引納付譲渡割額㉕」

「納付譲渡割額㉒」－「既確定譲渡割額㉔」により計算した金額を記載します。

(3) 合計税額を計算する

「差引納付税額⑭」と「差引納付譲渡割額㉕」を合計し、「消費税及び地方消費税の合計（納付又は還付）税額㉖」に60,000円を記入します。この金額が修正申告により納付すべき消費税額になります。

STEP 3 法人税の修正申告書の別表４、別表５(1)を作成する（前期分）

消費税の修正申告に伴い、STEP1の税務上の修正仕訳により、法人税修正申告書の別表４及び別表５(1)を作成します。

◎売上げの修正仕訳　（売掛金）660,000 ／（売　上）課売 660,000

↓ 別表５(1)：増　　↓ 別表４：加算・留保

STEP 4 消費税の修正申告による納付税額の損金算入時期（平元.3.1直法２－１）

税込経理の場合の法人税における消費税額の損金算入時期は次のとおりです。

原則	申告書を提出した日の属する事業年度
例外	申告期限未到来の場合で、損金経理により未払金へ計上したときはその事業年度

STEP2で計算した消費税の修正申告に係る納付税額60,000円は、法人税では修正申告書を提出した当期の損金となります。したがって、法人税の修正申告書では納付税額分の調整はありません。

○消費税額の納付時の仕訳（当期の仕訳）

（租税公課）対外 60,000 ／（現金預金）60,000

※修正申告による納付税額60,000円は、当期の法人税の損金の額となります。

STEP 2 (2) 第一表の「この申告書が修正申告である場合」の欄を作成する

自 令和 5年04月01日
至 令和 6年03月31日

課税期間分の消費税及び地方消費税の（ 修正 ）申告書

（中間申告の場合の対象期間 自 令和 年 月 日 至 令和 年 月 日）

令和五年十月一日以後終了「課税期間分（一般用）

この申告書による消費税の税額の計算			金額（円）
課税標準額	①	03	39814500
消費税額	②	06	3105531
控除過大調整税額	③	07	
控除税額 控除対象仕入税額	④	08	2391209
控除税額 返還等対価に係る税額	⑤	09	
控除税額 貸倒れに係る税額	⑥	10	
控除税額 控除税額小計（④+⑤+⑥）	⑦		2391209
控除不足還付税額（⑦−②−③）	⑧	13	
差引税額（②+③−⑦）	⑨	15	7143200
中間納付税額	⑩	16	5074500
納付税額（⑨−⑩）	⑪	17	2068700
中間納付還付税額（⑩−⑨）	⑫	18	00
この申告書が修正申告である場合 既確定税額	⑬	19	2021900
この申告書が修正申告である場合 差引納付税額	⑭	20	4680
課税売上割合 課税資産の譲渡等の対価の額	⑮	21	3981454544
課税売上割合 資産の譲渡等の対価の額	⑯	22	3992914544
この申告書による地方消費税の税額の計算			
地方消費税の課税標準となる消費税額 控除不足還付税額	⑰	51	
地方消費税の課税標準となる消費税額 差引税額	⑱	62	7143200
譲渡割額 還付額	⑲	53	
譲渡割額 納税額	⑳	54	2016400
中間納付譲渡割額	㉑	55	1431000
納付譲渡割額（⑳−㉑）	㉒	56	585400
中間納付還付譲渡割額（㉑−⑳）	㉓	57	00
この申告書が修正申告である場合 既確定譲渡割額	㉔	58	572200
この申告書が修正申告である場合 差引納付譲渡割額	㉕	59	132000
消費税及び地方消費税の合計（納付又は還付）税額	㉖	60	6000000

付記事項			
割賦基準の適用	○ 有	○ 無	31
延払基準等の適用	○ 有	○ 無	32
工事進行基準の適用	○ 有	○ 無	33
現金主義会計の適用	○ 有	○ 無	34
課税標準額に対する消費税額の計算の特例の適用	○ 有	○ 無	35
参考事項 控除税額の計算方法 課税売上高5億円超又は課税売上割合95%未満 個別対応方式	○		41
参考事項 控除税額の計算方法 課税売上高5億円超又は課税売上割合95%未満 一括比例配分方式	○		
参考事項 控除税額の計算方法 上記以外 全額控除	○		
参考事項 基準期間の課税売上高	404,629 千円		
○ 税額控除に係る経過措置の適用（2割特例）			42

還付を受けようとする金融機関等	
銀行 / 金庫・組合 / 農協・漁協	本店・支店 / 出張所 / 本所・支所
預金	□座番号
ゆうちょ銀行の貯金記号番号	−
郵便局名等	
○（個人の方）公金受取口座の利用	
※税務署整理欄	

税理士署名	
	（電話番号 − − ）

○ 税理士法第30条の書面提出有
○ 税理士法第33条の2の書面提出有

中間納付の金額は前期の確定申告書より転記します。

修正申告により納付すべき税額

STEP 3 法人税の修正申告書の別表4，別表5(1)を作成する（前期分）

所得の金額の計算に関する明細書　別表四

事業年度	5・4・1 / 6・3・31	法人名	国税商事 株式会社

区分		総額 ①	処分 留保 ②	処分 社外流出 ③	
当期利益又は当期欠損の額	1			配当	
				その他	
加算 役員給与の損金不算入額	8			その他	
加算 交際費等の損金不算入額	9			その他	
加算 売上高計上もれ	10	660,000	660,000		

利益積立金額及び資本金等の額の計算に関する明細書　別表五（一）

事業年度	5・4・1 / 6・3・31	法人名	国税商事 株式会社

Ⅰ 利益積立金額の計算に関する明細書

区分		期首現在利益積立金額 ①	当期の増減 減 ②	当期の増減 増 ③	差引翌期首現在利益積立金額 ④
利益準備金	1				
積立金	2				
売掛金	3			660,000	660,000

STEP 5 当期の会計上の修正仕訳（前期修正申告の受入処理）

当期に売上計上していた660,000円を前期の売上げとして修正申告しました。これに伴い当期の会計上の修正仕訳を行います。

(1) 既に行っている仕訳

（売掛金）	660,000	／（売　上）	課売	660,000

(2) 会計上の当期の修正仕訳

当該売上げ660,000円は、前期の課税標準となっていますので、当期の消費税額の計算には影響させないように消費税の課税区分を「対象外」として修正仕訳します。

これはあくまでも消費税の課税区分の修正ですので、収益計上されている金額は、660,000円のまま変わりません。

（売　上）	課売	660,000	／（前期損益修正益）	対外	660,000

STEP 6 当期の法人税申告書の別表４、別表５(1)を作成する

STEP5の当期の会計上の修正仕訳に伴い、前期の税務上の仕訳との二重仕訳を解消する必要があります。

税務上の修正仕訳を行ったうえで、当期の法人税の別表４，別表５(1)を作成します。

○前期の売上計上もれ660,000円

会計上は当期の前期損益修正益として収益に計上されている660,000円は、税務上は修正申告により前期の売上げ（益金）へ計上されています。

この660,000円が前期と当期に二重で税務上の売上げ（益金）へ計上されないように当期の法人税の別表４で減算調整します。

◎税務上の修正仕訳

（前期損益修正益）	対外	660,000	／	（売掛金）　660,000
↓				↓
別表４：減算・留保				別表５(1)：減

STEP 6 当期の法人税申告書の別表４・別表５(1)を作成する

R5/4/1 （前期） R6/4/1 （当期） R7/4/1

税務上の処理

STEP 1 税務上の修正仕訳

（売掛金）660,000
／（売上）課売 660,000

STEP 2 消費税の修正申告書を作成 → 申告・納付

会計上の処理

決算書の訂正はできない

当期に修正仕訳します

STEP 4 納付税額の仕訳

（租税公課）対外 60,000
／（現金預金）60,000

STEP 5 会計上の修正仕訳

（売上）課売 660,000
／（前期損益修正益）対外 660,000

法人税の処理

STEP 3 別表４、別表５(1)を作成

STEP 6 別表４、別表５(1)を作成

所得の金額の計算に関する明細書

事業年度	6・4・1 7・3・31	法人名	国税商事 株式会社	別表四

区分		総額	処分 留保	処分 社外流出	
		①	②	③	
当期利益又は当期欠損の額	1			配当	
				その他	
減算 法人税等の中間納付額及び過誤納に係る還付税額	18				
減算 所得税額等及び欠損金の繰戻しによる還付金額等	19			※	
減算 前期売上高認容	20	660,000	660,000		

利益積立金額及び資本金等の額の計算に関する明細書

事業年度	6・4・1 7・3・31	法人名	国税商事 株式会社	別表五(一)

Ⅰ 利益積立金額の計算に関する明細書

区分		期首現在利益積立金額	当期の増減 減	当期の増減 増	差引翌期首現在利益積立金額
		①	②	③	④
利益準備金	1				
積立金	2				
売掛金	3	660,000	660,000		0

修正申告書を作成する②
（税抜経理で原則課税の場合）

STEP 1

税抜経理方式を採用している場合の消費税の修正申告書を作成します。

設例

前期（R5.4.1～R6.3.31）の決算について、下記の修正事項があった。（金額は税抜き）

（修正事項）① 当期に売上計上した600,000円（消費税60,000円）は、前期に売上計上（標準10%）すべきであった。
② 非課税売上げとした1,000,000円は、課税売上げ（標準10%）に該当する。
③ 当社役員に商品（通常販売価額550,000円（税込み））を220,000円（税込み）で低額譲渡していた。通常販売価額と譲渡対価との差額330,000円（標準10%）は、役員給与とされた。
④ 海外出張旅費300,000円を課税仕入れ（標準10%）としていた。

（確定申告）

課税売上高	397,547,273円	仮受消費税等	39,754,727円	
うち軽減8%	0円	仮受消費税等	0円	
うち標準10%	397,547,273円	仮受消費税等	39,754,727円	⇒修正事項

課税仕入額	307,040,869円	仮払消費税等	30,654,851円	
うち旧8%	2,184,000円	仮払消費税等	174,720円	
うち軽減8%	277,778円	仮払消費税等	22,222円	
うち標準10%	304,579,091円	仮払消費税等	30,457,909円	⇒修正事項

課税売上割合　95%以上かつ課税売上高5億円以下（全額控除）
納付税額　2,482,600円（消費税1,935,000円、地方消費税547,600円）

税務上の修正仕訳をする

修正事項に基づき税務上の修正仕訳を行います。

(1) 売上計上もれ

（売掛金）		660,000	（売　上）	課売	600,000
			（仮受消費税等）		60,000

(2) 非課税売上げの課税売上げへの修正

（売　上）	非売	1,000,000	（売　上）	課売	909,091
			（仮受消費税等）		90,909

(3) 当社役員への低額譲渡

（役員給与）	対外	330,000	（売　上）	課売	300,000
			（仮受消費税等）		30,000

(4) 海外出張旅費の修正

（旅費交通費）	対外	300,000	（旅費交通費）	課仕	272,728
			（仮払消費税等）		27,272

STEP 1 修正申告の概要

R5/4/1 （前期） R6/4/1 （当期） R7/4/1

税務上の処理

STEP 1 税務上の修正仕訳

① （売掛金） 660,000 ／（売上） 課売 600,000
（仮受消費税等） 60,000

② （売上） 非売 1,000,000 ／（売上） 課売 909,091
（仮受消費税等） 90,909

③ （役員給与） 対外 330,000 ／（売上） 課売 300,000
（仮受消費税等） 30,000

④ （旅費交通費） 対外 300,000 ／（旅費交通費） 課仕 272,728
（仮払消費税等） 27,272

STEP 2 消費税の修正申告書を作成 → 申告・納付

STEP 3 納付税額の仕訳

（仮受消費税等） 180,909 ／（未払消費税等） 208,200
（仮払消費税等） 27,272
（雑損失） 対外 19

会計上の処理

決算書の訂正はできない

当期に修正仕訳します

STEP 5 会計上の修正仕訳

①売上計上もれ
（売上） 課売 600,000／（前期損益修正益） 対外 600,000

②非課税売上の修正
（前期損益修正益） 対外 1,000,000 ／（前期損益修正益） 対外 909,091
（仮受消費税等） 90,909

③当社役員への低額譲渡
（前期損益修正損） 対外 330,000 ／（前期損益修正益） 対外 300,000
（仮受消費税等） 30,000

④海外出張旅費
（前期損益修正損） 対外 300,000 ／（前期損益修正損） 対外 272,728
（仮払消費税等） 27,272

⑤消費税額の修正
（仮受消費税等） 180,909 ／（未払消費税等） 208,200
（仮払消費税等） 27,272
（前期損益修正損） 対外 19

⑥消費税額の納付
（未払消費税等） 208,200 ／（現金預金） 208,200

法人税の処理

STEP 4 別表４、別表５(1)を作成

STEP 6 別表４、別表５(1)を作成

STEP 2 消費税の修正申告書を作成する

(1) 付表1-1の①～②欄を作成する

①「課税資産の譲渡等の対価の額①-1」・「課税標準額①（千円未満切捨て）」

税率7.8適用分E（確定申告額 397,547,273＋39,754,727 ＋ 修正事項 600,000＋60,000 ＋ 修正事項 909,091＋90,909 ＋ 修正事項 300,000＋30,000）× $\frac{100}{110}$ ＝399,356,363⇒399,356,000（千円未満切捨て）

②「消費税額②」

税率7.8％適用分E　399,356,000×7.8％＝31,149,768

(2) 付表2-1の⑨～⑩欄を作成する

①「課税仕入れに係る支払対価の額（税込み）⑨」

税率7.8％適用分E　確定申告額 304,579,091＋30,457,909 － 修正事項 272,728－27,272 ＝334,737,000

②「課税仕入れに係る消費税額⑩」

税率7.8％適用分E　334,737,000×$\frac{7.8}{110}$＝23,735,896

※その他の付表・第二表・第一表については、確定申告書を作成した手順に従って転記、計算してください。

(3) 第一表の「この申告書が修正申告である場合」の欄を作成する

①「既確定税額⑬」
確定申告書の「納付税額⑪」の金額を転記します。

②「差引納付税額⑭」
「納付税額⑪」－「既確定税額⑬」により計算した金額を記載します。

③「既確定譲渡割額㉔」
確定申告書の「納付譲渡割額㉒」の金額を転記します。

④「差引納付譲渡割額㉕」
「納付譲渡割額㉒」－「既確定譲渡割額㉔」により計算した金額を記載します。

(4) 合計税額を計算する

「差引納付税額⑭」と「差引納付譲渡割額㉕」を合計し、「消費税及び地方消費税の合計（納付又は還付）税額㉖」に208,200円を記入します。この金額が修正申告により納付すべき消費税額になります。

STEP 3 納付税額の税務上の修正仕訳をする

修正申告書で算出された納付税額について税務上の修正仕訳を行います。

（仮受消費税等）	180,909	（未払消費税等）	208,200
（仮払消費税等）	27,272		
（雑損失）対外	19		

仮受消費税等と仮払消費税等を精算する仕訳をしますが、納付税額との差額19円については雑損失として計上します。

STEP 2

(1) 付表1-1の①～②欄を作成する

第4-(1)号様式

付表1－1　税率別消費税額計算表　兼　地方消費税の課税標準となる消費税額計算表
〔経過措置対象課税資産の譲渡等を含む課税期間用〕

一般

課税期間	5・4・1～6・3・31	氏名又は名称	国税商事株式会社

区分		旧税率分小計 X	税率6.24％適用分 D	税率7.8％適用分 E	合計 F (X+D+E)
課税標準額	①	(付表1-2の①X欄の金額) 円 000	円 000	399,356,000 円	※第二表の①欄へ 399,356,000 円
①の内訳 課税資産の譲渡等の対価の額	①・1	(付表1-2の①-1X欄の金額)	※第二表の⑤欄へ	※第二表の⑤欄へ 399,356,363	※第二表の⑤欄へ 399,356,363
特定課税仕入れに係る支払対価の額	①・2	(付表1-2の①-2X欄の金額)	※②-2欄+1.76倍税額換算分の合計額	※第二表の⑥欄へ	
消費税額	②	(付表1-2の②X欄の金額)	※第二表の⑦欄へ	※第二表の⑦欄へ 31,149,768	※第二表の⑦欄へ 31,149,768

(2) 付表2-1の⑨～⑩欄を作成する

第4-(2)号様式

付表2－1　課税売上割合・控除対象仕入税額等の計算表
〔経過措置対象課税資産の譲渡等を含む課税期間用〕

一般

課税期間	5・4・1～6・3・31	氏名又は名称	国税商事株式会社

項目		旧税率分小計 X	税率6.24％適用分 D	税率7.8％適用分 E	合計 F (X+D+E)
		(付表2-2の⑨X欄の金額) 円	円	円	円
課税仕入れに係る支払対価の額（税込み）	⑨	(付表2-2の⑨X欄の金額) 2,358,720	300,000	334,737,000	337,395,720
課税仕入れに係る消費税額	⑩	(付表2-2の⑩X欄の金額) 137,592	(⑨D欄×6.24/108) 17,333	(⑨E欄×7.8/110) 23,735,896	23,890,821

(3) 第一表の「この申告書が修正申告である場合」の欄を作成する

自 令和 05 年 04 月 01 日
至 令和 06 年 03 月 31 日

課税期間分の消費税及び地方消費税の（ 修正 ）申告書

（中間申告の場合の対象期間 自 令和 年 月 日 至 令和 年 月 日）

令和五年十月一日以後終了課税期間分（一般用）

中間納付の金額は前期の確定申告書より転記します。

修正申告により納付すべき税額

この申告書による消費税の税額の計算			
課税標準額	①	39935600	03
消費税額	②	31149768	06
控除過大調整税額	③		07
控除税額 控除対象仕入税額	④	23890821	08
返還等対価に係る税額	⑤		09
貸倒れに係る税額	⑥		10
控除税額小計（(④+⑤)+⑥）	⑦	23890821	
控除不足還付税額（(⑦−②−③)）	⑧		13
差引税額（(②+③−⑦)）	⑨	7258900	15
中間納付税額	⑩	5161500	16
納付税額（⑨−⑩）	⑪	2097400	17
中間納付還付税額（⑩−⑨）	⑫	00	18
この申告書が修正申告である場合 既確定税額	⑬	1935000	19
差引納付税額	⑭	1624400	20
課税売上割合 課税資産の譲渡等の対価の額	⑮	39935636	21
課税売上割合 資産の譲渡等の対価の額	⑯	39950236	22
この申告書による地方消費税の税額の計算			
地方消費税の課税標準となる消費税額 控除不足還付税額	⑰		51
差引税額	⑱	7258900	52
譲渡割額 還付額	⑲		53
納税額	⑳	2049000	54
中間納付譲渡割額	㉑	1455600	55
納付譲渡割額（⑳−㉑）	㉒	593400	56
中間納付還付譲渡割額（㉑−⑳）	㉓	00	57
この申告書が修正申告である場合 既確定譲渡割額	㉔	547600	58
差引納付譲渡割額	㉕	458000	59
消費税及び地方消費税の合計（納付又は還付）税額	㉖	2082000	60

付記事項				
割賦基準の適用	○ 有	○ 無		31
延払基準等の適用	○ 有	○ 無		32
工事進行基準の適用	○ 有	○ 無		33
現金主義会計の適用	○ 有	○ 無		34
課税標準額に対する消費税額の計算の特例の適用	○ 有	○ 無		35
控除税額計算方法 課税売上高5億円超又は課税売上割合95％未満	○ 個別対応方式	○ 一括比例配分方式		41
上記以外	○ 全額控除			
基準期間の課税売上高	404,629 千円			
○ 税額控除に係る経過措置の適用（2割特例）				42

還付を受ける金融機関等	
銀行 / 金庫・組合 / 農協・漁協	本店・支店 / 出張所 / 本所・支所
預金 □座番号	
ゆうちょ銀行の貯金記号番号	－
郵便局名等	
○（個人の方）公金受取口座の利用	
※税務署整理欄	

税理士署名	（電話番号 － － ）

○ 税理士法第30条の書面提出有
○ 税理士法第33条の2の書面提出有

STEP 4 法人税の修正申告書の別表４、別表５(1)を作成する（前期分）

(1) 売上げの修正仕訳

計上もれとなっている前期分の売上高600,000円（税抜き）の金額を別表４で加算調整します。また、売掛金660,000円は、資産の増加ですので別表５(1)の「増③」に記入します。

(2) 非課税売上げの修正仕訳

非課税売上げである売上げを減らしますので別表４で減算し、課税売上げである売上げを増やしますので別表４で加算します。

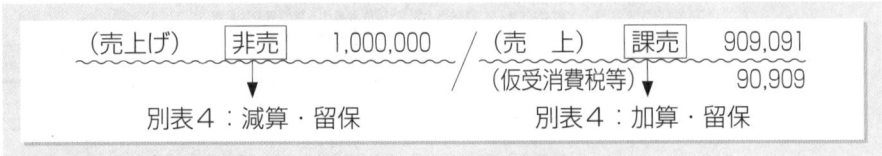

(3) 当社役員への低額譲渡

役員給与として認定された330,000円（課税対象外）を別表４で「役員給与認定損」として減算調整し、売上げ300,000円を別表４で加算調整します。また、当該役員給与は、法人税法上の損金不算入の役員給与に該当しますので、別表４で加算調整（社外流出）します。

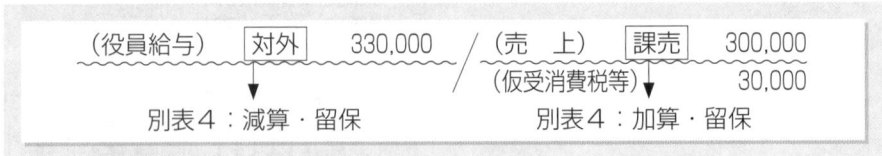

(4) 海外出張旅費

課税仕入れである旅費交通費を減らしますので別表４で加算し、課税対象外である旅費交通費を増やしますので別表４で減算します。

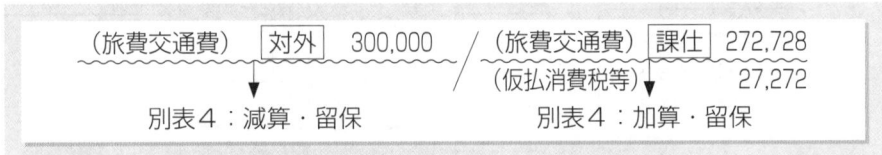

(5) 消費税の納付額の修正仕訳

雑損失については「雑損失計上」として別表４で減算調整します。未払消費税208,200円は負債の増加ですので、別表５(1)の「増③」欄に△で記入します。

STEP 4 法人税の修正申告書の別表4、別表5(1)を作成する（前期分）

所得の金額の計算に関する明細書

事業年度	5・4・1 6・3・31	法人名	国税商事 株式会社

別表四

区分			総額	処分 留保	処分 社外流出	
			①	②	③	
当期利益又は当期欠損の額		1			配当	
					その他	
加算	役員給与の損金不算入額	8	330,000		その他	330,000
	交際費等の損金不算入額	9			その他	
	売上高計上もれ	10	600,000	600,000		
	売上高加算	11	909,091	909,091		
	売上高計上もれ	12	300,000	300,000		
	旅費交通費加算		272,728	272,728		
減算	法人税等の中間納付額及び過誤納に係る還付税額	20				
	所得税額等及び欠損金の繰戻しによる還付金額等	21			※	
	売上高減算		1,000,000	1,000,000		
	役員給与認定損		330,000	330,000		
	旅費交通費減算		300,000	300,000		
	雑損失計上		19	19		

利益積立金額及び資本金等の額の計算に関する明細書

事業年度	5・4・1 6・3・31	法人名	国税商事 株式会社

別表五（一）

I 利益積立金額の計算に関する明細書

区分		期首現在利益積立金額	当期の増減 減	当期の増減 増	差引翌期首現在利益積立金額
		①	②	③	④
利益準備金	1				
積立金	2				
売掛金	3			660,000	660,000
未払消費税	4			△ 208,200	△ 208,200

未払消費税等の内訳書を作る

内容	金額
仮受消費税等（売上計上もれ）	60,000
仮受消費税等（非課税売上修正）	90,909
仮受消費税等（低額譲渡）	30,000
仮払消費税等（海外旅費）	27,272
消費税差額	19
合計	208,200

STEP 5

当期の会計上の修正仕訳（前期修正申告の受入処理）

消費税の修正申告に伴い、当期の会計上の修正仕訳を行います。

(1) 売上げの修正仕訳

当期に売上計上していた600,000円（税抜き）を前期の売上げとして修正申告しました。これに伴い当期の会計上の修正仕訳を行います。

① 既に行っている仕訳

（売掛金）		660,000	（売　上）	課売	600,000
			（仮受消費税等）		60,000

② 会計上の当期の修正仕訳

当該売上げ600,000円は、前期の課税標準となっていますので、当期の消費税額の計算には影響させないように消費税の課税区分を「対象外」として修正仕訳します。

（売　上）	課売	600,000	（前期損益修正益）	対外	600,000

(2) 非課税売上げ1,000,000円の課税売上げへの修正

（前期損益修正益）	対外	1,000,000	（前期損益修正益）	対外	909,091
			（仮受消費税等）		90,909

(3) 当社役員への低額譲渡

（前期損益修正損）	対外	330,000	（前期損益修正益）	対外	300,000
			（仮受消費税等）		30,000

(4) 海外出張旅費の修正

（前期損益修正損）	対外	300,000	（前期損益修正損）	対外	272,728
			（仮払消費税等）		27,272

(5) 修正申告の消費税額納付の仕訳

（仮受消費税等）		180,909	（未払消費税等）	208,200
（仮払消費税等）		27,272		
（前期損益修正損）	対外	19		

STEP 5 当期の会計上の修正仕訳

R5/4/1 （前期） R6/4/1 （当期） R7/4/1

税務上の処理

STEP 1 税務上の修正仕訳

①（売掛金）660,000	（売上）課売	600,000
	（仮受消費税等）	60,000
②（売上）非売 1,000,000	（売上）課売	909,091
	（仮受消費税等）	90,909
③（役員給与）対外 330,000	（売上）課売	300,000
	（仮受消費税等）	30,000
④（旅費交通費）対外 300,000	（旅費交通費）課仕	272,728
	（仮払消費税等）	27,272

STEP 2 消費税の修正申告書を作成 → 申告・納付

STEP 3 納付税額の税務上の修正仕訳

（仮受消費税等）	180,909	（未払消費税等）	208,200
（仮払消費税等）	27,272		
（雑損失）対外	19		

会計上の処理

決算書の訂正はできない

当期に修正仕訳します

STEP 5 会計上の修正仕訳

①売上計上もれ

（売上）課売	600,000	（前期損益修正益）対外	600,000

②非課税売上の修正

（前期損益修正益）対外	1,000,000	（前期損益修正益）対外	909,091
		（仮受消費税等）	90,909

③当社役員への低額譲渡

（前期損益修正損）対外	330,000	（前期損益修正益）対外	300,000
		（仮受消費税等）	30,000

④海外出張旅費

（前期損益修正損）対外	300,000	（前期損益修正損）対外	272,728
		（仮払消費税等）	27,272

⑤消費税額の修正

（仮受消費税等）	180,909	（未払消費税等）	208,200
（仮払消費税等）	27,272		
（前期損益修正損）対外	19		

⑥消費税額の納付

（未払消費税等）	208,200	（現金預金）	208,200

法人税の処理

STEP 4 別表4、別表5(1)を作成

STEP 6 別表4、別表5(1)を作成

STEP 6 当期の法人税申告書の別表４、別表５(1)を作成する

STEP5の当期の会計上の修正仕訳に伴い、前期の税務上の仕訳との二重仕訳を解消する必要があります。税務上の修正仕訳を行ったうえで、法人税の別表４、別表５(1)を作成します。

(1) 売上げの修正仕訳

前期損益修正益600,000円は前期に「売上計上もれ」として益金に計上されていますので、別表４で減算調整します。また売掛金660,000円は、資産の減少ですので、別表５(1)の「減②」欄に記入します。

(前期損益修正益)	600,000	(売掛金)	660,000
(仮受消費税等)	60,000		
別表４：減算・留保		別表５(1)：減	

(2) 非課税売上げ1,000,000円の課税売上げへの修正

貸借科目それぞれ前期に益金・損金に計上されていますので、別表４で減算・加算調整します。

(前期損益修正益)	909,091	(前期損益修正益)	1,000,000
(仮受消費税等)	90,909		
別表４：減算・留保		別表４：加算・留保	

(3) 当社役員への低額譲渡

前期損益修正益300,000円は、前期に「売上計上もれ」として益金に算入されていますので、別表４で減算調整し、前期損益修正損330,000円は、前期に「役員給与認定損」として損金に算入されていますので別表４で加算調整します。

(前期損益修正益)	300,000	(前期損益修正損)	330,000円
(仮受消費税等)	30,000		
別表４：減算・留保		別表４：加算・留保	

(4) 海外出張旅費の修正

貸借科目それぞれ前期に益金・損金に計上されていますので、別表４で減算・加算調整します。

(前期損益修正損)	272,728	(前期損益修正損)	300,000
(仮払消費税等)	27,272		
別表４：減算・留保		別表４：加算・留保	

(5) 修正申告の消費税額納付の仕訳

前期損益修正損19円は、前期に損金に「雑損失計上」として計上されていますので、別表４で加算調整します。また、未払消費税208,200円は負債の減少ですので、別表５(1)の「減②」欄に記入します。

(未払消費税等)	208,200	(仮受消費税等)	180,909
		(仮払消費税等)	27,272
		(前期損益修正損)	19
別表５(1)：△減		別表４：加算・留保	

STEP 6 当期の法人税申告書の別表4、別表5(1)を作成する

所得の金額の計算に関する明細書

事業年度	6・4・1 7・3・31	法人名	国税商事 株式会社

別表四

区分			総額	処分 留保	処分 社外流出	
			①	②	③	
当期利益又は当期欠損の額		1			配当	
					その他	
加算	役員給与の損金不算入額	8			その他	
	交際費等の損金不算入額	9			その他	
	前期売上高減算否認	10	1,000,000	1,000,000		
	前期役員給与否認		330,000	330,000		
	前期旅費交通費減算否認		300,000	300,000		
	前期雑損失計上否認		19	19		
減算	法人税等の中間納付額及び過誤納に係る還付税額	18				
	所得税額等及び欠損金の繰戻しによる還付金額等	19			※	
	前期売上高計上もれ認容	20	600,000	600,000		
	前期売上高加算認容		909,091	909,091		
	前期売上高計上もれ認容		300,000	300,000		
	前期旅費交通費認容		272,728	272,728		

利益積立金額及び資本金等の額の計算に関する明細書

事業年度	6・4・1 7・3・31	法人名	国税商事 株式会社

別表五（一）

I 利益積立金額の計算に関する明細書

区分		期首現在利益積立金額	当期の増減 減	当期の増減 増	差引翌期首現在利益積立金額
		①	②	③	④
利益準備金	1				
積立金	2				
売掛金	3	660,000	660,000		0
未払消費税	4	△ 208,200	△ 208,200		0

未払消費税等の内訳書を作る

内容	金額	減額	残高
仮受消費税等（売上計上もれ）	60,000	▲60,000	0
仮受消費税等（非課税売上修正）	90,909	▲90,909	0
仮受消費税等（低額譲渡）	30,000	▲30,000	0
仮払消費税等（海外旅費）	27,272	▲27,272	0
消費税差額	19	▲19	0
合計	208,200	▲208,200	0

修正申告書を作成する③
（税抜経理で簡易課税の場合）

STEP 1

税抜経理方式で簡易課税制度を選択している場合の消費税の修正申告書を作成します。

設例

前期（R5.4.1～R6.3.31）の決算について、下記の修正事項があった。（金額は税抜き）

（修正事項）当期に売上計上した600,000円（消費税60,000円）は、前期に売上計上（標準10%）すべきであった。

（確定申告）課税売上高

標準10%　18,954,500円　仮受消費税等　1,895,450円⇒**修正事項**

業種：運送業　第５種事業　みなし仕入率　50%

納付税額　947,600円（消費税739,200円、地方消費税208,400円）

税務上の修正仕訳をする

売上計上もれとなっている前期分の売上高について税務上の修正仕訳を行います。

売上げの修正仕訳

（売掛金）	660,000	（売　上）課売	600,000
		（仮受消費税等）	60,000

STEP 2

消費税の修正申告書を作成する

(1)　付表4-3の①～②欄を作成する

①「課税資産の譲渡等の対価の額①－1」・「課税標準額①（千円未満切捨て）」

税率7.8%適用分B　$\left(\underbrace{18{,}954{,}500+1{,}895{,}450}_{\text{確定申告額}}+\underbrace{600{,}000+60{,}000}_{\text{修正事項}}\right)\times\frac{100}{110}$

＝19,554,500⇒19,554,000（千円未満切捨て）

②「消費税額②」

税率7.8%適用分B　19,554,000×7.8%＝1,525,212

※その他の付表・第二表・第一表については、確定申告書を作成した手順に従って転記、計算してください。

STEP 1 修正申告の概要

当期に売上計上していた600,000円が前期に売上計上すべきであった（税抜）

R5/4/1 （前期） R6/4/1 （当期） R7/4/1

税務上の処理

STEP 1 税務上の修正仕訳

（売掛金）680,000 ／（売上）課税 600,000
（仮受消費税等） 60,000

STEP 2

消費税の修正申告書を作成 → 申告・納付

STEP 3 納付税額の税務上の修正仕訳

（仮受消費税等）60,000 ／（未払消費税等） 30,000
（雑収入）対外 30,000

会計上の処理

決算書の訂正はできない

当期に修正仕訳します

STEP 5 会計上の修正仕訳

①前期の売上高の修正
（売上）課売 600,000
／（前期損益修正益）対外 600,000
②消費税の納付税額の修正
（仮受消費税等）60,000 ／（未払消費税等） 30,000
（前期損益修正益）対外 30,000
（未払消費税等）30,000／（現金預金） 30,000

法人税の処理

STEP 4 別表4、別表5(1)を作成

STEP 6 別表4、別表5(1)を作成

STEP 2 (1) 付表4-3の①～②欄を作成する

付表4－3 税率別消費税額計算表 兼 地方消費税の課税標準となる消費税額計算表 簡易

課税期間	5・4・1～6・3・31	氏名又は名称	国税商事株式会社

区分		税率6.24％適用分 A	税率7.8％適用分 B	合計 C (A+B)
課税標準額	①	円 000	円 19,554,000	※第二表の①欄へ 円 19,554,000
課税資産の譲渡等の対価の額	①-1	※第二表の③欄へ	※第二表の③欄へ 19,554,500	※第二表の③欄へ 19,554,500
消費税額	②	※付表5-3の①A欄へ ※第二表の⑤欄へ	※付表5-3の①B欄へ ※第二表の⑤欄へ 1,525,212	※付表5-3の①C欄へ ※第二表の⑤欄へ 1,525,212
		※付表5-3の②A欄へ	※付表5-3の②B欄へ	※付表5-3の②C欄へ ※第一表の⑩欄へ

(2) 第一表の「この申告書が修正申告である場合」の欄を作成する

①「既確定税額⑬」

確定申告書の「納付税額⑪」の金額を転記します。

②「差引納付税額⑭」

「納付税額⑪」－「既確定税額⑬」により計算した金額を記載します。

③「既確定譲渡割額㉔」

確定申告書の「納付譲渡割額㉒」の金額を転記します。

④「差引納付譲渡割額㉕」

「納付譲渡割額㉒」－「既確定譲渡割額㉔」により計算した金額を記載します。

(3) 合計税額を計算する

「差引納付税額⑭」と「差引納付譲渡割額㉕」を合計し、「消費税及び地方消費税の合計（納付又は還付）税額㉖」に30,000円を記入します。この金額が修正申告により納付すべき消費税額になります。

STEP 3 納付税額の税務上の修正仕訳をする

修正申告書により算出された納付税額30,000円について税務上の修正仕訳を行います。

（仮受消費税等）	60,000	（未払消費税等）	30,000
		（雑収入）対外	30,000

仮受消費税等と納付すべき消費税額との差額30,000円は雑収入として計上します。

(2) 第一表の「この申告書が修正申告である場合」の欄を作成する

第3－(3)号様式　GK0407

令和　年　月　日　税務署長殿

納税地　大阪市中央区大手前1－5（電話番号 06 － 6XXX － 3319）

（フリガナ）法人名　国税商事株式会社

法人番号　1 1 2 3 4 5 6 7 8 9 0 1 2

（フリガナ）代表者氏名　山田　太郎

○（個人の方）振替継続希望

※税務署処理欄：所管　署内　整理番号　申告年月日　令和　年　月　日　申告区分　指導等　庁指定　局指定　通信日付印　確認　年　月　日　指導年月日　令和　相談　区分1　区分2　区分3

簡　法人用　第一表　令和五年十月一日以後終了課税期間分（簡易課税用）

自 令和 05年04月01日
至 令和 06年03月31日

課税期間分の消費税及び地方消費税の（　修正　）申告書

（中間申告の場合の対象期間　自 令和　年　月　日　至 令和　年　月　日）

この申告書による消費税の税額の計算

課税標準額	①	19554000	03
消費税額	②	1525212	06
貸倒回収に係る消費税額	③		07
控除税額：控除対象仕入税額	④	762606	08
控除税額：返還等対価に係る税額	⑤		09
控除税額：貸倒れに係る税額	⑥		10
控除税額小計（④+⑤+⑥）	⑦	762606	
控除不足還付税額（⑦−②−③）	⑧		13
差引税額（②+③−⑦）	⑨	762600	15
中間納付税額	⑩	00	16
納付税額（⑨−⑩）	⑪	762600	17
中間納付還付税額（⑩−⑨）	⑫	00	18
この申告書が修正申告である場合：既確定税額	⑬	739200	19
この申告書が修正申告である場合：差引納付税額	⑭	23400	20
この課税期間の課税売上高	⑮	19554500	21
基準期間の課税売上高	⑯	20213527	

この申告書による地方消費税の税額の計算

地方消費税の課税標準となる消費税額：控除不足還付税額	⑰		51
地方消費税の課税標準となる消費税額：差引税額	⑱	762600	52
譲渡割額：還付額	⑲		53
譲渡割額：納税額	⑳	215000	54
中間納付譲渡割額	㉑	00	55
納付譲渡割額（⑳−㉑）	㉒	215000	56
中間納付還付譲渡割額（㉑−⑳）	㉓	00	57
この申告書が修正申告である場合：既確定譲渡割額	㉔	208400	58
この申告書が修正申告である場合：差引納付譲渡割額	㉕	6600	59
消費税及び地方消費税の合計（納付又は還付）税額	㉖	30000	60

修正申告により納付すべき税額

付記事項	割賦基準の適用	○ 有	○ 無	31
	延払基準等の適用	○ 有	○ 無	32
	工事進行基準の適用	○ 有	○ 無	33
	現金主義会計の適用	○ 有	○ 無	34
参考事項	課税標準額に対する消費税額の計算の特例の適用	○ 有	○ 無	35
事業区分	区分：課税売上高（免税売上高を除く）千円	売上割合 %		
	第1種			36
	第2種			37
	第3種			38
	第4種			39
	第5種			42
	第6種			43
	特例計算適用（令57③）	○ 有	○ 無	40
	○ 税額控除に係る経過措置の適用（2割特例）			44

還付を受ける金融機関等：銀行　本店・支店　金庫・組合　出張所　農協・漁協　本所・支所

預金　口座番号

ゆうちょ銀行の貯金記号番号　－

郵便局名等

○（個人の方）公金受取口座の利用

※税務署整理欄

税理士署名　（電話番号　－　－　）

○ 税理士法第30条の書面提出有

○ 税理士法第33条の2の書面提出有

STEP 4 法人税の修正申告書の別表４、別表５(1)を作成する（前期分）

消費税の修正申告に伴い、STEP1及びSTEP3の税務上の修正仕訳より、法人税の別表４及び別表５(1)を作成します。

(1) 売上げの修正仕訳

計上もれとなっている前期分の売上高600,000円（税抜き）の金額を別表４で加算調整します。また、売掛金660,000円は、資産の増加ですので別表５(1)の「増③」欄に記入します。

（売掛金）	660,000	／	（売　上） 課売	600,000
			（仮受消費税等）	60,000
別表５(1)：増			別表４：加算・留保	

(2) 消費税の納付額の修正仕訳

雑収入30,000円を別表４で加算調整します。また、未払消費税30,000円は負債の増加ですので、別表５(1)の「増③」欄に△で記入します。

（仮受消費税等）	60,000	／	（未払消費税等）	30,000
			（雑収入） 対外	30,000
		別表５(1)：△増	別表４：加算・留保	

STEP 5 当期の会計上の修正仕訳（前期修正申告の受入処理）

当期に売上計上していた600,000円（税抜き）を前期の売上げとして修正申告しました。これに伴い当期の会計上の修正仕訳を行います。

(1) 既に行っている仕訳

（売掛金）	660,000	／	（売　上） 課売	600,000
			（仮受消費税等）	60,000

(2) 会計上の当期の修正仕訳

当該売上げ600,000円（税抜き）は、前期の課税標準となっていますので、当期の消費税額の計算には影響させないように消費税の課税区分を「対象外」として修正仕訳します。

これはあくまでも消費税の課税区分の修正であって、収益計上されている金額は、600,000円のまま変わりません。

（売　上） 課売	600,000	／	（前期損益修正益） 対外	600,000

(3) 修正申告の消費税額の仕訳

（仮受消費税等）	60,000	／	（未払消費税等）	30,000
			（前期損益修正益） 対外	30,000

(4) 消費税額の納付時の仕訳

（未払消費税等）	30,000	／	（現金預金）	30,000

STEP 4 法人税の修正申告書の別表4、別表5(1)を作成する（前期分）

別表四

所得の金額の計算に関する明細書

事業年度	5・4・1 6・3・31	法人名	国税商事　株式会社

区分		総額	処分 留保	処分 社外流出	
		①	②	③	
当期利益又は当期欠損の額	1			配当	
				その他	
加算 役員給与の損金不算入額	8			その他	
加算 交際費等の損金不算入額	9			その他	
加算 売上高計上もれ	10	600,000	600,000		
加算 雑収入計上もれ		30,000	30,000		

別表五（一）

利益積立金額及び資本金等の額の計算に関する明細書

事業年度	5・4・1 6・3・31	法人名	国税商事　株式会社

Ⅰ 利益積立金額の計算に関する明細書

区分		期首現在利益積立金額	当期の増減 減	当期の増減 増	差引翌期首現在利益積立金額
		①	②	③	④
利益準備金	1				
積立金	2				
売掛金	3			660,000	660,000
未払消費税	4			△ 30,000	△ 30,000

STEP 6 当期の法人税申告書の別表４、別表５(1)を作成する

STEP5の当期の会計上の修正仕訳に伴い、前期の税務上の仕訳との二重仕訳を解消する必要があります。税務上の修正仕訳を行ったうえで、法人税の別表４、別表５(1)を作成します。

(1) 売上げの修正

前期損益修正益600,000円は前期に「売上計上もれ」として益金に計上されていますので、別表４で減算調整します。また、売掛金660,000円は、資産の減少ですので別表５(1)の「減②」欄に記入します。

(前期損益修正益)	600,000	(売掛金)	660,000
(仮受消費税等)	60,000		
別表４：減算・留保		別表５(1)：減	

(2) 消費税額の修正

前期損益修正益は「雑収入計上もれ」として前期の益金に計上されていますので、別表４で減算調整します。また、未払消費税等30,000円は負債の減少ですので、別表５(1)の「減②」欄に△で記入します。

(未払消費税等)	30,000	(仮受消費税等)	60,000
(前期損益修正益)	30,000		
別表５(1)：△減		別表４：減算・留保	

STEP 6 当期の法人税申告書の別表4、別表5(1)を作成する

所得の金額の計算に関する明細書

事業年度	6・4・1 7・3・31	法人名	国税商事 株式会社

別表四

区分			総額	処分 留保	処分 社外流出	
			①	②	③	
当期利益又は当期欠損の額		1			配当	
					その他	
加算	役員給与の損金不算入額	8			その他	
	交際費等の損金不算入額	9			その他	
		10				
減算	法人税等の中間納付額及び過誤納に係る還付税額	18				
	所得税額等及び欠損金の繰戻しによる還付金額等	19			※	
	前期売上高計上もれ認容	20	600,000	600,000		
	前期雑収入計上もれ認容		30,000	30,000		

利益積立金額及び資本金等の額の計算に関する明細書

事業年度	6・4・1 7・3・31	法人名	国税商事 株式会社

別表五（一）

I 利益積立金額の計算に関する明細書

区分		期首現在利益積立金額	当期の増減 減	当期の増減 増	差引翌期首現在利益積立金額
		①	②	③	④
利益準備金	1				
積立金	2				
売掛金	3	660,000	660,000		0
未払消費税	4	△ 30,000	△ 30,000		0

No.89 消費税について各種届出をする

STEP 1

必要な届出を確認する

事業者は、消費税法に規定されている各種届出の要件に該当する事由が生じた場合又は各種特例等の適用を受けようとする場合には、その旨を記載した届出書等を提出しなければなりません。主なものは右ページの表に掲げるものがあります。

なお、適格請求書発行事業者になるためには、登録申請手続が必要ですので、注意してください。（No. 1「適格請求書発行事業者の登録」を参照）

1．法人を設立したとき

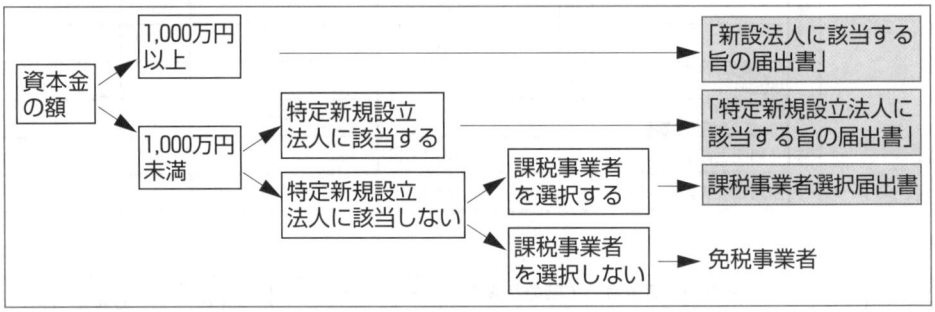

2．基準期間・特定期間の課税売上高の判定

(1) 現在は、免税事業者である

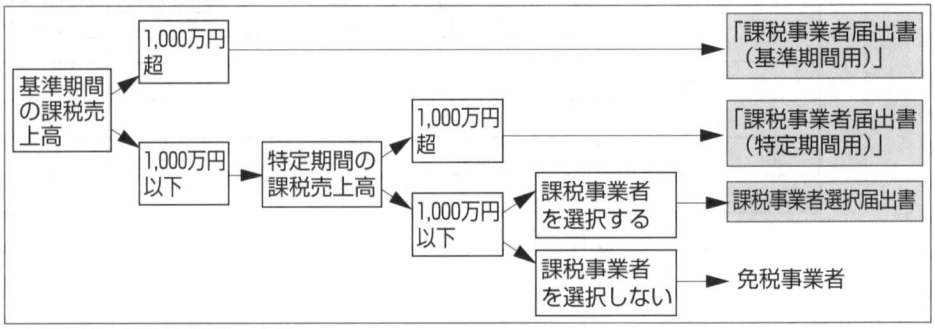

(2) 現在は、課税事業者である

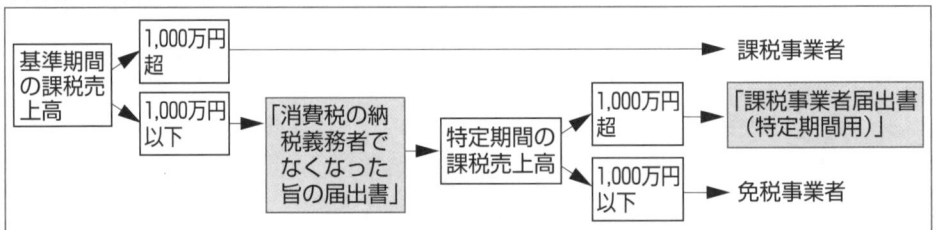

適格請求書発行事業者は、基準期間における課税売上高にかかわらず納税義務は免除されず、課税事業者となることから、下記の届出書の提出は不要です。

① 基準期間における課税売上高が1,000万円超となった場合

⇒「課税事業者届出書」を提出する必要はありません。

② 基準期間における課税売上高が1,000万円以下となった場合

⇒「消費税の納税義務者でなくなった旨の届出書」を提出する必要はありません。

STEP 1

消費税の主な届出書等

届出書等	様式番号	届出書等の期限	参照No.
【インボイス】			
適格請求書発行事業者の登録申請書	インボイス第１－(3)号様式	登録を受けようとする日から起算して15日前の日まで	No.90
適格請求書発行事業者の登録の取消しを求める旨の届出書	インボイス第３号様式	登録の取消しを求める課税期間の初日から起算して15日前の日まで	No.91
適格請求書発行事業者の公表事項の公表（変更）申出書	—	公表事項を新たに追加する又は変更しようとするとき	No.92
適格請求書発行事業者登録簿の登載事項変更届出書	インボイス第２－(2)号様式	速やかに	No.93
【納税義務】			
消費税課税事業者届出書（基準期間用）	第３－(1)号様式	速やかに	No.94
消費税課税事業者届出書（特定期間用）	第３－(2)号様式	速やかに	No.95
消費税の納税義務者でなくなった旨の届出書	第５号様式	速やかに	No.96
消費税課税事業者選択届出書	第１号様式	選択しようとする課税期間の初日の前日まで	No.97
消費税課税事業者選択不適用届出書	第２号様式	選択をやめようとする課税期間の初日の前日まで	No.98
消費税の新設法人に該当する旨の届出書	第10－(2)号様式	速やかに	No.99
消費税の特定新規設立法人に該当する旨の届出書	第10－(3)号様式	速やかに	No.100
【簡易課税】			
消費税簡易課税制度選択届出書	第９号様式	選択しようとする課税期間の初日の前日まで	No.101
消費税簡易課税制度選択不適用届出書	第25号様式	選択をやめようとする課税期間の初日の前日まで	No.102
【期間特例】			
消費税課税期間特例選択・変更届出書	第13号様式	短縮又は変更に係る期間の初日の前日まで	No.103
消費税課税期間特例選択不適用届出書	第14号様式	選択をやめようとする課税期間の初日の前日まで	No.104
【準ずる割合】			
消費税課税売上割合に準ずる割合の適用承認申請書	第22号様式	適用しようとする課税期間中に提出して承認を受ける	No.105
消費税課税売上割合に準ずる割合の不適用届出書	第23号様式	適用をやめようとする課税期間中	No.106
【任意の中間申告】			
任意の中間申告書を提出する旨の届出書	第26－(2)号様式	六月中間申告対象期間の末日まで	No.107
任意の中間申告書を提出することの取りやめ届出書	第26－(3)号様式	やめようとする対象期間の末日まで	No.108
【高額特定資産】			
高額特定資産の取得等に係る課税事業者である旨の届出書	第５－(2)号様式	速やかに	No.109

STEP 2

提出期限等の注意点

1．提出期限等が課税期間の初日の前日までとされている届出書

該当日が日曜日等の国民の休日に当たる場合であっても、その日までに提出がなければそれぞれの規定の適用を受けることができません。ただし、これらの届出書が郵便又は信書便により提出された場合には、その郵便物又は信書便物の通信日付印により表示された日に提出されたものとみなされます。

2．事業を開始した日の属する課税期間から選択・適用できる届出書

「消費税簡易課税制度選択届出書」、「消費税課税事業者選択届出書」、「消費税課税期間特例選択届出書」は、これらの届出書をその事業を開始した日の属する課税期間の終了の日までに提出すれば、その課税期間から選択・適用することができます。

STEP 2

提出期限等の注意点

1．課税期間の初日の前日が国民の休日の場合

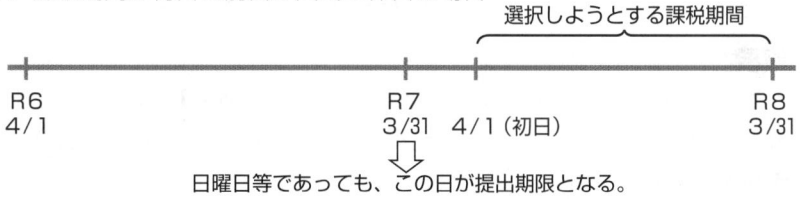

2．事業を開始した日の属する課税期間から選択・適用できる届出書

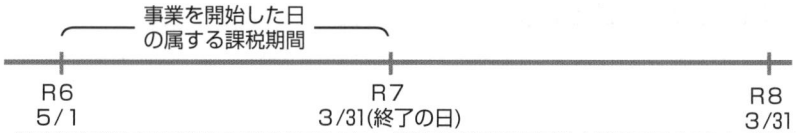

「消費税簡易課税制度選択届出書」「消費税課税事業者選択届出書」「消費税課税期間特例選択届出書」は、事業を開始した日の属する課税期間の終了の日までに提出すれば選択・適用できます。

No.90 「適格請求書発行事業者の登録申請書」を作成する

STEP 1 概要

適格請求書発行事業者になる場合に提出します。**No.1**「適格請求書発行事業者の登録」の**STEP 5**「登録申請」で確認したケース別に、以下の点に留意しながら申請書を作成します。

STEP 2 申請書の全体像を確認する

申請書は1ページ目（初葉）と2ページ目（次葉）があります。2ページ目の記載を忘れないように注意しましょう。

第1－(3)号様式

国内事業者用

適格請求書発行事業者の登録申請書

【1／2】

取受印

令和　年　月　日

税務署長殿

申請者

（フリガナ） （個人事業者の場合）住所又は居所 （法人の場合）本店又は主たる事務所の所在地	オオサカシ　チュウオウク　オオテマエ （〒●●●－●●●●） ◎（法人の場合のみ公表されます） 大阪市中央区大手前1-5 （電話番号　00－0000－0000）
（フリガナ） 納税地 注：税務署所在地ではありません	（〒　－　） 同　上 （電話番号　－　－　）
（フリガナ） （個人事業者の場合）氏名 （法人の場合）名称	コクゼイショウジカブシキガイシャ ◎　注：屋号ではありません 国税商事株式会社
（フリガナ） （法人の場合）代表者氏名	ヤマダ　タロウ 山田　太郎
法人番号	1 1 2 3 4 5 6 7 8 9 0 1 2

この申請書は、令和五年十月一日から令和十二年九月二十九日までの間に提出する場合に使用します。

この申請書に記載した次の事項（◎印欄）は、適格請求書発行事業者登録簿に登載されるとともに、国税庁ホームページで公表されます。
（個人事業者の場合）氏名
（法人の場合）名称、本店又は主たる事務所の所在地（人格のない社団等は名称のみ）
なお、上記事項のほか、登録番号及び登録年月日が公表されます。
また、常用漢字等を使用して公表しますので、申請書に記載した文字と公表される文字とが異なる場合があります。

下記のとおり、適格請求書発行事業者としての登録を受けたいので、消費税法第57条の2第2項の規定により申請します。

今年(期)新規開業等しましたか

この申請書を提出する時点において、該当する事業者の区分に応じ、□にレ印を付してください。

いいえ
- ☑ 課税事業者 ➡ 次葉のBへ
- □ 免税事業者 ➡ 次葉のAへ

はい
- □ 新規開業等した事業者
  - □ 事業を開始した課税期間の**初日から登録を受けようとする事業者** ➡ 右の□枠内を記載し次葉のBへ
    - ※ 課税期間の初日が令和5年9月30日以前の場合の登録年月日は、同年10月1日となります。
    - 課税期間の初日（個人事業者は本年1月1日、法人は設立日）：令和　年　月　日
  - □ 事業を開始した課税期間の**初日から登録を受けない**課税事業者 ➡ 次葉のBへ
  - □ 事業を開始した課税期間の**初日から登録を受けない**免税事業者 ➡ 次葉のAへ

事業者区分

2年前又は2事業年前の課税売上高が、
・1千万円超　：**課税事業者**
・1千万円以下：**免税事業者**

新規開業等した事業者は、資本金が1千万円以上の法人や消費税課税事業者選択届出書を提出している場合等を除き**免税事業者**に該当します。

税理士署名　（電話番号　－　－　）

※税務署処理欄								
整理番号		部門番号		申請年月日	年　月　日	通信日付印 年　月　日	確認	
入力処理	年　月　日	番号確認		身元確認	□ 済 □ 未済	確認書類	個人番号カード／通知カード・運転免許証 その他（　）	
登録番号	T							

第１－(3)号様式次葉

国内事業者用

適格請求書発行事業者の登録申請書（次葉）

【2／2】

記載の順序 ○免税事業者：A欄→B欄→C欄の順に記載
○課税事業者：B欄・C欄のみ記載（A欄は記載不要）

氏名又は名称	

この申請書は、令和五年十月一日から令和十二年九月二十九日までの間に提出する場合に使用します。

A 免税事業者の確認

該当する事業者の区分に応じ、□にレ印を付し記載してください。

a □ 次のb・c以外で例えば免税事業者である課税期間中の最短日での登録を希望するなど免税事業者である課税期間中に登録を受けようとする事業者（登録開始日から納税義務の免除の規定の適用を受けないこととなります。）

※ 以下の□枠内を記載し（登録希望日欄の記載をお忘れなく）、次はB欄①の質問へ

個人番号					
事業内容等	（個人事業者の場合）生年月日 （法人の場合）設立年月日	1明治・2大正・3昭和・4平成・5令和 年　月　日	法人のみ記載	事業年度	自　月　日 至　月　日
				資本金	円
	事業内容		登録希望日	令和　年　月　日	

b □ 翌課税期間が課税事業者で、その翌課税期間の初日から登録を受けようとする事業者（申請日が翌課税期間の初日から起算して15日前の日までの場合）

翌課税期間の初日
令和　年　月　日

c □ 翌課税期間が課税事業者で、申請日が翌課税期間の初日から起算して15日前の日を過ぎている事業者

（この場合、翌課税期間の途中から登録を受けることとなります。）　※ 次はB欄①の質問へ

B 登録要件の確認

① 課税事業者です（登録を受けると、消費税の申告が必要になります）。　☑ はい　□ いいえ → ②の質問へ

※ この申請書を提出する時点において、免税事業者であっても、登録を受けると課税事業者となるため、「はい」を選択してください。

② 納税管理人を定める必要のない事業者です。　☑ はい　□ いいえ → ③の質問へ

（国内に住所や本店等を有し、かつ、今後も有する場合は「はい」にレ印を付して、次の質問③へ。「いいえ」の場合は、次の質問②′にも答えてください。）

納税管理人を定めなければならない場合（国税通則法第117条第１項）
【個人事業者】　国内に住所及び居所（事務所及び事業所を除く。）を有せず、又は有しないこととなる場合
【法人】　国内に本店又は主たる事務所を有しない法人で、国内にその事務所及び事業所を有せず、又は有しないこととなる場合

②′ 納税管理人の届出をしています。　□ はい　□ いいえ

③ 消費税法に違反して罰金以上の刑に処せられたことはありません。　☑ はい　□ いいえ → C欄の質問へ

（加算税や延滞税は「罰金」ではありません。「いいえ」の場合は、次の質問にも答えてください。）

③′ その執行を終わり、又は執行を受けることがなくなった日から２年を経過しています。　□ はい　□ いいえ

C 相続による事業承継の確認

相続により適格請求書発行事業者の事業を承継しました。　□ はい　☑ いいえ → 質問はこれで終わり

（「はい」の場合は、以下の事項を記載してください。）

適格請求書発行事業者の死亡届出書の提出先税務署		税務署
被相続人	死亡年月日	令和　年　月　日
	（フリガナ） 納税地	（〒　－　）
	（フリガナ） 氏名	
	登録番号	T

参考事項

STEP 3

ケース別の留意点を確認する

新たに事業を開始した事業者

（ケース１） 事業を開始した課税期間の初日から登録を受ける場合

＜特に注意したい点＞

① １ページ目（初葉）の「事業者区分欄」:「新規開業等した事業者」に☑し、次に「事業を開始した課税期間の初日から登録を受けようとする事業者」に☑し、課税期間の初日を記載します。

② ２ページ目（次葉）「免税事業者の確認欄」は記載不要です。

課税事業者になる日	課税期間の初日
登録年月日 （インボイス発行事業者になる日）	課税期間の初日 （令和5年9月30日以前の場合、令和5年10月1日）

（ケース２） 課税事業者が事業を開始した課税期間中に登録申請書を提出する場合で、その課税期間の初日から登録を受けることを希望しないとき

＜特に注意したい点＞

① １ページ目（初葉）の「事業者区分」欄：「新規開業等した事業者」に☑し、次に「事業を開始した課税期間の初日から登録を受けない課税事業者」に☑します。

② ２ページ目（次葉）「免税事業者の確認欄」は記載不要です。

課税事業者になる日	既に課税事業者
登録年月日 （インボイス発行事業者になる日）	登録がされた日（後日通知される登録通知書をご確認ください）

STEP 3 ケース別の留意点を確認する

（ケース１）事業を開始した課税期間の初日から登録を受ける場合

この申請書を提出する時点において、該当する事業者の区分に応じ、□にレ印を付してください。

□ 課税事業者 ⇨ 次葉のBへ

□ 免税事業者 ⇨ 次葉のAへ

☑ 新規開業等した事業者

☑ 事業を開始した課税期間の初日から登録を受けようとする事業者 ⇨ 右の□枠内を記載し次葉のBへ

※ 課税期間の初日が令和５年９月30日以前の場合の登録年月日は、同年10月１日となります。

課税期間の初日（個人事業者は本年１月１日、法人は設立日）
令和 ○ 年 △ 月 □ 日

□ 事業を開始した課税期間の初日から登録を受けない課税事業者 ⇨ 次葉のBへ

個人事業者の方は 令和●年１月１日
法人の方は「事業年度」の初日（設立日）を
記載してください

A 該当する事業者の区分に応じ、□にレ印を付し記載してください。

□ a 次のb・c以外で例えば免税事業者である課税期間中の最短日での登録を希望するなど免税事業者である課税期間中に登録を受けようとする事業者（登録開始日から納税義務の免除の規定の適用を受けないこととなります。）
※ 以下の□枠内を記載し（登録希望日欄の記載をお忘れなく）、次はB欄①の質問へ

個人番号

事業内容等（個人事業者の場合）生年月日 1明治・2大正・3昭和・4平成・5令和 法人 自 月 日

（法人の設立年月日） 月 日

事業内容 登録希望日 令和 年 月 日

「免税事業者の確認」欄 ： 記載不要

□ b 翌課税期間が課税事業者で、その翌課税期間の初日から登録を受けようとする事業者（申請日が翌課税期間の初日から起算して15日前の日までの場合）
※ 次はB欄①の質問へ

翌課税期間の初日 令和 年 月 日

□ c 翌課税期間が課税事業者で、申請日が翌課税期間の初日から起算して15日前の日を過ぎている事業者
（この場合、翌課税期間の途中から登録を受けることとなります。） ※ 次はB欄①の質問へ

（ケース２）課税事業者が事業を開始した課税期間中に登録申請書を提出する場合で、その課税期間の初日から登録を受けることを希望しないとき

初葉 「事業者区分」欄

この申請書を提出する時点において、該当する事業者の区分に応じ、□にレ印を付してください。

□ 課税事業者 ⇨ 次葉のBへ

□ 免税事業者 ⇨ 次葉のAへ

☑ 新規開業等した事業者

□ 事業を開始した課税期間の初日から登録を受けようとする事業者 ⇨ 右の□枠内を記載し次葉のBへ

※ 課税期間の初日が令和５年９月30日以前の場合の登録年月日は、同年10月１日となります。

課税期間の初日（個人事業者は本年１月１日、法人は設立日）
令和 年 月 日

☑ 事業を開始した課税期間の初日から登録を受けない課税事業者 ⇨ 次葉のBへ

□ 事業を開始した課税期間の初日から登録を受けない免税事業者 ⇨ 次葉のAへ

次葉 「免税事業者の確認」欄

A 該当する事業者の区分に応じ、□にレ印を付し記載してください。

□ a 次のb・c以外で例えば免税事業者である課税期間中の最短日での登録を希望するなど免税事業者である課税期間中に登録を受けようとする事業者（登録開始日から納税義務の免除の規定の適用を受けないこととなります。）
※ 以下の□枠内を記載し（登録希望日欄の記載をお忘れなく）、次はB欄①の質問へ

個人番号

事業内容等（個人事業者の場合）生年月日 1明治・2大正・3昭和・4平成・5令和 法人 自 月 日

（法人の設立年月日） 月 日

事業内容 登録希望日 令和 年 月 日

「免税事業者の確認」欄 ： 記載不要

□ b 翌課税期間が課税事業者で、その翌課税期間の初日から登録を受けようとする事業者（申請日が翌課税期間の初日から起算して15日前の日までの場合）
※ 次はB欄①の質問へ

翌課税期間の初日 令和 年 月 日

□ c 翌課税期間が課税事業者で、申請日が翌課税期間の初日から起算して15日前の日を過ぎている事業者
（この場合、翌課税期間の途中から登録を受けることとなります。） ※ 次はB欄①の質問へ

（ケース３） 免税事業者が事業を開始した課税期間中に登録申請書を提出する場合で、その課税期間の初日から登録を受けることを希望しないとき

＜特に注意したい点＞

① １ページ目（初葉）の「事業者区分」欄：「新規開業等した事業者」に☑し、次に「事業を開始した課税期間の初日から登録を受けない免税事業者」に☑します。

② ２ページ目（次葉）「免税事業者の確認欄」は右のページの通り、該当する箇所に☑します。

課税事業者になる日	①上段に☑をした場合：登録希望日 ②下段に☑をした場合：翌課税期間の初日
登録年月日 （インボイス発行事業者になる日）	①上段に☑をした場合：登録希望日 ②下段に☑をした場合：登録がされた日

既に事業を営んでいる事業者

（ケース４） 免税事業者が事業を開始した課税期間後の課税期間に登録を受けようとする場合

＜特に注意したい点＞

① １ページ目（初葉）の「事業者区分欄」：「免税事業者」に☑します。

② ２ページ目（次葉）「免税事業者の確認欄」は右のページの通り、該当する箇所に☑します。

課税事業者になる日	①上段に☑をした場合：登録希望日 ②中段に☑をした場合：翌課税期間の初日 ③下段に☑をした場合：翌課税期間の初日
登録年月日 （インボイス発行事業者になる日）	①上段に☑をした場合：登録希望日 ②中段に☑をした場合：翌課税期間の初日 ③下段に☑をした場合：登録がされた日

（ケース３）免税事業者が事業を開始した課税期間中に登録申請書を提出する場合で、その課税期間の初日から登録を受けることを希望しないとき

初葉 「事業者区分」欄

この申請書を提出する時点において、該当する事業者の区分に応じ、□にレ印を付してください。

□ 課税事業者 ⇨ 次葉のBへ

□ 免税事業者 ⇨ 次葉のAへ

☑ 新規開業等した事業者

□ 事業を開始した課税期間の初日から登録を受けようとする事業者 ⇨ 右の□枠内を記載し次葉のBへ

※ 課税期間の初日が令和５年９月30日以前の場合の登録年月日は、同年10月１日となります。

課税期間の初日（個人事業者は本年１月１日、法人は設立日）令和　年

□ 事業を開始した課税期間の初日から登録を受けない課税事業者 ⇨ 次葉

☑ 事業を開始した課税期間の初日から登録を受けない免税事業者 ⇨ 次葉

以下に該当しない場合は、こちらに☑を記載してください。

次葉 「免税事業者の確認」欄

※ 法人の方は、個人番号の代わりに事業年度・資本金を記載してください。

下記①から③の全てを満たす場合のみ、この欄に☑を記載してください。
① 登録申請書の提出時点で免税事業者の方が
② 翌課税期間の初日において課税事業者となり（「消費税課税事業者選択届出書」を提出して課税事業者となる場合を含みます。）
③ 課税事業者となる「課税期間の初日」が
・令和５年 10 月１日以降で、その課税期間の初日から起算して 15 日前の日を過ぎて登録申請書を提出する場合（その課税期間の途中から登録を受けることとなります。）

該当する事業者の区分に応じ、□にレ印を付し記載してください。

☑ a 次のb・c以外で例えば免税事業者である課税期間中の最短日での登録を希望するなど免税事業者である課税期間中に登録を受けようとする事業者（登録開始日から納税義務の免除の規定の適用を受けないこととなります。）

※ 以下の□枠内を記載し（登録希望日欄の記載をお忘れなく）、次はB欄①の質問へ

個人番号	X X X X X X X X X X X X		
事業内容等	（個人事業者の場合）生年月日	1明治・2大正・3昭和・4平成・5令和	法人のみ記載 事業年度 自 月 日 至 月 日
	（法人の場合）設立年月日	○○ 年 △△ 月 □□ 日	資本金 円
	事業内容	×××業	登録希望日 令和○年△月□日

□ b 翌課税期間が課税事業者で、その翌課税期間の初日から登録をするとする事業者（申請日が翌課税期間の初日から起算して15日前の日までの場合）

※ 次はB欄①の質問へ

翌課税期間の初日 令和 年 月 日

□ c 翌課税期間が課税事業者で、申請日が翌課税期間の初日から起算して15日前の日を過ぎている事業者（この場合、翌課税期間の途中から登録を受けることとなります。） ※ 次はB欄①の質問へ

（ケース４）免税事業者が事業を開始した課税期間後の課税期間に登録を受けようとする場合

初葉 「事業者区分」欄

この申請書を提出する時点において、該当する事業者の区分に応じ、□にレ印を付してください。

□ 課税事業者 ⇨ 次葉のBへ

☑ 免税事業者 ⇨ 次葉のAへ

下記①から④の全てを満たす場合のみ、この欄に☑を記載してください。
① 登録申請書の提出時点で免税事業者の方が
② 翌課税期間の初日において課税事業者となり（「消費税課税事業者選択届出書」を提出して課税事業者となる場合を含みます。）
③ 翌課税期間の初日から登録を受けようとし
④ 課税事業者となる「課税期間の初日」が
・令和５年 10 月１日以降で、その課税期間の初日から起算して 15 日前の日までに登録申請書を提出する場合

次葉 「免税事業者の確認」欄（個人事業者の場合）

※ 法人の方は、個人番号の代わりに事業年度・資本金を記載してください。

以下の２つに該当しない場合は、こちらに☑を記載してください。

A 該当する事業者の区分に応じ、□にレ印を付し記載してください。

☑ a 次のb・c以外で例えば免税事業者である課税期間中の最短日での登録を希望するなど免税事業者である課税期間中に登録を受けようとする事業者（登録開始日から納税義務の免除の規定の適用を受けないこととなります。）

※ 以下の□枠内を記載し（登録希望日欄の記載をお忘れなく）、次はB欄①の質問へ

個人番号	X X X X X X X X X X X X		
事業内容等	（個人事業者の場合）生年月日	1明治・2大正・3昭和・4平成・5令和	法人のみ記載 事業年度 自 月 日 至 月 日
	（法人の場合）設立年月日	○○ 年 △△ 月 □□ 日	資本金 円
	事業内容	×××業	登録希望日 令和○年△月□日

□ b 翌課税期間が課税事業者で、その翌課税期間の初日から登録をするとする事業者（申請日が翌課税期間の初日から起算して15日前の日までの場合）

※ 次はB欄①の質問へ

翌課税期間の初日 令和 年 月 日

□ c 翌課税期間が課税事業者で、申請日が翌課税期間の初日から起算して15日前の日を過ぎている事業者（この場合、翌課税期間の途中から登録を受けることとなります。） ※ 次はB欄①の質問へ

下記①から③の全てを満たす場合のみ、この欄に☑を記載してください。
① 登録申請書の提出時点で免税事業者の方が
② 翌課税期間の初日において課税事業者となり（「消費税課税事業者選択届出書」を提出して課税事業者となる場合を含みます。）
③ 課税事業者となる「課税期間の初日」が
・令和５年 10 月１日以降で、その課税期間の初日から起算して 15 日前の日を過ぎて登録申請書を提出する場合（その課税期間の途中から登録を受けることとなります。）

（ケース5） 登録申請書の提出が事業を開始した課税期間でない課税事業者が、免税事業者である翌課税期間において登録を受けようとする場合

＜特に注意したい点＞

① 1ページ目（初葉）の「事業者区分」欄：「免税事業者」に☑します。

② 2ページ目（次葉）の「免税事業者の確認」欄：「次のｂ・ｃ以外で例えば免税事業者である課税期間中の最短日での登録を希望するなど免税事業者である課税期間中に登録を受けようとする事業者（登録開始日から納税義務の免除の規定の適用を受けないこととなります。）」に☑します。

登録希望日欄には、翌課税期間の初日（課税期間の初日から起算して15日前の日までに提出が必要）または提出日から15日を経過する日（翌課税期間中の日付に限ります。）を記載します。

課税事業者になる日	翌課税期間の初日または登録希望日
登録年月日 （インボイス発行事業者になる日）	翌課税期間の初日または登録希望日

（ケース6） 課税事業者が事業を開始した課税期間後の課税期間に登録を受けようとする場合

＜特に注意したい点＞

① 1ページ目（初葉）の「事業者区分」欄：「課税事業者」に☑する。

② 2ページ目（次葉）「免税事業者の確認欄」は記載不要です。

課税事業者になる日	既に課税事業者
登録年月日 （インボイス発行事業者になる日）	登録がされた日（後日通知される登録通知書をご確認ください）

（ケース５）登録申請書の提出が事業を開始した課税期間でない課税事業者が、免税事業者である翌課税期間において登録を受けようとする場合

初葉 「事業者区分」欄

この申請書を提出する時点において、該当する事業者の区分に応じ、□にレ印を付してください。

- □ **課税事業者** ⇨ 次葉のBへ
- ☑ **免税事業者** ⇨ 次葉のAへ
- □ **新規開業等した事業者**

次葉 「免税事業者の確認」欄（個人事業者の場合）

※ **法人の方は、個人番号の代わりに事業年度・資本金を記載**してください。

A 免税事業者の確認

該当する事業者の区分に応じ、□にレ印を付し記載してください。

☑ **a 次のb・c以外**で例えば**免税事業者である課税期間中の最短日での登録を希望する**など**免税事業者である課税期間中に登録**を受けようとする事業者（登録開始日から納税義務の免除の規定の適用を受けないこととなります。）

※ 以下の□**枠内**を記載し（**登録希望日欄の記載をお忘れなく**）、次は**B欄①の質問**へ

個人番号		X X X X X X X X X X X X		
事業内容等	（個人事業者の場合）生年月日 （法人の場合）設立年月日	1明治・2大正・3昭和・(4平成)・5令和 ○○ 年 △△ 月 □□ 日	法人のみ記載	事業年度 自 月 日 至 月 日 資本金 円
	事業内容	×××業	登録希望日	令和 ○年△月□日

□ **b 翌課税期間**が**課税事業者**で、その**翌課税期間の初日から登録**を受けようとする事業者（**申請日が**翌課税期間の初日から起算して**15日前の日まで**の場合）

※ 次は**B欄①の質問**へ

翌課税期間の初日 令和 年 月 日

□ **c 翌課税期間**が**課税事業者**で、**申請日が**翌課税期間の初日から起算して**15日前の日を過ぎている**事業者

（この場合、**翌課税期間の途中から登録**を受けることとなります。） ※ 次は**B欄①の質問**へ

（ケース６）課税事業者が事業を開始した課税期間後の課税期間に登録を受けようとする場合

初葉 「事業者区分」欄

この申請書を提出する時点において、該当する事業者の区分に応じ、□にレ印を付してください。

- ☑ **課税事業者** ⇨ 次葉のBへ
- □ **免税事業者** ⇨ 次葉のAへ
- □ **新規開業等した事業者**

次葉 「免税事業者の確認」欄

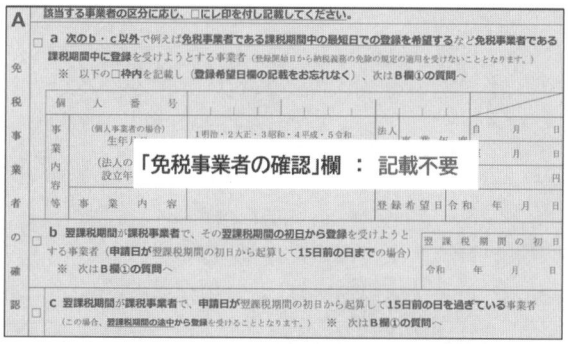

相続により発行事業者の事業を承継した事業者

（ケース7） 相続によりインボイス発行事業者の事業を承継した個人事業者が、みなし登録期間中に登録申請書を提出する場合

※ 既に登録を受けている場合は登録申請書の提出は不要です。

＜特に注意したい点＞

① 1ページ目（初葉）の「事業者区分」欄：「課税事業者」に☑します。

② 2ページ目（次葉）の「相続による事業承継の確認」欄：「相続により適格請求書発行事業者の事業を承継しました。」欄の「はい」に☑ し、必要事項を記載します（適格請求書発行事業者の死亡届出書を提出してください）。

※ みなし登録期間中は被相続人の登録番号を使用することができます

課税事業者になる日	既に課税事業者（相続があった日の翌日から課税事業者）
登録年月日 （インボイス発行事業者になる日）	登録がされた日（後日通知される登録通知書をご確認ください）

（ケース7）相続によりインボイス発行事業者の事業を承継した個人事業者が、みなし登録期間中に登録申請書を提出する場合

初葉 「事業者区分」欄

この申請書を提出する時点において、該当する事業者の区分に応じ、□にレ印を付してください。
☑ 課税事業者 ⇨ 次葉のBへ
□ 免税事業者 ⇨ 次葉のAへ
□ 新規開業等した事業者

次葉 「免税事業者の確認」欄及び「相続による事業承継の確認」欄

A 免税事業者の確認

該当する事業者の区分に応じ、□にレ印を付し記載してください。

□ a 次のb・c以外で例えば免税事業者である課税期間中の最短日での登録を希望するなど免税事業者である課税期間中に登録を受けようとする事業者（登録開始日から納税義務の免除の規定の適用を受けないこととなります。）
※ 以下の□枠内を記載し（登録希望日欄の記載をお忘れなく）、次はB欄①の質問へ

個人番号			
事業内容等	（個人事業者の場合）生年月日	1明治・2大正・3昭和・4平成・5令和	法人 日 月 日
	（法人の設立年		月 日 円
	事業内容		登録希望日 令和 年 月 日

「免税事業者の確認」欄 ： 記載不要

□ b 登課税期間が課税事業者で、その登課税期間の初日から登録を受けようとする事業者（申請日が登課税期間の初日から起算して15日前の日までの場合）
※ 次はB欄①の質問へ

登課税期間の初日 令和 年 月 日

□ c 登課税期間が課税事業者で、申請日が登課税期間の初日から起算して15日前の日を過ぎている事業者（この場合、登課税期間の途中から登録を受けることとなります。） ※ 次はB欄①の質問へ

C 相続による事業承継の確認

相続により適格請求書発行事業者の事業を承継しました。
（「はい」の場合は、以下の事項を記載してください。）

☑ はい □ いいえ 質問はこれで終わり

適格請求書発行事業者の死亡届出書の提出先税務署		○○ 税務署
被相続人	死亡年月日	令和 ○ 年 ✕ 月 △ 日
	（フリガナ）	トウキョウト
	納税地	（〒 － ）東京都○○区△△ □－□
	（フリガナ）氏名	国税 太郎
	登録番号	T ✕✕✕✕✕✕✕✕✕✕✕✕✕

「適格請求書発行事業者の登録の取消しを求める旨の届出書」を作成する
―適格請求書発行事業者の登録の取消しを求める手続―

STEP 1

概要

適格請求書発行事業者は、納税地を所轄する税務署長に「適格請求書発行事業者の登録の取消しを求める旨の届出書（登録取消届出書）」を提出することにより、適格請求書発行事業者の登録の効力を失わせることができます。

STEP 2

登録の効力を失う日を記載する

登録の効力を失う日は、登録取消届出書を提出した日の属する課税期間の翌課税期間の初日となります。

ただし、登録取消届出書を提出した日の属する課税期間の翌課税期間の初日から登録の効力を失わせるためには、翌課税期間の初日から起算して15日前の日までにこの届出書を提出する必要があります。

登録取消届出書を翌課税期間の初日から起算して15日前の日を過ぎて提出した場合には、翌々課税期間の初日に登録の効力を失うこととなります。

（注） 翌課税期間の初日から15日前の日が土曜日・日曜日・祝祭日であったとしても、その翌日に提出した場合には、15日前の日を過ぎていることとなるため、翌々課税期間の初日が登録の効力を失う日となります。（詳細は**No. 1**「適格請求書発行事業者の登録」**STEP 7** 参照）

STEP 3

適格請求書発行事業者の登録を受けた日を記載する

適格請求書発行事業者の登録を受けた日を、登録通知書または国税庁の適格請求書発行事業者公表サイトで確認し、登録年月日を記載します。

STEP 4

適格請求書発行事業者の登録を受けた日を記載する

適格請求書発行事業者が、基準期間における課税売上高が1,000万円以下となったことにより、免税事業者となるためには、登録取消届出書と併せて「消費税課税事業者選択不適用届出書」を提出する必要があります。

ただし、令和５年10月１日から令和11年９月30日までの経過措置を適用し、登録時に「課税事業者選択届出書」を提出していない事業者は、「登録取消届出書」の提出のみで免税事業者に戻ることができます。（詳細は**No. 1 STEP 3** 参照）

STEP 2

3月決算法人の場合

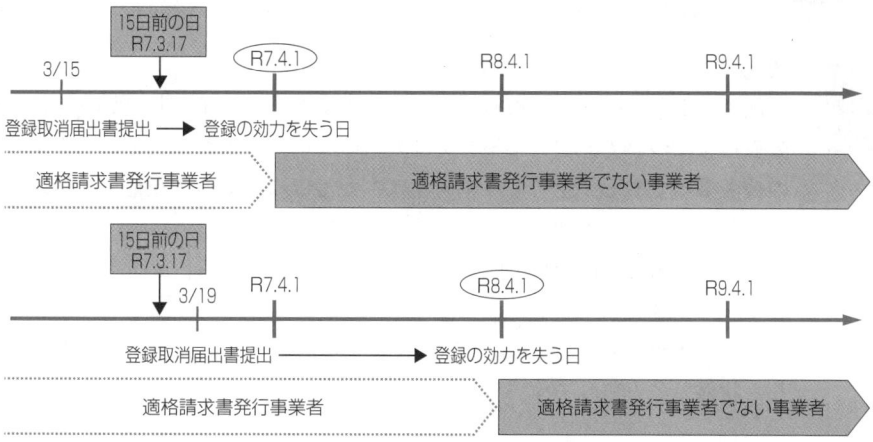

STEP 2

STEP 3

第３号様式

適格請求書発行事業者の登録の取消しを求める旨の届出書

収受印

令和 7 年 3 月 17 日

翌課税期間の初日から起算して15日前の日までに提出した場合は、翌課税期間の初日に登録の効力を失う

_____ 税務署長殿

届出者	（フリガナ） 納税地	オオサカシチュウオウクオオテマエ （〒 540 － 0008 ） 大阪市中央区大手前 1-5 （電話番号 － － ）
	（フリガナ） 氏名又は名称及び代表者氏名	コクゼイショウジカブシキガイシャ ヤマダ タロウ 国税商事株式会社 代表取締役 山田 太郎
	法人番号	※ 個人の方は個人番号の記載は不要です。 1 1 2 3 4 5 6 7 8 9 0 1 2
	登録番号	T 1 1 2 3 4 5 6 7 8 9 0 1 2

下記のとおり、適格請求書発行事業者の登録の取消しを求めますので、消費税法第57条の２第10項第１号の規定により届出します。

登録の効力を失う日	令和 7 年 4 月 1 日
	※ 登録の効力を失う日は、届出書を提出した日の属する課税期間の翌課税期間の初日となります。 ただし、この届出書を翌課税期間の初日から起算して15日前の日を過ぎて提出した場合には、翌々課税期間の初日に効力を失うこととなります。 登録の効力を失った旨及びその年月日は、国税庁ホームページで公表されます。
適格請求書発行事業者の登録を受けた日	令和 5 年 10 月 1 日

No.92 「適格請求書発行事業者の公表事項の公表(変更)申出書」を作成する

STEP 1

概要

国税庁ホームページ「適格請求書発行事業者公表サイト」(以下「公表サイト」)での公表情報について、個人事業者又は人格のない社団等が、法定の公表事項に加え、任意の公表事項である「屋号」、「本店又は主たる事務所等の所在地」、「外国人の通称又は旧姓氏名」を新たに追加・変更する場合に提出します。

この申出書は、「適格請求書発行事業者の登録申請書」と同時に提出することができます。

同時に提出することによって、「公表サイト」への公表当初から申出書の内容を反映した状態で公表されます。

STEP 2

新たに公表する事項を記載する

1. 個人事業者の公表事項

・「主たる屋号」を一つ記載します。屋号が複数ある場合は、任意の一つしか公表できません。

・「主たる事務所の所在地等」は、公表する事務所や店舗の所在地を一つ記載します。屋号と同様に、複数ある場合は、任意の一つしか公表できません。

・「通称」は、外国人の通称で、住民票に併記されているものに限り公表することができます。「通称」に✓印を付して記載します。この場合、「氏名に代えて(通称のみ)公表」又は「氏名と併記して公表」が選択できますので、いずれかの□に✓印を付し記載してください。

・「旧姓(旧氏)氏名」は、住民票に併記されている旧姓(旧氏)を使用した氏名を公表することができます。「旧姓(旧氏)氏名」に✓印を付して記載します。通称を公表する場合と同様に、「氏名に代えて(旧姓(旧氏)のみ)公表」又は「氏名と併記して公表」が選択できますので、いずれかの□に✓印を付し記載してください。

住民基本台帳法令の規定により、やむを得ず住民票に旧姓(旧氏)を併記できない場合には、戸籍謄本を添付して提出することにより、氏名に代えて旧姓(旧氏)を公表することができます。

2. 人格のない社団等の公表事項

人格のない社団等は法人とみなして消費税法が適用されますが、「公表サイト」では、他の法人と異なり、「本店又は主たる事務所の所在地」は法定の公表事項とされていません。したがって、人格のない社団等が「本店又は主たる事務所の所在地」を公表する場合は、□に✓印を付して、記載します。

STEP 2

申出により公表が可能な事項

事業者区分	公表を希望する事項
個人事業者	・主たる屋号 ・主たる事務所の所在地等 ・通称（住民票に併記されているものに限る。）（※） ・旧姓(旧氏)氏名 （原則として、住民票に併記されている旧姓(旧氏)に限る。）（※）
人格のない社団等	・本店又は主たる事務所の所在地

（※）　通称又は旧姓(旧氏)氏名は、氏名として単独で公表するか氏名と併記して公表するかを選択できます。

適格請求書発行事業者の公表事項の公表（変更）申出書

収受印

令和　年　月　日

「適格請求書発行事業者の登録申請書」と同時に提出する場合は記載不要です。

＿＿＿＿ 税務署長殿

納税地	（フリガナ）	オオサカシテンノウジクウエホンマチ〇チョウメ6-8
		（〒543－0001） 大阪市天王寺区上本町〇丁目6－8 （電話番号　06　－6×××－9876）
氏名又は名称及び代表者氏名	（フリガナ）	スズキ　ジロウ
		鈴木　二郎
法人番号		※ 個人の方は個人番号の記載は不要です。
登録番号	T	

国税庁ホームページの公表事項について、下記の事項を追加（変更）し、公表することを希望します。

STEP 2

新たに公表する事項

新たに公表を希望する事項の□にレ印を付し記載してください。

個人事業者	☑ 主たる屋号（複数ある場合 任意の一つ）	（フリガナ）ビストロジロー ビストロジロー
	☑ 主たる事務所の所在地等（複数ある場合 任意の一箇所）	（フリガナ）オオサカシテンノウジクタニマチ×チョウメ2-6 大阪市天王寺区谷町×丁目2-6
	□ 通称 □ 旧姓（旧氏）氏名（住民票に併記されている通称又は旧姓(旧氏)に限る）	いずれかの□にレ印を付し、通称又は旧姓(旧氏)を使用した氏名を記載してください。 □ 氏名に代えて公表 □ 氏名と併記して公表 （フリガナ）
人格のない社団等	□ 本店又は主たる事務所の所在地	（フリガナ）

STEP 3

変更の内容

既に公表されている上記の事項について、公表内容の変更を希望する場合に記載してください。

変更年月日	令和　年　月　日
変更事項	（個人事業者）□ 屋号　□ 事務所の所在地等　□ 通称又は旧姓(旧氏)氏名 （人格のない社団等）□ 本店又は主たる事務所の所在地
変更前	（フリガナ）
変更後	（フリガナ）

※　常用漢字等を使用して公表しますので、申出書に記載した文字と公表される文字とが異なる場合があります。

STEP 3

公表している事項を変更する場合等

1．公表事項を変更する場合

既に公表されている事項に変更があった場合には、「変更年月日」欄に変更があった年月日を記載し、該当する変更事項の□に✓印を付して、「変更前」欄及び「変更後」欄に、変更事項を記載します。

2．公表事項を公表しないこととする場合

既に公表されている事項を公表しないこととする場合には、変更事項欄の公表しないこととする事項の□に✓印を付して、「変更前」欄にその事項を記載し、「変更後」欄に公表しないこととする旨を記載します。

STEP 4

その他注意事項

個人事業者が、通称又は旧姓（旧氏）氏名の公表を希望する場合は、住民票の写しの添付が必要です。ただし、e-Tax により提出する場合は、添付を省略することができます。

屋号や本店又は主たる事務所等の所在地は、「適格請求書発行事業者の公表事項(変更)申出書」に記載されたとおりに公表されますので、記載内容に誤り等がないか、提出前に確認を忘れないでください。

また、常用漢字等を使用して公表されますので、この申出書に記載した文字と公表される文字とが異なる場合があります。

鈴木　二郎の情報

最新情報

登録番号

T9987665433210

氏名又は名称

鈴木　二郎

登録年月日

令和5年10月1日

主たる事務所の所在地等

大阪市天王寺区谷町×丁目2-6

主たる屋号

ビストロジロー

「適格請求書発行事業者の公表事項（変更）申出書」を提出した場合にのみ公表されます。

最終更新年月日

令和6年2月20日

履歴情報

公表以後の履歴について表示しています。

No.1
新規

・適格請求書発行事業者登録日　令和5年10月1日

No.93 「適格請求書発行事業者登録簿の登載事項変更届出書」を作成する

STEP 1

概要

適格請求書発行事業者の「氏名又は名称」や「本店又は主たる事務所の所在地」（法人の場合のみ）に変更があった場合には、この届出書を提出します。

変更事項、国税庁ホームページに公表されます。

なお、法人が「名称」又は「本店又は主たる事務所の所在地」を変更したことにより、その旨を記載した異動届出書を提出した場合には、この届出書の提出は不要です。

（注）　個人事業主の氏名について「住民票に記載されている外国人の通称」又は「住民票に併記されている旧姓（旧氏）」等、「適格請求書発行事業者の公表事項の公表（変更）申出書」の提出により公表している場合の変更は、「適格請求書発行事業者の公表事項の公表（変更）申出書」により、変更してください。

STEP 2

変更の内容を記載する

①　変更年月日

適格請求書発行事業者登録簿に登載された事項に変更があった年月日を記載する。

②　変更事項

該当する□に✓印を付す。

③　「変更前」及び「変更後」

変更事項を記載します。

STEP 3

登載事項変更届出書（次葉）

この届出書の次葉は、特定国外事業者以外の国外事業者が国内において行う資産の譲渡等に係る事務所、事業所その他これらに準ずるものを国内に有しないこととなった場合に、変更内容を記載して提出してください。

国外事業者の場合は、変更内容が確認できる資料を添付してください。

第2－(2)号様式

適格請求書発行事業者登録簿の登載事項変更届出書

収受印

令和 6 年 12 月 4 日

東 税務署長殿

届出者	（フリガナ） 納税地	オオサカシチュウオウクオオテマエ （〒 540 － 0008 ） 大阪市中央区大手前1－5 （電話番号 06 －6XXX－3319 ）
	（フリガナ） 氏名又は名称及び代表者氏名	コクゼイショウジカブシキガイシャ　ヤマダタロウ 国税商事株式会社 山田 太郎
	法人番号	※ 個人の方は個人番号の記載は不要です。 1 1 2 3 4 5 6 7 8 9 0 1 2
	登録番号	T 1 1 2 3 4 5 6 7 8 9 0 1 2

この届出書は、令和五年十月一日以後提出する場合に使用します。

下記のとおり、適格請求書発行事業者登録簿に登載された事項に変更があったので、消費税法第57条の2第8項の規定により届出します。

変更の内容	変更年月日	令和 6 年 12 月 1 日
	変更事項	☑ 氏名又は名称 □ 法人（人格のない社団等を除く。）にあっては、本店又は主たる事務所の所在地 □ 国外事業者にあっては、国内において行う資産の譲渡等に係る事務所、事業所その他これらに準ずるものの所在地 ※ 当該事務所等を国内に有しないこととなる場合は、次葉も提出してください。
	変更前	（フリガナ） ステップショウジ カブシキガイシャ ステップ商事 株式会社
	変更後	（フリガナ） コクゼイショウジ カブシキガイシャ 国税商事 株式会社
	※ 変更後の内容については、国税庁ホームページで公表されます。 なお、常用漢字等を使用して公表しますので、届出書に記載した文字と公表される文字とが異なる場合があります。	
参考事項		
税理士署名		（電話番号 － － ）

※税務署処理欄						
整理番号		部門番号				
届出年月日	年 月 日	入力処理	年 月 日	番号確認		

注意 1 記載要領等に留意の上、記載してください。
2 税務署処理欄は、記載しないでください。

「消費税課税事業者届出書(基準期間用)」を作成する
—免税事業者が課税事業者になることとなった場合—

STEP 1

概要

基準期間における課税売上高が1,000万円を超えたことにより、免税事業者が課税事業者になる場合に提出します。課税事業者になることが判明した場合は速やかに提出しなければならないこととされています。

ただし、課税事業者選択届出書を提出している場合や適格請求書発行事業者として登録を受けている場合は、基準期間における課税売上高が1,000万円を超えるかどうか等にかかわらず、課税事業者となることから、提出日又は登録日の属する課税期間の翌課税期間以後の課税期間については、この届出書を提出する必要はありません。

この「課税事業者届出書」は、課税事業者になることを確認するための届出書です。したがって、未提出であっても免税事業者のままであるということはありません。あくまで課税事業者に該当するかどうかは、基準期間における課税売上高で判定します。

STEP 2

適用開始課税期間を記載する

課税事業者になる課税期間を記載します。

STEP 3

基準期間及び基準期間における課税売上高等を記載する

1．適用開始課税期間の基準期間を記載します。

2．基準期間における総売上高、課税売上高を記載します。

(1) 基準期間が１年でない法人は、１年分（12か月分）に換算した課税売上高となります。

> (例) 基準期間が５か月で、課税売上高が525万円の場合
> $525万円 \times \frac{12月}{5月} = 1{,}260万円$（基準期間における課税売上高）

(2) 個人事業者が年の中途において事業を開始した場合等であっても、１年分に換算する必要はありません。基準期間の課税売上高をそのまま記載します。（消基通１－４－９）

(3) 基準期間に免税事業者であった場合は、基準期間における課税売上高は税込みの金額となり、税抜き処理はしません。（消基通１－４－５）

STEP 4

その他の事項を記載する

各々の欄に必要事項を記載します。

① 設立年月日（法人の場合）／生年月日（個人事業者の場合）

② 事業内容

③ 事業年度・資本金（法人のみ）

④ 届出区分

なお、相続、合併又は分割等により課税事業者となった場合には、「相続・合併・分割等があったことにより課税事業者となる場合の付表」（第４号様式）を添付します。

第３－(1)号様式

基準期間用

消費税課税事業者届出書

収受印

令和 6 年 5 月 27 日

提出期限
納税義務を把握するため、速やかに提出しましょう。

東 税務署長殿

届出者	(フリガナ) 納税地	オオサカシチュウオウクオオテマエ (〒540－0008) 大阪市中央区大手前1-5 (電話番号 06－6XXX－3319)
	(フリガナ) 住所又は居所（法人の場合）本店又は主たる事務所の所在地	(〒　－　) 同上 (電話番号　－　－　)
	(フリガナ) 名称（屋号）	コクゼイショウジカブシキガイシャ 国税商事株式会社
	個人番号又は法人番号	↓ 個人番号の記載に当たっては、左端を空欄とし、ここから記載してください。 1 1 2 3 4 5 6 7 8 9 0 1 2
	(フリガナ) 氏名（法人の場合）代表者氏名	ヤマダ タロウ 山田太郎
	(フリガナ) (法人の場合) 代表者住所	トヨナカシシンセンリミナミマチ 豊中市新千里南町2-59-9 (電話番号 06－6XXX－0823)

個人事業者は前々年、法人は原則として前々事業年度を記入します。

基準期間が１年でない法人は年換算額を記載します。

STEP 2

適用開始課税期間	自 平成・(令和) 7 年 4 月 1 日　至 平成・(令和) 8 年 3 月 31 日

STEP 3

上記期間の基準期間	自 平成・(令和) 5 年 4 月 1 日 至 平成・(令和) 6 年 3 月 31 日	左記期間の総売上高	12,345,678 円
		左記期間の課税売上高	12,345,558 円

1,000万円超となります。

STEP 4

事業内容等	生年月日（個人）又は設立年月日（法人）	1明治・2大正・3昭和・(4平成)・5令和 30 年 10 月 10 日	法人のみ記載	事 資
	事業内容	電気器具卸売業		

総売上高から非課税売上高を差し引いた金額です。免税事業者であった基準期間の課税売上高は、税抜き処理は行いません。

参考事項		税理士署名	(電話番号　－　－　)

※税務署処理欄	整理番号			部門番号			
	届出年月日	年　月　日		入力処理	年　月　日	台帳整理	年　月　日
	番号確認		身元確認	□ 済 □ 未済	確認書類	個人番号カード／通知カード・運転免許証 その他（　）	

注意　1．裏面の記載要領等に留意の上、記載してください。
　　2．税務署処理欄は、記載しないでください。

「消費税課税事業者届出書(特定期間用)」を作成する
—免税事業者が課税事業者になることとなった場合—

STEP 1

概要

基準期間における課税売上高が1,000万円以下である事業者が、特定期間における課税売上高が1,000万円を超えたことにより、課税事業者になる場合に提出します。なお、課税売上高に代えて給与等の支払額の合計額により判定することもできます。

特定期間の課税売上高（又は給与等支払額の合計額）が1,000万円を超え、課税事業者になることとなった場合には、特定期間終了後速やかにこの届出書を提出します。

（**No.14**「特定期間における課税売上高による納税義務の免除の特例」参照）

STEP 2

適用開始課税期間を記載する

課税事業者になる課税期間を記載します。

STEP 3

特定期間及び特定期間における課税売上高等を記載する

1．適用開始課税期間の特定期間を記載します。

2．特定期間における総売上高、課税売上高を記載します。

なお、特定期間の属する課税期間において免税事業者であった場合には、税抜き処理は行いません。（消基通１－４－５）

3．課税売上高に代えて給与等支払額の合計額により判定を行った場合には、給与等支払額を記載します。

給与等支払額とは、特定期間中に支払った所得税の課税対象となる給与・賞与等の合計額です。（未払給与等は対象となりません）

STEP 4

その他の事項を記載する

各々の欄に必要事項を記載します。

① 設立年月日（法人の場合）／生年月日（個人事業者の場合）

② 事業内容

③ 事業年度・資本金（法人のみ）

第３－(2)号様式

特定期間用

消費税課税事業者届出書

収受印

令和6年11月25日

提出期限
特定期間の翌事業年度又は翌年の納税義務を把握するため、速やかに提出しましょう。

東 税務署長殿

届出者

（フリガナ） 納税地	オオサカシチュウオウクオオテマエ （〒540－0008） 大阪市中央区大手前1-5 （電話番号 06－6XXX－3319）
（フリガナ） 住所又は居所 （法人の場合）本店又は主たる事務所の所在地	（〒　－　） 同上 （電話番号　－　－　）
（フリガナ） 名称（屋号）	コクゼイショウジカブシキガイシャ 国税商事株式会社
個人番号又は法人番号	↓ 個人番号の記載に当たっては、左端を空欄とし、ここから記載してください。 1 1 2 3 4 5 6 7 8 9 0 1 2
（フリガナ） 氏名 （法人の場合）代表者氏名	ヤマダ タロウ 山田太郎
（フリガナ） （法人の場合）本店又は主たる事務所の所在地	トヨナカシ シンセンリミナミ マチ 豊中市新千里南町2-59-9 （電話番号 06－6XXX－0823）

個人事業者はその前年の1月1日から6月30日までの期間、法人は原則としてその前事業年度開始の日以後6か月の期間を記入します。

STEP 2

が1,000万円を超えることとなったので、消費税法

適用開始課税期間	自 平成・令和 7年 4月 1日　至 平成・令和 8年 3月 31日		
上記期間の特定期間	自 平成・令和 6年 4月 1日 至 平成・令和 6年 9月 30日	左記期間の総売上高	12,365,748 円
		左記期間の課税売上高	12,365,668 円
		左記期間の給与等支払額	円

STEP 3

1,000万円超となります。

STEP 4

事業内容等	生年月日（個人）又は設立年月日（法人）	1明治・2大正・3昭和・4平成・5令和 30年 10月 10日	法人のみ記載	事業年度	自 4月 1日 至 3月 31日
				資本金	10,000,000 円
	事業内容	電気器具卸売業			
参考事項			税理士署名		

特定期間の属する課税期間が免税事業者であった場合には課税売上高は税抜き処理は行いません。
給与等支払額により判定する場合には「左記期間の給与等支払額」の欄に記入します。

※税務署処理欄	整理番号		部門番号			
	届出年月日	年 月 日	入力処理	年 月 日	台帳整理	年 月 日
	番号確認		身元確認	□ 済 □ 未済	確認書類	個人番号カード／通知カード・運転免許証 その他（　）

注意　1．裏面の記載要領等に留意の上、記載してください。
　　2．税務署処理欄は、記載しないでください。

「消費税の納税義務者でなくなった旨の届出書」を作成する
—基準期間の課税売上高が1,000万円以下となった場合—

STEP 1

概要

課税事業者である事業者（適格請求書発行事業者を除く。）の基準期間における課税売上高が1,000万円以下となったことにより、納税義務が免除されることとなる場合に提出します。納税義務が免除されることが判明した場合は、速やかに提出してください。

ただし、課税事業者選択届出書を提出している事業者や、適格請求書発行事業者の登録を受けている事業者については、基準期間における課税売上高にかかわらず納税義務は免除されませんので、この届出書を提出する必要はありません。

また、この届出書を提出した場合であっても、特定期間の課税売上高が1,000万円を超える場合には、納税義務は免除されないこととなります（**No.14**「特定期間における課税売上高による納税義務の免除の特例」参照）ので、「消費税課税事業者届出書（特定期間用）」を提出する必要があります。

「簡易課税制度選択届出書」を提出している場合は、この届出書を提出した場合であっても、「簡易課税制度選択不適用届出書」を提出しない限り、その効力は存続します。

STEP 2

適用開始課税期間を記載する

免税事業者となる課税期間を記載します。

STEP 3

基準期間及びその課税売上高を記載する

1．適用課税期間の基準期間を記載します。
2．基準期間における課税売上高を記載します。基準期間が１年でない法人は、１年分（12か月分）に換算した課税売上高となります。

STEP 4

納税義務者となった日を記載する

課税事業者となった課税期間の初日を記載します。

（例）令和５年４月１日～令和６年３月31日の課税期間から課税事業者となった場合
「納税義務者となった日」は令和５年４月１日

第５号様式

消費税の納税義務者でなくなった旨の届出書

収受印

令和 6年 5月 27日

提出期限
納税義務を把握するため、速やかに提出しましょう。

東 税務署長殿

届出者

(フリガナ)	オオサカシチュウオウクオオテマエ
納税地	(〒540－0008) 大阪市中央区大手前1-5 (電話番号 06－6XXX－3319)
(フリガナ)	コクゼイショウジカブシキガイシャ ヤマダタロウ
氏名又は名称及び代表者氏名	国税商事株式会社 山田太郎
個人番号又は法人番号	↓ 個人番号の記載に当たっては、左端を空欄とし、ここから記載してください。 1 1 2 3 4 5 6 7 8 9 0 1 2

下記のとおり、納税義務者でなくなったこととなりますので、消費税法第9条第4項第2号の規定により届出します。

個人事業者は前々年、法人は原則として前々事業年度を記入します。

STEP 2 ①	この届出の適用開始課税期間	自 平成・令和 7年 4月 1日 至 平成・令和 8年 3月 31日
②	①の基準期間	自 平成・令和 5年 4月 1日 至 平成・令和 6年 3月 31日
STEP 3 ③	②の課税売上高	9,523,809 円

基準期間が１年でない法人は年換算額を記載します。

1,000万円以下となります。

※1 この届出書を提出した場合であっても、特定期間（原則として、①の課税期間の前年の１月１日（法人の場合は前事業年度開始の日）から６か月間）の課税売上高が１千万円を超える場合には、①の課税期間の納税義務は免除されないこととなります。
2 高額特定資産の仕入れ等を行った場合に、消費税法第12条の４第１項の適用がある課税期間については、当該課税期間の基準期間の課税売上高が１千万円以下となった場合であっても、その課税期間の納税義務は免除されないこととなります。
（詳しくは、裏面をご覧ください。）

STEP 4 納税義務者となった日	平成・令和 5年 4月 1日
参考事項	
税理士署名	(電話番号 － －)

※税務署処理欄	整理番号			部門番号			
	届出年月日	年 月 日		入力処理	年 月 日	台帳整理	年 月 日
	番号確認		身元確認	□ 済 □ 未済	確認書類	個人番号カード／通知カード・運転免許証 その他（ ）	

注意 1．裏面の記載要領等に留意の上、記載してください。
2．税務署処理欄は、記載しないでください。

「消費税課税事業者選択届出書」を作成する
—免税事業者が課税事業者になろうとする場合—

STEP 1

概要（消法９）

免税事業者が課税事業者になることを選択しようとするときに提出します。

基準期間の課税売上高が1,000万円以下である免税事業者は納税義務はありませんが、例えばある課税期間に高額な設備投資をした場合、課税仕入高が課税売上高を上回ることがあります。この場合、課税事業者は申告により還付を受けることができますが、免税事業者は申告書を提出することができないため還付を受けることができません。この場合に、免税事業者が、課税事業者になることを選択することにより還付を受けることが可能となります。

ただし、この届出書を提出すると２年間（調整対象固定資産を取得した場合で一定の要件に該当するときは取得した課税期間から３年間）継続して課税事業者として申告する必要がありますので、還付を受ける予定であっても、複数年のトータルの納税・還付見込額を考慮した上で課税事業者を選択するかどうか、検討する必要があります。

※免税事業者が適格請求書発行事業者の登録を受けるためには、原則として課税事業者選択届出書を提出する必要がありますが、令和５年10月１日から令和11年９月30日までの日の属する課税期間に登録を受ける場合には、課税事業者選択届出書の提出は不要です。（**No.1**「適格請求書発行事業者の登録」**STEP 3** 参照）

STEP 2

適用開始課税期間を記載する

課税事業者を選択する課税期間を記載します。

適用開始課税期間は、通常はこの届出書を提出した日の属する課税期間の翌課税期間となります。したがって課税事業者を選択しようとする課税期間の初日の前日までに提出しなければなりません。

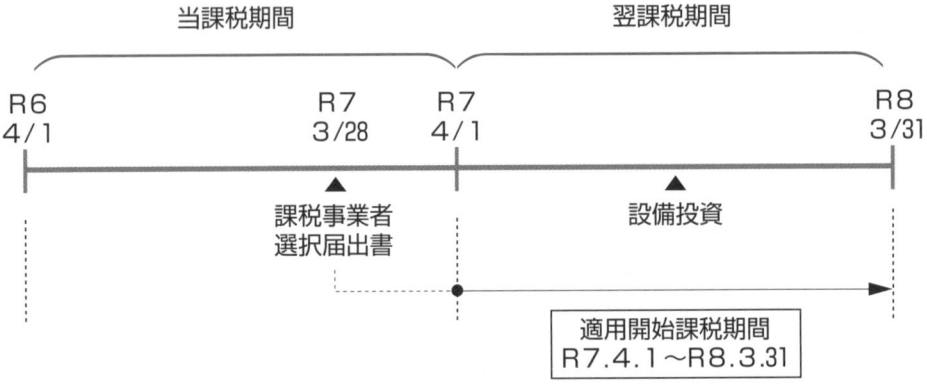

STEP 3

基準期間及び基準期間における課税売上高を記載する

1．適用期間の基準期間を記載します。

2．基準期間における課税売上高を記載します。基準期間が１年でない法人は、１年分（12か月分）に換算した金額を記載します。

STEP 4

その他の事項を記載する

各々の欄に必要事項を記載します。

① 設立年月日（法人の場合）／生年月日（個人事業者の場合）

② 事業内容

③ 事業年度・資本金（法人のみ）

④ 届出区分

第１号様式

消費税課税事業者選択届出書

取受印

令和 7 年 3 月 28 日

提出期限
課税事業者を選択しようとする課税期間の初日の前日まで
※新規事業開始の場合は開始課税期間の末日まで

東 税務署長殿

届出者	(フリガナ)	オオサカシチュウオウクオオテマエ
	納税地	(〒 540－0008) 大阪市中央区大手前1-5 (電話番号 06 －6XXX－3319)
	(フリガナ) 住所又は居所 (法人の場合) 本店又は主たる事務所の所在地	(〒 －) 同 上 (電話番号 － －)
	(フリガナ) 名称(屋号)	コクゼイショウジカブシキガイシャ 国税商事株式会社
	個人番号又は法人番号	↓ 個人番号の記載に当たっては、左端を空欄とし、ここから記載してください。 1 1 2 3 4 5 6 7 8 9 0 1 2
	(フリガナ) 氏名 (法人の場合) 代表者氏名	ヤマ ダ タ ロウ 山 田 太 郎
	(フリガナ) (法人の場合) 代表者住所	トヨナカシシンセンリミナミマチ 豊中市新千里南町2-59-9 (電話番号 06 －6XXX－ 0833)

STEP 1

下記のとおり、納税義務の免除の規定の適用を[illegible]第９条第４項の規定により届出します。

基準期間が１年でない法人は年換算額を記載します。

適用開始課税期間	自 平成(令和) 7 年 4 月 1 日 至 平成(令和) 8 年 3 月 31 日		
STEP 2 上記期間の基準期間	自 平成(令和) 5 年 4 月 1 日 至 平成(令和) 6 年 3 月 31 日	左記期間の総売上高	9,957,367 円
		左記期間の課税売上高	9,957,013 円

1,000万円以下となります。

STEP 3

事業内容等	生年月日(個人)又は設立年月日(法人)	1明治・2大正・3昭和・4平成・5令和 30 年 2 月 2 日	法人のみ記載	事業年度 自 4 月 1 日 至 3 月 31 日
				資本金 5,000,000 円
	事業内容	電気器具卸売業	届出区分	事業開始・設立・相続・合併・分割・特別会計・その他
参考事項			税理士署名	(電話番号 － －)

※税務署処理欄	整理番号		部門番号				
	届出年月日	年 月 日	入力処理	年 月 日	台帳整理	年 月 日	
	通信日付印 年 月 日	確認印	番号確認		身元確認	□ 済 □ 未済	確認書類 個人番号カード／通知カード・運転免許証 その他( )

注意 1．裏面の記載要領等に留意の上、記載してください。
2．税務署処理欄は、記載しないでください。

「消費税課税事業者選択不適用届出書」を作成する
―課税事業者を選択した事業者が免税事業者に戻る場合―

STEP 1

概要

課税事業者を選択している事業者が、その選択をやめようとする場合に提出します。

基準期間の課税売上高が1,000万円以下であっても、消費税の還付を受ける目的等のために課税事業者を選択することができますが、その後免税事業者に戻った方が有利な場合など、この届出書を提出することにより、課税事業者の選択をやめることができます。

STEP 2

適用開始課税期間を記載する

課税事業者の選択をやめようとする課税期間を記載します。適用開始課税期間は、通常はこの届出書を提出する日の属する課税期間の翌課税期間となります。したがって免税事業者に戻ろうとする課税期間の初日の前日までに提出しなければなりません。

STEP 3

基準期間及び基準期間における課税売上高を記載する

適用開始課税期間の基準期間及び基準期間の課税売上高を記載します。

この届出書を提出した場合であっても、特定期間の課税売上高が1,000万円を超える場合には、納税義務は免除されないこととなりますので、「消費税課税事業者届出書（特定期間用）」を提出する必要があります。

STEP 4

課税事業者となった日を記載する

課税事業者選択届出書の効力が生じた日、すなわち、かつて所轄税務署へ提出した「課税事業者選択届出書」に記載した適用開始課税期間の初日を記載します。

「課税事業者選択不適用届出書」は、課税事業者となった初めての課税期間の初日から２年を経過する日の属する課税期間の初日以後でなければ提出できません。

STEP 5

提出要件を確認する

課税事業者となった日から２年を経過する日までの間に開始した各課税期間中に調整対象固定資産の取得がないことを確認し、チェックマークを入れます。

課税事業者となった日から２年を経過する日までの間に開始した各課税期間中に調整対象固定資産を取得した場合は、調整対象固定資産の仕入れ等の日の属する課税期間の初日から３年を経過する日の属する課税期間の初日以後でなければ「課税事業者選択不適用届出書」を提出できません。

STEP 6

消費税課税事業者選択不適用届出書の提出にかかる特例

適格請求書発行事業者の登録申請書を提出した事業者で「消費税課税事業者選択届出書」の提出により令和５年10月１日を含む課税期間から課税事業者となる事業者については、その10月１日を含む課税期間中に「消費税課税事業者選択不適用届出書」を提出することにより「消費税課税事業者選択届出書」を失効させることができます。（28年改正法附則51の２⑤）

この場合、登録日から課税事業者となり、その課税事業者となった課税期間から小規模事業者に係る税額控除に関する経過措置「２割特例」を適用できることとなります。

第２号様式

消費税課税事業者選択不適用届出書

収受印

令和 6 年 6 月 8 日 提出期限 免税事業者に戻ろうとする課税期間の初日の前日まで	届出者	(フリガナ)	オオサカシチュウオウクオオテマエ
		納税地	(〒540 − 0008) 大阪市中央区大手前1-5 (電話番号 06−6XXX−3319)
東 税務署長殿		(フリガナ) 氏名又は名称及び代表者氏名	コクゼイショウジカブシキガイシャ ヤマダタロウ 国税商事株式会社 代表取締役 山田太郎
		個人番号又は法人番号	↓ 個人番号の記載に当たっては、左端を空欄とし、ここから記載してください。 1 1 2 3 4 5 6 7 8 9 0 1 2

下記のとおり、課税事業者を選択することをやめたいので、消費税法第９条第５項の規定により届出します。

STEP 2 ①	この届出の適用開始課税期間	自 平成 令和 7 年 4 月 1 日 至 平成 令和 8 年 3 月 31 日
STEP 2 ②	①の基準期間	自 平成 令和 5 年 4 月 1 日 至 平成 令和 6 年 3 月 31 日
STEP 3 ③	②の課税売上高	8,684,391 円

※ この届出書を提出した場合であっても、特定期間（原則として、①の課税期間の前年の１月１日（法人の場合は前事業年度開始の日）から６か月間）の課税売上高が１千万円を超える場合には、①の課税期間の納税義務は免除されないこととなります。詳しくは、裏面をご覧ください。

STEP 4 課税事業者となった日	平成 令和 3 年 4 月 1 日
事業を廃止した場合の廃止した日	平成 令和 年 月 日
STEP 5 提出要件の確認	課税事業者となった日から２年を経過する日までの間に開始した各課税期間中に調整対象固定資産の課税仕入れ等を行っていない。 はい ☑ ※ この届出書を提出した課税期間が、課税事業者となった日から２年を経過する日までに開始した各課税期間である場合、この届出書提出後、届出を行った課税期間中に調整対象固定資産の課税仕入れ等を行うと、原則としてこの届出書の提出はなかったものとみなされます。詳しくは、裏面をご確認ください。
参考事項	

この日から２年を経過する日の属する課税期間の初日以後でなければ、この届出書を提出することができません。

(例) 令和5年10月1日を含む課税期間を対象として消費税課税事業者選択届出書を提出した個人事業者が当該届出書を失効させる場合

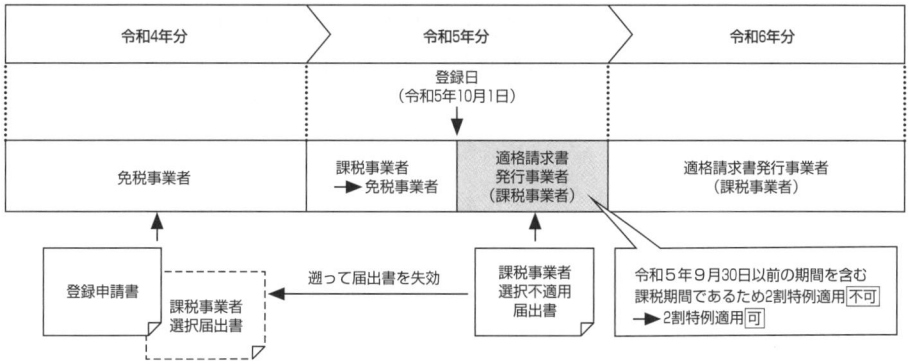

※令和5年12月31日までに提出

「消費税の新設法人に該当する旨の届出書」を作成する
—資本金1,000万円以上の法人を設立した場合—

STEP 1

概要（消法12の２）

資本金の額又は出資の金額が1,000万円以上の法人を設立した場合に提出します。

新たに設立された法人については基準期間が存在しないため、設立１期目及び２期目は原則として免税事業者となります。しかし、基準期間がない法人のうち、その事業年度開始の日における資本金の額又は出資の金額が1,000万円以上である法人（消費税の新設法人）については、その基準期間がない事業年度において納税義務を免除しない特例が設けられています。

なお、法人設立届出書に「消費税の新設法人に該当することとなった事業年度開始の日」の記載をしたときは、この届出書を提出する必要はありません。

設立３期目以降は、基準期間の課税売上高及び特定期間の課税売上高等で納税義務を判定します。したがって、この届出書を提出した場合でも、設立３期目以降において課税事業者となる場合又は課税事業者となることを選択しようとする場合には、改めて「課税事業者届出書」又は「課税事業者選択届出書」を提出する必要があります。

STEP 2

必要事項を記載する

各々の欄に必要事項を記載します。

① 消費税の新設法人に該当することとなった事業年度開始の日

② 上記①の日における資本金の額又は出資金の額

この金額が1,000万円未満の場合は、消費税の新設法人に該当しませんので、この届出書を提出する必要はありません。

③ 設立年月日、事業年度、事業内容

STEP 3

基準期間のない課税期間中に調整対象固定資産の取得があった場合

（消法12の２②、37②）

新設法人が、基準期間のない課税期間（簡易課税制度適用の課税期間を除く。）において、調整対象固定資産を取得した場合には、その取得の日の属する課税期間の初日から３年を経過する日の属する課税期間までの各課税期間については、納税義務が免除されません。また、この間は簡易課税制度を適用することもできません。

STEP 1

・基準期間がない法人で
・期首の資本金の額又は出資金額≧1,000万円

➡ 消費税の新設法人

STEP 2

第10・(2)号様式

消費税の新設法人に該当する旨の届出書

収受印

令和 6年 4月 8日

提出期限

納税義務を把握するため、速やかに提出しましょう。※「法人設立届出書」に消費税の新設法人に該当することとなった事業年度開始の日を記載すればこの届出書の提出は必要ありません。

東 税務署長殿

者	(フリガナ)	オオサカシチュウオウクオオテマエ
	納税地	(〒540－0008) 大阪市中央区大手前 1-5 (電話番号 06 -6XXX- 3319)
	(フリガナ)	
	本店又は主たる事務所の所在地	(〒 －) 同 上 (電話番号 － －)
	(フリガナ)	コクゼイショウジカブシキガイシャ
	名称	国税商事株式会社
	法人番号	1 1 2 3 4 5 6 7 8 9 0 1 2
	(フリガナ)	ヤマ ダ タ ロウ
	代表者氏名	山 田 太 郎
	(フリガナ)	トヨナカシシンセンリミナミマチ
	代表者住所	豊中市新千里南町2-59-9 (電話番号 06 -6XXX- 0833)

下記のとおり、消費税法第12条の2第1項の規定による新設法人に該当することとなったので、消費税法第57条第2項の規定により届出します。

消費税の新設法人に該当することとなった事業年度開始の日	令和 6年 4月 1日
上記の日における資本金の額又は出資の金額	10,000,000円

1,000万円以上となります。

事業内容等		
	設立年月日	令和 6年 4月 1日
	事業年度	自 4月 1日 至 3月 31日
	事業内容	電気器具卸売業
		「消費税課税期間特例選択・変更届出書」の提出の有無【有 (・ ・) ・ 無】

法人設立届出書

税務署受付印

令和 6年 4月 8日

東 税務署長殿

新たに内国法人を設立したので届け出ます。

※整理番号

本店又は主たる事務所の所在地	〒540-0008 大阪市中央区大手前1-5 電話(06) 6XXX－3319
納税地	〒 同 上
(フリガナ)	コクゼイショウジカブシキガイシャ
法人名	国税商事株式会社
法人番号	1 1 2 3 4 5 6 7 8 9 0 1 2
(フリガナ)	ヤマ ダ タ ロウ
代表者氏名	山 田 太 郎
代表者住所	〒560-0084 豊中市新千里南町 2-59-9 電話(06) 6XXX－0833

設立年月日	令和 6年 4月 1日	事業年度	(自) 4月 1日 (至) 3月 31日		
資本金又は出資金の額	10,000,000 円	消費税の新設法人に該当することとなった事業年度開始の日	令和 6年 4月 1日		
事業	(定款等に記載しているもの)	支店	名称	所在地	

この欄に設立年月日を記載すれば「消費税の新設法人に該当する旨の届出書」を提出する必要はありません。

「消費税の特定新規設立法人に該当する旨の届出書」を作成する
—特定新規設立法人に該当することとなった場合—

STEP 1

概要（消法12の３）

特定新規設立法人に該当することとなった場合に、提出します。

新たに設立された法人で資本金1,000万円未満の法人（新規設立法人）は、基準期間が存在せず、新設法人にも該当しないため、設立１期目及び２期目は原則として免税事業者になります。しかし、設立した法人を支配する法人等の基準期間に相当する期間の課税売上高が（注）５億円を超える場合には、基準期間がない事業年度においても納税義務を免除しない特例が設けられています。（**No.15**「特定新規設立法人の納税義務の免除の特例」参照）

（注）令和６年10月１日以後に開始する課税期間については、５億円を超える場合又は売上金額、収入金額その他の収益の額の合計額が国外におけるものも含め50億円を超える場合に改正されます。

STEP 2

必要事項を記載する

① 「消費税の特定新規設立法人に該当することとなった事業年度開始の日」欄には、消費税法第12条の３第１項に規定する特定新規設立法人に該当することとなった事業年度の開始の日を記載します。

② 「設立年月日」欄には、法人を設立した年月日を記載します。

③ 「事業年度」欄には、法人の事業年度を記載します。

なお、新規開業等の場合で設立１期目の事業年度が変則的なものとなる場合などは、２期目以降の通常の事業年度を記載します。

④ 「事業内容」欄には、法人の事業内容を具体的に記載します。

⑤ イの①の欄には、法人の株式等の50％超を直接又は間接に保有する個人又は法人の氏名又は名称及び納税地を記載します。イの②の欄には、イの①の者が直接又は間接に保有する株式等の数又は金額を記載します。イの③の欄には、法人の発行済株式総数又は総額を記載します。

⑥ ロの欄の「納税地等」「氏名又は名称」「基準期間に相当する期間」「基準期間に相当する期間の課税売上高」には、イの①の他の者及び他の者が支配する法人（判定対象者）のいずれかの者のうち、基準期間相当期間の課税売上高が５億円を超えている者の納税地、氏名又は名称、基準期間に相当する期間、基準期間に相当する期間の課税売上高を記載します。

STEP 3

特定新規設立法人に係る特殊関係法人が解散した場合

新規設立法人が、基準期間のない事業年度開始日において50％超の出資要件に該当し、かつ、他の者が支配する判定対象者に該当していた法人が、新規設立法人の設立の日前１年以内等に解散した場合であっても、その解散した法人の特定新規設立法人に係る基準期間のない事業年度開始日の基準期間に相当する期間の課税売上高が５億円を超える場合には納税義務が免除されません。

STEP 4

特定新規設立法人が調整対象固定資産を取得した場合

特定新規設立法人が、基準期間のない各課税期間中に調整対象固定資産を取得し、原則課税により申告した場合には、３年間免税事業者となることはできず、簡易課税制度を適用することもできません。

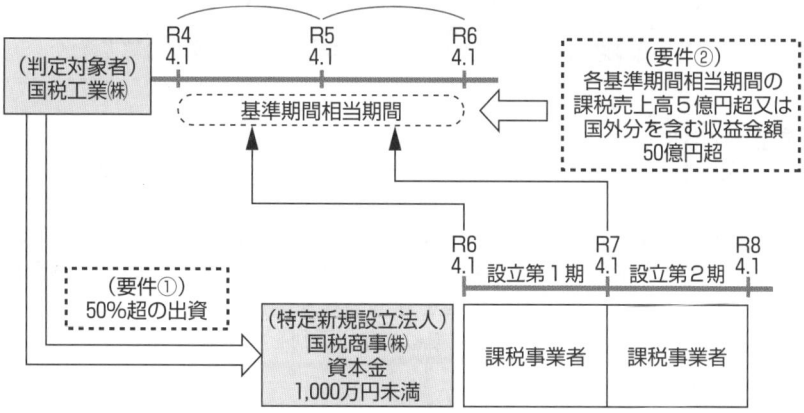

第10－(3)号様式

消費税の特定新規設立法人に該当する旨の届出書

収受印

令和 6 年 5 月 8 日

提出期限
納税義務を把握するため、速やかに提出しましょう。

東 税務署長殿

届出者	(フリガナ)	オオサカシチュウオウク オオテマエ
	納税地	(〒 540 － 0008) 大阪市中央区大手前1-5 (電話番号 06 － 6XXX－ 3319)
	(フリガナ)	コクゼイショウジカブシキガイシャ ヤマダタロウ
	名称及び代表者氏名	国税商事株式会社 代表取締役 山田太郎 (電話番号 06 － 6XXX－ 3319)
	法人番号	1 1 2 3 4 5 6 7 8 9 0 1 2

資本金は1,000万円未満となります。

下記のとおり、消費税法第12条の3第1項の規定による特定新規設立法人に該当することとなったので、消費税法第57条第2項の規定により届出します。

消費税の特定新規設立法人に該当することとなった事業年度開始の日	平成 (令和) 6 年 4 月 1 日
事業内容等 設立年月日	平成 (令和) 6 年 4 月 1 日
事業内容等 事業年度	自 4 月 1 日 至 3 月 31 日
事業内容等 事業内容	電気器具卸売業

特定新規設立法人の判定 イ 特定要件の判定 ① 特定要件の判定の基礎となった他の者	納税地等	大阪市中央区大手前1-10			
	氏名又は名称	国税工業株式会社			
保有割合 ② ①の者が直接又は間接に保有する新規設立法人の発行済株式等の数又は金額	160 株(円)	④ ③のうち、①の者が直接又は間接に保有する割合(②／③×100)	100 %		
保有割合 ③ 新規設立法人の発行済株式等の総数又は総額	160 株(円)				
ロ 基準期間相当期間の課税売上高	納税地等	大阪市中央区大手前1-10			
	氏名又は名称	国税工業株式会社			
	基準期間に相当する期間	自 平成 (令和) 4 年 4 月 1 日 ～ 至 平成 (令和) 5 年 3 月 31 日			
	基準期間に相当する期間の課税売上高	1,865,316,384 円			

上記イ④の割合が50%を超え、かつ、ロの基準期間に相当する期間の課税売上高が5億円を超えている場合には、特定新規設立法人に該当しますので、この届出書の提出が必要となります。

5億円を超えます。

「消費税簡易課税制度選択届出書」を作成する
—簡易課税制度を選択する場合—

STEP 1

概要（消法37）

簡易課税制度の適用を受けようとする場合に提出します。（**No.68**参照）

簡易課税制度の適用により、経理事務処理が簡便になる等のメリットがありますが、適用は基準期間の課税売上高が5,000万円以下の場合に限られ、簡易課税制度を選択した場合には２年間継続して簡易課税で申告する必要があります。例えば高額な設備投資の予定がある場合には、原則課税を選択する方が有利なケースもあります。したがって、簡易課税制度を選択するにあたっては、有利不利を考慮した上で検討する必要があります。

STEP 2

経過措置

①２割特例の適用を受けた適格請求書発行事業者が、２割特例の適用を受けた課税期間の翌課税期間中に簡易課税制度選択届出書を提出したときは、その提出した日の属する課税期間から簡易課税制度の適用を受けることができます。

②免税事業者が適格請求書発行事業者の登録申請を行った場合には、登録を受けた日から課税事業者となることができる経過措置が設けられており、この適用を受ける場合、登録開始日を含む課税期間中に簡易課税制度選択届出書を提出したときは、その課税期間から簡易課税制度の適用を受けることができます。

これらの経過措置の適用を受ける場合には、〔□所得税法等の一部を改正する法律〜〕にチェックします。

STEP 3

(1)適用開始課税期間を記載する

簡易課税制度を選択する課税期間を記載します。適用開始課税期間は、通常はこの届出書を提出する日の属する課税期間の翌課税期間となります。したがって簡易課税制度を選択しようとする課税期間の初日の前日までに提出しなければなりません。

(2)基準期間及び基準期間の課税売上高を記載する

簡易課税制度は、基準期間の課税売上高が5,000万円以下の場合に適用を受けることができます。

(3)事業内容等を記載する

事業内容は具体的に記載し、事業区分は簡易課税制度の第１種事業から第６種事業の区分のうち、該当するものを記載します。

STEP 4

提出要件を確認する

この届出書は、下記のとおり提出が制限される場合がありますので、確認の上、該当するものに記載します。

イ　課税事業者を選択した場合 課税事業者となった日から２年を経過する日までの間に開始した各課税期間中に、調整対象固定資産を取得した場合	調整対象固定資産・高額特定資産・金地金（200万円以上）の仕入れ等の日の属する課税期間の初日から３年を経過する日の属する課税期間の初日以後でなければ、この届出書を提出することはできない。
ロ　新設法人又は特定新規設立法人に該当する場合 基準期間がない事業年度に含まれる各課税期間中に、調整対象固定資産を取得した場合	
ハ　高額特定資産の仕入れ等を行っている場合	
ニ　金地金等の仕入れ等を行っている場合	

第９号様式

消費税簡易課税制度選択届出書

収受印

令和 6 年 3 月 25 日

提出期限
簡易課税制度の適用を受けようとする課税期間の初日の前日まで

届出	（フリガナ） 納税地	オオサカシチュウオウク オオテマエ （〒 540 － 0008 ） 大阪市中央区大手前1-5 （電話番号 06 － 6XXX － 3319 ）
	（フリガナ） 氏名又は名称及び代表者氏名	コクゼイショウジカブシキガイシャ ヤマダタロウ 国税商事株式会社 代表取締役 山田太郎
	法人番号	※個人の方は個人番号の記載は不要です。 1 1 2 3 4 5 6 7 8 9 0 1 2

STEP 2

下記のとおり、消費税法第37条第１項に規定する簡易課税制度の適用を受けたいので、届出します。

（☐ 所得税法等の一部を改正する法律（平成28年法律第15号）附則第51条の２第６項の規定又は消費税法施行令等の一部を改正する政令（平成30年政令第135号）附則第18条の規定により消費税法第37条第１項に規定する簡易課税制度の適用を受けたいので、届出します。）

STEP 3

①	適用開始課税期間	自 令和 6 年 4 月 1 日 至 令和 7 年 3 月 31 日
②	①の基準期間	自 令和 4 年 4 月 1 日 至 令和 5 年 3 月 31 日
③	②の課税売上高	19,957,013 円
事業内容等	（事業の内容）	電気器具卸売業
	（事業区分）	第 1 種事業

5,000万円以下となります

基準期間が１年でない法人は年換算額を記載します

STEP 4

提出要件の確認

次のイ、ロ、ハ又はニの場合に該当する
（「はい」の場合のみ、イ、ロ、ハ又はニの項目を記載してください。）　いえ ☑

イ	消費税法第９条第４項の規定により課税事業者を選択している場合	課税事業者となった日	日
		課税事業者となった日から２年を経過する日の属する課税期間中に調整対象固定資産の課税仕入れ等を行っていない	はい ☐
ロ	消費税法第12条の２第１項に規定する「新設法人」又は同法第12条の３第１項に規定する「特定新規設立法人」に該当する（該当していた）場合	設立年月日	令和 年 月 日
		基準期間がない事業年度に含まれる各課税期間中に調整対象固定資産の課税仕入れ等を行っていない	はい ☐
ハ	消費税法第12条の４第１項に規定する「高額特定資産の仕入れ等」を行っている場合（同条第２項の規定の適用を受ける場合） （仕入れ等を行った資産が高額特定資産に該当する場合はAの欄を、自己建設高額特定資産に該当する場合は、Bの欄をそれぞれ記載してください。）	A 仕入れ等を行った課税期間の初日	令和 年 月 日
		A この届出による①の「適用開始課税期間」は、高額特定資産の仕入れ等を行った課税期間の初日から、同日以後３年を経過する日の属する課税期間までの各課税期間に該当しない	はい ☐
		B 仕入れ等を行った課税期間の初日	平成 令和 年 月 日
		B 建設等が完了した課税期間の初日	令和 年 月 日
		B この届出による①の「適用開始課税期間」は、自己建設高額特定資産の建設等に要した仕入れ等に係る支払対価の額の累計額が１千万円以上となった課税期間の初日から、自己建設高額特定資産の建設等が完了した課税期間の初日以後３年を経過する日の属する課税期間までの各課税期間に該当しない	はい ☐
	※ 消費税法第12条の４第２項の規定による場合は、ハの項目を裏面の記載要領等に留意の上、記載してください。		
ニ	消費税法第12条の４第３項に規定する「金地金等の仕入れ等」を行っている場合	「金地金等の仕入れ等」の合計額（税抜金額）が２百万円以上となった課税期間の初日	令和 年 月 日
		この届出による①の「適用開始課税期間」は、金地金等の仕入れ等を行い、その仕入れ等の合計額（税抜金額）が２百万円以上となった課税期間の初日から、同日以後３年を経過する日の属する課税期間までの各課税期間に該当しない	はい ☐

※ この届出書を提出した課税期間が、上記イ、ロ又はハに記載の各課税期間である場合、この届出書提出後、届出を行った課税期間中に調整対象固定資産の課税仕入れ等又は高額特定資産の仕入れ等を行うと、原則としてこの届出書の提出はなかったものとみなされます。なお、この届出書を提出した課税期間が、上記ニに記載の各課税期間である場合、この届出書提出後、届出を行った課税期間における金地金等の仕入れ等の金額の合計額（税抜金額）が２百万円以上となった場合も同様となります。詳しくは、裏面をご確認ください。

参考事項	
税理士署名	（電話番号 － － ）

※税務署処理欄	整理番号		部門番号			
	届出年月日	年 月 日	入力処理	年 月 日	台帳整理	年 月 日
	通信日付印 年 月 日	確認	番号確認			

注意 １．裏面の記載要領等に留意の上、記載してください。
２．税務署処理欄は、記載しないでください。

「消費税簡易課税制度選択不適用届出書」を作成する
—簡易課税制度の選択をやめようとする場合—

STEP 1

概要

簡易課税制度の適用を受けている事業者が、その適用をやめようとする場合に提出します。簡易課税制度の適用を受けることにより、経理事務処理の負担が減る、税負担が一般課税よりも少なくなる場合がある等のメリットがありますが、例えば高額な設備投資をする場合、一般課税では、消費税の還付を受けることができますが、簡易課税制度では、消費税が還付されることはありません。この届出書を提出することにより、簡易課税制度の適用をやめることができます。（**No.68**「簡易課税制度を選択する」参照）

STEP 2

適用開始課税期間を記載する

簡易課税制度の適用をやめようとする課税期間を記載します。適用開始課税期間は、通常はこの届出書を提出する日の属する課税期間の翌課税期間となります。したがって、簡易課税制度の適用をやめようとする課税期間の初日の前日までに提出しなければなりません。

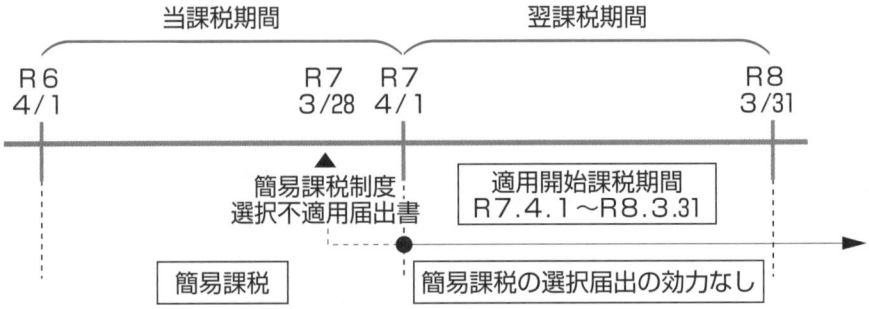

STEP 3

基準期間及び基準期間の課税売上高を記載する

適用課税期間の基準期間及び基準期間の課税売上高を記載します。

基準期間の課税売上高が5,000万円を超える場合は、簡易課税制度を適用することはできませんが、「簡易課税制度選択届出書」の効力はなくなりません。その後の課税期間において基準期間の課税売上高が5,000万円以下となったときには、その課税期間については再び簡易課税制度が適用されます。

したがって、この「簡易課税制度選択不適用届出書」を提出しない限り、「簡易課税制度選択届出書」の効力は存続することになります。（消基通13－１－３）

STEP 4

簡易課税制度の適用開始日を記載する

簡易課税制度選択届出書の効力が生じた日、すなわち、かつて所轄税務署に提出した「簡易課税制度選択届出書」に記載した適用開始課税期間の初日を記載します。「簡易課税制度不適用届出書」は、簡易課税制度を選択した課税期間の初日から２年を経過する日の属する課税期間の初日以後でなければ提出することができません。

第25号様式

消費税簡易課税制度選択不適用届出書

収受印

令和 7年 3月 28日

提出期限
簡易課税制度の適用をやめようとする課税期間の初日の前日まで

東 税務署長殿

者	(フリガナ)	オオサカシチュウオウク オオテマエ
	納税地	(〒 540 − 0008) 大阪市中央区大手前1-5 (電話番号 06 − 6XXX − 3319)
	(フリガナ)	コクゼイショウジカブシキガイシャ ヤマダタロウ
	氏名又は名称及び代表者氏名	国税商事株式会社 代表取締役 山田太郎
	法人番号	1 1 2 3 4 5 6 7 8 9 0 1 2

下記のとおり、簡易課税制度をやめたいので、消費税法第37条第５項の規定により届出します。

STEP 2 ①	この届出の適用開始課税期間	自 平成 令和 7年 4月 1日 至 平成 令和 8年 3月 31日
STEP 3 ②	①の基準期間	自 平成 令和 5年 4月 1日 至 平成 令和 6年 3月 31日
STEP 3 ③	②の課税売上高	34,763,112円
STEP 4	簡易課税制度の適用開始日	平成 令和 4年 4月 1日
	事業を廃止した場合の廃止した日	平成 年 月 日 個人 ※ 事業を廃止し してください。
	参考事項	
	税理士署名	(電話番号 − −)

この日から２年を経過する日の属する課税期間の初日以後でなければ、この届出書を提出することができません。

※税務署処理欄	整理番号		部門番号				
	届出年月日	年 月 日	入力処理	年 月 日	台帳整理	年 月 日	
	通信日付印 年 月 日	確認印	番号確認		身元確認	□ 済 □ 未済	確認書類 個人番号カード／通知カード・運転免許証 その他 ( )

注意 1．裏面の記載要領等に留意の上、記載してください。
2．税務署処理欄は、記載しないでください。

「消費税課税期間特例選択・変更届出書」を作成する
—課税期間の特例を選択・変更する場合—

STEP 1

概要

課税期間の特例（No.84参照）を受けようとする又は変更しようとする場合に提出します。

消費税の課税期間は、原則として、法人は事業年度、個人事業者は１月１日から12月31日までと定められていますが、事業者の選択により課税期間を３か月又は１か月に短縮することができます。また、短縮している３か月の課税期間を１か月に、１か月の課税期間を３か月に変更することもできます。

輸出業者など免税売上げの多い事業者は、消費税の還付を受けることがありますが、このような場合に課税期間を短縮すると、早期に還付を受けることができ資金繰りの面で有利になります。

STEP 2

事業年度を記載する

事業年度は法人の事業年度を記載します。個人事業者は、記載不要です。

STEP 3

適用開始日又は変更日を記載する

短縮又は変更の適用を開始する課税期間の初日を記載します。適用開始課税期間は、通常はこの届出書を提出する３か月又は１か月ごとの期間の翌期間となります。したがって適用を受け又は変更しようとする期間の初日の前日までに提出しなければなりません。

STEP 4

適用又は変更後の課税期間を記載する

事業年度開始の日（個人事業者の場合は１月１日）から、３か月毎に区分した期間又は１か月毎に区分した期間を記載します。

STEP 5

「変更前の課税期間特例選択・変更届出書の提出日」「変更前の課税期間特例の適用開始日」を記載する

「変更前の課税期間特例選択・変更届出書の提出日」欄には、既に課税期間特例の適用を受けている事業者がこの届出により短縮期間を変更する場合に、変更前に適用を受けていた課税期間特例に係る「課税期間特例選択・変更届出書」の提出年月日を記載します。

「変更前の課税期間特例の適用開始日」欄には、既に課税期間特例の適用を受けている事業者がこの届出により短縮期間を変更する場合に、変更前に適用を受けていた課税期間特例の効力が生じた日、すなわち、先に提出した「課税期間特例選択・変更届出書」の「適用開始日又は変更日」欄に記載した日を記載します。

第13号様式

消費税課税期間特例 選択 変更 届出書

収受印

令和 7年 3月 25日

提出期限
適用又は変更する課税期間の初日の前日まで
※新規事業開始の場合は開始課税期間の末日まで

東 税務署長殿

届出者	(フリガナ)	オオサカシチュウオウク オオテマエ
	納税地	(〒 540 − 0008) 大阪市中央区大手前1-5 (電話番号 06 − 6XXX − 3319)
	(フリガナ)	コクゼイショウジカブシキガイシャ ヤマダタロウ
	氏名又は名称及び代表者氏名	国税商事株式会社 代表取締役 山田太郎
	法人番号	1 1 2 3 4 5 6 7 8 9 0 1 2

STEP 2

下記のとおり、消費税法第19条第1項第3号、第3号の2、第4号又は第4号の2に規定する課税期間に短縮~~又は変更~~したいので、届出します。

事業年度	自 4月 1日 至 3月 31日
適用開始日又は変更日	平成 令和 7年 4月 1日

STEP 3

STEP 4

適用又は変更後の課税期間	三月ごとの期間に短縮する場合	一月ごとの期間に短縮する場合
	4月 1日から 6月 30日まで	月 日から 月 日まで
		月 日から 月 日まで
		月 日から 月 日まで
	7月 1日から 9月 30日まで	月 日から 月 日まで
		月 日から 月 日まで
		月 日から 月 日まで
	10月 1日から 12月 31日まで	月 日から 月 日まで
		月 日から 月 日まで
		月 日から 月 日まで
	1月 1日から 3月 31日まで	月 日から 月 日まで
		月 日から 月 日まで
		月 日から 月 日まで

STEP 5

変更前の課税期間特例選択・変更届出書の提出日	平成 令和 年 月 日
変更前の課税期間特例の適用開始日	平成 令和 年 月 日
参考事項	
税理士署名	(電話番号 − −)

※税務署処理欄							
整理番号		部門番号		番号確認			
届出年月日	年 月 日	入力処理	年 月 日	台帳整理	年 月 日		
通信日付印	年 月 日	確認印					

注意 1. 裏
2. 税

3月ごとの課税期間を1月に変更する場合は、3月ごとの課税期間特例の届出書の効力が生じた日から2年を経過する日の属する月の初日以後、1月ごとの課税期間を3月に変更する場合は、1月ごとの課税期間特例の届出書の効力が生じた日から2年を経過する日の属する月の前々月の初日以後でなければ、この届出書を提出することはできません。

「消費税課税期間特例選択不適用届出書」を作成する
—課税期間の特例をやめる場合—

STEP 1

概要

課税期間特例の適用を受けている事業者が、その適用をやめようとする場合に提出します。（No.84参照）

STEP 2

事業年度、特例選択不適用の開始日を記載する

法人の事業年度、課税期間の短縮をやめようとする課税期間の初日を記載します。

課税期間特例選択不適用の開始日は、この届出書を提出する課税期間の翌課税期間の初日となります。

したがって適用をやめようとする課税期間の初日の前日までに提出しなければなりません。

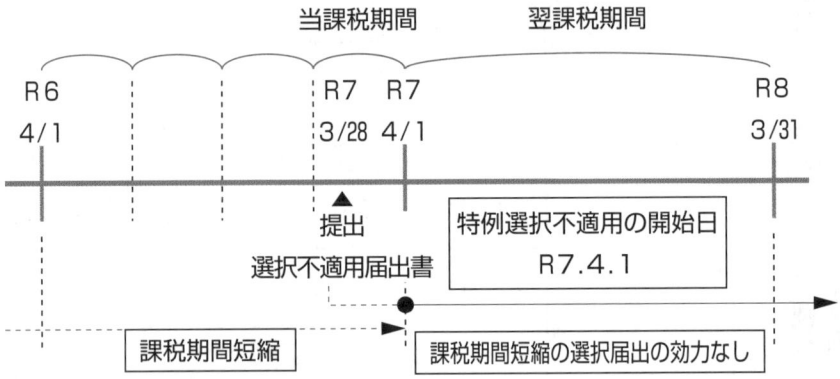

STEP 3

短縮の適用を受けていた課税期間を記載する

特例の適用によって短縮されていた3か月ごと又は1か月ごとの各期間を記載します。

STEP 4

選択・変更届出書の提出日を記載する

現在適用を受けている課税期間特例に係る「課税期間特例選択・変更届出書」を提出した日を記載します。

STEP 5

課税期間短縮・変更の適用開始日を記載する

現在適用を受けている課税期間特例の効力が生じた日、すなわち、先に提出した「課税期間特例選択・変更届出書」の「適用開始日又は変更日」欄に記載した日を記載します。

なお、この届出書は、「課税期間特例選択・変更届出書」の効力が生ずる日から2年を経過する日の属する課税期間の初日以後でなければ提出することができません。

第14号様式

消費税課税期間特例選択不適用届出書

収受印

令和 7 年 3 月 28 日 提出期限 適用をやめる課税期間の初日の前日まで 東 税務署長殿	届出者	(フリガナ) 納税地	オオサカシチュウオウク オオテマエ (〒 540 − 0008) 大阪市中央区大手前1-5 (電話番号 06 − 6XXX − 3319)
		(フリガナ) 氏名又は名称及び代表者氏名	コクゼイショウジカブシキガイシャ ヤマダタロウ 国税商事株式会社 代表取締役 山田太郎
		法人番号	1 1 2 3 4 5 6 7 8 9 0 1 2

下記のとおり、課税期間の短縮の適用をやめたいので、消費税法第19条第３項の規定により届出します。

事業年度	自 4月 1日 至 3月 31日				
特例選択不適用の開始日	平成 (令和) 7年 4月 1日				
短縮の適用を受けていた課税期間	三月ごとの期間に短縮していた場合		一月ごとの期間に短縮していた場合		
	4月 1日から 6月 30日まで		月 日から 月 日まで		
			月 日から 月 日まで		
			月 日から 月 日まで		
	7月 1日から 9月 30日まで		月 日から 月 日まで		
			月 日から 月 日まで		
			月 日から 月 日まで		
	10月 1日から 12月 31日まで		月 日から 月 日まで		
			月 日から 月 日まで		
			月 日から 月 日まで		
	1月 1日から 3月 31日まで		月 日から 月 日まで		
			月 日から 月 日まで		
			月 日から 月 日まで		
選択・変更届出書の提出日	平成 (令和) 5年 3月 1日				
課税期間短縮・変更の適用開始日	平成 (令和) 5年 4月 1日				
事業を廃止した場合の廃止した日	※ 平成 令和 年 月 日				
参考事項					
税理士署名	(電話番号 − −)				

この日から２年を経過する日の属する課税期間の初日以後でなければ、この届出書を提出することができません。

※税務署処理欄	整理番号		部門番号					
	届出年月日	年 月 日	入力処理	年 月 日	台帳整理	年 月 日		
	通信日付印	確認印	番号確認	身元確認	□ 済 □ 未済	確認書類	個人番号カード／通知カード・運転免許証 その他 ( )	
	年 月 日							

注意 1．裏面の記載要領等に留意の上、記載してください。
2．税務署処理欄は、記載しないでください。

STEP 2

STEP 3

STEP 4

STEP 5

「消費税課税売上割合に準ずる割合の適用承認申請書」を作成する
―課税売上割合に代えて課税売上割合に準ずる割合を使用する場合―

STEP 1 概要

個別対応方式で仕入控除税額を計算する場合の共通対応の仕入控除税額の計算について、この申請書を提出し、税務署長の承認を受けることにより、課税売上割合に代えて、課税売上割合に準ずる割合を使用することができます。(**No.72**参照)

なお、一括比例配分方式により計算する場合は、課税売上割合しか使えません。

STEP 2 適用時期を確認する

この承認申請書を提出し、税務署長の承認を受けた課税期間から適用することができます。なお、適用を受けようとする課税期間の末日までに承認申請書を提出し、同日の翌日から同日以後1か月を経過する日までの間に承認を受けた場合には、当該課税期間の末日においてその承認があったものとみなされます。

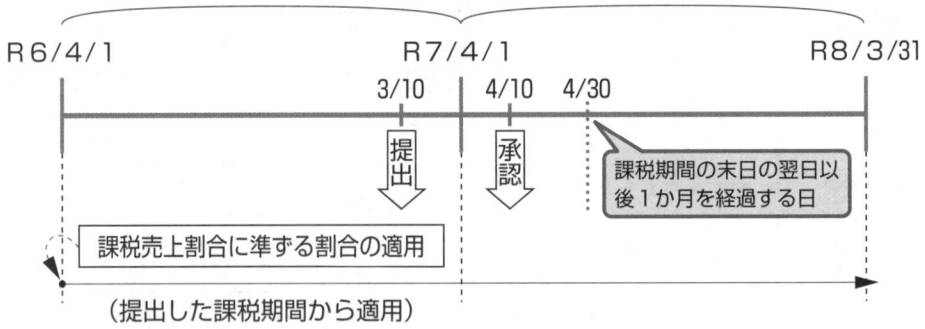

また、承認を受けた場合は、その承認を受けた割合で計算しなければなりません。
(本来の課税売上割合との有利な方を選択適用することはできません。)

STEP 3 適用開始課税期間を記載する

適用を受けようとする課税期間を記載します。

STEP 4 採用しようとする計算方法を記載する

課税売上割合に準ずる割合の計算方法について具体的に記載します。

使用人の数又は従事日数、資産の価額又は使用数量、使用面積の割合などの合理的な基準を採用します。(消基通11－5－7)

STEP 5 その計算方法が合理的である理由を記載する

その計算方法が合理的である理由を具体的に記載します。

STEP 6 本来の課税売上割合を記載する

この申請書を提出する日の属する課税期間の直前の課税期間の課税売上割合を記載します。

第22号様式

消費税課税売上割合に準ずる割合の適用承認申請書

2通提出

※ 法人番号は、税務署提出用2通の内1通のみに記載してください。

収受印

令和 7 年 3 月 10 日

提出期限
課税売上割合に準ずる割合を採用しようとする課税期間中に提出して承認を受ける必要があります。

東 税務署長殿

納税地	(フリガナ)	オオサカシチュウオウク オオテマエ
		(〒 540 − 0008) 大阪市中央区大手前1-5 (電話番号 06 − 6XXX − 3319)
氏名又は名称及び代表者氏名	(フリガナ)	コクゼイショウジカブシキガイシャ ヤマダタロウ
		国税商事株式会社 代表取締役 山田太郎
法人番号	※ 個人の方は個人番号の記載は不要です。	1 1 2 3 4 5 6 7 8 9 0 1 2

下記のとおり、消費税法第30条第３項第２号に規定する課税売上割合に準ずる割合の適用の承認を受けたいので、申請します。

適用開始課税期間	自 令和 6 年 4 月 1 日 至 令和 7 年 3 月 31 日
採用しようとする計算方法	STEP 3 1.福利厚生費・水道光熱費…課税売上げのみに従事する者の人数／課税売上げのみに従事する者の人数+非課税売上げのみに従事する者の数 2.その他の費用…本来の課税売上割合
その計算方法が合理的である理由	福利厚生費及び水道光熱費は、従業員数と比例している。
本来の課税売上割合	STEP 4 課税資産の譲渡等の対価の額の合計額 67,890,123円 / 資産の譲渡等の対価の額の合計額 134,125,178円
	左記の割合の算出期間 自 平成(令和) 5 年 4 月 1 日 至 平成(令和) 6 年 3 月 31 日
参考事項	STEP 5 右の課税期間の課税売上割合を記載します / この申請書を提出する課税期間の直前の課税期間を記載します
税理士署名	STEP 6 (電話番号 − −)

※ 上記の計算方法につき消費税法第30条第３項第２号の規定により承認します。

＿＿＿＿第＿＿＿＿号

令和 ＿＿年＿＿月＿＿日

＿＿＿＿税務署長＿＿＿＿＿＿印

※税務署処理欄								
整理番号		部門番号		適用開始年月日	年 月 日	番号確認		
申請年月日	年 月 日	入力処理	年 月 日	台帳整理	年 月 日			
通信日付印 年 月 日	確認							

注意 1．この申請書は、裏面の記載要領等に留意の上、２通提出してください。
2．※印欄は、記載しないでください。

「消費税課税売上割合に準ずる割合の不適用届出書」を作成する
—課税売上割合に準ずる割合の使用をやめる場合—

STEP 1

概要

個別対応方式で仕入控除税額を計算する場合の共通対応の仕入控除税額の計算について、承認を受けた課税売上割合に準ずる割合の使用をやめる場合に提出します。（**No.72**「課税売上割合に準ずる割合」参照）

なお、課税売上割合に準ずる割合の承認を受けた計算方法について、その適用対象及び適用する課税売上割合に準ずる割合を変更しようとする場合には、新たな「課税売上割合に準ずる割合の適用承認申請書」を提出してその適用について承認を受けることになります。この場合にも、既に承認を受けている計算方法について、この届出書を併せて提出する必要があります。

STEP 2

適用時期を確認する

この届出書を提出した課税期間から課税売上割合に準ずる割合は不適用となります。

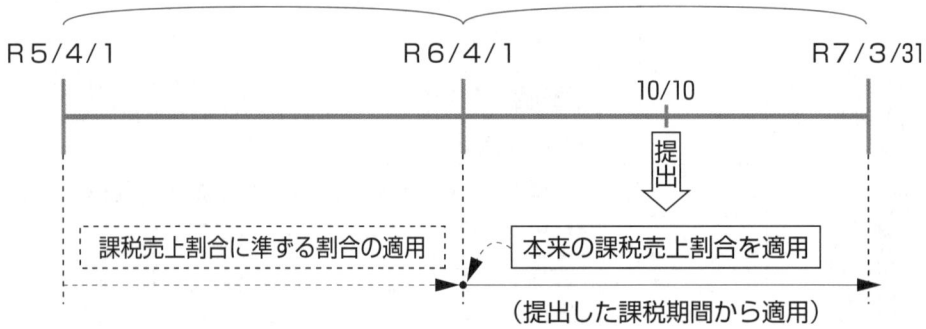

STEP 3

承認を受けている計算方法を記載する

既に承認を受けている計算方法を記載します。

STEP 4

承認年月日を記載する

課税売上割合に準ずる割合の承認を受けた日を記載します。

STEP 5

届出の適用開始日を記載する

この届出書を提出する日の属する課税期間の初日を記載します。

第23号様式

消費税課税売上割合に準ずる割合の不適用届出書

収受印

令和 6 年 10 月 10 日	届出者	(フリガナ)	オオサカシチュウオウク オオテマエ
		納税地	(〒 540 － 0008) 大阪市中央区大手前1-5 (電話番号 06 － 6XXX － 3319)
		(フリガナ)	コクゼイショウジカブシキガイシャ ヤマダタロウ
		氏名又は名称及び代表者氏名	国税商事株式会社 代表取締役 山田太郎
東 税務署長殿		法人番号	1 1 2 3 4 5 6 7 8 9 0 1 2

提出期限
この届出書を提出した日の属する課税期間から不適用となります。

下記のとおり、課税売上割合に準ずる割合の適用をやめたいので、消費税法第30条第３項の規定により届出します。

承認を受けている計算方法	1. 福利厚生費・水道光熱費… 課税売上げのみに従事する従業員数 / (課税売上げのみに従事する従業員数 + 非課税売上げのみに従事する従業員数) 2. その他の費用…本来の課税売上割合
承認年月日	平成 (令和) 4 年 12 月 20 日
この届出の適用開始日	平成 (令和) 6 年 4 月 1 日
参考事項	
税理士署名	(電話番号 － －)

この届出書を提出する日の属する課税期間の初日を記載します

※税務署処理欄	整理番号		部門番号		番号確認		通信日付印 年 月 日	確認印	
	申請年月日	年 月 日	入力処理	年 月 日	台帳整理	年 月 日			

注意 1．裏面の記載要領等に留意の上、記載してください。
2．税務署処理欄は、記載しないでください。

STEP 3
STEP 4
STEP 5

No.107 「任意の中間申告書を提出する旨の届出書」を作成する

STEP 1

概要（消法42⑧）

中間申告義務のない事業者が、任意に中間申告をしようとする場合に提出します。

なお、この届出書を提出した日以後にその末日が到来する六月中間申告対象期間から、中間申告及び納付をすることができます。（**No.58**「中間申告を確認する」参照）

(1) 「六月中間申告対象期間」とは、その課税期間開始の日以後6か月の期間をいいます。

(2) 任意の中間申告制度を適用する場合には、六月中間申告対象期間の末日の翌日から2か月以内に、中間申告書を提出するとともに、中間納付税額を納付する必要があります。

（注）中間申告書を提出したにも関わらず、納付が遅れた場合には、延滞税が発生します。

STEP 2

適用開始中間申告対象期間を記載する

この届出書を提出した日以後にその末日が到来する六月中間申告対象期間を記載します。

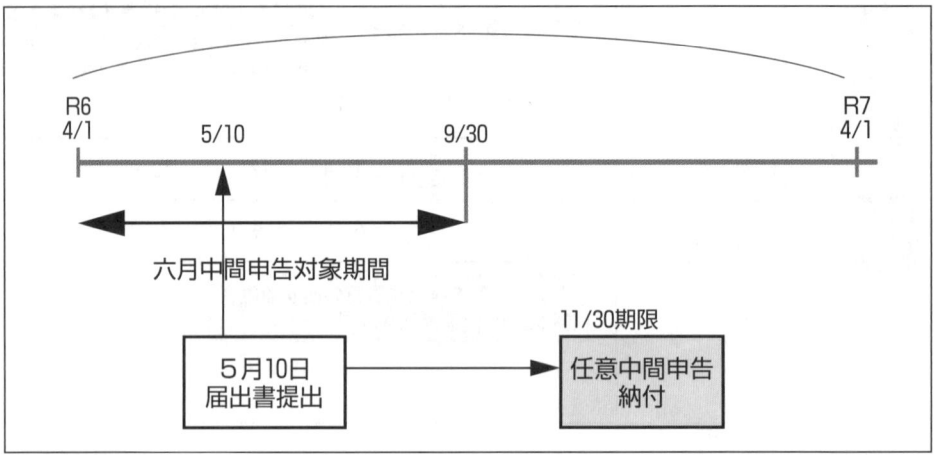

STEP 3

課税期間を記載する

STEP2の中間申告対象期間を含む課税期間を記載します。

STEP 4

直前の課税期間及びその確定消費税額を記載する

1．任意の中間申告を行う課税期間の直前の課税期間を記載します。

2．この課税期間の確定消費税額（申告書「差引税額⑨」）を記載します。

（注）消費税と地方消費税を合わせた額ではありません。

STEP 5

月数按分額を記載する

任意の中間申告を行う課税期間の直前の課税期間の確定消費税額を直前の課税期間の月数で除し、これに6を乗じて計算した金額が、中間申告及び納付する金額となります。

また、中間申告対象期間を一課税期間とみなして仮決算により中間納付額を計算することもできます。

第26-(2)号様式

任意の中間申告書を提出する旨の届出書

収受印

令和 6 年 5 月 10 日

提出期限
任意に六月中間申告書を提出しようとする六月中間申告対象期間の末日まで

この届出書を提出した日以後にその末日が到来する六月申告対象期間から適用されます。

東 税務署長殿

届出者		
納税地	(フリガナ)	オオサカシチュウオウク オオテマエ
		(〒 540 − 0008) 大阪市中央区大手前1-5 (電話番号 06 − 6XXX − 3319)
住所又は居所(法人の場合)本店又は主たる事務所の所在地	(フリガナ)	(〒 −) 同上 (電話番号 − −)
名称(屋号)	(フリガナ)	コクゼイショウジカブシキガイシャ 国税商事株式会社
法人番号		1 1 2 3 4 5 6 7 8 9 0 1 2
氏名(法人の場合)代表者氏名	(フリガナ)	ヤマダ タロウ 山田太郎
(法人の場合)代表者住所	(フリガナ)	トヨナカシシンセンリミナミマチ 豊中市新千里南町 2-59-9 (電話番号 06 − 6XXX − 0833)

下記のとおり、中間申告書の提出を要しない中間申告対象期間につき、六月中間申告書を提出したいので、消費税法第42条第8項の規定により届出します。

①	適用開始中間申告対象期間	自 平成・(令和) 6年 4月 1日	至 平成・(令和) 6年 9月 30日		
②	①の中間申告対象期間を含む課税期間	自 平成・(令和) 6年 4月 1日	至 平成・(令和) 7年 3月 31日		
③	②の直前の課税期間	自 平成・(令和) 5年 4月 1日 至 平成・(令和) 6年 3月 31日	④	③の課税期間における確定消費税額	450,000 円
⑤	月数按分(④×6／③の月数)	225,000 円			
参考事項			税理士署名	(電話番号 − −)	

※税務署処理欄									
整理番号		部門番号		番号確認		通信日付印 年 月 日	確認印		
申請年月日	年 月 日	入力処理	年 月 日	台帳整理	年 月 日				

注意 1．裏面の記載要領等に留意の上、記載してください。
2．税務署処理欄は、記載しないでください。

STEP 2
STEP 3
STEP 4
STEP 5

No.108 「任意の中間申告書を提出することの取りやめ届出書」を作成する

STEP 1

概要（消法42⑨）

任意の中間申告制度を選択した事業者が、その適用をやめようとするときは、その旨を記載した届出書を、納税地の所轄税務署長に提出しなければなりません。（**No.58**「中間申告を確認する」参照）

STEP 2

適用開始中間申告対象期間を記載する

任意の中間申告をやめようとする六月中間申告対象期間を記載します。

STEP 3

課税期間を記載する

STEP2の中間申告対象期間を含む課税期間を記載します。

STEP 4

不適用のみなし規定

任意の中間申告制度を選択した事業者が、その適用対象となる中間申告書をその申告期限までに提出しなかった場合には、その適用をやめる旨を記載した届出書の提出があったものとみなされます。

第26-(3)号様式

任意の中間申告書を提出することの取りやめ届出書

収受印

令和 6 年 8 月 25 日

提出期限

任意に六月中間申告書を提出することをやめようとする六月中間中告対象期間の末日まで

任意の中間申告の適用をやめようとするときにこの届出書を提出します。

東 税務署長殿

届出者	(フリガナ)	オオサカシチュウオウクオオテマエ
	納税地	(〒 540 − 0008) 大阪市中央区大手前1-5 (電話番号 06 − 6XXX − 3319)
	(フリガナ)	コクゼイショウジカブシキガイシャ
	名称(屋号)	国税商事株式会社
	法人番号	※ 個人の方は個人番号の記載は不要です。 1 1 2 3 4 5 6 7 8 9 0 1 2
	(フリガナ)	ヤマダタロウ
	氏名(法人の場合)代表者氏名	山田太郎
	(フリガナ)	トヨナカシシンセンリミナミマチ
	(法人の場合)代表者住所	豊中市新千里南町 2-59-9 (電話番号 06 − 6XXX − 0833)

下記のとおり、消費税法第42条第8項の規定の適用を受けることを取りやめたいので、消費税法第42条第9項の規定により届出します。

STEP 2

①	この届出の適用開始中間申告対象期間	自 令和 6年 4月 1日 至 令和 6年 9月 30日
②	①の中間申告対象期間を含む課税期間	自 令和 6年 4月 1日 至 令和 7年 3月 31日

STEP 3

事業を廃止した日	令和 年 月 日	
	個人番号 ※ 事業を廃止した場合には記載してください。	
参考事項		税理士署名 (電話番号 − −)

※税務署処理欄	整理番号		部門番号				
	届出年月日	年 月 日	入力処理	年 月 日	台帳整理	年 月 日	
	通信日付印 年 月 日	確認	番号確認	身元確認	□ 済 □ 未済	確認書類	個人番号カード/通知カード・運転免許証 その他 ( )

注意 1. 裏面の記載要領等に留意の上、記載してください。
2. 税務署処理欄は、記載しないでください。

No.109 「高額特定資産の取得等に係る課税事業者である旨の届出書」を作成する

STEP 1

概要

事業者が事業者免税点制度及び簡易課税制度の適用を受けない課税期間中に高額特定資産の仕入れ等を行った場合、又は高額特定資産である棚卸資産等について棚卸資産の調整措置の適用を受けた場合には、その高額特定資産の仕入れ等の日の属する課税期間又は棚卸資産の調整措置の適用を受けた課税期間から３年間は、事業者免税点制度及び簡易課税制度が適用されない特例が設けられています。（**No.81**、**82**参照）

事業者がこの適用を受ける課税期間の基準期間の課税売上高が1,000万円以下となった場合に提出します。

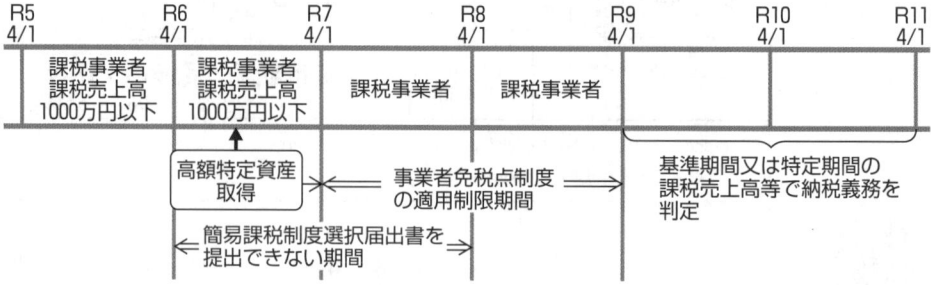

STEP 2

事業の内容・適用対象課税期間・基準期間及び基準期間の課税売上高を記載する

・届出者が行う事業の内容を記載します。

・この規定の適用により納税義務が免除されない課税期間で、その課税期間の基準期間の課税売上高が1,000万円以下となった課税期間を記載します。

・この届出の適用対象課税期間の基準期間及びその基準期間における課税売上高を記載します。

STEP 3

該当する資産の区分等を記載する

高額特定資産・自己建設高額特定資産・金地金等の区分に応じそれぞれ記載します。

① **高額特定資産**……高額特定資産の仕入れ等を行った日を記載し、内容欄には棚卸資産又は調整対象固定資産の別及び具体的な資産の内容を記載します。

② **自己建設高額特定資産**……「自己建設高額特定資産の仕入れ等を行った場合に該当することとなった日」には、自己建設高額特定資産について、その資産の建設等に要した仕入れ等の対価の額の累計額が1,000万円以上となった日を記載します。

建設等が完了する予定時期を記載し、内容欄には棚卸資産又は調整対象固定資産の別及び具体的な資産の内容を記載します。

※棚卸資産の調整措置の適用を受けた場合…「高額特定資産の仕入れ等の日」・「自己建設高額特定資産の仕入れ等を行った場合に該当することとなった日」には、棚卸資産の調整措置の適用を受けた課税期間の初日を記載します。

③ **金地金等の仕入れ等**……金地金等の仕入れ等を行い、その仕入れ等の金額の合計額（税抜）が200万円以上となった課税期間の初日及び末日を記載します。また、その課税期間において行った金地金等の仕入れ等の金額の合計額（税抜）を記載します。

第５－⑵号様式

高額特定資産の取得等に係る課税事業者である旨の届出書

収受印

令和 6 年 8 月 30 日

提出期限

納税義務を把握するため、速やかに提出しましょう

東 税務署長殿

届出者	(フリガナ)	オオサカシチュウオウク オオテマエ
	納税地	(〒 540 －0008) 大阪市中央区大手前1-5 (電話番号 06 － 6XXX － 3319)
	(フリガナ)	コクゼイショウジカブシキガイシャ ヤマダタロウ
	氏名又は名称及び代表者氏名	国税商事株式会社 代表取締役 山田太郎
	法人番号	※ 個人の方は個人番号の記載は不要です。 1 1 2 3 4 5 6 7 8 9 0 1 2

下記のとおり、消費税法第12条の４第１項から第３項までの規定の適用を受ける課税期間の基準期間の課税売上高が1,000万円以下となったので、消費税法第57条第１項第２号の２の規定により届出します。

1,000万円以下となります

STEP 2

届出者の行う事業の内容	電気器具卸売業		
この届出の適用対象課税期間	※消費税法第12条の4第１項から第３項までの規定が適用される課税期間で基準期間の課税売上高が1,000万円以下となった課税期間を記載してください。 自 令和 7 年 4 月 1 日 至 令和 8 年 3 月 31 日		
上記課税期間の基準期間	自 令和 5 年 4 月 1 日 至 令和 6 年 3 月 31 日	左記期間の課税売上高	円 9,876,543

STEP 3

該当する資産の区分等（該当する資産の区分に応じて記載してください。）			
✓ ①高額特定資産（②に該当するものを除く）	高額特定資産の仕入れ等の日	高額特定資産の内容	
	令和 6 年 8 月 20 日	調整対象固定資産 太陽光発電設備	
□ ②自己建設高額特定資産	自己建設高額特定資産の仕入れ等を行った場合に該当することとなった日		
	平成 令和 年 月 日		
	建設等の完了予定時期	自己建設高額特定資産の内容	
	令和 年 月 日		
□ ③金地金等の仕入れ等	金地金等の仕入れ等を行った課税期間	金地金等の仕入れ等の金額の合計額	
	自 令和 年 月 日 至 令和 年 月 日	円	
※消費税法第12条の４第２項の規定による場合は、裏面の記載要領等に留意の上、記載してください。			
参考事項			
税理士署名	（電話番号 － － ）		

※税務署処理欄							
整理番号		部門番号		番号確認			
届出年月日	年 月 日	入力処理	年 月 日	台帳整理	年 月 日		

注意 1．裏面の記載要領等に留意の上、記載してください。
2．税務署処理欄は、記載しないでください。

50音順項目索引

（この索引は、項目をすべてその読みがなで50音順に並べたものです。）

い

意見聴取制度 …… 292
委託販売 …… 92
一括比例配分方式 …… 110
一体資産 …… 54
ＥＴＣカード …… 198
違約金 …… 230
飲食料品 …… 52
インボイス …… 2

う

請負 …… 192
請負契約 …… 192
請負工事等 …… 62
受取利息・受取配当等 …… 160
売上計上時期 …… 92、140
売上げに係る対価の返還等 …… 72、144
売上高 …… 140
売上値引・返品 …… 144
売上割引 …… 160
売掛金や支払手段及び支払手段に類するものの譲渡 …… 164

え

営業権 …… 236
役務の提供 …… 46、324
ＦＯＢ …… 155

か

外交員報酬 …… 192
回収特例 …… 38、198
外食 …… 54
貸倒れ …… 72
貸倒損失 …… 174
貸倒れの範囲 …… 174
貸付金等の金銭債権の譲渡 …… 164
貸付契約の用途変更 …… 148
家事のために消費又は使用 …… 170
課税売上げ対応の課税仕入れ等 …… 124
課税売上高 …… 44、92
課税売上割合 …… 158、290、336
課税売上割合に準ずる割合 …… 330、332
課税貨物に係る仕入税額控除の時期 …… 190
課税期間 …… 44
課税期間特例選択・変更届出書 …… 442
課税期間の短縮 …… 370
課税仕入れ …… 68
課税仕入れ等の用途区分 …… 124
課税事業者が免税事業者となった場合 …… 322
課税事業者の選択 …… 82、348
課税資産の譲渡等 …… 48
課税対象 …… 46、140
課税取引 …… 48
課税取引金額計算表 …… 246、248
課税標準額 …… 70
合併・分割等 …… 356
家電リサイクル料 …… 66
簡易課税 …… 106
簡易課税制度 …… 300
簡易課税制度をやめる場合 …… 304
簡易課税方式 …… 112
勘定科目別の用途区分例 …… 130
間接税 …… 42
株式・公社債等の譲渡 …… 164
株式、債券に係る取扱手数料等の課税仕入れ区分 …… 138
還付申告 …… 280
還付税額 …… 284

き

機械 …… 166
基準期間 …… 44
基準期間における課税売上高 …… 44
基準期間に相当する期間 …… 88
寄附金 …… 132、230
キャンセル料 …… 230
キャンセル料・違約金 …… 230
給与等支払額 …… 86
給与負担金 …… 192
共益費 …… 148
共通対応の課税仕入れ等 …… 126

く

繰延資産 …… 234
クレジットカード手数料 …… 220

け

軽減税率制度 …… 50
軽減税率の適用対象取引 …… 52
ケータリング、出張料理 …… 58
軽油引取税 …… 210
慶弔費 …… 194
源泉徴収税額 …… 223
原則課税 …… 106
原則課税方式 …… 108
建築費用 …… 132
権利金、敷金 …… 150

こ

高額特定資産 …… 302
高額特定資産の取得等に係る課税事業者である旨の届出書 …… 454
高額特定資産を取得等した場合 …… 84、360
公共交通機関特例 …… 196
広告宣伝費 …… 130、212
交際費 …… 130、204
控除対象外消費税額等 …… 286
更新料 …… 150
合理的な区分方法 …… 168
国内取引 …… 46、140
国内取引に係る非課税 …… 48
固定資産 …… 166、234
固定資産の譲渡 …… 166
個別消費税 …… 210
個別対応方式 …… 108
雇用契約 …… 192
ゴルフ会員権 …… 236
ゴルフクラブの会費 …… 218

さ

サービス券等 …… 214
サービスの無償提供 …… 170
災害等があった場合 …… 306
災害等のやむを得ない事情がある場合 …… 350
債務免除益 …… 184
産業医報酬 …… 194

し

ＣＩＦ …… 155
仕入高 …… 180
仕入値引・返品（仕入れに係る対価の返還等） …… 184
仕入割引 …… 160
敷金 …… 236
事業区分 …… 114
事業者が事業として行う取引 …… 46
事業者向け電気通信利用役務の提供 …… 324
自己建設高額特定資産 …… 302、360
資産の貸付け …… 46、64、170
資産の貸付け・サービスの提供 …… 172
資産の譲渡 …… 46
資産の譲渡等 …… 46
資産を海外に移送した場合 …… 158
下取り …… 234
質問検査権 …… 296
指定日 …… 62、64、66、374
指定役務の提供 …… 64
自動車リサイクル料金 …… 238

自動販売機特例 …… 38、220
死亡した事業者 …… 352
借地権 …… 166
社宅 …… 132、148
社宅の借上家賃 …… 224
借家権利金 …… 236
収益分配金 …… 160
修正申告書 …… 378、384、394
収入印紙 …… 208
出張旅費・日当等 …… 196
出張旅費等特例 …… 198
（準）確定申告 …… 352
少額特例 …… 36
小規模事業者の納税義務の免除 …… 82
償却債権取立益 …… 178
試用販売 …… 92
消費者に転嫁 …… 42
消費者向け電気通信利用役務の提供 …… 326
消費税課税売上割合に準ずる割合の適用承認申請書 …… 332、403、446
消費税課税売上割合に準ずる割合の不適用届出書 …… 332、403、448
消費税課税期間特例選択不適用届出書 …… 403、444
消費税課税期間特例選択・変更届出書 …… 403、442
消費税課税事業者選択届出書 …… 403、430
消費税課税事業者選択不適用届出書 …… 403、432
消費税課税事業者届出書（基準期間用） …… 403、424
消費税課税事業者届出書（特定期間用） …… 403、426
消費税簡易課税制度選択届出書 …… 403、438
消費税簡易課税制度選択不適用届出書 …… 403、440
消費税等の経理処理方法 …… 116
消費税の還付申告に関する明細書 …… 280
消費税の申告書 …… 254
消費税の申告書（簡易課税用） …… 308
消費税の新設法人に該当する旨の届出書 …… 403、434
消費税の特定新規設立法人に該当する旨の届出書 …… 403、436
消費税の納税義務者でなくなった旨の届出書 …… 403、428
商標権 …… 237
書面添付制度 …… 292
所有権移転外ファイナンス・リース取引 …… 66、226
申告期限の延長 …… 80
申告書（一般用） …… 254
申告納税方式 …… 186
人材派遣料 …… 192
新設法人の納税義務の免除の特例 …… 84
新聞の譲渡 …… 58

す

水道光熱費等 …… 148
スタンプカード …… 216

せ

税抜振替処理 …… 244
税理士報酬 …… 222
税率 …… 50、70

そ

相続 …… 354
損害賠償金 …… 230

た

対価 …… 46
建物 …… 166
棚卸資産 …… 322
短期事業年度 …… 86
短期前払費用 …… 104

ち

地代家賃 …… 224
仲介手数料 …… 132

中間申告 …… 240
駐車場の使用料 …… 224
調整対象固定資産 …… 300、334、336
調整対象固定資産を取得した場合 …… 84
帳簿及び請求書等の保存 …… 96

つ

通関業務料 …… 228
通勤手当 …… 196

て

低額譲渡 …… 94、172
テイクアウト・持ち帰り販売 …… 56
適格請求書 …… 2
適格請求書等保存方式 …… 2
適格請求書発行事業者 …… 2
適格簡易請求書 …… 16

と

同業者団体・組合等の会費 …… 218
登録国外事業者 …… 326
特許権 …… 236
特定役務の提供 …… 328
特定課税仕入れ …… 324
特定期間 …… 86
特定期間の課税売上高による納税義務の免除の特例 …… 86
特定新規設立法人 …… 88
特定新規設立法人の納税義務の免除の特例 …… 84、88

に

２割特例 …… 30
任意の中間申告書を提出することの取りやめ届出書 …… 452

の

ノウハウ …… 237
納税義務者 …… 82

は

配当 …… 160
売買処理 …… 226

ひ

非課税売上げ対応の課税仕入れ等 …… 126
非課税資産を輸出した場合 …… 126
帳簿への記載事項 …… 98
直接税 …… 42
著作権 …… 237
賃貸借処理 …… 226

つ

通算課税売上割合 …… 338

て

適用税率の経過措置 …… 50
電気通信利用役務の提供 …… 324
電気料金等 …… 62
店舗、事務所、倉庫等 …… 148
転用 …… 334

と

特定非常災害 …… 374
特定非常災害に係る消費税の届出等に関する特例 …… 374
特定要件 …… 88
特例申告方式 …… 186
土地 …… 166
土地建物の一括譲渡 …… 168
土地の貸付け …… 152
土地の譲渡 …… 332
取壊し費用 …… 235

に

任意の中間申告書を提出する旨の届出書 …… 450

の

納付税額 …… 70

は

販売奨励金 …… 214

ひ

非課税取引 …… 48
非居住者 …… 340

被災事業者 …… 374
被災日 …… 374

賦課課税方式 …… 186
福利厚生費 …… 130、194

保証金 …… 236

未経過固定資産税 …… 166、208
みなし仕入率 …… 112

無形固定資産 …… 236

免税事業者が課税事業者となった場合 …… 322
免税店 …… 340

役員に対して贈与 …… 170

有価証券等の範囲 …… 164
有価証券の譲渡 …… 164
有価証券の非課税売上高の計上時期 …… 164
郵便切手類 …… 202
有料老人ホーム …… 66
輸出売上げ …… 154
輸出売上計上時期 …… 154

利子 …… 160
旅客運賃等 …… 62、196

ロータリークラブ・ライオンズクラブの会費 …… 218

渡切交際費 …… 204

ふ

費途不明の交際費 …… 204

不動産賃貸収入 …… 148

ほ

み

みなし譲渡 …… 94、170

む

め

免税取引 …… 48

や

やむを得ない事情 …… 304

ゆ

輸出証明書 …… 154
輸出取引の範囲 …… 154
輸出物品販売場 …… 340
輸入諸掛 …… 190
輸入取引 …… 46、186
輸入取引に係る非課税 …… 48

り

リバースチャージ方式 …… 324

ろ

わ

監修者略歴

石原　健次（いしはら　けんじ）
昭和33年　大阪府生まれ
昭和62年　高木康之税理士事務所勤務
昭和63年　税理士登録
平成２年　石原健次税理士事務所開設
平成30年　税理士法人ＤＳＡ代表社員
平成21年度～23年度　税理士試験委員
事 務 所　大阪市天王寺区上本町８－１－23
ＫＳビル４階

著 者 略 歴

田部　純一（たべ　じゅんいち）
昭和47年　大阪府生まれ
平成18年　税理士登録
平成19年　田部純一税理士事務所開設
令和３年度～５年度　税理士試験委員
事 務 所　大阪市天王寺区勝山４－11－１－1203

田中　信大（たなか　のぶひろ）
昭和47年　大阪府生まれ
平成18年　税理士登録
平成18年　田中信大税理士事務所開設
平成27年　税理士法人TENWA代表社員
事 務 所　大阪市北区浪花町14－33
OMビル401号

船橋　充（ふなばし　みつる）
平成２年　福井県生まれ
平成29年　税理士登録
平成30年　船橋充税理士事務所開設
令和６年　みつる税理士法人　代表社員
事 務 所　大阪府茨木市駅前三丁目１番３号
東伸ビル６階

三野　友行（みの　ともゆき）
昭和50年　大阪府生まれ
平成21年　細野俊明税理士事務所勤務
平成24年　税理士登録
事 務 所　大阪市天王寺区上本町５－２－14

平安　孝至（ひらやす　たかし）
昭和49年　大阪府生まれ
平成11年　平安弌作税理士事務所勤務
平成19年　税理士登録
事 務 所　大阪府池田市石橋２－４－17

令和６年版　STEP式　消費税申告書の作成手順

2024年10月31日　発行

監修者　石原 健次

著　者　田部 純一／三野 友行／田中 信大／平安 孝至／船橋 充 ©

発行者　小泉 定裕

発行所　株式会社 清文社

東京都文京区小石川１丁目３－25（小石川大国ビル）
〒112-0002　電話 03(4332)1375　FAX 03(4332)1376
大阪市北区天神橋２丁目北２－６（大和南森町ビル）
〒530-0041　電話 06(6135)4050　FAX 06(6135)4059
URL https://www.skattsei.co.jp/

印刷：㈱広済堂ネクスト

■著作権法により無断複写複製は禁止されています。落丁本・乱丁本はお取り替えします。
■本書の内容に関するお問い合わせは編集部までFAX(06-6135-4056)又はメール(edit-w@skattsei.co.jp)でお願いします。
※本書の追録情報等は、発行所（清文社）のホームページ（https://www.skattsei.co.jp）をご覧ください。

ISBN978-4-433-71614-1

業態別の消費税の課否判定一覧

不動産賃貸取引

課税：○　非課税：×　対象外：－　輸出免税：免

取引内容	細　目	課否	例　　示	条　文
土地等の貸付け		×	更地の貸付け、借地権の転貸、更新料、名義書換料、権利金	別表第二１、消基通６－１－１、６－１－３
		○	鉱業権、土石採取権、温泉利用権の貸付け	消基通６－１－２
		○	契約期間１か月未満である土地の貸付け	消令８、消基通６－１－４
		×	公有水面料、道路占用料、河川占用料	消基通６－１－７
	駐車場	○	道路高架下・線路高架下の貸付け（フェンス、区画設置有り）	消令８、消基通６－１－５
	駐車場	○	月極駐車場（アスファルト、砂利等の地面整備有り）	
	駐車場	×	戸建て住宅の貸付けに伴う駐車場の貸付け	消基通６－13－３
	駐車場	×	集合住宅の貸付けに伴うもの（戸別割当てかつ、駐車料別途徴収なし）	
建物等の貸付け	住宅	×	戸建て住宅、集合住宅、アパート、社宅、寮、貸間、下宿	別表第二13、消基通６－13－４
	住宅	×	住宅貸付けに伴う敷金、保証金のうち返還されない部分、礼金、共益費	消基通６－13－９
	住宅	○	契約上の貸付期間１か月未満	消基通６－13－４
	家具、電気器具		住宅と一体として貸付け：×　別途使用料：○	消基通６－13－１
	庭、塀		住宅と一体として貸付け：×　別途使用料：○	
	電気料、水道料	○	個別メーターで管理し、預り金処理　　家主→－　借主→○	
	住宅以外の建物	○		
	店舗併用住宅		店舗部分：○　住宅部分：×　合理的に区分が必要	消基通６－13－５
	マンスリーマンション		旅館業法の旅館業に該当：○　旅館業に該当しない：×	消基通６－13－４

不動産売買取引

取引内容	細　目	課否	例　　示	条　文
土地の譲渡、取得		×	更地、田畑、借地権、地上権	別表第二１
		×	土地と一体として譲渡する庭木、石垣、庭園	消基通６－１－１
		×	土地に係る未経過固定資産税の精算金	消基通10－１－６
		○	鉱業権、土石採取権、温泉利用権の譲渡	消基通６－１－２
建物の譲渡、取得		○	建物、附属設備、構築物	
			土地建物の一括譲渡又は取得　土地部分：×　建物部分：○	消基通10－１－５

有価証券取引

取引内容	細　目	課否	例　　示	条　文
有価証券の売却	分母５％加算	×	株式、公社債、新株予約権	別表第二２ 消令９① 消基通６－２－１
	分母５％加算	×	投資信託、貸付信託、特定目的信託の受益証券	
	分母５％加算	×	コマーシャルペーパー（CP）、外国法人発行の譲渡性預金（CD）	
	分母全額加算	×	合名、合資、合同会社の出資者持分、抵当証券、内国法人発行CD	
			船荷証券、貨物引換証、倉庫証券 国内荷揚地：免税又は非課税輸出 国外荷揚地：－	消基通６－２－２ 消基通５－７－11、６－２－２
		○	ゴルフ会員権（預託金、株式形態いずれも）	消令９②、消基通６－２－２
債券の償還	償還益を分母加算	×		別表第二３、消令10③六、消基通６－３－１、６－３－２の２
	償還損を分母減算	×	非課税のマイナス	
転換社債の転換		－		
有価証券の取得			取得対価：－　売買手数料：○　評価損益：－	

支払手段・債権等の売却

取引内容	細　目	課否	例　　示	条　文
支払手段の売却	分母に含めない	×	貨幣、紙幣、小切手、為替手形、約束手形、信用状（L/C）、仮想通貨	別表第二２、消令９③、消基通６－２－３
支払手段の売却		○	記念貨幣等プレミアム販売	
金銭債権の売却	分母に含めない	×	売上回収に係る売掛金の譲渡	別表第二２、消令９①、消基通６－２－１
	分母５％加算	×	貸付金の譲渡	